DOGMA E RITUAL
DA
ALTA MAGIA

ÉLIPHAS LÉVI

DOGMA E RITUAL DA ALTA MAGIA

Tradução
Rosabis Camaysar

Editora
Pensamento
SÃO PAULO

Título do original: *Dogme et Rituel de la Haute Magie*.
Copyright da edição brasileira © 1914 Editora Pensamento-Cultrix Ltda.
1ª edição 1914.
21ª edição 2017, revista.
8ª reimpressão 2025.
Todos os direitos reservados. Nenhuma parte deste livro pode ser reproduzida ou usada de qualquer forma ou por qualquer meio, eletrônico ou mecânico, inclusive fotocópias, gravações ou sistema de armazenamento em banco de dados, sem permissão por escrito, exceto nos casos de trechos curtos citados em resenhas críticas ou artigos de revistas.

A Editora Pensamento não se responsabiliza por eventuais mudanças ocorridas nos endereços convencionais ou eletrônicos citados neste livro.

Editor: Adilson Silva Ramachandra
Editora de texto: Denise de Carvalho Rocha
Gerente editorial: Roseli de S. Ferraz
Revisão técnica: Adilson Silva Ramachandra
Produção editorial: Indiara Faria Kayo
Editoração eletrônica: Ponto Inicial Estúdio Gráfico

DADOS INTERNACIONAIS DE CATALOGAÇÃO NA PUBLICAÇÃO (CIP)
(CÂMARA BRASILEIRA DO LIVRO, SP, BRASIL)

Lévi, Éliphas, 1810-1875
  Dogma e ritual da alta magia / Éliphas Lévi; tradução de Rosabis Camaysar. — 21ª ed. — São Paulo: Editora Pensamento, 2017.

  Título original: Dogme et rituel de la haute magie
  ISBN 978-85-315-1964-2

  1. Esoterismo 2. Magia – História 3. Ocultismo I. Título.

17-01544   CDD: 133.4309

Índices para catálogo sistemático:
  1. Magia: Esoterismo: História   133.4309

Direitos de tradução para a língua portuguesa adquiridos com exclusividade pela
EDITORA PENSAMENTO-CULTRIX LTDA., que se reserva a
propriedade literária desta tradução.
Rua Dr. Mário Vicente, 368 – 04270-000 – São Paulo, SP
Fone: (11) 2066-9000
E-mail: atendimento@editorapensamento.com.br
http://www.editorapensamento.com.br
Foi feito o depósito legal.

ÍNDICE DAS MATÉRIAS DO 1.º VOLUME
DOGMA

Discurso Preliminar – Das tendências religiosas, filosóficas e morais (dos nossos livros sobre a magia) 19

Introdução 43

Capítulo I
O *Recipiendário* – Unidade do dogma – Qualidades exigidas ao adepto 59

Capítulo II
As *Colunas do Templo* – Bases da doutrina – Os dois princípios – O agente e o paciente 67

Capítulo III
O *Selo de Salomão* – Teologia universal do ternário – O Macrocosmo 73

Capítulo IV
O *Tetragrama* – Virtude mágica do quaternário – Analogias e adaptações – Espíritos elementares da Cabala 79

Capítulo V
O *Pentagrama* – O Microcosmo e o seu signo – Poder sobre os elementos e sobre os espíritos 87

Capítulo VI
O *Equilíbrio Mágico* – Ação da vontade – Iniciativa e resistência – Amor sexual – O *Plenum* e o vazio 93

Capítulo VII
A *Espada Flamejante* – O "sanctum regnum" – Os sete anjos e os sete gênios dos planetas – Virtude universal do setenário 99

Capítulo VIII
A *Realização* – Reprodução analógica das forças – Encarnação das ideias – Paralelismo – Antagonismo necessário 102

Capítulo IX

A *Iniciação* – A lâmpada, o manto e o bastão mágico – Profecia e intuição – Segurança e estabilidade do iniciado no meio dos perigos – Exercício do poder mágico 107

Capítulo X

A *Cabala* – Sephiroth – Shemhamphorasch – Tarôs – Os caminhos e as portas, o Bereschit e a Mercabah, a Gematria e a Temurah 110

Capítulo XI

A *Cadeia Mágica* – Correntes magnéticas – Segredos dos grandes segredos – Mesas girantes – Manifestações fluídicas 117

Capítulo XII

A *Grande Obra* – Magia hermética – Os dogmas de Hermes – A Minerva Mundi – O grande e único Athanor – O suspenso 123

Capítulo XIII

A *Necromancia* – Revelações do outro mundo – Segredos da morte e da vida – Evocações 127

Capítulo XIV

As *Transmutações* – Licantropia – Possessões mútuas ou "embrionato" das almas – A varinha mágica de Circe – O elixir de Cagliostro 133

Capítulo XV

A *Magia Negra* – Demonomania – Obsessões – Mistérios das doenças nervosas – As freiras ursulinas de Loudun e religiosas de Louviers – Gaufredy e o padre Girard – O livro do senhor Eudes de Mirville 138

Capítulo XVI

Os *Enfeitiçamentos* – Forças perigosas – Poder de vida e de morte – Fatos e princípios – Remédios – Prática de Paracelso 140

Capítulo XVII

A *Astrologia* – Conhecimentos dos homens conforme os signos da sua natividade – Frenologia – Quiromancia – Metoposcopia – Os planetas e as estrelas – Anos climatéricos – Predições pelas revoluções astrais 147

Capítulo XVIII

As *poções mágicas e os Sortilégios* – Magia envenenadora – Os pós e pactos dos feiticeiros – A "jettatura" de Nápoles – O mau olhado – As superstições – Os talismãs 153

Capítulo XIX

A *Pedra dos Filósofos* – Elagabala ou Heliogabala– O que é esta pedra? – Por que uma pedra – Singulares analogias 159

Capítulo XX

A *Medicina Universal* – Prolongação da vida e a busca pelo "ouro potável" – Ressurreicionismo – Abolição da dor 162

Capítulo XXI

A *Adivinhação* – Sonhos – Sonambulismo – Pressentimentos – Segunda vista – Instrumentos adivinhatórios – Jean-Baptiste Alliette e as suas descobertas sobre o Tarô 165

Capítulo XXII

Resumo e Chave Geral das Quatro Ciências Ocultas – Cabala – Magia – Alquimia – Magnetismo ou Medicina oculta 169

ÍNDICE DAS MATÉRIAS DO 2.º VOLUME
RITUAL

Introdução 175

Capítulo I

As Preparações – Disposições e princípios da operação mágica, preparações pessoais do operador 189

Capítulo II

O *Equilíbrio Mágico* – Emprego alternativo das forças – Oposições necessárias na prática – Ataque e resistência simultâneos – A colher e a espada dos trabalhadores do Templo.. 196

Capítulo III

O *Triângulo dos Pentáculos* – Emprego do ternário nas conjurações e nos sacrifícios mágicos – O triângulo das evocações e dos pentáculos – As combinações triangulares – O tridente mágico de Paracelso 201

Capítulo IV

A *Conjuração dos Quatro* – Os elementos ocultos e o seus usos mágicos – Modo de dominar e de escravizar os espíritos elementares e os gênios malfeitores 207

Capítulo V

O *Pentagrama Flamejante* – Uso e consagração do pentagrama 214

Capítulo VI

O *Médium e o Mediador* – Aplicação da vontade – O médium natural e o mediador extranatural 219

Capítulo VII

O *Setenário dos Talismãs* – Cerimônias, vestuários e perfumes próprios para os sete dias da semana – Confecção dos sete talismãs e consagração dos instrumentos mágicos 223

Capítulo VIII

Aviso aos Imprudentes – Precauções a tomar para realizar as grandes obras da ciência 232

Capítulo IX

O *Cerimonial dos Iniciados* – Seu fim e seu espírito 235

Capítulo X

A *Chave do Ocultismo* – Uso dos pentáculos – Os seus mistérios antigos e modernos – Chave das obscuridades bíblicas – Ezequiel e S. João 239

Capítulo XI

A *Tríplice Cadeia* – Modo de formá-la...242

Capítulo XII

A *Grande Obra* – Seus processos e segredos – Raimundo Lulio e Nicolas Flamel 245

Capítulo XIII

A *Necromancia* – Cerimonial para a ressurreição dos mortos e a necromancia 250

Capítulo XIV

As *Transmutações* – Meios para mudar a natureza das coisas – O anel de Gyges – Palavras que operam as transmutações 259

Capítulo XV

O *"Sabbat" dos Feiticeiros* – Ritos do "Sabbat" e das evocações particulares – O bode de Mendes e seu culto – Aberração de Catarina de Médicis e de Gilles de Laval, senhor de Raiz 264

Capítulo XVI

Os *Enfeitiçamentos e os Sortilégios* – Suas cerimônias – Modo de defender-se deles 277

Capítulo XVII

A *Escritura das Estrelas* – Adivinhação pelas estrelas – Planisfério de Gaffarel – Como se podem ler, no céu, os destinos dos impérios 283

Capítulo XVIII

As Poções Mágicas e Magnetismo – Composição das poções mágicas – Modo de influir sobre os destinos – Remédios e preventivos 293

Capítulo XIX

O Poder do Sol – Emprego da pedra filosofal – Como se deve conservá-la, dissolvê-la em parte e recompô-la 300

Capítulo XX

A Taumaturgia – Terapêutica – Insuflações quentes e frias – Passes com e sem contato – Imposições das mãos – Virtudes diversas da saliva – O óleo e o vinho – A incubação e a massagem 303

Capítulo XXI

A Ciência dos Profetas – Cerimonial das operações adivinhatórias – A clavícula de Trithemo (Johannes Trithemius) – O futuro provável da Europa e do mundo 308

Capítulo XXII

O Livro de Hermes – Como toda esta ciência está contida no livro oculto de Hermes – Antiguidade deste livro – Trabalhos de Court de Gébelin, de Etteilla – Os "Terafins" dos hebreus, conforme Gaffarel – A chave de Guilherme Postello. – Um livro de Saint-Martin – A chave de Guilherme Postello – Tarôs italianos e alemães – Tarôs chineses – Uma medalha do século XVI – Chave universal do Tarô – A sua aplicação nas figuras do Apocalipse – Os sete selos da Cabala cristã – Conclusão de toda a obra 316

SUPLEMENTO DO RITUAL

O *"Nuctemeron" de Apolônio de Thyana* 340
O *"Nuctemeron" conforme os Hebreus* 350
Da Magia dos Campos e da Feitiçaria dos Pastores 355
Resposta a algumas questões e críticas 367

CLASSIFICAÇÃO E EXPLICAÇÃO CIAS GRAVURAS QUE SE ACHAM NO PRIMEIRO VOLUME (DOGMA)

1ª Figura

O Esoterismo Sacerdotal formando a reprovação 16

A mão sacerdotal fazendo o sinal de esoterismo e projetando na sombra a figura do Demônio. Em cima, vê-se o ás de ouro do Tarô chinês e dois triângulos sobrepostos, um branco e outro preto. É uma nova alegoria para explicar os mesmos mistérios; é a origem do bem e do mal; é a criação do Demônio pelo mistério.

2ª Figura

O Grande Selo de Salomão 58

O Selo de Salomão e o Duplo Triângulo, figurado pelos dois anciãos da Cabala: o macrocosmo e o microcosmo; o Deus de luz e o Deus de reflexos; o misericordioso e o vingativo; o Jeová branco e o Jeová negro.

As pequenas figuras que estão dos lados são análogas ao assunto principal.

3ª Figura

O Selo de Salomão 69

4ª Figura

Os Quatro Nomes Cabalísticos 82

5ª Figura

O Pentagrama de Fausto 87

6ª Figura

O Tetragrama do Zohar 111

7ª Figura

Os Pentáculos de Ezequiel e de Pitágoras 157

O "querubim de quatro cabeças" da profecia de Ezequiel, explicado pelo selo de Salomão.

Embaixo, a Carruagem de Deus ou "roda" de Ezequiel, chave de todos os pentáculos, e o pentáculo de Pitágoras.

O querubim de Ezequiel é representado aqui como o profeta o descreve. As suas quatro cabeças são o quaternário do Merkabah; as suas seis asas são o senário de Bereschit. A figura humana que está no meio representa a razão: a cabeça de águia é a crença; o boi é a resignação e o trabalho; o leão é a luta e a conquista. Este símbolo é análogo ao da esfinge dos egípcios, entretanto, é mais apropriado para a Cabala dos Hebreus.

8ª Figura

Addha-Nari, Grande Pentáculo Indiano 172

Esta imagem panteística representa a Religião ou a Verdade, terrível para os profanos e suave para os iniciados. Esta figura tem muita analogia com o querubim de Ezequiel. A figura humana está colocada entre um bezerro enfreado e um tigre, o que dá o triângulo de Kether, Geburah e Gedulah ou Chesed. No símbolo indiano, encontram-se os quatro sinais mágicos do Tarô nas quatro mãos de Addha-Nari; do lado do iniciado e da misericórdia, o cetro e o cálice; do lado do profano, representado pelo tigre, a espada e o círculo, que pode ser, ou um anel de uma corrente, ou uma gargantilha de ferro. Do lado do iniciado, a deusa está vestida somente com os despojos do tigre; do lado do tigre traz um vestido estrelado, e seus próprios cabelos estão cobertos com um véu. Um jorro de leite brota da sua fronte, corre ao lado do iniciado, e forma ao redor de Addha-Nari e dos seus dois animais um círculo mágico que os encerra numa ilha, representação do mundo. A deusa traz ao pescoço uma corrente mágica formada de anéis de ferro do lado dos profanos, e de cabeças pensadoras do lado dos iniciados ela traz na fronte a figura dos *lingam*, e de cada lado, três linhas sobrepostas que representam o equilíbrio do ternário e lembram os trigramas de Fo-Hi.

CLASSIFICAÇÃO E EXPLICAÇÃO DAS GRAVURAS QUE SE ACHAM NO SEGUNDO VOLUME (RITUAL)

1ª Figura

Bode do *Sabbat* – Baphomet de Mendes..174

Figura panteística e mágica do absoluto. O facho colocado entre os dois chifres representa a inteligência equilibrante do ternário; a cabeça de bode, cabeça sintética, que reúne alguns caracteres do cão, do touro e do burro, representa a responsabilidade só da matéria e a expiação, nos corpos, dos pecados corporais. As mãos são humanas para mostrar a santidade do trabalho; fazem o sinal do esoterismo em cima e embaixo, para recomendar os mistérios aos iniciados e mostram dois crescentes lunares, um branco que está em cima, e outro preto que está embaixo, para explicar relações do bem e do mal, da misericórdia e da justiça. A parte baixa do corpo está coberta, imagem de mistérios da geração universal, expressa somente pelo símbolo do caduceu. O ventre do bode é escamado e deve ser colorido de verde; o semicírculo que está em cima deve ser azul; as penas, que sobem até o peito, devem ser de diversas cores. O bode tem peito de mulher e, assim, só traz da humanidade os sinais da maternidade e do trabalho, isto é, os sinais redentores. Na sua fronte e embaixo do facho, vemos o signo do microcosmo ou o pentagrama de ponta para cima, símbolo da inteligência humana, que, colocado assim, embaixo do facho, faz da chama deste uma imagem da revelação divina.

Este panteus deve ter por assento um cubo, e para estrado quer uma bola só, quer uma bola e um escabelo triangular.

No nosso desenho, somente lhe demos a bola, para não complicar muito a figura.

2ª Figura

Triângulo Duplo ou Selo de Salomão 203

3ª Figura

Tridente de Paracelso 205

Este tridente, figura do ternário, é formado de três dentes piramidais sobrepostos a um *tau* grego ou latino. Num dos dentes, vemos um *jod* atravessando de um lado um crescente, e do outro uma linha transversal, figura que lembra hieroglificamente o signo zodiacal do caranguejo. No dente oposto, está um sinal misto, lembrando o dos gêmeos e do leão. Entre as garras do caranguejo vemos o Sol, e perto do leão, a cruz astronômica. No dente do meio está hieroglificamente traçada a figura da serpente celeste, tendo por cabeça o sinal de Zeus. Do lado do caranguejo, lemos a palavra ÓBITO: vai-te afasta-te; e do lado do leão lemos IMO: não obstante, persiste. No centro e perto da serpente simbólica, lemos AP DO SEL, palavra composta de uma abreviação, de uma palavra formada cabalística e hebraicamente, e, enfim, de uma palavra inteira e vulgar: AP, que devemos ler AR porque são as duas primeiras letras da palavra ARCHEU; DO, que devemos ler OD, e SEL. São as três substâncias primas, e os nomes ocultos de Archeu e de Od, exprimem as mesmas coisas que o enxofre e o mercúrio dos filósofos. Na haste de ferro que deve servir para encavar o tridente, vemos as três letras P.P.P., hieróglifo faloide e lingâmico; depois, as palavras VLI DOX FATO, que devemos ler tomando a primeira letra pelo número de pentagrama em algarismo romano, e completar, assim, PENTAGRAMMATICA LIBERTATE DOXA FATO, caracteres equivalentes às três letras de Cagliostro, L.P.D.: liberdade, poder, dever. De um lado, a liberdade absoluta; do outro, a necessidade ou a fatalidade invencível; no meio, a RAZÃO, o Absoluto cabalístico que faz o equilíbrio universal.

Este admirável resumo mágico de Paracelso pode servir de chave às obras obscuras do cabalista Wronski, sábio notável que, mais de uma vez, se deixou arrastar fora da sua ABSOLUTA RAZÃO pelo misticismo de sua ação e por especulações pecuniárias indignas de um pensador tão distinto. Todavia, lhe atribuímos a honra e a glória de ter descoberto antes de nós o segredo do tridente de Paracelso. Assim, Paracelso representa o passivo pelo caranguejo, o ativo pelo leão, a inteligência ou a razão equilibrante por Júpiter ou o homem-rei dominando a serpente; depois equilibra as forças, dando ao passivo a fecundação do ativo, figurada pelo sol, e ao ativo o espaço e a noite a conquistar e alumiar sob o símbolo da cruz. Diz ao passivo: "Obedece ao impulso do ativo, e anda com ele pelo próprio equilíbrio da resistência". Diz ao ativo: "Resiste à imobilidade do obstáculo; persiste e avança". Depois explica estas forças alternadas pelo grande ternário central: LIBERDADE, NECESSIDADE, RAZÃO. – RAZÃO no centro; LIBERDADE e NECESSIDADE em contrapeso. – Aí está a força do tridente: é no cabo e na base; é a lei universal da natureza; é a própria essência do verbo, realizada e demonstrada pelo ternário da vida humana, o *archeu* ou o espírito, o *od* ou o medidor plástico, e o *sal* ou a matéria visível.

Quisemos dar, à parte, a explicação desta figura, porque é da mais alta importância e dá a medida do maior gênio das ciências ocultas. Deve-se compreender, depois desta explicação, por que, no decorrer da nossa obra, sempre nos inclinamos, com a veneração tradicional dos verdadeiros adeptos, diante do divino Paracelso.

4ª Figura
   Instrumentos mágicos: a Lâmpada – a Espada – a Baqueta a Foice 216
5ª Figura
   O Pentagrama 218
6ª Figura
   Chave do Tarô 259
7ª Figura
   Círculo goético das evocações negras e dos pactos 273
8ª e 9ª Figuras
   Diversos caracteres infernais tirados de Agrippa, de Abono, de diversos engrimanços e das atas do processo de Urbano Grandier......................... 274
10ª Figura
   Signos cabalísticos de Órion 284
11ª Figura
   Caracteres infernais dos doze signos do Zodíaco 287
12ª Figura
   O Carro de Hermes, sétima chave do Tarô 315
13ª Figura
   Quadrados mágicos dos gênios planetários, conforme Paracelso 320
14ª Figura
   A Arca 328
15ª Figura
   Chave Apocalíptica – Os Sete Selos de S. João 331

VOLUME PRIMEIRO

DOGMA

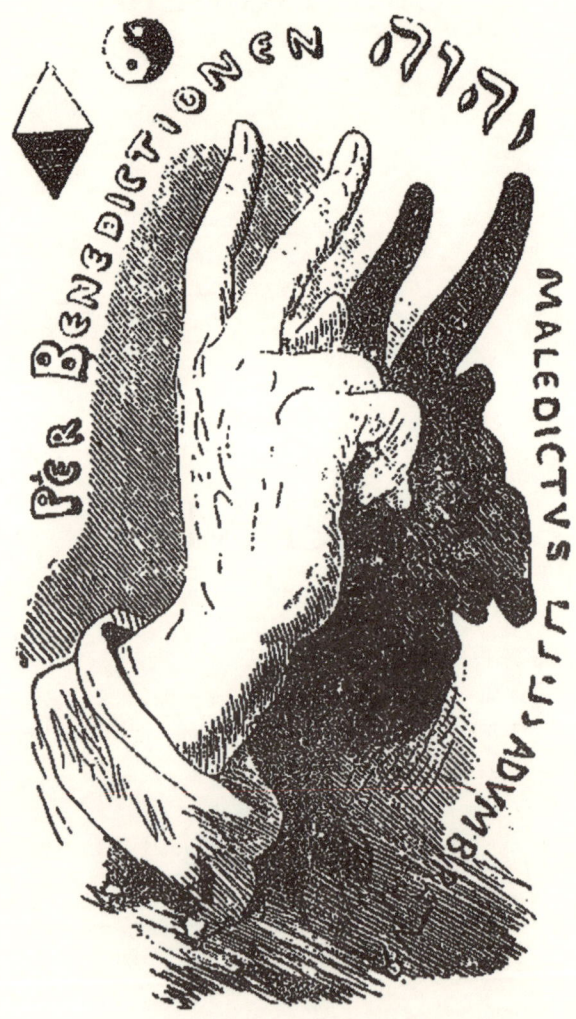

Esoterismo Sacerdotal

PREFÁCIO DO TRADUTOR

Evocar a ciência e os mistérios da antiguidade, escavar as profundezas do santuário e trazer daí, à luz do dia, as figuras do simbolismo hierático, lançar um raio de luz sobre o fantasma horrível de Satã e do Bode Mendes, em pleno ceticismo, em pleno fanatismo do nosso século, é certamente uma tarefa árdua e espinhosa. Dar movimento e vida a esse imenso ossuário do passado que se achava soterrado nas ruínas dos sepulcros de Psammético e do Nínive é ter grande ousadia e um verbo poderoso!

Eis o que ninguém, antes de Éliphas Lévi, teve a ousadia e o atrevimento de fazer!

A ciência dos magos, nesta época, achava-se reduzida aos conhecimentos de um pequeno número de adeptos, que a ocultavam no mais profundo do santuário para não incorrer nas perseguições do fanatismo e para evitar o riso obsceno dos materialistas.

A maior parte das sociedades secretas tinha perdido a palavra de passe e o sentido dos símbolos ocultos; os maçons não entendiam mais o alto simbolismo do triângulo, do compasso e do esquadro.

Somente alguns adeptos isolados continuavam a transmissão da ciência. Estes eram os Martinistas, os discípulos de Louis Claude de Saint-Martin, chamado o Filósofo Desconhecido.

A revolução tinha terminado, e os espíritos sentiram necessidade de alguma ocupação mais elevada, porque já estavam cansados de lutas.

Em breve, uma plêiade de homens ilustres se dedicou aos estudos das ciências, formando duas escolas: a positivista ou materialista, que nega aquilo que não pode entender, e a ocultista, que aplica diversos sistemas de observações para o estudo dos fenômenos.

Éliphas se iniciou nas diversas fraternidades existentes e, compreendendo que era chegado o tempo das revelações, concebeu o plano da sua grandiosa obra. Todavia, muitas coisas que o mestre deixou floreadas no seu livro teriam necessidade de maiores explanações que, mais tarde, foram feitas por discípulos talvez mais abalizados que o mestre.

A restauração do ocultismo foi devida à pena brilhante de uma imensidade de investigadores sobre os quais Éliphas exerceu uma grande influência.

O ocultismo contemporâneo conta com os nomes mais brilhantes nas descobertas modernas. Porém, seria erro determinar a vocação dos ocultistas contemporâneos exclusivamente pela influência de Éliphas Lévi. E sobre os artistas e defensores da forma que o mestre teve uma grande influência. Não falando das fraternidades iniciáticas, os ocultistas contemporâneos procedem de Wronski, Court de Gébelin e Fabre d'Olivet.

Entre os literatos, discípulos quase diretos de Éliphas, podemos citar Stanislas de Guaita, Émile Michelet, Albert Journet, Josephin Peladan, René Caillé.

Os outros, como F. Ch. Barlet, Julien Lejay, Albert Poirnon, Marc Haven, Paul Sedir e Papus, sobre os quais também Éliphas teve uma influência real, mas secundária, saíram das escolas científicas e iniciáticas existentes.

Rosabis Camaysar

DISCURSO PRELIMINAR
DAS TENDÊNCIAS RELIGIOSAS, FILOSÓFICAS E MORAIS
(DOS NOSSOS LIVROS SOBRE A MAGIA)

Desde que a primeira edição deste livro foi publicada, grandes acontecimentos se realizaram no mundo, e outros – talvez maiores – estão para se realizar.

Estes acontecimentos nos tinham sido anunciados, como de ordinário, por prodígios: as mesas haviam falado, vozes haviam saído das paredes, mãos sem corpos haviam escrito palavras misteriosas, como no festim de Baltazar.

O fanatismo, nas últimas convulsões da sua agonia, deu sinal dessa última perseguição aos cristãos, anunciada por todos os profetas. Os mártires de Damasco perguntaram aos mortos de Perusa o nome daquele que salva e que abençoa; então o Céu se cobriu com um véu e a Terra ficou muda.

Mais do que nunca, a ciência e a religião, a autoridade e a liberdade, parecem guerrear-se encarniçadamente e guardar entre si um ódio irreconciliável. Não acrediteis, todavia, nas suas aparências sanguinolentas: elas estão em vésperas de se unirem e de se abraçarem para sempre.

A descoberta dos grandes segredos da religião e da ciência primitiva dos Magos, revelando ao mundo a unidade do dogma universal, aniquila o fanatismo, dando a razão dos prodígios. O verbo humano, o criador das maravilhas do homem, se une para sempre com o verbo de Deus e faz cessar a antinomia universal, fazendo-nos compreender que a harmonia resulta da analogia dos contrários.

O maior gênio católico dos tempos modernos, o conde Joseph de Maistre, tinha previsto este grande acontecimento. "Newton – dizia ele – nos leva a Pitágoras; a analogia que existe entre a ciência e a fé deve, cedo ou tarde, uni-las. O mundo está sem religião, mas esta monstruosidade não poderia existir por muito tempo; o século XVIII dura ainda, mas vai acabar."

Participando da fé e das esperanças deste grande homem, ousamos escavar as ruínas dos velhos santuários do ocultismo; perguntamos às doutrinas secretas dos caldeus, egípcios e hebreus os segredos da transfiguração dos dogmas, e a verdade eterna nos respondeu – a verdade, que é una e universal como o ser; a verdade que vive nas forças da natureza, os misteriosos Elohim que refazem o Céu e a Terra, quando o caos tomou, por algum tempo, a criação e suas maravilhas, e quando só o espírito de Deus pairava sobre o abismo das águas.

A verdade está acima de todas as opiniões e denominações.

A verdade é como o Sol; cego é quem não a vê. Tal era, não o podemos duvidar, o sentido de uma célebre palavra de Bonaparte, dita por ele numa época em que o vencedor da Itália, resumindo a revolução francesa, encarnada somente nele, começava a compreender como a república podia ser uma verdade.

A verdade é a vida, e a vida se prova pelo movimento. É pelo movimento determinado e efetivo, enfim, pela ação, que a vida se desenvolve e se reveste de novas formas. Ora, os desenvolvimentos da vida por si mesma e a sua produção de formas novas, nós chamamos criação. A potência inteligente que age no movimento universal, chamamo-la o *Verbo*, de um modo transcendental e absoluto. É a iniciativa de Deus, que nunca pode ficar sem efeito, nem parar sem ter atingido o seu fim. Para Deus, falar é fazer; e tal deveria ser sempre a capacidade da palavra, mesmo entre os homens: a verdadeira palavra é a semente das ações. Uma emissão de inteligência e de vontade não pode ser estéril, sem que haja abuso ou profanação da sua dignidade original. E é por isso que o Salvador dos homens deve nos pedir uma conta severa, não só de todos os pensamentos desencaminhados, mas também, e principalmente, das palavras ociosas.

Jesus, diz o Evangelho, era poderoso em obras e em palavras; as obras antes das palavras: é assim que se estabelece e se prova o direito de falar. Jesus se pôs a fazer e a falar, diz um dos evangelistas, e, muitas vezes, na linguagem metafórica das Sagradas Escrituras, uma ação é chamada de *verbo*.

Em todas as línguas, aliás, denomina-se *verbo* aquilo que exprime, ao mesmo tempo, o ser e a ação, e não há verbo que não possa ser suprido pelo verbo *fazer*, mudando o regime. *No princípio era o Verbo*, diz o evangelista S. João. Em que princípio? No primeiro princípio: no princípio ilimitado que existe antes de tudo. Neste princípio estava, pois, o verbo, isto é, a ação. Isso é incontestável em filosofia, pois que o primeiro princípio é necessariamente o primeiro motor. O Verbo não é uma abstração: é o princípio mais positivo que há no mundo, pois que ele se prova, sem cessar, por atos. A filosofia do Verbo é essencialmente a filosofia da ação e dos fatos realizados, e é nisso mesmo que é preciso distinguir um *verbo* de uma palavra. A palavra pode ser, às vezes, estéril, como na seara se acham espigas chochas, mas o Verbo não o é. O Verbo é a palavra cheia e fecunda, os homens não se divertem em escutá-lo e aplaudi-lo; eles o realizam sempre, muitas vezes sem o compreender, quase sempre sem lhe ter resistido! As doutrinas que o povo repete não são as que têm sucesso. O cristianismo era ainda sim mistério, quando os Césares já se sentiam destronados pelo Verbo cristão. Um sistema que o mundo admira e que a multidão aplaude pode ser somente um brilhante conjunto de palavras estéreis; um sistema que a humanidade suporta, por assim dizer, contra a sua vontade, é *um verbo*.

O poder se prova por seus resultados, e como dizem que escreveu um profundo político dos tempos modernos: *"A responsabilidade é alguma coisa quando não se tem êxito"*. Esta palavra, que espíritos ininteligentes acharam imoral, é igualmente verdadeira se for aplicada a todas as noções especiais que distinguem a palavra do Verbo, a vontade da ação, ou antes o ato imperfeito do ato perfeito. O homem que se perde na danação, conforme a teologia católica, é o que não tem o êxito de salvar-se. Pecar é faltar à felicidade. O homem que não é bem-sucedido, errou sempre: quer em literatura, quer em moral, quer em política. O mau em qualquer gênero é o belo e o bom malsucedidos. E se for preciso ir mais além até o domínio eterno do dogma, havia dois espíritos outrora, cada um dos quais queria a divindade para si só: um teve sucesso e é aquele a quem chamamos de Deus; o outro malogrou-se e veio a ser o Demônio!

Ser bem-sucedido é ter poder; malograr-se sempre é tentar eternamente: estas duas palavras resumem os dois destinos opostos do espírito do bem e do espírito do mal!

Quando uma vontade modifica o mundo é um Verbo que fala, e todas as vozes se calam diante dele, como diz o I Livro dos Macabeus a respeito de Alexandre; mas Alexandre morreu com seu verbo de poder porque nele não havia futuro; a menos que a grandeza romana não tivesse sido a realização do seu sonho! Ora, em nossos dias se passa alguma coisa de mais estranho: um homem que morreu no exílio, no meio do Oceano Atlântico, faz calar pela segunda vez a Europa diante do seu verbo, e conserva ainda o mundo inteiro suspenso pela única força de seu nome!

É que a missão de Napoleão foi grande e santa; é que havia nele um *Verbo* de verdade. Só Napoleão podia, depois da revolução francesa, reerguer os altares do catolicismo, e só o herdeiro moral de Napoleão tinha o direito de levar Pio IX a Roma. Vamos dizer por que:

Há, na doutrina católica da Encarnação, um dogma conhecido nas escolas teológicas sob o título de *Comunicação dos Idiomas*. Este dogma afirma que, na união da divindade e da humanidade realizada em Jesus Cristo, a aproximação das duas naturezas foi tão estreita, que resultou disso uma identidade e uma muito simples unidade de pessoa; o que faz com que Maria, mãe do homem, possa e deva ser chamada *mãe de Deus*. (O mundo inteiro agitou-se por causa desta prerrogativa no tempo do concílio de Éfeso.) O que faz que se possa atribuir a Deus os sofrimentos do homem e ao homem as glórias de Deus. Numa palavra, a *Comunicação dos Idiomas* é a solidariedade das duas naturezas divina e humana em Jesus Cristo; solidariedade em nome da qual se pode dizer que Deus é homem, e que o homem é Deus.

O magismo, revelando ao mundo a Lei Universal do equilíbrio e da harmonia que resultam da analogia dos contrários, toma todas as ciências pela base, e preludia pela reforma das matemáticas uma revolução universal em todos os ramos do saber humano: ao princípio gerador dos números ele une o princípio gerador das ideias, e, por conseguinte, o princípio gerador dos mundos, levando, assim, à luz da ciência o resultado incerto das instituições muito físicas de Pitágoras; opõe ao esoterismo teúrgico de Alexandria uma fórmula clara, precisa, absoluta, que todas as ciências regeneradas demonstram e justificam; a razão primária e o fim último do movimento universal, quer nas ideias, quer nas formas, se resumem definitivamente para ele em alguns sinais de álgebra sob a forma de uma equação.

As matemáticas, assim compreendidas, nos levam à religião, porque se tornam, sob qualquer forma, a demonstração do infinito gerador da extensão e a prova do Absoluto, de que emanam os cálculos de todas as ciências.

Esta sanção suprema dos trabalhos do espírito humano, esta conquista da divindade pela inteligência e pelo estudo, deve consumar a redenção da alma humana e alcançar a emancipação definitiva do *Verbo* da humanidade. Então, o que ainda hoje chamamos *lei natural* terá toda a autoridade e infalibilidade de uma *lei revelada*; então, também se há de compreender que a lei positiva e divina é, ao mesmo tempo, uma lei natural, porque Deus é o autor da natureza, e não poderia contradizer-se nas suas criações e nas suas leis.

Desta reconciliação do Verbo humano nascerá a verdadeira moral, que ainda não existe de um modo completo e definitivo. Então, também uma nova carreira se abrirá diante da Igreja universal. Com efeito, até o presente, a infalibilidade da Igreja só constitui o dogma, e para isso, sem dúvida, a Divindade não queria ter necessidade do concurso dos homens, chamados mais tarde a compreender o que deviam crer primeiramente. Porém, para constituir a moral, não se dá a mesma coisa, porque ela é tão humana como divina; e, necessariamente, deve consentir no pacto aquele que mais obrigações toma nele. Sabeis vós o que falta mais ao mundo, na época em que estamos? É a moral. Todos o sentem, todos o dizem, e, portanto, são abertas em toda parte escolas de moral. Que falta a essas escolas? Um ensinamento que inspirasse confiança; numa palavra, uma autoridade razoável, em vez de uma razão sem autoridade de uma parte, e de uma autoridade sem razão de outra.

Observemos que a questão moral foi o pretexto da grande deserção que deixa, neste momento, a Igreja viúva e desolada. É em nome da *humanidade*, esta expressão material da *caridade*, que se fez revoltarem os instintos populares contra dogmas falsamente acusados de serem desumanos.

A moral do catolicismo não *é desumana*, mas é, muitas vezes, *sobre-humana*, por isso, ela não era dirigida aos homens do mundo antigo, e estava unida a um dogma que estabelece como possível a destruição do homem velho e a criação de um homem novo. O magismo acolhe este dogma com entusiasmo, e promete este renascimento espiritual à humanidade para a época da reabilitação do *Verbo* humano. Então, diz ele, o homem, tomado *criador* como Deus, será o operador do seu desenvolvimento moral e autor da sua imortalidade gloriosa. *Criar a si próprio,* tal é a sublime vocação do homem restabelecido em todos os seus direitos pelo batismo no espírito; e haverá uma tal conexão entre a imortalidade e a moral, que uma será o complemento e a consequência da outra.

A luz da verdade é também a luz da vida. Mas a verdade, para ser fecunda em imortalidade, quer ser recebida em almas, ao mesmo tempo, livres e submissas, isto é, voluntariamente obedientes. Com o esplendor desta claridade, a ordem se estabelece nas formas como nas ideias, ao passo que o crepúsculo enganador da imaginação só engendra e só pode engendrar monstros. Assim, o inferno se povoa de pesadelos e de fantasmas; assim o pagode dos charlatães se enche de divindades horrendas e disformes; assim, as tenebrosas evocações da teurgia dão às quimeras do *Sabbat** uma fantástica existência. As imagens simbólicas e populares das tentações de Santo Antão representam a fé pura e simples, lutando, na aurora do cristianismo, contra todos os espectros do mundo antigo: mas o Verbo humano, manifestado e vitorioso, foi profeticamente figurado por este admirável São Miguel, a quem Rafael dá para vencer, com uma simples ameaça, um ser inferior, tendo também a figura humana, mas com os caracteres do bruto.

Os místicos religiosos querem que se faça o bem unicamente para obedecer a Deus. Na ordem da verdadeira moral será, sem dúvida, necessário fazer o bem pela vontade de Deus, mas também pelo próprio bem. O bem é, em Deus, o justo por excelência, que não limita, mas determina a sua liberdade. Deus *não pode* danar a maioria dos homens por capricho despótico. Deve existir uma proporção exata entre as ações do homem e a criação determinante da sua vontade, que faz Dele, definitivamente, uma potência do bem ou um auxiliar do mal, e é o que a ciência da alta magia demonstra.

Eis o que escrevemos num livro publicado em 1845:

"O tempo da fé cega passou, pois, e chegamos à época da fé inteligente e da obediência razoável; o tempo em que não acreditaremos somente em Deus, mas em que havemos de vê-lo nas suas obras, que são as formas exteriores do seu ser.

"Ora, eis o grande problema da nossa época:

"Traçar, completar e fechar o círculo dos conhecimentos humanos; depois, pela convergência dos raios, achar um centro, que é Deus.

"Achar uma escala de proporção entre os efeitos, as vontades e as causas, para subir, daí, à causa e à vontade primeira.

"Constituir a ciência das analogias entre as ideias e a sua fonte primitiva.

"Tomar qualquer verdade religiosa tão certa e tão claramente demonstrada como a solução de um problema de geometria."

---

* Assembleia noturna das bruxas. (N. do T.)

Eis agora o que diz um homem que foi assaz feliz para achar, antes de nós, a demonstração do Absoluto conforme os antigos sábios, mas assaz infeliz por ver nesta descoberta somente um instrumento de fortuna e um pretexto de cupidez:

"Ser-nos-á suficiente dizer, antecipadamente à doutrina do Messianismo, que, de um lado, a aplicação da razão absoluta à nossa faculdade psicológica da cognição produz em nós a faculdade superior da criação dos princípios e da dedução das consequências, que é o grande objeto da filosofia, e, de outro lado, a aplicação da razão absoluta à nossa faculdade psicológica do sentimento produz, em nós, a faculdade superior do sentimento moral e do sentimento religioso, que é o grande objeto da religião. – Poder-se-á, assim, entrever como o Messianismo alcançará a união final da filosofia e da religião, desembaraçando uma e outra dos seus obstáculos físicos e terrestres, e levando-as, além destas condições temporais, à razão absoluta, que é a sua fonte comum. Além disso, já se poderá reconhecer como pela influência destas condições temporais ou destes obstáculos físicos, se tornam possíveis, de um lado, o *erro* no domínio da filosofia, e do outro, o *pecado* no domínio da religião; principalmente quando estas condições físicas são comuns às da depravação hereditária da espécie humana, que faz parte da sua natureza terrestre. E então se compreenderá como a razão absoluta, que está acima dessas condições, desta nódoa terrestre, e que, no Messianismo, deve destruir até a fonte do erro e do pecado, forma, sobre a expressão alegórica da *virgem que deve esmagar a cabeça da serpente*, a realização desta predição sagrada. – É, pois, esta Virgem augusta que o Messianismo introduz hoje no santuário da humanidade."

Crede e vós compreendereis, dizia o Salvador do mundo –; estudai e haveis de crer, podem dizer, agora, os apóstolos do magismo.

Crer é saber por palavra. Ora, esta palavra divina, que antecipava e supria por um tempo a ciência cristã, devia ser compreendida mais tarde, conforme a promessa do mestre. Eis, pois, o acordo da ciência e da fé provada pela própria fé.

Mas, para estabelecer para a ciência a necessidade deste acordo, é preciso reconhecer e estatuir um grande princípio: é que o absoluto não se acha em nenhuma das duas extremidades da antinomia, e que os homens de partido, que sempre puxam para os extremos opostos, temem ao mesmo tempo chegar a esses extremos, considerando como loucos perigosos os que declaram claramente as suas tendências, e, no seu próprio sistema, temem instintivamente o fantasma do absoluto como o nada ou a morte. É assim que o piedoso arcebispo de Paris desaprova formalmente as basófias inquisitoriais do *Universo*, e que todo o partido revolucionário se indignou contra as brutalidades de Proudhon.

A força desta prova negativa consiste nesta simples observação: que um lugar central deve reunir duas tendências opostas em aparência, que estão na impossibilidade de dar um passo, sem que uma arraste a outra para trás; o que necessitará, em seguida, de uma reação semelhante. Eis aí o que acontece desde há dois séculos: presas, assim, uma à outra, sem saberem e por detrás, essas duas potências estão condenadas a um trabalho de Sísifo e mutuamente se fazem obstáculo. Voltai-vos, dirigindo-as para o ponto central, que é o absoluto, então elas se encontrarão face a face, e, apoiando-se uma na outra, produzirão uma estabilidade igual à força dos seus esforços contrários, multiplicados uns pelos outros.

Para voltar, assim, às forças humanas, o que, à primeira vista, parece um trabalho de Hércules, basta desenganar as inteligências e mostrar-lhes o fim onde creem achar o obstáculo.

A Religião é razoável. Eis o que é preciso dizer à filosofia; e pela simultaneidade e a correspondência das leis geradoras do dogma e da ciência, pode-se prová-lo radicalmente.

A Razão é santa. Eis o que é preciso dizer à Igreja, e deve-se provar-lhe, aplicando à vitória da sua doutrina de caridade todas as conquistas da emancipação e todas as glórias do progresso.

Ora, Jesus Cristo, sendo o tipo da humanidade regenerada, a divindade feita homem, tinha por missão tornar a humanidade divina: o Verbo feito carne permitia à carne fazer-se Verbo, e é o que os doutores da Igreja não compreenderam a princípio; o seu misticismo quis absorver a humanidade na divindade. Negaram o direito divino; acreditaram que a fé devia aniquilar a razão, sem lembrar-se desta palavra profunda do maior dos hierofantes cristãos: "Todo espírito que divide o Cristo é um espírito do Anticristo".

A revolta do espírito humano contra a Igreja, revolta que foi sancionada por um espantoso sucesso negativo, teria sido, pois, neste ponto de vista, um protesto em favor do dogma integral; e a revolução, que dura há três séculos e meio, teria tido por causa um grande equívoco!

Com efeito, a Igreja católica nunca negou nem pôde negar a divindade humana, o Verbo feito carne, o Verbo humano! Nunca consentiu nestas doutrinas absorventes e enervantes que destroem a liberdade humana num quietismo insensato. Bossuet teve a coragem de perseguir a senhora Guyon, de que, todavia, admirava e admiramos, depois dele, a consciencrosa loucura; mas Bossuet viveu, infelizmente, só depois do Concílio de Trento. Era preciso que a experiência divina tivesse o seu curso.

Sim, chamamos a Revolução Francesa de uma experiência divina porque Deus, nesta época, permitiu ao gênio humano medir-se contra ele; luta estranha que devia acabar por um apertado abraço; depravação do filho pródigo que tinha por único futuro uma volta decisiva e uma festa solene na casa do pai da família.

O Verbo divino e o Verbo humano, concebidos separadamente, mas sob uma noção de solidariedade que os tornava inseparáveis, tinha, desde o começo, fundado o papado e o império: as lutas do papado para prevalecer sozinho tinham sido a afirmação do Verbo divino; e esta afirmação, para restabelecer o equilíbrio do dogma da Encarnação, devia corresponder, no império, a uma afirmação absoluta do Verbo Humano. Tal foi a origem da Reforma, que tendeu aos *direitos do homem!*

Os *direitos do homem!* Napoleão os provou pela glória com que cobriu sua espada. Encarnada e resumida em Napoleão, a revolução cessou de ser uma desordem e produziu, por um brilhante sucesso, a prova incontestável do seu Verbo. É então que se viu – coisa inaudita nos fastos da religião! – o homem estender, por sua vez, a mão a Deus, como que para o levantar da sua queda. Um papa, cuja piedade e ortodoxia nunca foram contestadas, veio sancionar, com a autoridade de todos os séculos cristãos, a *santa usurpação* do novo César, e a revolução encarnada foi sagrada, isto é, recebeu a unção, que faz os *Cristos*, da própria mão do mais venerável sucessor dos pais da autoridade!

É sobre semelhantes fatos, tão universais, tão incontestáveis e tão brilhantes de claridade como a luz do Sol, é sobre fatos semelhantes que o Messianismo estabeleceu a sua base na história.

A afirmação do Verbo divino pelo Verbo humano, impelida por este último, até o suicídio, à força de abnegação e de entusiasmo, eis a história da Igreja desde Constantino até a Reforma.

A imortalidade do Verbo humano, provada por convulsões terríveis, por uma revolta que chegou ao delírio, por combates gigantescos e por sofrimentos semelhantes aos de Prometeu, até a vinda de um homem assaz forte para prender de novo a humanidade a Deus: eis a história da revolução inteira!

Fé e razão! dois termos que o homem julga serem opostos e que são idênticos.

Autoridade e liberdade, dois contrários que são fundamentalmente a mesma coisa, pois que não pode existir um sem o outro.

Religião e ciência, duas contradições que se destroem mutuamente, enquanto contradições, e se afirmam reciprocamente, se as considerarmos como duas afirmações fraternas.

Eis aí o problema estabelecido e já resolvido pela história. Eis aí o enigma da esfinge explicado pelo Édipo dos tempos modernos, o gênio de Napoleão.

É certamente um espetáculo digno de todas as simpatias do gênero humano, e diremos mais, digno da admiração até dos espíritos mais frios, este movimento singular, este processo simultâneo, estas tendências iguais, estas quedas previstas e estes jorros, igualmente infalíveis, da sabedoria divina, de um lado derramada na humanidade, e da sabedoria humana, de outro, dirigida pela divindade! Rios que nascem da mesma fonte, eles se separam para melhor abraçar o mundo, e, quando se reunirem, arrastarão tudo consigo. Esta síntese, este triunfo, este arrastamento, esta salvação definitiva do mundo, todas as almas elevadas pressentiam: mas quem, pois, antes destes grandes acontecimentos que revelam e fazem falar tão alto a potência da magia humana e a intervenção de Deus nas obras da razão, quem, pois, ousara pressenti-las?

Dissemos que a revelação tivera por objeto a afirmação do Verbo divino, e que a afirmação do Verbo humano tinha sido o fato transcendente e providencial da revolução europeia começada no século XVI.

O divino fundador do cristianismo foi o Messias da revelação, porque o Verbo divino estava encarnado nele, e nós consideramos o imperador como o Messias da revolução, porque nele o Verbo humano se tinha resumido e se manifestava em todo o seu poder.

O Messias divino foi enviado em socorro da humanidade, que parecia gasta pela tirania dos sentidos e as orgias da carne.

O Messias humano veio de algum modo em socorro de Deus, que o culto obsceno da razão ultrajava, e em auxílio da Igreja, ameaçada pelas revoltas do espírito humano e pelas saturnais da falsa filosofia.

Desde que a Reforma e depois a Revolução tinham abalado a Europa a base de todos os poderes; desde que a negação do direito divino transformava em usurpadores quase todos os senhores do mundo e entregava o universo político ao ateísmo ou ao fetichismo dos partidos, um único povo, conservador das doutrinas de unidade e autoridade, se tinha tornado o povo de Deus em política. Assim, este povo crescia na sua força de um modo formidável, inspirado por um pensamento que podia transformar-se em *Verbo*, isto é, em palavra de ação: este povo, era a raça vigorosa dos eslavos, e este pensamento, era o de Pedro, o Grande.

Dar uma realização humana ao império universal e espiritual do Messias, dar ao cristianismo a sua realização temporal, unindo todos os povos num só corpo, tal devia ser, desde então, o sonho do gênio político, transformado pela ideia cristã em gênio social. Mas onde ficaria a capital deste colossal império? Roma tivera sobre isso a sua ideia, Pedro, o Grande, tinha a sua e só Napoleão podia conceber uma outra.

A fortuna dos descendentes de Pedro encontrava, com efeito, nesta época, uma barreira invencível nas ruínas dos santuários dos papas, ruínas viventes, em que parecia dormitar o catolicismo, imortal como o Cristo no seu sepulcro. Se a Rússia tivesse sido católica depois da Reforma, a revolução francesa devia pertencer àquele que levantasse a autoridade espiritual na sua expressão mais simples e mais absoluta, porque os fatos seguem sempre as ideias. A autoridade divina de Pedro, apóstolo, faltava aos projetos do czar Pedro, o Grande. Era uma boa sorte que a Rússia deixava para a França. Napoleão compreendeu-o; reergueu os altares, fez-se sagrar pelo sucessor de Hildebrando e de Inocêncio III, e desde então acreditou na sua estrela, porque a autoridade que vem de Deus não faltava mais ao seu poder.

Os homens tinham crucificado o Messias divino, o Messias humano foi abandonado à desgraça pela Providência; porque do suplício de Jesus Cristo, acusado pelos padres, devia nascer um sacerdócio novo, e do martírio do imperador, traído pelos reis, devia nascer uma realeza nova.

Que é, com efeito, o império de Napoleão? É uma síntese revolucionária resumindo o direito de todos no de um só. É a liberdade justificada pelo poder e pela glória; é a autoridade provada por atos; é o despotismo da honra substituído pelo temor. Por isso na tristeza da sua solidão, em Santa Helena, Napoleão, tendo a consciência do seu gênio e compreendendo que todo o futuro do mundo estava nele, teve tentações de desespero, e não via outra alternativa para a Europa senão a de ser republicana ou cossaca antes de cinquenta anos.

"Novo Prometeu – escrevia ele, algum tempo antes de morrer – estou ligado a um rochedo e um abutre me vem dilacerar.

"Sim, roubei o fogo do céu, para com ele dotar a França; o fogo subiu à sua fonte, e eis-me aqui!

"A glória era para mim este ponto que Lúcifer lançou sobre o caos para escalar o céu; ela reunia ao passado o futuro, que está separado dele por um abismo... Nada mais deixo a meu filho senão o meu nome!"

Nunca uma coisa tão grandiosa como estas poucas linhas saiu do pensamento humano; e todas as poesias inspiradas pelo destino estranho do Imperador são bem pálidas e bem fracas em comparação com esta linha: – *Nada mais deixo a meu filho senão o meu nome!* Seria, talvez, somente uma herança de glória que ele acreditava transmitir, ou antes, na intuição profética dos moribundos, compreendia ele que o seu nome, inseparável do seu pensamento, continha, em si só, toda a sua fortuna com os destinos do mundo?

Pretender que a humanidade se enganou nos seus movimentos, que ela se desencaminhou nas suas evoluções, é blasfemar a Providência. E, todavia, estes movimentos e estas evoluções, às vezes, parecem contraditórios; mas os paradoxos opostos se refutam uns pelos outros, e, semelhantes às oscilações do pêndulo, que tendem sempre, restringindo-se, para o centro de gravidade, os movimentos contrários são apenas aparentes, e as verdadeiras tendências da humanidade se acham sempre na linha reta do progresso. Assim, quando os abusos do poder produziram a revolta, o mundo, que não pode fixar-se na escravidão nem na anarquia, espera a instauração de um novo poder, que terá em conta a liberdade dos seus protestos e reinará por ela.

Este poder novo Paracelso no-lo faz conhecer nas admiráveis predições que pareceriam feitas imediatamente, se um grande número de páginas ainda não se referisse ao futuro.

Não se esclarece mais o futuro do que se ressuscita o passado, mas considera-se sempre nele o que é duradouro; ora, só é duradouro o que é fundado na própria natureza das coisas. Nisso mesmo, o instinto dos povos se conforma com a lógica das ideias, e duas vezes o sufrágio universal, colocado entre o obscurantismo e a anarquia, adivinhou a conciliação da ordem com o progresso, e nomeou Napoleão.

Disseram que o próprio imperador não pudera conciliar a liberdade e a ordem, e que, para fundar o seu poder, teve de interdizer aos franceses o uso dos seus direitos. Disseram que nos fizera esquecer a liberdade à força de glória, e não compreenderam que caíam numa contradição evidente. Por que a sua glória é a nossa, se éramos somente seus escravos? Esta palavra, glória, terá mesmo um significado para homens que não sejam livres? Consentíamos na sua disciplina, e ele nos levava à vitória; o ascendente do seu gênio era o nervo do seu poder, e se não permitia a ninguém contradizê-lo, estava completamente no seu direito, porque tinha razão. "*O Estado sou eu!*", tinha dito Luís XIV, resumindo assim, numa só palavra, todo o espírito das instituições monárquicas. "*O povo soberano sou eu!*", podia dizer o imperador, resumindo, por sua vez, toda a força republicana; e é evidente que quanto mais seu chefe tinha autoridade, tanto mais o povo francês era livre.

O que tornou tão terrível a agonia de Napoleão não foi a saudade do passado; não se tem saudade da glória que poderia morrer; porém, era o medo de levar consigo o futuro do mundo. "Oh! não é a morte – murmurava ele –, *é a vida que me mata!*" Depois, levando a mão ao peito: "*Cravaram aqui um cutelo de algoz e quebraram o ferro na ferida!*"

Um momento depois, neste instante supremo em que a vida foge, e em que o homem, já iluminado interiormente pela luz de um outro mundo, tem necessidade de deixar a sua última palavra aos vivos, como um ensino e uma herança, Napoleão repetiu duas vezes estas palavras enigmáticas: "*A chefia do exército!*" Seria um último desafio lançado ao fantasma de Pedro, o Grande, um grito supremo de desespero ou uma profecia dos destinos da França? Então, a humanidade inteira aparecia ao imperador, harmoniosa, e disciplinada, marchando para a conquista do progresso, e queria ele resumir, numa só palavra, o problema dos tempos modernos que deve ser proximamente resolvido entre a Rússia e a França: *a chefia do exército!*

O que dá, neste momento, mais sorte à França é o seu catolicismo e a sua aliança com o papado, esta potência que os anarquistas dizem caída, e que Napoleão considerava mais forte do que um exército de trezentos mil homens. Se a França, como o queriam os anarquistas imbecis, se tivesse ligado, em 1849, com a ingratidão romana, ou tivesse somente deixado o trono pontifical ser restaurado pela Áustria e pela Rússia, os destinos da França se acabariam, e o Gênio indignado do imperador, passando ao Norte, realizava em proveito dos Eslavos o belo sonho de Pedro, o Grande.

Para os homens que imaginam o absoluto nos extremos, a razão e a fé, a liberdade e a autoridade, o direito e o dever, o trabalho e o capital são inconciliáveis.

Mas o Absoluto não é mais admissível em cada uma das opiniões separadas do que o todo é concebível em cada uma das suas frações. Fé razoável, liberdade autorizada, direito merecido pelo dever realizado, capital filho e pai do trabalho; eis, como dissemo-lo já em outros termos, as fórmulas do absoluto. E se nos perguntarem qual é o centro da antinomia, qual é o ponto fixo do equilíbrio, já respondemos que é a própria essência de um Deus, ao mesmo tempo soberanamente livre e infinitamente necessário.

Que a força centrípeta e a força centrífuga sejam duas forças contrárias, não é para se duvidar; mas também que dessas duas forças combinadas resultam do equilíbrio da Terra, é o que seria igualmente absurdo e inútil negar.

O acordo da razão com a fé, da ciência com a religião, da liberdade com a autoridade, do Verbo humano, numa palavra, com o Verbo divino, não é menos evidente, e indicamos suficientemente as suas provas. Mas os homens nunca consideram como provadas as verdades que recusam entender, porque elas contrariam as suas paixões cegas. À demonstração mais rigorosa, vos respondem sempre pela própria dificuldade que acabais de resolver. Recomeçai vossas provas, eles se impacientarão, e dirão que estais repetindo.

O Salvador do mundo tinha dito que o vinho novo não deve ser posto em odres velhos, e que não se deve coser um pano novo num manto usado. Os homens são simplesmente os representantes das ideias, e não é para se admirar se os erros encarnados repelem a verdade com desdém ou mesmo com cólera. Mas o Verbo é essencialmente criador, e em cada nova emissão do seu calor e da sua luz, faz nascer no mundo uma humanidade nova. A época do dogma obscuro e da cegueira intelectual passou; portanto, não faleis do novo sol aos velhos cegos; chamai ao seu testemunho olhos que se abram, e esperai os clarividentes para explicar os fenômenos do dia.

Deus criou a humanidade; mas, na humanidade, cada indivíduo é chamado a criar a si próprio como ser moral e, por conseguinte, imortal. Reviver na humanidade, tal é a esperança vaga que o panteísmo e o misticismo revolucionário deixam aos seus adeptos; nunca morrer na sua individualidade inteligente e moral, tal é a prerrogativa que a revelação assegura a cada um dos seus filhos! Qual dessas duas ideias é a mais consoladora e a mais liberal? Qual das duas, principalmente, dá uma base mais certa e um fim mais sublime à moralidade humana?

Todo poder que não dá razão de si mesmo e que pesa sobre as liberdades, sem lhes dar garantias, é somente um poder cego e transitório; a autoridade verdadeira e duradoura é a que se apoia na liberdade, dando-lhe, ao mesmo tempo, uma regra e um freio. Isto exprime o absoluto em política.

Toda fé que não ilumina e não engrandece a razão, todo dogma que nega a vida na inteligência e a espontaneidade do livre-arbítrio, constituem uma superstição; a verdadeira religião é a que se prova pela inteligência e se justifica pela razão, submetendo-as, ao mesmo tempo, a uma obediência necessária. Isto é a indicação do Absoluto em religião e em filosofia.

Da ideia que os homens fizeram de Deus, sempre procederam as noções de poder, quer no espiritual, quer no temporal, e a palavra que exprime a Divindade, tendo sido, em todos os tempos, a fórmula do Absoluto, quer em revelação, quer em intuição natural, o sentido que se dá a essa palavra foi sempre a ideia dominante de toda religião e de toda filosofia, como de toda política e de toda moral.

Conceber em Deus a liberdade sem necessidade, é sonhar uma onipotência sem razão e sem freio, é entronizar no Céu o ideal da tirania. Tal foi, em muitos espíritos entusiastas e místicos, o mais perigoso erro na Idade Média.

Conceber em Deus a necessidade sem a liberdade, é fazer dele uma máquina infinita, de que, por desgraça nossa, somos as rodas inteligentes. Obedecermos ou sermos despedaçados, tal seria nosso destino eterno; e obedeceríamos a alguma coisa que mandaria sem saber por que: tristes viajantes que seríamos, presos nos vagões que uma formidável locomotiva arrastaria a todo vapor na grande estrada do abismo. Esta doutrina panteística e fatal é, ao mesmo tempo, a absurdidade e a calamidade do nosso século.

Esta lei suprema da liberdade e da necessidade, regidas e temperadas uma por outra, se acha em toda parte e domina todos os fatos em que é relevada uma virtude, um poder justo ou uma autoridade qualquer. No mundo que a mão providencial de Carlos Magno tinha tirado das trevas da decadência, e que ele sustinha sobre o caos da barbárie, havia o papado e o império, dois poderes sustentados e limitados um pelo outro. O papado, então depositário do dogma iniciador e civilizador, representava a liberdade, que tem as chaves do futuro; e o imperador, armado com a espada, estendia sobre os rebanhos que o cajado dos pontífices impelia para diante, o braço de ferro da necessidade, que assegurava e regulava a marcha da humanidade no caminho do progresso.

Que ninguém se engane com o movimento religioso da nossa época, iniciado por Chateaubriand e continuado por Lamenais e Lacordaire; este movimento não é retrógrado e não ilude a emancipação da consciência humana. A humanidade se tinha revoltado contra os excessos do misticismo que, afirmando a liberdade absoluta de Deus, sem admitir nele necessidade alguma, aniquilava a justiça eterna e absorvia a personalidade do homem na obediência passiva; o Verbo humano, com efeito, não podia deixar-se devorar assim; mas as paixões cegas procuravam levar o protesto à extremidade contrária, fazendo-lhe proclamar a soberania única e absoluta do individualismo humano. Lembramo-nos ainda do culto da Razão, inaugurado em Notre-Dame, e dos homens de Setembro que maldiziam a Saint-Barthelemy. Estes excessos produziram logo a lassidão e o desgosto;

mas a humanidade não renunciou por isso ao que tinha tornado necessário o seu protesto. Chateaubriand veio, então, desenganar os espíritos que tinham sido desviados pelos caluniadores da Igreja. Ele fez amar a religião, mostrando-a humana e razoável; o mundo tinha necessidade de se reconciliar com o seu Salvador, mas é reconhecendo-o como sendo verdadeiramente homem, que se dispunha a adorá-lo de novo como o verdadeiro Deus.

O que se pede hoje ao padre é, principalmente, a caridade, esta sublime expressão da *humanidade divina*. A religião não se contenta mais em oferecer à alma as consolações da outra vida; ela se julga chamada a socorrer nesta os sofrimentos do pobre, a instruí-lo, a protegê-lo e a dirigi-lo no seu trabalho. A ciência econômica vem diante dela, nesta obra de regeneração. Tudo isso se faz talvez lentamente, mas enfim o movimento se opera, e a Igreja, auxiliada pelo poder temporal, não poderia deixar de adquirir logo toda a sua influência de outrora para pregar ao mundo o cristianismo realizado na síntese messiânica. Se realmente a Igreja tivesse negado o Verbo humano; se, por conseguinte, fosse inimiga natural de toda liberdade e do progresso, nós a consideraríamos como morta e pensaríamos que, com ela, aconteceria o mesmo que com a sinagoga judaica; mas, ainda uma vez, isso não acontece e não poderia acontecer. A Igreja, que na sua constituição reflete a imagem de Deus, traz em si a dupla lei de liberdade e de autoridade contidas, reguladas e temperadas uma pela outra.

Com efeito, a Igreja, ao mesmo tempo que manteve a integridade e a estabilidade do dogma, deu-lhe, de concílio em concílio, soberbos desenvolvimentos. Por isso, entre os hereges e dissidentes, enquanto que uns acusavam a ortodoxia de imobilismo, outros lhe reprovavam incessantes inovações; todos os sectários, para separar-se da comuna eclesiástica, pretextaram o desejo de voltar às crenças e práticas da Igreja primitiva.

Se falássemos aos católicos do século XV ou aos filósofos do XVIII de um acordo necessário entre a liberdade de consciência e a autoridade religiosa, entre a razão e a fé, teríamos indignado uns e feito rir amargamente os outros. Falar de paz e aliança no meio de uma batalha é, com efeito, gastar muito mal o seu tempo e querer perder as suas palavras.

As doutrinas de que nos fazemos intérprete, porque as consideramos como a expressão mais adiantada das tendências da inteligência humana na época em que vivemos, estas doutrinas, pressentidas desde alguns anos por um pequeno número de espíritos de elite, podem ser emitidas hoje com esperança de serem acolhidas; mas, há apenas alguns anos, não teriam achado em parte alguma nem uma atenção condescendente, nem uma tribuna, nem um eco.

É que, então, os partidos extremos não tinham ainda sido obrigados a abandonar as suas pretensões diante da onipotência dos acontecimentos providenciais, e dificilmente se poderia ficar neutro no meio de uma guerra encarniçada; qualquer concessão de um para outro era, então, considerada como uma verdadeira traição, e os homens que nunca abandonam a justiça, sendo obrigados a procurá-la separada e sucessivamente nas duas causas separadas, tornavam-se suspeitos a todos, como renegados ou trânsfugas. Ter convicções tão enérgicas para preferir, então, a sua independência conscienciosa aos encorajamentos das companhias era condenar-se a uma solidão que não era sem apreensão e sem angústia. Ficar isolado entre dois exércitos que se atacam, não é ficar exposto a todos os golpes? Passar de um para outro, não é querer fazer-se proscrever em ambos? Escolher um ao acaso, não é trair o outro?

São estas alternativas cruéis que levaram homens como Lamenais, do ultramontanismo ao jacobinismo, sem lhes permitir achar, em parte alguma, nem certeza, nem descanso. O ilustre autor das *Palavras de um Crente*, espantado de ver levantar diante de si a anarquia e o nada, sob a máscara do socialismo, e não achando no seu gênio irritado justificação alguma da antinomia que o impressionava, não recuou até Zoroastro, e não procurou nos dogmas desoladores do maniqueísmo uma explicação qualquer da guerra eterna dos Amchaspands e dos Darvands?

Mas os quatro anos que acabam de se passar foram, para o mundo, cheios de ensinamentos e de imensas revelações. A revolução se explicou e se justificou uma segunda vez pela criação de uma autoridade absoluta, e agora nós compreendemos que o dualismo constitucional nada mais era que o maniqueísmo em política. Para conciliar a liberdade e o poder é preciso, com efeito, apoiá-los um sobre o outro, e não opô-los um ao outro.

A soberania absoluta, fundada sob o sufrágio universal, tal é, de ora em diante, a noção única da verdadeira autoridade, em religião como em política. Assim serão constituídos os governos de *direito humano*, segunda forma do *direito divino*, que é imprescritível na humanidade.

É pela inteligência da verdade, e a prática razoável do bem, que não só os indivíduos, mas também os povos se libertam. Sobre homens cuja alma é livre, a tirania material é impraticável; mas também a liberdade exterior das multidões e dos homens, que interiormente estão sujeitos a preconceitos e a vícios, não passa de uma multiplicação e complicação da tirania. Quando a maioria dos homens inteligentes é senhora, a minoria dos sábios é escrava.

Por isso é preciso distinguir o direito efetivo e o princípio das suas aplicações na política da Igreja.

O seu trabalho foi sempre para submeter as fatalidades da carne à providência do espírito; é em nome da liberdade moral que ela opõe uma barreira à espontaneidade cega das tendências físicas; e se, nos nossos dias, não se mostrou simpática ao movimento revolucionário, é que ela sentiu, de um modo sobreeminente e infalível, que nele não estava a verdadeira liberdade.

São os abusos possíveis da liberdade que tornam necessária a autoridade; a autoridade não tem outra missão, na Igreja e no Estado, senão a de proteger a liberdade moderada de todos, contra a liberdade desregrada de alguns. Quanto mais forte é a autoridade, tanto mais poderosa é a sua proteção. Eis por que foi necessária para a Igreja a infalibilidade; eis também por que sempre, num Estado bem governado, a força deve ficar para a lei. A ideia de liberdade e a de autoridade são, pois, indissoluvelmente unidas e se apoiam unicamente uma na outra.

A tirania no mundo antigo era a liberdade absoluta de alguns, em prejuízo da liberdade de todos. O Evangelho, impondo deveres aos reis como aos povos, deu àqueles a autoridade que lhes faltava, e garantiu aos outros uma liberdade fundada sobre direitos novos, com a certeza de um progresso real e de aperfeiçoamento possível a todos.

Se a inteligência humana não fosse perfectível, para que serviria, pergunto eu, o ensino permanente da Providência e por qual razão a revelação se teria manifestado sob formas sucessivas e sucessivamente mais perfeitas? A natureza nos mostra o progresso na constituição de todos os seres, e só lentamente realiza suas obras-primas. O movimento é, em toda parte, o sinal da vida, e mesmo quando parece realizar-se percorrendo um círculo, neste círculo, ao menos, vai sempre para diante, e nunca dá, voltando sobre si mesmo, um desmentido à mão que o imprime.

A lei do movimento, se não fosse regulada pela providência, no Céu, e pela autoridade, na Terra, seria uma lei de destruição e de morte, porque seria uma lei de desordem; mas, de outro lado, se a resistência que regula o movimento chega a paralisá-lo e a fazê-lo parar, de duas coisas, uma: ou o movimento romperá a resistência e destruirá a autoridade, ou a autoridade aniquilará o movimento e assim se suicidará, destruindo a sua própria força e a sua própria vida.

É assim que o judaísmo derrubou a si próprio, querendo opor-se ao rebentar do cristianismo, que era a consequência natural e o desenvolvimento necessário dos dogmas de Moisés e das promessas dos profetas.

O catolicismo não imitará o judaísmo e não se oporá à grande síntese messiânica, porque a Igreja Católica traz, no seu próprio nome, uma promessa de universalidade, que dá adiantadamente seu verdadeiro nome à Igreja do futuro. Roma e Constantinopla não disputarão uma segunda vez o império do mundo: onde se manifestar o Verbo, aí estará o pontífice do Verbo. A Santa Sé, que terá a obediência do mundo, será a do sucessor de Jesus Cristo: e todo chefe de um pequeno número de dissidentes, sejam quais forem seus pretextos e pretensos títulos, não será diante do sufrágio universal das nações mais do que um antipapa e sectário.

A reunião das duas Igrejas grega e romana é, pois, a grande revolução, ao mesmo tempo religiosa e civil, que deve, cedo ou tarde, mudar a face do mundo; e esta revolução não deixaria de ser o resultado do desenvolvimento e da propagação das doutrinas cabalísticas na Igreja e na sociedade.

Em vão nos diriam que a Igreja se julga perfeita, e afetaria temer que ela não admita a lei do progresso. Já respondemos a esse temor por uma passagem decisiva de Vicente de Lerins; mas a questão é muito importante para acrescentarmos aqui algumas notáveis autoridades.

Um sábio pastor inglês, convertido ao catolicismo, o doutor John Newman, publicou uma obra que obteve a alta aprovação da autoridade eclesiástica, e na qual prova que o desenvolvimento do dogma, e, por conseguinte; o da inteligência humana, foi a obra especial do catolicismo, considerado como princípio iniciador e conservador, na explicação destes teoremas divinos que são a letra do dogma. Antes de provar a sua tese, ele estabelece vitoriosamente a existência do progresso natural em todas as coisas, porém mais particularmente na revelação. Eis em que termos ele se exprime:

"Conforme a história de todas as seitas e de todos os partidos em religião, e conforme a analogia e o exemplo da Escritura, podemos concluir razoavelmente que a doutrina cristã admite desenvolvimentos formais, legítimos, reais, desenvolvimentos previstos pelo seu divino autor.

"A analogia geral do mundo físico e moral confirma esta conclusão:

'Todo o mundo natural e seu governo – diz Butler – é um plano ou sistema, não um sistema fixo, mas progressivo, um plano no qual tem lugar o ensaio de diversos meios, antes que os fins propostos possam ser atingidos. A mudança das estações, a cultura dos frutos da terra, a própria história de uma flor é a prova disso; e o mesmo se dá com a vida humana. Assim, os vegetais e os animais, apesar de necessariamente formados numa vez, contudo crescem por graus para chegar à idade madura. E assim os agentes razoáveis que animam os corpos são naturalmente levados para o caráter que lhes é próprio pela aquisição gradual de conhecimentos e de experiências, e por uma longa continuidade de ações.'

"A nossa existência não é somente sucessiva, como deve ser necessariamente, mas também um estado do nosso ser é designado pelo Criador para servir de preparação a um outro estado e de transição àquele que lhe sucede. Assim, a adolescência vem depois da infância, a juventude depois da adolescência e a idade madura depois da juventude. Os homens, na sua impaciência, querem precipitar tudo. Mas o autor da natureza parece só operar conforme uma longa deliberação, e chega a seus fins por progressos sucessivos e lentamente realizados... Deus opera da mesma forma, no curso da sua providência natural e na manifestação religiosa, fazendo suceder uma coisa a outra, depois uma outra ainda a esta, e continuando sempre, por uma série progressiva de meios que se estendem além e aquém da nossa limitada vista. A lei nova do cristianismo nos é representada na da natureza."

"Nas suas parábolas – observa o Dr. Newman – Nosso Senhor compara o reino do céu a um grão de mostarda que um homem toma e semeia no seu campo. Este grão, em verdade, é o menor de todos os grãos; mas, quando cresce, é a maior das plantas e torna-se árvore; e, como diz S. Marcos, 'esta árvore lança ramos nos quais as aves do céu vêm repousar'. E depois, no mesmo capítulo de S. Marcos: 'O reino de Deus é semelhante a um homem que deita, na terra, a semente. Embora durma ou esteja acordado, dia e noite a semente germina e cresce sem que ele saiba como, porque a terra produz o seu fruto por si mesma'. Aqui se trata de um elemento íntimo da vida, quer princípio, quer doutrina, antes que de qualquer manifestação exterior; e é para se observar que, conforme o espírito do texto, o caráter *espontâneo*, tanto como o *gradual*, pertence ao crescimento. Esta descrição do progresso corresponde ao que já foi observado em relação ao desenvolvimento; isto é, que não é nem resultado da vontade, nem da resolução, nem de uma exaltação fictícia, nem do mecanismo da razão, nem mesmo de uma maior sutileza da inteligência, mas age por sua força nativa, cuja expansão e efeito têm lugar num momento determinado. Sem dúvida que a reflexão, até certo ponto, o rege e modifica, apropriando-o ao gênio particular das pessoas, mas sempre conforme o primeiro desenvolvimento moral do próprio espírito."

É impossível indicar mais claramente a existência das duas leis que se completam mutuamente, se bem que em aparências opostas, da necessidade providencial e da liberdade humana. Para os homens, a própria natureza é esta necessidade que contém e fecunda os impulsos do seu Verbo criador; Verbo que constitui no homem a semelhança de Deus, e que se chama liberdade!

A tática dos heresiarcas e dos materialistas foi, em todos os tempos, abusar das palavras para perverter as coisas; depois, acusar a autoridade de apostasia, quando ela vingava, condenando-os, a verdades mal interpretadas por eles e que lhes serviam de bandeira.

Chamais liberdade a mais condenável licença, chamais progresso um movimento tumultuoso e subversivo; a Igreja vos desaprova, e vós a acusais, com amargura, de ser inimiga do progresso e da liberdade! Ela só é inimiga da mentira e vós o sabeis muito bem. E é por isso que, querendo perseverar na vossa guerra contra ela, sempre é preciso que digais mentira: aliás, estareis de acordo com ela, e seria preciso, de boa ou má vontade, que vos sujeitásseis ao seu poder.

Eis o que se pode dizer, em nome da Igreja, aos seus adversários de má-fé. Mas temos que responder, aqui, a objeções mais sérias. Católicos sinceros, mas pouco esclarecidos, mais presos à letra que ao espírito das decisões pontifícias, nos dirão talvez que, nas suas encíclicas a respeito das doutrinas do abade Lamennais, Roma condenou as ideias de liberdade e progresso.

Respondemos pelos próprios termos da primeira encíclica: O papa condena os que, para *regenerar a Igreja*, *querem fazê-la inteiramente humana, de divina que é*, na sua autoridade e no seu princípio.

Logo, o que o juiz condena não é a *afirmação do Verbo humano*, mas sim a *negação do Verbo divino*. A Igreja está aqui no seu direito e no seu dever. Roma viu o princípio da sua autoridade espiritual atacado pelas obras do ilustre escritor, e a prova de que ela não se enganava e de que Lamennais já não acreditava mais nesta onipotência moral de que foi, não obstante, o mais zeloso e mais forte defensor, é que ele não se submeteu às suas decisões e passou além, afastando-se, num só passo retrógrado, da Igreja, do cristianismo e da civilização inteira.

Quanto à liberdade que a Igreja reprova, é a que quis destronar Pio IX e que conduziu a Europa às bordas do abismo. Mas que pode haver de comum entre a liberdade dos filhos de Deus e a dos filhos de Caim?

Não cremos, pois, ainda uma vez, que a Igreja romana deixe a Igreja do Oriente tomar a iniciativa do movimento regenerador. A imobilidade da barca de Pedro, no meio do vaivém das vagas revolucionárias, é simplesmente um protesto divino em favor do verdadeiro progresso.

Tudo o que se realiza fora da autoridade, se realiza fora da natureza, que é a lei positiva da autoridade eterna. O ideal humano pode, pois, seguir dois caminhos opostos, ou ultrapassar a ciência pela intuição que ela deve justificar mais tarde, ou desviar-se da ciência pela alucinação que ela condena. Os amigos da desordem, as almas cativas do egoísmo brutal, temendo o jugo da ciência e a disciplina da razão, tomam sempre a alucinação por guia. O paganismo teve seus falsos místicos, e é assim que o dogma filosófico dos antigos helenos se transformou em idolatria; o cristianismo também foi, por sua vez, afligido pela mesma chaga, e um ascetismo desumano, trazendo após si, como reação, o quietismo mais imoral, fez caluniar a verdadeira piedade e afastou muitas almas das práticas da religião.

Um dos mais notáveis fantasistas do nosso tempo, o paradoxal P. J. Proudhon, tendo, um dia, de contrariar Lamartine, que então estava no poder, lançou contra os poetas uma das suas cínicas e eloquentes diatribes, que bem sabe fazer. Não temos à vista esta página, levada, como tantas outras, pelo turbilhão revolucionário, mas lembramo-nos com que verve o celebérrimo sonhador declamava contra a poesia e os sonhos; estava verdadeiramente terrível, quando representava o Estado vacilante e perdido, pronto a se sacrificar atrás de algum tocador de guitarra, cujo êxtase da sua própria música impedia de ouvir as imprecações, os gemidos e os gritos! Eis aí, exclamava ele, o que é o governo dos poetas! Depois, apaixonando-se pela sua ideia, como de ordinário acontece, chegava a concluir que Nero era a encarnação mais completa da poesia, elevada ao trono do mundo. Incendiar Roma aos sons da lira e dramatizar assim a grande poesia de Virgílio, não era uma colossal, imperial e poética fantasia? A cidade dos Césares que ele assim sacrificava ao cenário dos seus versos. Nero queria substituir uma Roma nova, toda dourada e construída de um só palácio!, Oh! se a grandeza da audácia e a temeridade dos sonhos fazem o sublime em poesia, Nero era, com efeito, um grande poeta! Mas não é nem Proudhon, nem nenhum dos chefes do socialismo moderno, que têm direito de o repreender.

Nero representa, para uns, a personificação mais completa do idealismo sem autoridade e da licença do poder; é a *anarquia* de Proudhon resumida num só homem e colocada no trono do universo; é o *absoluto* dos materialistas em volúpias, em audácia, em energia e em poder. Nunca uma natureza mais desordenada horrorizou o mundo com seus desvarios; e eis o que os revolucionários da escola de Proudhon entendem por poesia; porém, nós não pensamos como eles.

Ser poeta e criar; não é sonhar nem mentir. Deus foi poeta quando fez o mundo, e a sua imortal epopeia está escrita com estrelas. As ciências receberam dele os segredos da poesia, porque as chaves da harmonia foram postas nas suas mãos. Os números são poetas porque cantam com suas notas sempre justas, que davam arrebatamentos ao gênio de Pitágoras. A poesia que não aceita o mundo tal como Deus o fez, e que procura inventar um outro, é simplesmente o delírio dos espíritos das trevas; é esta que ama o mistério e que nega o progresso da inteligência humana. A ela, pois, os encantamentos da ignorância e os falsos milagres da teurgia! A ela o despotismo da matéria e os caprichos das paixões! À poesia anárquica, numa palavra, as tentativas sempre vãs, as esperanças sempre enganadoras, o abutre e a raiva impotente de Prometeu, ao passo que a poesia submissa à ordem, que lhe garante uma liberdade inviolável, colherá as flores da ciência, traduzirá a harmonia dos números, interpretará a oração universal e caminhará ora diante da ciência, ora sobre os seus traços, mas sempre perto dela, na luz vivente do Verbo e no caminho certo do progresso!

Este futuro próximo do cristianismo retemperado na fonte de toda revelação, isto é, nas fortes verdades do magismo e da Cabala, foi pressentido por um grande poeta polaco, Adam Michiewicz, que criou para esta doutrina um nome novo, e a chamou o *Messianismo*.

Este nome nos agrada e adotamo-lo com prazer, visto que não representa a ideia de uma seita nova. O mundo está cansado de retalhaduras e divisões, e tende com todas as suas forças à unidade. Por isso não somos dos que se dizem católicos e não romanos; o que constitui um dos contrassensos mais ridículos. Católicos quer dizer universal; ora, a universalidade não é, pois, necessariamente romana, pois que Roma está no universo?

O século XVIII viu os abusos da religião, mas desconheceu a força desta mesma religião, porque não adivinhava o seu segredo. A alta magia escapa à incredulidade e à ignorância, porque se apoia igualmente sobre a ciência e sobre a fé.

O homem é o taumaturgo da Terra, e pelo seu verbo, isto é, pela sua palavra inteligente, dispõe das forças fatais. Irradia e atrai como os astros; pode curar por um contato, por um sinal, por um ato de sua vontade. Eis o que o médico alemão Franz Anton Mesmer, antes de nós, tinha vindo revelar ao mundo; eis o segredo terrível que era escondido com tanto cuidado nas sombras dos antigos santuários. Que podem, agora, provar os pretensos milagres do homem, senão a energia da sua vontade e o poder do seu magnetismo? É, pois, agora que se pode dizer, em verdade, que só Deus é Deus, que os homens de prestígio não se farão mais adorar. Aliás, a síntese de todos os dogmas nos leva a um único simbolismo, que é o da Cabala e dos magos. Os três mistérios e as quatro virtudes realizam o triângulo e o quadrado mágico. Os sete sacramentos manifestam os poderes dos sete gênios ou dos sete anjos, que, conforme o texto do *Apocalipse*, estão sempre diante do trono de Deus. Compreendemos agora as matemáticas sagradas que multiplicam setenta e duas vezes o divino tetragrama para formar os caracteres dos trinta e seis talismãs de Salomão. Levados por estudos profundos à antiga teologia de Israel, nós nos inclinamos diante das altas verdades da Cabala e esperamos que os sábios israelitas, por sua vez, reconhecerão que só estavam separados de nós por palavras mal entendidas. Israel levou do Egito os segredos da esfinge, mas desconheceu a cruz que, nos símbolos primitivos do Egito mágico, já era a chave do céu. Ele não tardará a compreendê-lo, porque abriu seu coração à caridade. O grito de angústia dos cristãos da Síria comoveu os filhos de Moisés, e enquanto Abd-el-Kader protegia os nossos infelizes irmãos no Oriente e os defendia com perigo de sua vida, uma subscrição se abria em Paris sob o patrocínio do advogado israelita Cremieux.

O grande enigma dos séculos antigos, a esfinge, depois de ter feito a volta ao mundo sem achar repouso, parou ao pé da cruz, este outro grande enigma; e há dezoito séculos e meio a contempla e medita.

Que é o homem? – pergunta a esfinge à cruz –, e a cruz responde à esfinge, perguntando-lhe: – Que é Deus?

Já dezoito vezes o velho Ahasverus, o judeu errante fez também a volta do globo; e, no fim de todos os séculos, e no começo de todas as gerações, passa perto da cruz muda e diante da esfinge imóvel e silenciosa.

Quando estiver cansado de caminhar sempre, sem nunca chegar, é aí que ele repousará, e, então, a esfinge e a cruz falarão por sua vez para o consolar.

Eu sou o resumo da sabedoria antiga – dirá a esfinge. – Sou a síntese do homem. Tenho uma fronte que pensa e seios que se inflamam de amor; tenho garras de leão para a luta, flancos de touro para o trabalho e asas de águia para subir à luz. Só fui entendida nos tempos antigos pelo cego voluntário de Tebas, este grande símbolo da misteriosa expiação que devia iniciar a humanidade à eterna justiça; mas agora o homem não é mais o filho maldito que um crime original faz expor à morte do Cytheron; o pai veio, por sua vez, expiar o suplício do filho; a sombra de Laios gemeu com os tormentos de Édipo; o céu explicou ao mundo o meu enigma nesta cruz. É por isso que eu me calo, esperando que ela mesma se explique ao mundo: repousa, Ahasverus, porque é aqui o termo da tua dolorosa viagem.

— Eu sou a chave da sabedoria futura – dirá a cruz. – Sou o signo glorioso do *staurós* a estaca da tortura que Deus fixou nos quatro pontos cardeais do céu, para servir de duplo eixo ao universo. Expliquei na Terra o enigma da esfinge, dando aos homens a razão da dor: consumei o simbolismo religioso, realizando o sacrifício. Eu sou a escada sangrenta pela qual a humanidade sobe a Deus e pela qual Deus desce aos homens. Eu sou a árvore do sangue, e as minhas raízes o bebem em toda a Terra, para que não seja perdido, e formem nos meus braços frutos de devotamento e de amor. Sou o sinal da glória, porque revelei a honra; e os príncipes da Terra me penduram ao peito dos bravos. Um dentre eles me deu um quinto braço para fazer de mim uma estrela; mas sempre me chamo a cruz. Talvez aquele que foi o mártir da glória previa o sacrifício, e queria, acrescentando um braço à cruz, preparar um encosto para a sua própria cabeça ao lado da do Cristo. Estendo os meus braços tanto à direita como à esquerda, e espalho igualmente as bênçãos de Deus sobre Madalena e sobre Maria; ofereço a salvação aos pecadores, e, aos justos, a graça nova; espero Caim e Abel para os reconciliar e unir. Devo servir de ponto de ligação entre os povos, e devo presidir ao último julgamento dos reis; sou o resumo da lei, porque trago escrito nos meus braços: Fé, Esperança e Caridade. Sou o resumo da ciência, porque explico a vida humana e o pensamento de Deus. Não temas, Ahasverus, não mais temas minha sombra; o crime do teu povo tornou-se o do universo, porque também os cristãos crucificaram o seu Salvador; eles o crucificaram, lançando aos pés a sua doutrina de comunhão; eles o crucificaram na pessoa dos pobres; eles o crucificaram maldizendo a ti próprio e prescrevendo o teu exílio; mas o crime de todos os homens os envolve no mesmo perdão; e tu, ó Caim humanitário, tu, o mais velho dos que a cruz deve resgatar, vem repousar embaixo de um dos seus braços ainda tinto do sangue redentor! Depois de ti, virá o filho da segunda sinagoga, o pontífice da lei nova, o sucessor de Pedro; quando as nações o tiverem proscrito como tudo, quando não houver senão a coroa do martírio, e quando a perseguição o tiver feito submisso e dócil como o justo Abel, então virá Maria, a mulher regenerada, a mãe de Deus e dos homens; e ela reconciliará o judeu errante com o último papa, depois começará de novo a conquista do mundo para dá-lo aos seus dois filhos. O amor regenerará as ciências, a razão justificará a fé. Então serei a árvore do paraíso terrestre, a árvore da ciência do bem e do mal, a árvore da liberdade humana. Os meus imensos ramos cobrirão o mundo inteiro, e as populações afadigadas descansarão debaixo da minha sombra; os meus frutos serão o alimento dos fortes e o leite das criancinhas; e as aves do céu, isto é, os que passam cantando, levados nas asas da inspiração sagrada, estes repousarão nos meus ramos, sempre verdes e carregados de frutos. Repousa, pois, Ahasverus, na esperança deste belo porvir; porque é aqui o termo da tua dolorosa viagem.

Então o judeu errante, sacudindo o pó de seus pés doloridos, dirá à esfinge:

— Eu te conheço desde há muito! Ezequiel te via outrora, atrelada ao

Merkabah, o veículo divino de Luz, esta carruagem misteriosa, que representa o universo e cujas rodas estreladas giram umas dentro das outras; realizei uma segunda vez os destinos errantes do órfão do Cytheron; como ele, matei meu pai, sem o conhecer; quando o deicídio se realizou e quando chamei sobre mim a vingança do seu sangue, me condenei a mim mesmo à cegueira e ao exílio. Eu fugia de ti e te procurava sempre, porque eras a primeira causa das minhas dores. Mas tu viajavas penosamente como eu, e, por caminhos diferentes, devíamos chegar juntos; bendito sejas tu, ó gênio das antigas idades, por me haveres levado ao pé da cruz!

Depois, dirigindo-se à própria cruz, Ahasverus dirá, enxugando a sua última lágrima:

– Desde há dezoito séculos te conheço, porque eu te vi levada pelo Cristo que sucumbiu sob esse fardo. Abanei a cabeça e te blasfemei então, porque ainda não tinha sido iniciado à maldição; era preciso à minha religião o anátema do mundo para lhe fazer compreender a divindade do maldito; é por isso que sofri com coragem meus dezoito séculos de expiação, vivendo e sofrendo sempre no meio das gerações que morriam ao redor de mim, assistindo à agonia dos impérios e atravessando todas as ruínas, e olhava sempre com ansiedade para ver se não estavas caída; e depois de todas as convulsões do mundo, sempre te via de pé! Mas não me aproximava de ti, porque os grandes do mundo ainda te haviam profanado, e feito de ti o patíbulo da Liberdade santa! Não me aproximava de ti, porque a Inquisição tinha entregue meus irmãos à fogueira em presença da tua imagem; não me aproximava de ti, porque não falavas, ao passo que os falsos ministros do céu falavam, em teu nome, de danação e vinganças; e eu só podia ouvir as palavras de misericórdia e união! Por isso, desde que a tua voz chegou ao meu ouvido, senti meu coração mudado e a minha consciência se acalmou! Bendita seja a hora salutar que me levou ao pé da cruz!

Então, uma porta se abrirá no céu e a montanha do Gólgota será o seu sólio, o trono do Rei e, diante desta porta, a humanidade verá, com admiração, a cruz irradiante guardada pelo judeu errante, que terá deposto a seus pés o seu bastão de viagem, e pela esfinge, que estenderá as suas asas e terá os olhos brilhantes de esperança, como se fosse tomar um novo voo e se transfigurar!

E a esfinge responderá à pergunta da cruz, dizendo: – Deus é aquele que triunfa sobre o mal pela prova de seus filhos, aquele que permite a dor, porque possui em si o remédio eterno; Deus é aquele que é, e diante de quem o mal não existe.

E a cruz responderá ao enigma da esfinge: – O homem é o filho de Deus que se imortaliza ao morrer, e que se liberta, por um amor inteligente e vitorioso, do tempo e da morte; o homem é aquele que deve amar para viver, e que não pode amar sem ser livre; o homem é o filho de Deus e da Liberdade!

Resumamos aqui o nosso pensamento. O homem, saído das mãos de Deus, é escravo de suas necessidades e da sua ignorância: deve libertar-se pelo estudo e o trabalho. Só a onipotência relativa da vontade, confirmada pelo Verbo, torna os homens livres, e é à ciência dos antigos magos que é preciso pedir os segredos da emancipação das forças vivas da vontade.

Levamos aos pés do menino de Belém o ouro, o incenso e a mirra dos antigos magos, agora que os reis da Terra parecem mandá-lo para o presepe. Que os pontífices sejam pobres, mas que numa das mãos tomem o cetro da ciência, o cetro real de Salomão, e na outra o báculo da caridade, o cajado do Bom Pastor; e somente então começarão a ser verdadeiramente reis neste e no outro mundo!

INTRODUÇÃO

Através do véu de todas as alegorias hieráticas e místicas dos antigos dogmas, através das trevas e provas bizarras de todas as iniciações, sob o selo de todas as escrituras sagradas nas ruínas de Nínive ou Tebas, sobre as pedras carcomidas dos antigos templos e na face escurecida das esfinges da Assíria e do Egito, nas pinturas monstruosas ou maravilhosas que produzem para o crente da Índia as páginas sagradas dos Vedas, nos emblemas estranhos dos nossos velhos livros de alquimia, nas cerimônias de recepção praticadas por todas as sociedades misteriosas, encontram-se os traços de uma doutrina em toda parte a mesma e em toda parte escondida cuidadosamente. A filosofia oculta parece ter sido a nutriz ou matriz de todas as forças intelectuais, a chave de todas as obscuridades divinas, e a rainha absoluta da sociedade, nos tempos em que era exclusivamente reservada à educação dos padres e dos reis.

Ela reinava na Pérsia com os magos, que um dia pereceram, como perecem os senhores do mundo, por terem abusado do seu poder; ela dotara a Índia das tradições mais maravilhosas e de um incrível luxo de poesia, graça e terror nos seus emblemas; ela civilizara a Grécia aos sons da lira de Orfeu; ela escondia o princípio de todas as ciências e de todos os progressos do espírito humano nos cálculos audaciosos de Pitágoras; a fábula estava cheia dos seus milagres, e a história, quando procurava ajuizar sobre esta potência incógnita, se confundia com a fábula; ela abalava ou fortalecia os impérios pelos seus oráculos, fazia empalidecerem os tiranos nos seus tronos e dominava todos os espíritos pela curiosidade ou pelo temor. A esta ciência, dizia a multidão, nada é impossível; ela manda nos elementos, sabe a linguagem dos astros e dirige a marcha das estrelas; a lua, à sua voz, cai ensanguentada do céu; os mortos se endireitam no seu túmulo e articulam com palavras fatais o sopro do vento noturno que sibila nos seus crânios. Senhora do amor ou do ódio, a ciência pode dar à vontade, aos corações humanos, o paraíso ou o inferno; ela dispõe à vontade de todas as forças e distribui a seu bel-prazer a beleza ou a fealdade; ela muda, com a varinha de Circe, os homens em brutos e os animais em homens; ela dispõe até da vida ou da morte, e pode conferir aos seus adeptos a riqueza pela quintessência e seu elixir composto de ouro e luz. Eis o que fora a magia desde Zoroastro até Mani, desde Orfeu até Apolônio de Thiana, quando o cristianismo positivo, triunfando enfim dos belos sonhos e das gigantescas aspirações da escola de Alexandria, ousou fulminar publicamente com seus anátemas esta filosofia, e a reduziu, assim, a ser mais oculta e mais misteriosa que nunca. Aliás, corriam, a respeito dos iniciados ou adeptos, murmúrios estranhos e alarmantes; estes homens em toda parte estavam rodeados de uma influência fatal: matavam ou faziam enlouquecer os que se deixavam arrastar pela sua meliflua eloquência ou pelo prestígio do seu saber. As mulheres que amavam tornavam-se estriges, seres sugadores de sangue da mitologia romana, os seus filhos desapareciam nos seus conventículos noturnos, e com estremecimento se falava, em voz baixa, de sangrentas orgias e abomináveis festins. Tinham sido encontrados ossos nos subterrâneos dos antigos templos, uivos tinham sido ouvidos durante a noite; as searas definhavam e os rebanhos ficavam lânguidos quando o mago tinha passado. Doenças que desafiavam a arte da medicina apareciam, às vezes, no mundo, e era sempre, diziam, sob o olhar envenenado dos adeptos. Enfim, um grito universal de reprovação se elevou contra a magia, de que só o nome se tornou um crime, e o ódio do vulgo se formulou por esta sentença: "Os magos ao fogo!", como disseram séculos antes: "Os cristãos aos leões!"

Ora, a multidão nunca conspira senão contra as potências reais; ela não tem a ciência do que é a verdade, mas tem o instinto do que é forte.

Estava reservado ao século XVIII rir-se ao mesmo tempo dos cristãos e da magia, preocupando-se com as homilias de Jean-Jacques e os prestígios de Cagliostro.

Todavia, no fundo da magia há a ciência, como no fundo do cristianismo há o amor; e, nos símbolos evangélicos, vemos o Verbo encarnado ser, na sua infância, adorado por três magos que uma estrela guia (o ternário e o signo do microcosmo), e recebe deles o ouro, o incenso e a mirra: outro ternário misterioso, sob cujo emblema estão contidos alegoricamente os mais elevados segredos da Cabala.

O cristianismo não devia, pois, dedicar ódio à magia; mas a ignorância humana sempre tem medo do desconhecido. A ciência foi obrigada a ocultar-se para escapar às agressões apaixonadas de um amor cego; ela se envolveu em novos hieróglifos, dissimulou seus esforços, disfarçou suas esperanças. Então, foi criada a algaravia da alquimia, contínua decepção para o vulgo, alteração de ouro e linguagem viva somente para os verdadeiros discípulos de Hermes.

Coisa singular! Existe entre os livros sagrados dos cristãos duas obras que a Igreja infalível não tem a pretensão de compreender e nunca tenta explicar: a profecia de Ezequiel e o *Apocalipse*; duas clavículas cabalísticas, reservadas, sem dúvida, no céu aos comentários dos reis magos; livros fechados com sete selos para os crentes fiéis, e perfeitamente claros para o infiel iniciado nas ciências ocultas.

Um outro livro existe ainda; mas esse, ainda que, de algum modo, seja popular e que possa ser encontrado em toda parte, é o mais oculto e o mais desconhecido de todos, porque contém a chave de todos os outros; está na publicidade sem ser conhecido pelo público; não se pensa encontrá-lo onde está e perderiam muito tempo em procurá-lo onde não está, se desconfiassem da sua existência. Este livro, talvez mais antigo que o de Enoque, nunca foi traduzido, e é inteiramente escrito em caracteres primitivos e em páginas separadas como as tabuletas dos antigos sumérios. Um sábio distinto revelou, sem que o tenham notado, não precisamente o seu segredo, mas a sua antiguidade e singular conservação; um outro sábio, porém de espírito mais fantástico do que judicioso, passou trinta anos a estudar esse livro, e somente suspeitou da sua importância. É, com efeito, uma obra monumental e singular, simples e forte como as pirâmides, e, por conseguinte, duradoura como elas; livro que resume todas as ciências e cujas combinações infinitas podem resolver todos os problemas; livro que fala fazendo pensar; inspirador e regulador de todas as concepções possíveis; talvez a obra-prima do espírito humano e, certamente, uma das mais belas coisas que a antiguidade nos deixou; clavícula universal, cujo nome só foi compreendido e explicado pelo sábio iluminado Guilherme Postello; texto único, do qual somente os primeiros caracteres arrebataram o espírito religioso de Saint-Martin e teriam dado a razão ao sublime e infeliz Swedenborg. Mais tarde falaremos desse livro, e a sua explicação matemática e rigorosa será o complemento e a coroa do nosso conscencioso trabalho.

A aliança original do cristianismo e da ciência dos magos, se for bem demonstrada, não será uma descoberta de medíocre importância, e não duvidamos que o resultado de um estudo sério da magia e da Cabala leve os espíritos sérios à conciliação, considerada até agora como impossível, da ciência e do dogma, da razão e da fé.

Dissemos que a Igreja, cujo atributo principal é ser depositária das chaves, não pretende ter as do *Apocalipse* ou das visões de Ezequiel. Para os cristãos e na sua opinião, as clavículas científicas e mágicas de Salomão estão perdidas. Todavia, é certo que, no domínio da inteligência governada pelo Verbo, nada se perde do que é escrito. Somente as coisas que os homens cessam de entender não existem mais para eles, ao menos como verbo; elas entram, então, no domínio dos enigmas e do mistério.

Aliás, a antipatia e até a guerra declarada da Igreja oficial contra tudo o que entra no domínio da magia, que é uma espécie de sacerdócio pessoal e emancipado, provêm de causas necessárias e até inerentes à constituição social e do sacerdócio cristão. A Igreja ignora a magia, porque deve ignorá-la ou perecer, como nós o provaremos mais tarde; ela nem ao menos reconhece que seu misterioso fundador foi saudado no seu berço por três magos, isto é, pelos embaixadores hieráticos das três partes do mundo conhecido, e dos três mundos análogos da filosofia oculta.

Na escola de Alexandria, a magia e o cristianismo quase que se dão a mão, sob os auspícios de Ammonio Saccas e Platão. O dogma de Hermes se acha quase inteiro nos escritos artibuídos a Dinis, o Areopagita. Sinésio traça o plano de um tratado dos sonhos, que mais tarde devia ser comentado por Cardan, e compõe hinos que poderiam servir à liturgia da igreja de Swedenborg, se uma igreja de iluminados pudesse ter uma liturgia. É também a esta época de abstrações ardentes e logomaquias apaixonadas que é preciso reatar o reino filosófico de Juliano, denominado o Apóstata, porque na sua mocidade fizera, contra a vontade, profissão do cristianismo. Todos sabem que Juliano teve a desdita de ser um herói de Plutarco fora de tempo, e foi, se é permitido falar assim, o Dom Quixote da cavalaria romana; mas o que todos não sabem é que Juliano era um iluminado e um iniciado de primeira ordem; é que ele acreditava na unidade de Deus e no dogma universal da Trindade; numa palavra, é que ele, de nada mais do velho mundo tinha saudade, a não ser dos seus magníficos símbolos e das suas muito graciosas imagens. Juliano não era um pagão, era um gnóstico imbuído de alegorias do politeísmo grego e que tinha a infelicidade de achar o nome de Jesus Cristo menos sonoro que o de Orfeu. Nele, o imperador pagou pelos gostos do filósofo e do retórico, e depois que deu a si próprio o espetáculo e o prazer de expirar como Epaminondas, com frases de Catão, teve, na opinião pública, já inteiramente cristã, anátemas por oração fúnebre e um epíteto infamante por última celebridade.

Passemos por cima das pequenas coisas e dos pequenos homens do Baixo Império e cheguemos ao Dogma na Idade Média... "Tomai, pegai este livro: lede na sétima página, depois assentai-vos no manto que vou estender e de que poremos uma ponta sobre os nossos olhos... A vossa cabeça gira, não é verdade, e vos parece que a terra foge debaixo dos vossos pés? Ficai firme e não olheis. A vertigem cessa; chegamos. Levantai-vos e abri os olhos, mas deixai de fazer qualquer sinal e de falar qualquer palavra de cristianismo. Estamos numa paisagem de Salvator Rosa. É um deserto atormentado que parece repousar depois da tempestade. A Lua não aparece mais no céu; não vedes, porém, as estrelas dançarem no tojal? Não ouvis voarem, ao redor de vós, pássaros gigantescos que, ao passar, parecem murmurar palavras estranhas? Aproximemo-nos em silêncio desta encruzilhada nos rochedos. Uma rouca e fúnebre trombeta se faz ouvir; tochas pretas estão acesas em todos os lados. Uma assembleia tumultuosa se aperta ao redor de uma cadeira vazia; olham e esperam. Imediatamente, todos se prosternam e murmuram: 'Ei-lo! ei-lo! é ele!' Um príncipe de cabeça de bode chega, pulando; sobe ao trono; volta-se e, abaixando-se, apresenta à assembleia uma figura humana a quem todos vêm, com uma vela preta na mão, fazer saudação e dar um beijo; depois ele se endireita com um riso estridente e distribui, aos seus confidentes, ouro, instruções secretas, medicinas ocultas e venenos. Durante este tempo são acesos fogos, o pau de amieiro e feto é queimado junto com ossos humanos e a banha de supliciados. Druidisas coroadas de aipo silvestre e verbena sacrificam com foicinhas de ouro crianças subtraídas ao batismo e preparam horríveis ágapes. As mesas estão postas: os homens mascarados se colocam ao lado das mulheres seminuas, e começa-se o festim das bacanais; nada falta, exceto o sal, que é símbolo da sabedoria e da imortalidade. O vinho corre em borbotões, e deixa manchas semelhantes às do sangue; os propósitos obscenos e as loucas carícias começam; eis que toda a assembleia está cheia de vinho, crimes, luxúria e canções; levantam-se em desordem e correm a formar as rodas infernais... Chegam, então, todos os monstros da lenda, todos os fantasmas do pesadelo; enormes sapos embocam a flauta às avessas, e sopram apertando as coxas com os pés; escarabeus coxos entram na dança, caranguejos tocam castanholas, crocodilos fazem birimbaus das suas escamas, elefantes e mamutes chegam vestidos em forma de Cupido e levantam as pernas dançando. Depois, as rodas, fora de si, se rompem e se dispersam... Cada dançarino arrasta, uivando, uma dançarina desgrenhada... As lâmpadas e candeias de sebo humano se extinguem, esfumaceando na sombra... Ouvem-se cá e acolá gritos, gargalhadas, blasfêmias e despropósitos... Vamos, acordai-vos e não façais o sinal da cruz: eu vos trouxe à vossa casa e estais no vosso leito. Estais um pouco fatigado, um pouco impressionado até, pela vossa viagem e vossa noite; mas vistes uma coisa de que todos falam sem conhecer; sois iniciado em segredos terríveis como os do antro de Trofônio: assististes ao *Sabbat*! Resta-vos, agora, não ficar louco, e manter-vos, num temor salutar da justiça, a uma distância respeitosa da Igreja e das suas fogueiras"!

Quereis ver ainda alguma coisa menos fantástica, mais real e até verdadeiramente mais terrível? Eu vos farei assistir ao suplício de Jacques DeMolay e dos seus cúmplices ou dos seus irmãos no martírio... Mas, não vos enganeis e não confundais o culpado com o inocente. Os templários adoram realmente Baphomet? Deram um beijo humilhante na face posterior do bode de Mendes? Qual era, pois, esta associação secreta e poderosa que pôs em perigo a Igreja e o Estado, e que matam sem ouvi-la? Nada julgueis levianamente; são culpados de um grande crime: deixaram os profanos verem o santuário da antiga iniciação; colheram ainda uma vez e repartiram entre si, para tornarem-se, assim, senhores do mundo, os frutos da ciência do bem e do mal. A sentença que os condena vem de mais alto que do próprio tribunal do papa ou do Rei Filipe, o Belo. "Desde o dia em que comeres deste fruto, serás ferido de morte", tinha dito o próprio Deus, como veremos no livro do *Gênesis*.

Que é que se passa, pois, no mundo, e por que os padres e reis tremeram? Que poder secreto ameaça as tiaras e coroas? Eis alguns loucos que correm de país em país, e que escondem, dizem eles, a pedra filosofal sob os restos da sua miséria. Podem transmutar a terra em ouro e falta-lhe asilo e pão! A sua fronte é cingida por uma auréola de glória e um reflexo de ignomínia! Um achou a ciência universal, e não sabe como morrer para escapar às torturas do seu triunfo: é o filósofo, poeta e escritos Raimundo Lúlio. Outro cura com remédios fantásticos as doenças imaginárias e dá adiantadamente um desmentido formal ao provérbio que estabelece a ineficácia de um cautério numa perna de pau: é o maravilhoso Paracelso, sempre bêbado e sempre lúcido como os heróis de Rabelais. Aqui é Guilherme Postello, que escreveu ingenuamente aos padres do concílio de Trento, porque achou a doutrina absoluta, escondida desde o começo do mundo, e que ele demora em fazer-lhes participar. O concílio nem mesmo se inquieta do louco, não se digna condená-lo, e passa ao exame das graves questões da graça eficaz e da graça suficiente. Aquele que vemos morrer pobre e abandonado é Cornélio Agripa, o menos mágico de todos, e aquele que o vulgo se obstina em tomar pelo mais feiticeiro, porque, às vezes, era satírico e mistificador. Que segredo, pois, todos estes homens levam ao seu túmulo? Por que os admiram, sem os conhecer? E por que são eles iniciados nessas terríveis ciências ocultas de que a Igreja e a sociedade têm medo? Por que sabem o que os outros homens ignoram? Por que dissimulam o que cada qual tem desejo ardente de saber? Por que estão investidos de um poder terrível e desconhecido? As ciências ocultas! a magia ! eis aí duas palavras que vos dizem tudo e que podem vos fazer pensar ainda mais! *De omni re scibili et quibusdam aliis.*

Que era, pois, a magia? Qual era, pois, o poder destes homens tão perseguidos e tão altivos? Por que, se eram tão fortes, não foram vencedores dos seus inimigos? Por que, se eram insensatos e fracos, lhes faziam a honra de os temer tanto? Existe uma magia, existe uma ciência oculta que seja verdadeiramente um poder e que opere prodígios capazes de fazer concorrência aos milagres das religiões autorizadas?

A estas duas perguntas principais responderemos por uma palavra e por um livro. O livro será a justificação da palavra, e esta palavra ei-la: *sim*, existiu e existe ainda uma magia poderosa e real; *sim*, tudo o que as lendas disseram era verdade; somente que aqui, e ao contrário do que de ordinário acontece, as exagerações populares não só estavam afastadas, como também abaixo da verdade.

Sim, existe um segredo formidável, cuja revelação já derrubou um mundo, como o atestam as tradições religiosas do Egito, resumidas simbolicamente por Moisés no começo do *Gênesis*. Este segredo constitui a ciência fatal do bem e do mal, e o seu resultado, quando é divulgado, é a morte. Moisés o representa sob a figura de uma árvore que está *no centro* do Paraíso terrestre, e que está perto, e até ligada pelas suas raízes à árvore da vida; os quatro rios misteriosos têm a sua fonte ao pé desta árvore, que é guardada pela espada de fogo e pelas quatro formas da esfinge bíblica, o Querubim de Ezequiel... Aqui devo parar; temo já ter falado demais.

Sim, existe um dogma único, universal, imperecível, forte como a razão humana, simples como tudo o que é grande, inteligível como tudo o que é universal e absolutamente verdadeiro, e este dogma foi o pai de todos os outros.

Sim, existe uma ciência que confere ao homem prerrogativas em aparência sobre-humanas; ei-las tal como as acho enumeradas num manuscrito hebreu do século XVI:

"Eis, agora, quais são os privilégios e poderes
daquele que tem na sua mão direita as clavículas de Shlomoh, e na esquerda o ramo de amendoeira florida:

א	Aleph. -	Vê Deus face a face, sem morrer, e conversa familiarmente com os sete gênios que mandam em toda a milícia celeste.
ב	Beth. -	Está acima de todas as aflições e de todos os temores.
ג	Ghimel. -	Reina com o céu inteiro e se faz servir por todo o inferno.
ד	Daleth. -	Dispõe da sua saúde e da sua vida e pode também dispor das dos outros.
ה	Hê. -	Não pode ser surpreendido pelo infortúnio, nem atormentado pelos desastres, nem vencido pelos inimigos.
ו	Vô. -	Sabe a razão do passado, do presente e do futuro.
ז	Zain. -	Tem o segredo da ressurreição dos mortos e a chave da imortalidade.

São estes os sete grandes privilégios.

Eis os que seguem depois:

ח	Cheath. -	Achar a pedra filosofal.
ט	Teth. -	Ter a medicina universal.
י	Iod. -	Conhecer as leis do movimento perpétuo e poder demonstrar a quadratura do círculo.
כ	Caph. -	Transmutar em ouro não só todos os metais, mas também a própria terra, e até as imundícies da terra.
ל	Lamed. -	Dominar os animais mais ferozes, e saber dizer palavras que adormecem e encantam as serpentes.
מ	Mem. -	Possuir a arte notória que dá a ciência universal.
נ	Nun. -	Falar sabiamente sobre todas as coisas, sem preparação e sem estudo.

Eis, enfim, os sete menores poderes do mago:

ס *Samech.* – Conhecer à primeira vista o fundo da alma dos homens e os mistérios do coração das mulheres.

ע *Hain.* – Forçar, quando lhe apraz, a natureza a manifestar-se.

פ *Phe.* – Prever todos os acontecimentos futuros que não dependam de um livre-arbítrio superior ou de uma causa incompreensível.

צ *Tsade.* – Dar de momento e a todos as consolações mais eficazes e os conselhos mais salutares.

ק *Coph.* – Triunfar das adversidades.

ר *Resch.* – Dominar o amor e o ódio.

ש *Schin.* – Ter o segredo das riquezas, ser sempre seu senhor e nunca seu escravo. Saber gozar mesmo da pobreza e jamais cair na abjeção nem na miséria.

ת *Thau.* – Acrescentaremos a estes setenários, que o sábio governa os elementos, faz cessar as tempestades, cura os doentes, tocando-os, e ressuscita os mortos!

Mas há coisas que Salomão selou com o seu tríplice selo. Os iniciados sabem, basta. Quanto aos outros, que riam, creiam, duvidem, ameacem ou tenham medo, que importa à ciência e que nos importa?

Tais são, com efeito, os resultados da filosofia oculta, e estamos em condições de não temer uma acusação de loucura ou uma desconfiança de charlatanismo, afirmando que todos estes privilégios são reais. É o que o nosso trabalho inteiro sobre a filosofia oculta terá por fim demonstrar.

A pedra filosofal, a medicina universal, a transmutação dos metais, a quadratura do círculo e o segredo do movimento perpétuo não são, pois, nem mistificações da ciência nem ilusões de loucura; são termos que se devem entender no seu verdadeiro sentido, e que exprimem os diferentes empregos de um mesmo segredo, os diferentes caracteres de uma mesma operação que definimos de um modo mais geral, chamando-a somente de a Grande Obra.

Existe também, na natureza, uma força muito mais poderosa que o vapor, e por meio da qual um só homem, que pudesse apoderar-se dela e soubesse dirigi-la, transformaria e mudaria a face do mundo. Esta força era conhecida pelos antigos; ela consiste num agente universal, cuja lei suprema é o equilíbrio e cuja direção está diretamente ligada com o grande arcano da magia transcendente. Pela direção deste agente pode-se mudar até a ordem das estações, produzir à noite os fenômenos do dia, corresponder num instante de uma extremidade à outra da Terra, ver como Apolônio o que se passa no outro lado do mundo, curar ou ferir a distância, dar à palavra sucesso e repercussão universais. Este agente, que apenas se revela sob as pesquisas dos discípulos de Mesmer, é precisamente o que os adeptos da Idade Média chamavam a matéria-prima da Grande Obra. Os gnósticos faziam dele o corpo ígneo do Espírito Santo, e era ele que era adorado nos ritos do *Sabbat* ou do templo, sob a figura hieroglífica de Baphomet ou do bode Andrógino de Mendes. Tudo isto será demonstrado mais adiante.

Tais são os segredos da filosofia oculta, tal nos aparece na história a magia; vejamo-la, agora, nos livros, nas obras, nas iniciações e nos ritos.

A chave de todas as alegorias mágicas se acha nas folhas que mencionamos, e que cremos ser obra de Hermes. Ao redor deste livro, que se pode chamar a pedra angular de todo o edifício das ciências ocultas, vêm se ordenar inúmeras lendas que são ou a sua tradução parcial ou o seu comentário renovado incessantemente, sob mil formas diferentes. Às vezes, essas fábulas engenhosas se agrupam harmoniosamente e formam uma grande epopeia que caracteriza uma época, sem que a multidão possa explicar o como ou o porquê. É assim que a história fabulosa do Velocino de Ouro resume, ocultando-os, os dogmas herméticos e mágicos de Orfeu, e se só remontamos às poesias misteriosas da Grécia, é que os santuários do Egito e da Índia nos espantam de algum modo pelo seu luxo, e nos deixam embaraçados na escolha, no meio de tantas riquezas; depois nos faz tardar na chegada da Tebaida, esta admirável síntese de todo o dogma presente, passado e futuro, esta fábula, por assim dizer, infinita, que toca, como o Deus de Orfeu, nas duas extremidades do ciclo da vida humana. Coisa estranha! As sete portas de Tebas, defendidas por sete chefes que juraram pelo sangue das vítimas, têm o mesmo sentido que os sete selos do livro sagrado explicado por sete gênios, e atacado por um monstro de sete cabeças, depois de ter sido aberto por um cordeiro vivente e imolado no livro alegórico de S. João! A origem misteriosa de Édipo, que foi encontrado suspenso como um fruto ensanguentado numa árvore de Cytheron, lembra os símbolos de Moisés e os contos do Gênesis. Ele luta contra seu pai e o mata sem o conhecer: espantosa profecia da emancipação cega da razão sem a ciência; depois chega diante da esfinge! A esfinge, o símbolo dos símbolos, o enigma eterno do vulgo, o pedestal de granito da ciência dos Sábios, o monstro devorador e silencioso que exprime, pela sua forma invariável, o dogma único do grande mistério universal. Como o quaternário se muda em binário e se explica pelo ternário? Em outros termos mais enigmáticos e mais vulgares, qual é o animal que de manhã tem quatro pés, dois ao meio-dia e três à tarde? Filosoficamente falando, como o dogma das forças elementares produz o dualismo de Zoroastro e se resume pela tríade de Pitágoras e Platão? Qual é a razão última das alegorias e dos números, a última palavra de todos os simbolismos? Édipo responde com uma palavra simples e terrível que mata a esfinge e vai fazer do adivinhador rei de Tebas; a palavra do enigma é o homem!... Infeliz, viu muito, porém não tão claro, e logo expiará a sua funesta e incompleta clarividência por uma cegueira voluntária, depois desaparecerá no meio de uma tempestade como todas as civilizações que adivinharam um dia, sem compreender todo o seu valor e todo o seu mistério, a palavra do enigma da esfinge. Tudo é simbólico e transcendental nesta gigantesca epopeia dos destinos humanos. Os dois irmãos inimigos exprimem a segunda parte do grande mistério completado divinamente pelo sacrifício de Antígona; depois a guerra, a última guerra, os irmãos inimigos mortos um pelo outro, Capaneu morto pelo raio que desafiava, Aphiraus devorado pela terra, são tantas alegorias que enchem de admiração, pela sua verdade e sua grandeza, os que penetram o seu tríplice sentido hierático. Ésquilo, comentado por Ballanche, dá uma bem fraca ideia delas, sejam quais forem as majestades primitivas da poesia de Ésquilo e o belo do livro de Ballanche.

    O livro secreto da antiga iniciação não era ignorado por Homero, que traça o seu plano e as principais figuras no século de Aquiles, com minuciosa exatidão. Mas as graciosas ficções de Homero parecem fazer esquecer logo as simples e abstratas verdades da revelação primitiva. O homem prende-se à forma e deixa em esquecimento a ideia; os sinais, multiplicando-se, perdem o seu poder; a magia também, nesta época, se corrompe e vai descer, com os feiticeiros da Tessália, aos mais profanos encantamentos. O crime de Édipo trouxe seus frutos de morte, e a ciência do bem e do mal erige o mal em divindade sacrílega. Os homens, fatigados da luz, se refugiam na sombra da substância corpórea: o sonho do vazio que Deus preenche, logo lhes parece maior que o próprio Deus, e o inferno foi criado.

    Quando, no curso desta obra, nós nos servimos das palavras consagradas Deus, Céu, Inferno, saiba-se bem, de uma vez por todas, que nós nos afastamos tanto do sentido dado a essas palavras pelos profanos, como a iniciação está separada do pensamento vulgar. Deus, para nós, é o Azoth dos sábios, o princípio eficiente e final da Grande Obra. Explicaremos mais tarde o que estes termos têm de obscuro.

    Voltemos à fábula de Édipo. O crime do rei de Tebas não é de ter compreendido a esfinge, é de ter destruído o flagelo de Tebas, sem ser assaz puro para completar a expiação em nome do seu povo; por isso, logo a peste vinga a morte da esfinge, e o rei de Tebas, forçado a abdicar, sacrifica-se aos males terríveis do monstro, que está mais vivo e mais devorador do que nunca, agora que passou do domínio da forma ao da ideia. Édipo viu o que é o homem, e arranca os seus olhos para não ver o que é Deus. Divulgou a metade do grande arcano mágico, e, para salvar seu povo, é preciso que leve consigo ao exílio e ao túmulo a outra metade do terrível segredo.

Depois da fábula colossal de Édipo, encontramos o gracioso poema sobre Eros e Psiquê, de que Apuleio certamente não é o inventor. O grande arcano mágico reaparece, aqui, sob a figura da união misteriosa entre um deus e uma fraca mortal abandonada, sozinha e nua, num rochedo. Psiquê deve ignorar o segredo da sua beleza ideal, e se olhar para o seu esposo, ela o perderá. Apuleio comenta e interpreta aqui as alegorias de Moisés; mas os Elohim de Israel e os deuses de Apuleio não saíram igualmente dos santuários de Mênfis e de Tebas? Psiquê é a irmã de Eva, ou antes disso, é Eva espiritualizada. Todas as duas querem saber, e perdem a inocência para ganhar a honra da prova. Ambas merecem descer aos infernos, uma para levar a antiga caixa de Pandora, a outra para procurar esmagar a cabeça da antiga serpente, que é o símbolo do tempo e do Mal. Ambas cometem o crime que deve ser expiado pelo Prometeu dos tempos antigos e o Lúcifer da lenda cristã, um libertado, outro submetido por Hércules e pelo Salvador.

O grande segredo mágico é, pois, a lâmpada e o punhal de Psiquê, é o pomo de Eva, é o fogo sagrado roubado por Prometeu, é o cetro ardente de Lúcifer, mas é também a cruz santa do Redentor. Sabê-lo bastante para abusar dele ou divulgá-lo é merecer todos os suplícios; sabê-lo como se deve saber, para servir-se dele e ocultá-lo, é ser Senhor do Absoluto.

Tudo está contido numa palavra, e numa palavra de quatro o letras: é o Tetragrammaton dos Hebreus, e o Azoth dos alquimistas, é o Thot dos Boêmios e o Tarô dos Cabalistas. Esta palavra, expressa de tantos modos, quer dizer Deus para os profanos, significa o homem para os filósofos, e dá aos adeptos a última palavra das ciências humanas e a chave do poder divino; mas só sabe servir-se dela aquele que compreende a necessidade de a não revelar nunca. Se Édipo, em lugar de fazer morrer a esfinge, a tivesse dominado e atrelado ao seu carro para entrar em Tebas, teria sido rei sem incesto, sem calamidade e sem exílio. Se Psiquê, à força de submissão e carícias, tivesse induzido o Amor a revelar a si próprio, ela nunca o teria perdido. O Amor é uma das imagens mitológicas do grande segredo e do grande agente, porque exprime, ao mesmo tempo, uma ação e uma paixão, um vazio e uma plenitude, uma flecha e uma ferida. Os iniciados devem compreender-me, e, por causa dos profanos, não devo dizer muito.

Depois do maravilhoso asno de ouro de Apuleio, não achamos epopeias mágicas. A ciência, vencida em Alexandria pelo fanatismo dos assassinos de Hipácia, se faz cristã, ou antes se oculta sob véus cristãos com Amônios, Sinésio e o pseudoautor dos livros de Dinis, o Areopagita. Era preciso, naquele tempo, fazer perdoar os seus milagres pelas aparências da superstição, e a sua ciência por uma linguagem ininteligível. Ressuscitaram a escrita hieroglífica, e inventaram os pentáculos e caracteres que resumem uma doutrina inteira num sinal, uma série inteira de tendências e revelações, numa palavra. Qual era o fim dos aspirantes à ciência? Procuravam o segredo da Grande Obra, a pedra filosofal, o movimento perpétuo, a quadratura do círculo ou a medicina universal, fórmulas que, muitas vezes, os salvava da perseguição e do ódio, fazendo-os tachar de loucura, e todas as quais exprimiam uma das faces do grande segredo mágico, como demonstraremos mais tarde. Esta falta de epopeias dura até o nosso romance da *Rosa*; mas o símbolo da rosa, que exprime também o sentido misterioso e mágico do poema de Dante, é tirado da alta Cabala, e é tempo de entrarmos nesta fonte imensa e oculta da filosofia universal.

A Bíblia, com todas as alegorias que contém, só exprime de um modo incompleto e obscuro a ciência religiosa dos hebreus. O livro de que falamos e cujos caracteres hieráticos explicaremos, este livro que Guilherme Postello chama o *Gênese* de Enoque, existia certamente antes de Moisés e dos profetas, cujo dogma, fundamentalmente idêntico aos dos antigos egípcios, tinha também seu esoterismo e seus véus. Quando Moisés falava ao povo, diz alegoricamente o livro sagrado, punha um véu na sua cabeça, e tirava este véu para falar a Deus: tal é a causa das pretensas absurdidades da Bíblia, que tanto exercitaram a *verve* satírica de Voltaire. Os livros eram escritos para lembrar a tradição, e escreviam-nos em símbolos ininteligíveis para os profanos. Aliás, o Pentateuco e as poesias dos profetas eram somente livros elementares, quer de dogma, quer de moral, quer de liturgia: a verdadeira filosofia secreta e tradicional só foi escrita mais tarde, debaixo de véus ainda menos transparentes. E é assim que nasceu uma segunda Bíblia desconhecida, ou antes não entendida pelos cristãos; uma compilação, dizem eles, de numerosas absurdidades (e aqui os crentes, confundidos numa idêntica ignorância, falam como os incrédulos): um monumento, dizemos nós, que reúne tudo o que o gênio filosófico e o gênio religioso jamais fizeram ou imaginaram de sublime; tesouro rodeado de espinhos, diamante escondido numa pedra bruta e obscura; os nossos leitores já terão adivinhado que queremos falar do Talmude.

Estranho destino o dos judeus! Os bodes emissários, os mártires e os salvadores do mundo! Família vivaz, raça corajosa e dura, que as perseguições sempre conservaram intacta, porque ainda não realizou sua missão! As nossas tradições apostólicas não dizem que, depois do declínio da fé entre os gentios, a salvação virá ainda da casa de Jacó, e que então o judeu crucificado, que os cristãos adoraram, porá o império do mundo entre as mãos de Deus seu pai?

Ficamos cheios de admiração ao penetrar no santuário da Cabala, à vista de um dogma tão lógico, tão simples e, ao mesmo tempo, tão absoluto. A união necessária das ideias e dos sinais; a consagração das realidades mais fundamentais por caracteres primitivos; a trindade das palavras, das letras e dos números; uma filosofia simples como o alfabeto, profunda e infinita como o Verbo; teoremas mais completos e mais luminosos que os de Pitágoras; uma teologia que se resume contando pelos dedos; um infinito que se pode fazer conter na cova da mão de uma criança; dez algarismos e vinte e duas letras, um triângulo, um quadrado e um círculo; eis todos os elementos da Cabala. São os princípios elementares do Verbo escrito, reflexo deste Verbo falado que criou o mundo!

Todas as religiões verdadeiramente dogmáticas saíram da Cabala e voltam a ela; tudo o que há de científico e grandioso nos sonhos religiosos de todos os iluminados, Jacob Boehme, Emanuel Swedenborg, Louis Claude de Saint-Martin, etc., é tirado da Cabala; todas as associações maçônicas lhe devem os seus segredos e seus símbolos. Só a Cabala consagra a aliança da razão universal e do Verbo divino; ela estabelece, pelo contrapeso das duas forças em aparência opostas, a balança eterna do ser; só ela concilia a razão com a fé, o poder com a liberdade, a ciência com o mistério:, ela tem a chave do presente, do passado e do futuro!

Para iniciar-se à Cabala, não basta ler e meditar os escritos de Reuchlin, Galatino, AthanasiusKircher e Pico Della Mirandola; é preciso ainda estudar e entender os escritores hebreus da coleção de Pistório, principalmente o *Sefer Yetzirah*, depois a filosofia de amor, de Leão Hebreu. É preciso também estudar o grande livro de Zohar, ler atentamente, na coleção de 1684, intitulada *Kabbala Denudata*, o trabalho da pneumática cabalística e da revolução das almas; depois entrar ousada e corajosamente nas luminosas trevas do corpo dogmático e alegórico do Talmude. Então, se poderá entender Guilherme Postello, e confessar em voz baixa que, pondo de parte os seus sonhos bem prematuros e muito generosos da emancipação da mulher, este célebre e sábio iluminado podia não ser tão louco como o pretendem os que o não leram.

Acabamos de esboçar rapidamente a história da filosofia oculta, indicamos as suas fontes e analisamos, em poucas palavras, os seus principais livros. Este trabalho só se refere à ciência; mas a magia, ou antes o poder mágico, se compõe de duas coisas: uma ciência e uma força. Sem a força, a ciência nada é, ou antes é um perigo. Dar à ciência só a força, tal é a lei suprema das iniciações. Por isso, o grande revelador disse: O reino de Deus sofre violência e são os violentos que o arrebatam. A porta da verdade está fechada como o santuário de uma virgem; é preciso ser um homem para entrar. Todos os milagres são prometidos à fé; mas que é a fé, senão ousadia de uma vontade que não hesita nas trevas e caminha para a luz através de todas as provações e vencendo todos os obstáculos?

Não repetiremos aqui a história das antigas iniciações; quanto mais eram perigosas e terríveis, tanto mais tinham eficácia; por isso, o mundo tinha, então, homens para governá-lo e instruí-lo. A arte sacerdotal e a arte real consistiam, principalmente, nas provas da coragem, da discrição e da vontade. Era um noviciado semelhante ao destes padres tão impopulares nos nossos dias, sob o nome de Jesuítas, que ainda governariam o mundo se tivessem uma cabeça verdadeiramente inteligente e sábia.

Depois de ter passado a nossa vida na investigação do absoluto em religião, ciência e justiça; depois de ter girado no círculo de Fausto, chegamos ao primeiro dogma e ao primeiro livro da humanidade. Aí paramos, aí achamos o segredo da onipotência humana e do progresso indefinido, a chave de todos os simbolismos, o primeiro e o último de todos os dogmas. E entendemos o que querem dizer estas palavras muitas vezes repetidas no Evangelho: o reino de Deus.

Dar um ponto fixo para apoio à atividade humana e resolver o problema de Arquimedes, realizando o emprego da sua famosa alavanca. É o que fizeram os grandes iniciadores que deram abalos no mundo, e só puderam fazê-lo por meio do grande e incomunicável segredo. Aliás, para garantia da sua nova juventude, a fênix simbólica só reapareceria aos olhos do mundo depois de ter consumido solenemente os restos e as provas da sua vida anterior. É assim que Moisés faz morrer no deserto todos os que teriam conhecido o Egito e seus mistérios; é assim que S. Paulo, em Éfeso, queima todos os livros que tratavam de ciências ocultas; é assim, enfim, que a revolução francesa, filha do grande Oriente Johannita e da cinza dos Templários, espolia as igrejas e blasfema contra as alegorias do culto divino. Mas todos os dogmas e todos os renascimentos proscrevem a magia e votam seus mistérios ao fogo ou ao esquecimento. É que todo culto ou toda filosofia que vem ao mundo é um Benjamim da humanidade que só pode viver dando a morte à sua mãe; é que a serpente simbólica gira sempre devorando a sua cauda; é que é preciso, para sua razão de ser, a toda plenitude um vazio, a toda grandeza um espaço, a toda afirmação uma negação; é a realização eterna da alegoria da fênix.

Dois sábios ilustres já me precederam no caminho que sigo, mas, por assim dizer, passaram nele a noite e sem luz. Quero falar de Volney e Dupuis, principalmente de Dupuis, cuja imensa erudição só pôde produzir uma obra negativa. Ele viu na origem de todos os cultos a astronomia, tomando assim o Ciclo simbólico pelo dogma, e o calendário pelas lendas. Um único conhecimento lhe faltava, o da verdadeira magia, que contém os segredos da Cabala. Dupuis passou nos antigos santuários como o profeta Ezequiel na planície coberta de ossos, e só compreendeu a morte por não saber a palavra que reúne a virtude dos quatro ventos do céu, e que pode fazer um povo vivo deste imenso ossuário, exclamando aos antigos símbolos: Levantai-vos, revesti uma nova forma e caminhai.

O que ninguém, pois, pôde ou ousou fazer antes de nós, chegou o tempo em que teremos a ousadia de ensaiar. Queremos, como Juliano, reconstruir o templo, e nisso não cremos dar um desmentido a uma sabedoria que adoramos, e que o próprio Juliano teria sido digno de adorar, se os doutores odiosos e fanáticos do seu tempo lhe tivessem permitido compreendê-la. O templo, para nós, tem duas colunas, numa das quais o cristianismo escreveu o seu nome. Não queremos, pois, atacar o cristianismo; longe disso, queremos explicá-lo e realizá-lo. A inteligência e a vontade exerceram alternativamente o poder no mundo; a religião e a filosofia lutam ainda nos nossos dias e devem acabar por concordar-se. O cristianismo teve, por fim provisório, estabelecer, pela obediência e a fé, uma igualdade sobrenatural ou religiosa entre os homens, e imobilizar a inteligência pela fé, a fim de dar um ponto de apoio à virtude que vinha destruir a aristocracia da ciência, ou antes substituir esta aristocracia já destruída. A filosofia, pelo contrário, trabalhou para fazer os homens voltarem pela liberdade e a razão à desigualdade natural, e para substituir, fundando o reino da indústria, a habilidade à virtude. Nenhuma dessas duas ações foi completa e suficiente, nenhuma conduziu os homens à perfeição e à felicidade. O que sonha agora, sem quase ousar esperá-lo, é uma aliança entre estas duas forças por muito tempo consideradas como contrárias, e temos razão de desejar esta aliança: porque as duas grandes potências da alma humana não são mais opostas uma à outra do que o sexo do homem é oposto ao da mulher; sem dúvida, elas são diferentes, mas as suas disposições, em aparência contrárias, só vêm da sua aptidão a encontrarem-se e a unirem-se.

— Não se trata nada menos do que de uma solução universal de todos os problemas?

Sem dúvida, pois que se trata de explicar a pedra filosofal, o movimento perpétuo, o segredo da Grande Obra e a medicina universal. Tachar-nos-ão de louco como ao divino *Paracelso*, ou de charlatão como ao grande e infeliz *Agrippa*. Se a fogueira de Urbano Grandier está extinta, restam as surdas proscrições do silêncio ou da calúnia. Nós não as desafiamos, mas nos resignamos a elas. Não procuramos por nós mesmos a publicação desta obra e cremos que, se chegou o tempo de produzir-se a palavra, ela se produzirá por si mesma, por nós ou por outros. Ficaremos, pois, calmos e esperaremos.

A nossa obra tem duas partes: numa, estabelecemos o dogma cabalístico e mágico na sua totalidade; a outra é consagrada ao culto, isto é, à magia cerimonial. Uma é o que os antigos sábios chamavam a clavícula; a outra, o que as pessoas do campo chamam ainda hoje o engrimanço. O número e o assunto dos capítulos, que se correspondem nas duas partes, nada têm de arbitrário, e se achavam indicados na grande clavícula universal de que damos, pela primeira vez, uma explicação completa e satisfatória.

Agora, que esta obra vá aonde quiser e venha a ser o que a Providência quiser. Ela está feita, e cremo-la durável, porque é forte como tudo o que é razoável e conscencioso.

Éliphas Lévi

O Grande Símbolo de Salomão

DOGMA DA ALTA MAGIA

1 א A
O RECIPIENDÁRIO

DISCIPLINA
ENSOPH
KETHER

Quando um filósofo tomou para base de uma nova revelação da sabedoria humana este raciocínio: "Penso, logo existo", ele mudou de algum modo e à sua vontade, conforme a revelação cristã, a noção antiga do Ser supremo. Moisés faz dizer ao Ser dos seres: "Eu sou quem sou". Descartes faz dizer ao homem: "Eu sou aquele que pensa", e como pensar é falar interiormente, o homem de Descartes pode dizer como o Deus de S. João Evangelista: "Eu sou aquele em quem está e por quem se manifesta o Verbo". *In principio erat verbum.*

Que é um princípio? É uma base de palavra, é uma razão de ser do verbo. A essência do verbo está no princípio: o princípio é o que é; a inteligência é um princípio que fala.

Que é a luz intelectual? É a palavra. Que é a revelação? É a palavra; o ser é o princípio, a palavra é o meio e a plenitude ou o desenvolvimento, e a perfeição do ser é o fim: falar é criar.

Porém, dizer "Eu penso, logo existo", é concluir da consequência ao princípio, e recentes contradições levantadas por um grande escritor* provaram suficien-

---
* Lamennais.

temente a imperfeição filosófica deste método. Eu sou, logo existe alguma coisa, nos parece uma base mais primitiva e mais simples da filosofia experimental.

Eu sou, logo o ser existe.

Ego sum qui sum: eis aí a revelação primária de Deus no homem e do homem no mundo, e é também o primeiro axioma da filosofia oculta.

אהיה אשר אהיה

O ser é o ser.

Esta filosofia tem, pois, por princípio o que existe, e nada tem de hipotético nem de casual.

Mercúrio Trismegisto inicia o seu admirável símbolo, conhecido sob o nome de *Tábua de Esmeralda*, por esta tríplice afirmação: "É verdade, é certo sem erro, é absolutamente verdade". Assim, a verdade confirmada pela experiência em física, a certeza desembaraçada de qualquer mistura de erro em filosofia, a verdade absoluta, indicada, pela analogia, no domínio da religião ou do infinito, tais são as primeiras necessidades da verdadeira ciência, e é o que só a magia pode dar aos seus adeptos.

Mas, antes de tudo, quem sois vós que tendes este livro entre as vossas mãos e o começais a ler?...

No frontispício de um templo que a antiguidade dedicara ao deus da luz, lia-se esta inscrição em duas palavras: "Conhece-te a ti mesmo".

Tenho o mesmo conselho a dar a qualquer homem que queira aproximar-se da ciência.

A magia, que os antigos chamavam o *sanctum regnum*, o santo reino, ou o reino de Deus, *regnum Dei*, só é feita para os reis e padres; sois padre? sois rei? O sacerdócio da magia não é um sacerdócio vulgar e a sua realeza nada tem que debater com os príncipes deste mundo. Os reis da ciência são os padres da verdade, e o seu reino fica oculto para a multidão, como os seus sacrifícios e as suas preces. Os reis da ciência são os homens que conhecem a verdade e que a verdade os tornou livres, conforme a promessa formal do mais poderoso dos iniciadores.

O homem que é escravo das suas paixões ou dos preconceitos deste mundo não poderia ser um iniciado; ele nunca se elevará enquanto não se reformar; não poderia, pois, ser um adepto, porque a palavra *adepto* significa aquele que se elevou por sua vontade e por suas obras.

O homem que ama suas ideias e que tem medo de as perder, aquele que teme as verdades e que não está disposto a duvidar de tudo, antes do que admitir qualquer coisa ao acaso, esse deve fechar este livro, que lhe é inútil e perigoso; ele o compreenderia mal e ficaria perturbado, mas ficá-lo-ia muito mais se por acaso o compreendesse bem.

Se estais preso por alguma coisa ao mundo, mais que à razão, à verdade e à justiça; se vossa vontade é incerta e vacilante, quer no bem, quer no mal; se a lógica vos espanta, se a verdade nua vos faz corar; se vos sentis ofendido quando apontam vossos erros, condenai imediatamente este livro, e, não o lendo, fazei como se não existisse para vós, porém não o difameis como perigoso: os segredos que ele revela serão compreendidos por um pequeno número, e os que os compreenderem não os revelarão. Mostrar à noite a luz aos pássaros é ocultá-la, pois que ela os cega e torna-se para eles mais obscura do que as trevas. Falarei, pois, claramente; direi tudo e tenho a firme confiança de que só os iniciados, ou os que são dignos de o ser, lerão tudo e compreenderão alguma coisa.

Há uma verdadeira e uma falsa ciência, uma magia divina e uma magia infernal, isto é, mentirosa e tenebrosa; temos de revelar uma e desvendar outra; temos de distinguir o mago do feiticeiro e o adepto do charlatão.

O mago dispõe de uma força que conhece, o feiticeiro procura abusar do que ignora.

O diabo – se é permitido num livro de ciência empregar esta palavra desacreditada e vulgar – o diabo se dá ao mago e o feiticeiro se dá ao diabo.

O mago é o soberano pontífice da natureza, o feiticeiro não passa de um profanador.

O feiticeiro é para o mago o que o supersticioso e o fanático são para o homem verdadeiramente religioso.

Antes de ir mais longe, definamos claramente a magia.

A magia é a ciência tradicional dos segredos da natureza, que nos vem dos magos.

Por meio desta ciência, o adepto se acha investido de uma espécie de onipotência relativa e pode agir de modo que ultrapassa a capacidade comum dos homens.

É assim que vários adeptos célebres, tais como Mercúrio Trismegisto, Osíris, Orfeu, Apolônio de Thiana, e outros que poderia ser perigoso ou inconveniente mencionar, puderam ser adorados ou invocados depois da sua morte como deuses. É assim que outros, conforme o fluxo e o refluxo da opinião, que faz os caprichos do êxito, tornaram-se agentes do inferno ou aventureiros suspeitos, como o imperador Juliano, Apuleio, o encantador Merlin, e o arquifeiticeiro, como o chamavam no seu tempo, o ilustre e infeliz Cornélio Agrippa.

Para chegar ao *sanctum regnum*, isto é, à ciência e ao poder dos magos, quatro coisas são indispensáveis: uma inteligência esclarecida pelo estudo, uma audácia que nada faz parar, uma vontade que nada quebra e uma discrição que nada pode corromper ou embebedar.

Saber, ousar, querer, calar – eis os quatro verbos do mago que estão escritos nas quatro formas simbólicas da esfinge. Estes quatro verbos podem combinar-se mutuamente de quatro modos e se explicam quatro vezes uns pelos outros*.

Na primeira página do livro de Hermes, o adepto é representado coberto com um largo chapéu, cuja aba, sendo dobrada, pode ocultar a sua cabeça inteira. Ele tem uma das mãos elevadas para o céu, ao qual parece governar com seu caduceu, e a outra mão no seu peito; tem diante de si os principais símbolos ou instrumentos da ciência, e esconde outros numa algibeira de trapaceiro. O seu corpo e os seus braços formam a letra Aleph, a primeira do alfabeto, que os hebreus tomaram emprestado dos egípcios; porém, mais tarde, teremos ocasião de voltar novamente a este símbolo.

O mago é verdadeiramente o que os cabalistas hebreus chamam o *microprosopos*, isto é, o criador do mundo pequeno. A primeira ciência mágica sendo o conhecimento de si mesmo, também a primeira de todas as obras da ciência, a que contém todas as outras e que é o princípio da Grande Obra, é a criação de si mesmo; este termo tem necessidade de ser explicado.

A razão suprema sendo o único princípio invariável e, por conseguinte, imperecível, pois que a mudança é o que chamamos a morte, a inteligência que adere fortemente e de algum modo se identifica com este princípio, se torna, por isso mesmo, invariável e, por conseguinte, imortal. Compreende-se que, para aderir invariavelmente à razão, é preciso ter-se tornado independente de todas as forças que produzem, pelo movimento fatal e necessário, as alternativas da vida e da morte. Saber sofrer, abster-se e morrer, tais são, pois, os primeiros segredos que nas põem acima da dor, dos desejos sensuais e do temor do nada. O homem que procura e acha uma gloriosa morte tem fé na imortalidade, e a humanidade inteira crê nela com ele e por ele, porque ela lhe eleva altares ou estátuas, em sinal de vida imortal.

O homem torna-se rei dos animais somente dominando-os ou prendendo-os; de outro modo, seria sua vítima ou seu escravo. Os animais são o símbolo das nossas paixões, são as forças instintivas da natureza.

O mundo é um campo de batalha que a liberdade disputa à força da inércia, opondo-lhe a força ativa. As liberdades físicas são mós de que sereis o grão, se não souberdes ser o moleiro.

Sois chamado a ser o rei do ar, da água, da terra e do fogo; mas, para reinar sobre estes quatro animais do simbolismo, é preciso vencê-los e encadeá-los.

Aquele que aspira a ser um sábio e a saber o grande enigma da natureza deve ser o herdeiro e o espoliador da esfinge; deve ter a sua cabeça humana para possuir a palavra, as asas de águia para conquistar as alturas, os flancos de touro para cavar as profundezas, e as garras de leão para preparar lugar para si à direita e à esquerda, adiante e atrás.

---

* Ver o jogo do Tarô.

Vós, pois, que quereis ser iniciado, sois tão sábio como Fausto? Sois impassível como Jó? Não, não é verdade? Mas vós o podeis ser, se o quiserdes. Vencestes os turbilhões dos pensamentos vagos? Sois sem indecisões e sem caprichos? Não aceitais o prazer só quando o quereis, e não o quereis só quando o deveis? Não, não é verdade? Não é sempre assim? Mas isso pode ser, se o quiserdes.

A esfinge não tem somente uma cabeça de homem, ela tem também seios de mulher; sabeis vós resistir às atrações da mulher? Não, não é verdade? E dais risada ao responder, e vos vangloriais de vossa fraqueza moral para glorificar em vós a força vital e material. Seja, permito-vos dar essa homenagem ao asno de Laurence Sternc e de Apuleio; que o asno tenha seu mérito, não desconvenho, era consagrado a Príapo como o bode ao deus de Mendes. Mas deixemo-lo pelo que é, e saibamos somente se é vosso senhor ou se podeis ser o dele. Pode verdadeiramente possuir a voluptuosidade do amor, somente quem venceu o amor da voluptuosidade. Poder usar e abster-se, é poder duas vezes.

A maior injúria que se possa fazer a um homem é chamá-lo de covarde. Ora, que é um covarde?

Um covarde é aquele que negligencia o cuidado da sua dignidade moral, para obedecer cegamente aos instintos da natureza.

Em presença do perigo é, com efeito, natural ter medo e procurar fugir: por que, pois, é uma vergonha? Porque a honra nos dá a lei de preferir nosso dever às nossas atrações e aos nossos temores. Que é, neste ponto de vista, a honra? É o pressentimento universal da imortalidade e a avaliação dos meios que podem levar a ela. A última vitória que o homem pode obter sobre a morte é triunfar do gosto da vida, não pelo desespero, mas por uma esperança maior, que está contida na fé, por tudo o que é belo, honesto e do consentimento de todos.

Aprender a vencer a si mesmo é, pois, aprender a viver, e as austeridades do estoicismo nunca foram uma vã ostentação de liberdade!

Ceder às forças da natureza é seguir a corrente da vida coletiva, é ser escravo das causas não primordiais.

Resistir à natureza e dominá-la é fazer para si uma vida pessoal e imperecível, é libertar-se das vicissitudes da vida e da morte.

Todo homem que está pronto a morrer ao invés de abjurar a verdade e a justiça, é verdadeiramente vivente, porque é imortal na sua alma.

Todas as iniciações antigas tinham por fim achar ou formar tais homens.

Pitágoras exercitava seus discípulos pelo silêncio e as abstinências de todo gênero; no Egito, os recipiendários eram experimentados pelos quatro elementos; na Índia, é sabido que prodigiosas austeridades dos faquires e yogues eram praticadas com o intuito de chegar ao reino da vontade livre e da independência divina.

Todas as macerações do ascetismo são tiradas das iniciações aos antigos mistérios e elas cessaram, porque os iniciáveis, não achando mais iniciadores, e os diretores de consciência tendo-se tornado, com o tempo, tão ignorantes como o vulgo, os cegos cansaram-se de seguir os cegos, e ninguém quis passar provas que só levavam à dúvida e ao desespero: o caminho da luz estava perdido.

Para fazer alguma coisa é preciso saber o que se vai fazer, ou, ao menos, ter fé em alguém que o sabe.

Mas como arriscarei a minha vida à aventura e seguirei ao acaso aquele que nem mesmo sabe aonde vai?

No caminho das altas ciências, não convém empenhar-se temerariamente, mas, uma vez em caminho, é preciso chegar ou perecer. Duvidar é ficar louco; parar é cair; voltar para trás é precipitar-se num abismo.

Vós, pois, que começastes a leitura deste livro, se vós o compreendeis e o quereis ler até o fim, ele fará de vós um monarca ou um insensato. Quanto a vós, fazei deste volume o que quiserdes, não podereis nem desprezá-lo nem esquecê-lo. Se sois puro, este livro será para vós uma luz; se sois forte, ele será vossa arma; se sois santo, será vossa religião; se sois sábio, ele regulará a vossa sabedoria.

Mas, se sois malvado, este livro será para vós como que uma tocha infernal; ele despedaçará vosso peito, rasgando-o como um punhal; ficará na vossa memória como um remorso; ele encherá vossa imaginação de quimeras, e vos levará pela loucura ao desespero. Procurareis rir dele, e só podereis ranger os dentes, porque este livro é para vós como a lima da fábula que uma serpente tentou morder e que lhe quebrou todos os dentes.

Comecemos, agora, a série das iniciações.

Disse que a revelação é o verbo. Com efeito, o verbo ou a palavra é o véu do ser e o sinal característico da vida. Toda forma é véu de um verbo, porque a ideia, mãe do verbo, é a única razão de ser das formas. Toda figura é um caráter, todo caráter pertence e volta ao verbo. É por isso que os antigos sábios, cujo grande mestre é Hermes Trismegisto, o "Três vezes grande" formularam o seu dogma nestes termos:

"O que está em cima é como o que está embaixo, e o que está embaixo é como o que está em cima."

Em outros termos, a forma é proporcional à ideia, a sombra é a medida do corpo calculada com sua relação ao raio. A bainha é tão profunda como o comprimento da espada, a negação é proporcional à afirmação contrária, a produção é igual à destruição, no movimento que conserva a vida, e não há um ponto no espaço infinito que não seja centro de um círculo cuja circunferência se engrandece e se estende indefinidamente no espaço.

Toda individualidade é, pois, indefinidamente perfectível, porque o moral é análogo à ordem física, e porque não é possível conceber um ponto que não se possa dilatar, engrandecer e lançar raios num círculo filosoficamente infinito.

O que se pode dizer da alma inteira, deve-se dizer de cada faculdade da alma.

A inteligência e a vontade do homem são instrumentos de um valor e de uma força incalculáveis.

Mas a inteligência e a vontade têm por auxiliar e por instrumento uma faculdade muito pouco conhecida e cuja onipotência pertence exclusivamente ao domínio da magia: quero falar da imaginação, mas a imaginação não apenas criatividade intelectual, mas como a capacidade de criar formas imagéticas, conceitos e ideias, que os cabalistas chamam o *diáfano* ou o *translúcido*. Efetivamente, a imaginação é como que o olho da alma, e é nela que as formas se desenham e se conservam, é por ela que vemos os reflexos do mundo invisível, ela é o espelho das visões e o aparelho da vida mágica: é por ela que curamos as doenças, que influímos sobre as estações, que afastamos a morte dos vivos e que ressuscitamos os mortos, porque é ela que exalta a vontade e que lhe dá domínio sobre o agente universal.

A imaginação determina a forma da criança no ventre materno e fixa o destino dos homens; ela dá asas ao contágio e dirige as armas na guerra. Estais em perigo numa batalha? Crede-vos invulnerável como Aquiles e o sereis, diz Paracelso. O medo atrai desastres, e a coragem espiritual faz retroceder as balas. É sabido que os amputados muitas vezes se queixam dos membros que não têm. Paracelso operava no sangue vivo, medicamentando o produto de uma sangria; curava as dores de cabeça a distância, operando em cabelos cortados; ele tinha excedido muito, pela ciência da unidade imaginária e da solidariedade do todo e das partes, todas as teorias ou antes todas as experiências dos nossos mais célebres magnetizadores. Por isso, as suas curas eram milagrosas, e ele mereceu que ajuntassem ao seu nome de Philippus Aureolus Theophrastus Bombastus von Hohenheim* a alcunha de Paracelso, acrescentando-lhe ainda o epíteto de divino!

A imaginação é o instrumento da *adaptação do verbo*.

A imaginação aplicada à razão é o gênio.

A razão é una, como o gênio é uno na multiplicidade das suas obras.

Há um princípio, há uma verdade, há uma razão, há uma filosofia absoluta e universal.

O que está na unidade considerada como princípio, volta à unidade considerada como fim.

Um está em um, isto é, tudo está em tudo.

A unidade é o princípio dos números, é também o princípio do movimento e, por conseguinte, da vida.

Todo o corpo humano se resume na unidade de um só órgão, que é o cérebro.

---

* Philippus Aureolus Theophrastus Bombastus von Hohenheim mais conhecido como Paracelso, nasceu em 1493, em Einsiedeln, perto de Zurique, e morreu em 1541, no hospital de Salzburgo. Seu pai, que era médico instruído, lhe ensinou o latim, a medicina e alquimia, e depois mandou-o concluir seus estudos com Trithemo, que lhe ensinou a magia e a astrologia. Viajou quase toda a sua vida e visitou numerosos países, observando e estudando. Julga-se que foi envenenado pelos seus inimigos. (N. do T.)

Todas as religiões se resumem na unidade de um só dogma, que é a afirmação do ser e da sua igualdade a si mesmo, o que constitui o seu valor matemático.

Não há mais do que um dogma em magia, e ei-lo: o visível é a manifestação do invisível, ou, em outros termos, o verbo perfeito está nas coisas apreciáveis e visíveis, em proporção exata com as coisas inapreciáveis aos nossos sentidos e invisíveis aos nossos olhos.

O mago eleva uma das mãos para o céu e abaixa a outra para a terra, e diz: Lá em cima a imensidade! lá embaixo a imensidade ainda; a imensidade é igual à imensidade. Isto é verídico nas coisas visíveis, como nas coisas invisíveis.

A primeira letra do alfabeto da língua sagrada, Aleph, א, representa um homem que eleva uma das mãos ao céu, e abaixa a outra para a terra.

É a expressão do princípio ativo de todas as coisas, é a criação no céu, corresponde à onipotência do verbo aqui. Esta letra é, por si só, um pentáculo, isto é, um caráter que exprime a ciência universal.

A letra א pode suprir aos signos sagrados do macrocosmo e do microcosmo, ela explica o duplo triângulo maçônico e a estrela brilhante de cinco pontas; porque o verbo é uno e a revelação também é uma. Deus, dando ao homem a razão, deu-lhe a palavra; e a revelação, múltipla nas suas formas, mas una no seu princípio, está inteira no verbo universal, intérprete da razão absoluta.

É o que quer dizer a palavra tão mal compreendida de *catolicismo*, que, na língua hierárquica moderna, significa *infalibilidade*.

O universal em razão é o Absoluto, e o Absoluto é o infalível.

Se a razão absoluta leva a sociedade inteira a crer irresistivelmente na palavra de uma criança, esta criança será infalível, da parte de Deus e da parte da humanidade inteira.

A fé não é outra coisa senão a confiança razoável nesta unidade do verbo.

Crer é anuir ao que não se sabe ainda, mas que a razão nos certifica adiantadamente de saber ou ao menos reconhecer um dia.

São, pois, absurdos os pretensos filósofos que dizem: "Não creio no que não sei".

Pobres homens! Se soubésseis, haveria necessidade de crerdes? Mas posso eu crer ao acaso e sem razão?

Não, certamente! A crença cega e aventurada é a superstição e a loucura. É preciso crer nas coisas cuja existência a razão nos força a admitir conforme o testemunho dos efeitos conhecidos e apreciados pela ciência.

A ciência! Grande vocábulo e grande problema!

Que é a ciência?...

Responderemos a esta pergunta no segundo capítulo deste livro.

2 ב B
AS COLUNAS DO TEMPLO

CHOKMAH
DOMUS
GNOSIS

A ciência é a posse absoluta e completa da verdade.

Por isso, os sábios de todos os séculos tremeram diante desta palavra absoluta e terrível; temeram arrogar-se o primeiro privilégio da divindade, atribuindo a si a ciência, e se contentaram, em lugar do verbo *saber*, que exprime o conhecimento, e da palavra ciência, com a de *gnosis*, que exprime somente a ideia do conhecimento por intuição.

Que sabe, com efeito, o homem? Nada, e, entretanto, nada lhe é permitido ignorar.

Nada sabe, e é chamado a tudo conhecer.

Ora, o conhecimento supõe o binário. É preciso para o ser que conhece um objeto conhecido.

O binário é gerador da sociedade e da lei; é também o número da gnose. O binário é a unidade multiplicando-se por si mesma para criar; e é por isso que os símbolos sagrados fazem sair Eva do próprio peito de Adão.

Adão é o tetragrama humano, que se resume no *jod* misterioso, imagem do *phallus* cabalístico. Ajuntai a este *jod* o nome ternário de Eva, e formareis o nome de *Jeová*, o tetragrama divino, que é a palavra cabalística e mágica por excelência:

יהוה

que o sumo sacerdote, no templo, pronunciava Jodcheva. É assim que a unidade, completa na fecundidade do ternário, forma com ele o quaternário, que é a chave de todos os números, de todos os movimentos e de todas as formas.

O quadrado, girando sobre si, produz o círculo que lhe é igual e está para a quadratura do círculo como o movimento circular de quatro ângulos iguais que giram ao redor de um mesmo ponto.

O que está em cima, diz Hermes, é igual ao que está embaixo: eis o binário servindo de medida à unidade, e a relação de igualdade entre o alto e o baixo, eis que forma com eles o ternário.

O princípio criador é o *phallus* ideal (princípio masculino); e o princípio criado é o *cteis* formal (princípio feminino).

A inserção do *phallus* vertical no *cteis* horizontal forma o *stauros* dos gnósticos ou a cruz filosófica dos maçons. Assim, o cruzamento de dois produz quatro, que, movendo-se, determinam o círculo com todos os seus graus.

א é o homem; ב é a mulher; 1 é o princípio; 2 é o verbo; A é o ativo; B é o passivo; a unidade é Bohas; o binário é Jakin*.

Nos trigramas de Fohi, a unidade é o Yang; e o binário é o Yin.

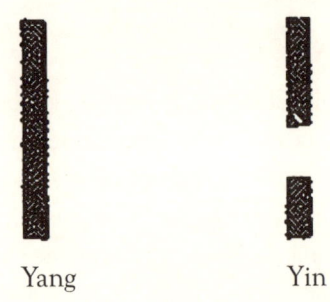

Yang   Yin

Bohas e Jakin** são os nomes das duas colunas simbólicas que estavam diante da porta principal do templo cabalístico de Salomão.

Estas duas colunas explicam em Cabala todos os mistérios do antagonismo, quer natural, quer político, quer religioso, e explicam a luta geradora do homem e da mulher, porque, conforme a lei da natureza, a mulher deve resistir ao homem, e este deve atraí-la e conquistá-la.

O princípio ativo procura o princípio passivo, o cheio *Plenum* (ou, o espaço preenchido de matéria) é amante do vazio. A boca da serpente atrai a sua cauda, e, girando sobre si mesma, ela foge de si e persegue a si mesma.

A mulher é a criação do homem, e a criação universal é a mulher do primeiro princípio.

Quando o ser princípio se fez criador, erigiu um *jod* ou um *phallus*, e, para lhe dar lugar no cheio da luz incriada, teve de cavar um *cteis* ou um fosso de profundidade igual à dimensão determinada pelo seu desejo criador, e destinado por ele ao *jod* na luz irradiante.

---

*   Éliphas Lévi toma como binário o que pertence à unidade e vice-versa. A unidade é Jakin e não Bohas, o binário é Bohas e não Jakin. Cf. Guaita, Papus.

** Vide a nota acima. (N. do T.)

Tal é a linguagem misteriosa dos cabalistas no Talmude, e, por causa da ignorância e da maldade do vulgo, é-nos impossível explicá-la ou simplificá-la mais.

Que é, pois, a criação? A casa do Verbo criador. Que é o *cteis*? É a casa do *phallus*.

Qual a natureza do princípio ativo? É espalhar. Qual é a natureza do princípio passivo? É reunir e fecundar.

Que é o homem? É o iniciador, o que destrói, cultiva e semeia. Que é a mulher? É a formadora, a que reúne, rega e ceifa.

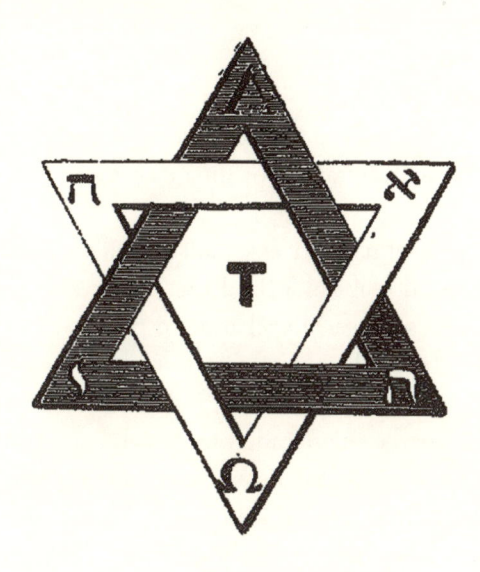

O homem faz a guerra, e a mulher procura a paz; o homem destrói para criar, a mulher edifica para conservar; o homem é a revolução, a mulher é a conciliação; o homem é o pai de Caim, a mulher é a mãe de Abel.

Que é a sabedoria? É a conciliação e a união dos dois princípios, é a docilidade de Abel dirigindo a energia de Caim, é o homem segundo as doces inspirações da mulher, é a depravação vencida pelo legítimo casamento, é a energia revolucionária abrandada e dominada pelas doçuras da ordem e da paz, é o orgulho submetido ao amor, é a ciência reconhecendo as inspirações da fé.

Então, a ciência humana torna-se sábia, porque ela é modesta, e se submete à infalibilidade da razão universal, ensinada pelo amor ou pela caridade universal. Ela pode tomar o nome de gnose, porque, ao menos, conhece o que ainda não se pode vangloriar de saber perfeitamente.

A unidade só pode manifestar-se pelo binário; a própria unidade e a ideia da unidade já fazem dois.

A unidade do macrocosmo revela-se pelas duas pontas opostas dos dois triângulos.

A unidade humana completa-se pela direita e pela esquerda. O homem primitivo é andrógino. Todos os órgãos do corpo humano são dispostos por dois, exceto o nariz, a língua, o umbigo e o *jod* cabalístico.

A divindade, una na sua essência, tem duas condições essenciais por bases fundamentais do ser: a necessidade e a liberdade.

As leis da razão suprema são necessárias em Deus e regulam a liberdade, que é necessariamente razoável e sábia.

Para fazer visível a luz, Deus somente supôs a sombra.

Para manifestar a verdade, fez possível a dúvida.

A sombra é a repulsão da luz, e a possibilidade do erro é necessária para a manifestação temporal da verdade.

Se o escudo de Satã não parasse a lança de Mikael, a força do anjo se perderia no vazio ou deveria manifestar-se por uma destruição infinita dirigida de cima para baixo.

E se o pé de Mikael não retivesse Satã na sua ascensão, Satã iria destronar Deus, ou antes perder-se nos abismos da altura.

Satã é, pois, necessário a Mikael como o pedestal à estátua; e Mikael é necessário a Satã como o freio à locomotiva.

Em dinâmica analógica e universal, só há apoio no que resiste.

Por isso, o universo é balanceado por duas forças que o mantêm em equilíbrio: a força que atrai e a que repele. Estas duas forças existem em física, filosofia e religião. Elas produzem, em física, o equilíbrio; em filosofia, a crítica; e em religião, a revelação progressiva. Os antigos representaram este mistério pela luta de Eros e Anteros, pelo combate de Jacó com o anjo, pelo equilíbrio da montanha de ouro, que conservam ligada com a serpente simbólica da Índia, de um lado os deuses e do outro os demônios.

É também figurado pelo caduceu de Hermanubis, pelos dois querubins da arca, pelas duas esfinges do carro de Osíris, pelos dois serafins, o branco e o preto.

A sua realidade científica é demonstrada pelos fenômenos da polaridade e pela lei universal das simpatias ou antipatias.

Os discípulos ininteligentes de Zoroastro divinizaram o binário, sem referi-lo à unidade, separando, assim, as colunas do templo, e querendo dividir Deus. O binário em Deus só existe pelo ternário. Se concebeis o Absoluto como dois, é preciso imediatamente concebê-lo como três, para achar o princípio unitário.

É por isso que os elementos materiais análogos aos elementos divinos se concebem como quatro, explicam-se como dois e, finalmente, só existem como três.

A revelação é o binário; todo verbo é duplo ou supõe dois.

A moral que resulta da revelação é fundada sobre o antagonismo, que é a consequência do binário. O espírito e a forma se atraem e se repelem como a ideia e o sinal, como a verdade e a ficção. A razão suprema necessita do dogma para se comunicar às inteligências finitas, e o dogma, passando do domínio das ideias ao das formas, se faz participar dos dois mundos, e tem, necessariamente, dois sentidos que falam sucessivamente ou ao mesmo tempo, quer ao espírito, quer à carne.

Por isso, no domínio moral há duas forças: uma que tenta e outra que reprime e que expia. Estas duas forças são figuradas nos mitos do *livro de Genesis* pelos personagens típicos de Caim e Abel.

Abel oprime Caim por sua superioridade moral; Caim, para libertar-se, imortaliza seu irmão, matando-o, e fica vítima do seu próprio crime. Caim não pôde deixar viver Abel e o sangue de Abel não deixa mais Caim dormir.

No Novo Testamento, o tipo de Caim é substituído pelo Filho Pródigo, a quem seu pai perdoa tudo, porque ele volta depois de ter sofrido muito.

Em Deus, há misericórdia e justiça; ele faz justiça aos justos e é misericórdia aos pecadores.

Na alma do mundo, que é o agente universal, há uma corrente de amor e uma corrente de cólera.

Este fluido ambiente e que penetra em todas as coisas; este raio destacado da coroa do sol e fixado pelo peso da atmosfera e pela força de atração central; este corpo do Espírito Santo que chamamos o agente universal, e que os antigos representavam sob a figura da serpente que morde a sua cauda; este éter elétrico e magnético, este calórico vital e luminoso, é figurado nos antigos monumentos pela cintura de Ísis, que se volve e resolve em laço de amor ao redor dos dois pólos, e pela serpente que morde a sua cauda, emblema da prudência e de Saturno.

O movimento e a vida consistem na tensão extrema das duas forças.

Prouve a Deus, dizia o Mestre, que fôsseis totalmente frio ou totalmente quente!

Com efeito, um grande culpado é mais vivo que um homem fraco e morno, e a sua volta à virtude será em razão direta da energia dos seus desvios.

A mulher que deve esmagar a cabeça da serpente é a inteligência, que sempre vence a corrente das forças cegas. É, dizem os cabalistas, a virgem do mar, cujos pés úmidos o dragão infernal vem lamber com sua língua de fogo, que se adormece de volúpia.

Tais são os mistérios hieráticos do binário. Mas existe um, o último de todos, que não deve ser revelado: a razão disso está, conforme Hermes Trismegisto, na ininteligência do vulgo, que daria as necessidades da ciência toda a capacidade imoral de uma cega fatalidade. É preciso conter o vulgo, diz ele ainda, pelo temor do desconhecido; e o Cristo dizia também: "Não lanceis vossas pérolas aos porcos, para que eles não as pisem, e voltando-se contra vós, não vos devorem". A árvore da ciência do bem e do mal, cujos frutos dão a morte, é a imagem deste segredo hierático do binário. Este segredo, com efeito, se for divulgado, só pode ser mal compreendido, e concluir-se daí a negação ímpia do livre-arbítrio, que é o princípio moral da vida. Está, pois, na essência das coisas que a revelação deste segredo dá a morte, e, entretanto, este não é ainda o grande arcano da magia: mas o segredo do binário conduz ao do quaternário, ou antes procede dele e se resolve pelo ternário, que contém a palavra do enigma da esfinge tal como tinha de ser resolvido para salvar a vida, expiar o crime involuntário e assegurar o reino de Édipo.

No livro hieroglífico de Hermes *, que é também denominado o Livro de *Thot*, o binário é representado quer por uma grande sacerdotisa tendo os chifres de Ísis, a cabeça coberta, um livro aberto, que oculta pela metade com seu manto; ou pela mulher soberana, a deusa Hera dos gregos, tendo uma das mãos elevada para o céu e a outra abaixada para a terra, como se formulasse, por este gesto, o dogma único e dualista que é a base da magia e que inicia os maravilhosos símbolos da Tábua de Esmeralda de Hermes.

No Apocalipse de S. João, trata-se de dois testemunhos os mártires, aos quais a tradição profética dá o nome de Elias e Enoque: Elias, o homem da fé, do zelo e do milagre; Enoque, o mesmo que os egípcios chamaram Hermes, e que os fenícios honravam sob nome de Cadmo, o autor do alfabeto sagrado e da chave universal das iniciações ao Verbo, o pai da Cabala, aquele, dizem as santas alegorias, que não morreu como os outros homens, mas que foi arrebatado ao céu para voltar no fim dos tempos. Diziam, mais ou menos, a mesma coisa do próprio S. João, que achou e explicou, no seu *Apocalipse*, os símbolos do Verbo de Enoque. Esta ressurreição de S. João e Enoque, esperada nos fins dos séculos de ignorância, será o renovamento das suas doutrinas pela inteligência das chaves cabalísticas que abrem o templo da unidade e da filosofia universal, por muito tempo oculta e reservada somente a eleitos que o mundo fazia morrer.

Mas dissemos que a reprodução da unidade pelo binário conduz forçosamente à noção e ao dogma do ternário, e chegamos, enfim, a este grande número, que é a plenitude e o verbo perfeito da unidade.

---

* Ver o jogo do Tarô.

3 ג C

O TRIÂNGULO DE SALOMÃO

PLENITUDO VOCIS
BINAH
PHYSIS

O verbo perfeito é o ternário, porque supõe um princípio inteligente, um princípio que fala e um princípio falado.

O Absoluto, que se revela pela palavra, dá a esta palavra um sentido igual a si mesmo, e cria um terceiro sentido na inteligência desta palavra.

É assim que o Sol se manifesta pela sua luz e prova esta manifestação ou a torna eficaz pelo seu calor.

O ternário está traçado no espaço pela ponta culminante do céu, o infinito em altura, que se une por outras linhas retas e divergentes ao oriente e ao ocidente.

Mas a esse triângulo visível, a razão compara um outro triângulo invisível, que ela afirma ser igual ao primeiro: é a que tem por cimo a profundeza e cuja base virada é paralela à linha horizontal que vai do oriente ao ocidente.

Estes dois triângulos, reunidos numa só figura, que é a de uma estrela de seis raios, formam o signo sagrado do selo de Salomão, a estrela brilhante, do macrocosmo[*].

A ideia do infinito e do absoluto é expressa por este signo, que é o grande pentáculo, isto é, o mais simples e o mais completo resumo da ciência de todas as coisas.

A própria gramática atribui três pessoas ao verbo. A primeira é a que fala, a segunda é aquela a quem se fala, a terceira é aquela de quem se fala.

O princípio infinito, ao criar, fala de si mesmo a si mesmo.

---

[*] Ver a figura ao lado do frontispício.

Eis a explicação do ternário e a origem do dogma da Trindade.

O dogma mágico também é um em três e três em um.

O que está em cima assemelha-se ou é igual ao que está embaixo.

Assim, duas coisas que se assemelham e o verbo, que exprime a sua semelhança, fazem três.

O ternário é o dogma universal.

Em magia, princípio, realização, adaptação; em alquimia, azoth, incorporação, transmutação; em teologia, Deus, encarnação, redenção; na alma humana, pensamento, amor e ação; na família, pai, mãe e filho. O ternário e o fim e a expressão suprema do amor: dois se procuram só para ficarem três.

Há três mundos inteligíveis, que correspondem uns aos outros pela analogia hierárquica: – o mundo natural ou físico, o mundo espiritual ou metafísico, e o mundo divino ou religioso.

Deste princípio, resulta a hierarquia dos espíritos, divididos em três ordens e subdivididos nestas três ordens, sempre pelo ternário.

Todas estas revelações são deduções lógicas das primeiras noções matemáticas do ente e do número.

A unidade, para tornar-se ativa, deve multiplicar-se. Um princípio indivisível, imóvel e infecundo, seria a unidade morta e incompreensível.

Se Deus só fosse um, nunca seria criador nem pai. Se fosse dois, haveria antagonismo ou divisão no infinito, e seria a partilha ou morte de todas as coisas possíveis; é, pois, três, para criar de si mesmo e à sua imagem a multidão infinita dos seres e números.

Assim, ele é realmente único em si mesmo e tríplice na nossa concepção, o que no-lo faz ver também tríplice em si mesmo e único na nossa inteligência e no nosso amor.

Isto é um mistério para o crente e uma necessidade lógica para o iniciado nas ciências absolutas e reais.

O Verbo manifestado pela vida é a realização ou a encarnação.

A vida do Verbo, realizando seu movimento cíclico, é a adaptação ou a redenção. Este tríplice dogma foi conhecido em todos os santuários esclarecidos pela tradição dos sábios. Quereis vós saber qual é a verdadeira religião? Procurai aquela que realiza mais na ordem divina; a que humaniza Deus e diviniza o homem; a que conserva intacto o dogma do ternário, que encarna o Verbo, fazendo ver e tocar Deus aos mais ignorantes; enfim, aquela cuja doutrina convém a todos e pode adaptar-se a tudo; a religião que é hierarquia e cíclica, que tem, para as crianças, alegorias e imagens; para os homens feitos, uma alta filosofia; sublimes esperanças e doces consolações, para os velhos.

Os primeiros sábios que procuravam a causa das causas viram o bem e o mal no mundo; observaram a sombra e a luz; compararam o inverno à primavera, a velhice à juventude, a vida à morte, e disseram: – A causa primeira é benfeitora e rigorosa, ela vivifica e destrói.

— Há, pois, dois princípios contrários, um bom e um mau? — gritaram os discípulos de Mani, o fundador da doutrina dualística do maniqueísmo.

— Não, os dois princípios do equilíbrio universal não são contrários, se bem que, em aparência, sejam opostos: porque é uma sabedoria única que opõe um ao outro.

O bem está à direita e o mal à esquerda; mas a bondade suprema está acima dos dois, e ela faz servir o mal ao triunfo do bem, e o bem à reparação do mal.

O princípio de harmonia está na unidade, e é o que dá, em magia, tanto poder ao número ímpar.

Mas o mais perfeito dos números ímpares é três, porque é a trilogia da unidade.

Nos trigramas de Fohi, o ternário superior se compõe de três *yang* ou figuras masculinas, porque, na ideia de Deus, considerado como princípio de fecundidade nos três mundos, não se poderia admitir nada de passivo.

É também por isso que a trindade cristã não admite a personificação da mãe, que é implicitamente enunciada na do filho. É também por isso que é contrário às leis da simbologia hierática e ortodoxa personificar o Espírito Santo sob a figura de uma mulher.

A mulher sai do homem, como a natureza sai de Deus: por isso, o Cristo se eleva a si próprio ao céu e *assume* a Virgem Mãe; dizemos a ascensão do Salvador e a assunção da mãe de Deus.

Deus, considerado como Pai, tem a natureza por filha.

Como Filho, tem a Virgem por mãe e a Igreja por esposa.

Como Espírito Santo, ele regenera e fecunda a humanidade.

É assim que, nos trigramas de Fohi, aos três *yang* superiores correspondem os três *yin* inferiores, porque os trigramas de Fohi são um pentáculo semelhante aos dois triângulos de Salomão, mas com uma interpretação ternária dos seis pontos da estrela flamejante:

O dogma é tanto mais divino quanto mais verdadeiramente for humano, isto é, quanto resumir a mais alta razão da humanidade; por isso, o Mestre que chamamos o Homem-Deus se chamava a si mesmo o Filho do homem.

A revelação é a expressão da crença admitida e formulada pela razão universal no verbo humano.

É por isso que se diz que, no Homem-Deus, a divindade é humana e a humanidade é divina.

Dizemos tudo isto filosoficamente e não teologicamente; e isto de modo algum toca no ensino da Igreja, que condena e sempre deve condenar a magia.

Paracelso e Agrippa não elevaram altar contra altar e se submeteram à religião dominante no seu tempo. Aos eleitos da ciência, as coisas da ciência, aos fiéis, as coisas da fé.

O imperador Juliano, no seu hino ao rei Sol, dá uma teoria do ternário, que é quase identicamente a mesma que a do ilustre Swedenborg.

O sol do mundo divino é a luz infinita, espiritual e incriada; esta luz se verbaliza, se é permitido falar assim, no mundo filosófico, e torna-se o foco das almas e da verdade; depois, ela se incorpora e fica luz visível no Sol do terceiro mundo, Sol central dos nossos sóis, e do qual as estrelas fixas são as faíscas sempre vivas.

Os cabalistas comparam o espírito a uma substância que fica fluida no meio divino e sob a influência da luz essencial, mas cujo exterior se endurece como a cera exposta ao ar, nas regiões mais frias do raciocínio ou das formas visíveis. Essas cascas, ou envoltórios petrificados (diríamos melhor, carnificados, se o termo fosse francês), são a causa do erro e do mal, que provêm do peso e da dureza dos envoltórios anímicos. No Zohar e no da revolução das almas, os espíritos perversos, ou maus demônios, não são denominados de outro modo senão de cascas, ou, casções astrais.

As cascas do mundo dos espíritos são transparentes, as do mundo material são opacas; os corpos não são mais do que cascas temporárias e de que as almas devem ser liberadas; mas os que nesta vida obedecem ao corpo, fazem para si um corpo interior ou uma casca fluídica, que fica sendo a sua prisão e o seu suplício depois da morte, e até o momento em que chega a fundi-la no calor da luz divina, aonde o seu peso lhe impede de subir; eles chegam aí só com esforços infinitos e o auxílio dos justos que lhes dão a mão, e durante todo esse tempo são devorados pela atividade interior do espírito cativo, como que numa fornalha ardente. Os que chegam à fogueira da expiação aí se queimam como Hércules no monte Eta e se libertam, assim, do seu incômodo; mas a maioria tem falta de coragem diante desta última prova, que lhe parece uma segunda morte, mais horrível do que a primeira, e ficam, assim, no inferno, que é eterno de direito e de fato, mas no qual as almas nunca são precipitadas nem retidas contra sua vontade.

Os três mundos se correspondem mutuamente pelos trinta e dois caminhos de luz, que são os degraus da escada santa, todo pensamento verdadeiro corresponde a uma graça divina, no céu, e a uma obra útil na Terra. Toda graça de Deus suscita uma verdade e produz um ou vários atos, e reciprocamente todo ato move nos céus uma verdade ou uma mentira, uma graça ou um castigo. Quando um homem pronuncia o tetragrama, escrevem os cabalistas, os nove céus recebem um abalo, e todos os espíritos gritam uns aos outros: "Quem, pois, perturba assim o reino do céu?" Então, a Terra revela ao primeiro céu os pecados do temerário que toma em vão o nome do eterno, e o verbo acusador é transmitido de círculo em círculo, de estrela em estrela, de hierarquia em hierarquia.

Toda palavra tem três sentidos, toda ação, um tríplice valor, toda forma, uma tríplice ideia, porque o absoluto corresponde, de mundo em mundo, com suas formas. Toda determinação da vontade humana modifica a natureza, interessa a filosofia e se escreve no céu. Há, pois, duas fatalidades, uma que resulta da vontade do incriado e de acordo com a sua sabedoria, e outra que resulta das vontades criadas e de acordo com a necessidade das causas segundas, nas suas relações com a causa primeira.

Nada, pois, é indiferente na vida e as nossas determinações, aparentemente mais simples, provocam muitas vezes uma série incalculável de bens ou de males, principalmente nas relações do nosso diáfano com o grande agente mágico, como explicaremos adiante.

O ternário, sendo o princípio fundamental de toda a Cabala ou tradição sagrada de nossos antepassados, teve de ser o dogma fundamental do cristianismo, de que explica o dualismo aparente pela intervenção de uma harmoniosa e onipotente unidade. O Cristo não escreveu o seu dogma, e só o revelou e em segredo ao seu discípulo favorito, único cabalista, e grande cabalista entre os apóstolos. Por isso, o Apocalipse é o livro da gnose ou doutrina secreta dos primeiros cristãos, doutrina cuja chave é indicada por um versículo secreto do *Pater*, que a Vulgata não traduz, e que no rito grego (conservador das tradições de S. João) só é permitido aos padres pronunciar. Este versículo, perfeitamente cabalístico, se acha no texto grego do evangelho conforme S. Mateus e em vários exemplares hebraicos. Ei-lo nestas duas línguas sagradas:

הֶען דייו אִין דיא מָלוּבַת אוּן רִיא גְבוּרָה
אוּן דיא הֶערְלִיבְקֵיט אוֹיף אֵייבִיג אָמֵן׃

Διότι σοῦ εἶναι ἡ βασιλεία καὶ ἡ δύναμις καὶ ἡ δόξα, εἰς τοὺς αἰῶνας. Ἀμήν.

A palavra sagrada *Malkut*, substituída por *Kether*, que é seu correspondente cabalístico, e a balança de Geburah e Chesed, repetindo-se nos círculos ou céus que os gnósticos chamavam *Eones*, dão, nesse versículo oculto, a pedra angular de todo o templo cristão. Os protestantes traduziram-no e o conservaram no seu Novo Testamento, sem achar a sua alta e maravilhosa significação, que lhes teria desvendado todos os mistérios do *Apocalipse*; mas há uma tradição na Igreja de que a revelação destes mistérios está reservada para os últimos tempos.

Malkut, apoiado em Geburah e Chesed, é o templo de Salomão, tendo por colunas Jakin e Bohas. É o dogma adâmico, apoiado, de um lado, sobre a resignação de Abel, e, de outro, sobre o trabalho e os remorsos de Caim; é o equilíbrio universal do ser, baseado sobre a demonstração da alavanca universal, procurada inutilmente por Arquimedes. Um sábio que empregou todo o seu talento para fazer-se obscuro e que morreu sem ter querido fazer-se compreender, tinha resolvido esta suprema equação, achada por ele na Cabala, e temia antes de tudo que, exprimindo-se mais claramente, pudessem saber a origem das suas descobertas. Ouvimos um dos seus discípulos e admiradores indignar-se, talvez de boa fé, ouvindo chamá-lo de cabalista, e, entretanto, devemos dizer, para a glória deste sábio, que as suas investigações abreviaram consideravelmente o nosso trabalho sobre as ciências ocultas, e que a chave da alta Cabala, que acabamos de citar, foi doutamente aplicada a uma reforma absoluta de todas as ciências nos livros de Hoené Wronski[*].

A virtude secreta dos Evangelhos está, pois, contida em três palavras e essas três palavras fundaram três dogmas e três hierarquias. Toda ciência repousa sobre três princípios, como o silogismo sobre três termos. Há também três classes distintas ou três classes originais e naturais entre os homens, que são todos chamados a subir da mais inferior à mais elevada. Os hebreus chamam estas séries ou graus do progresso dos espíritos, Asiah, Jezirah e Briah. Os gnósticos, que eram os cabalistas cristãos, chamavam-nas Hylé, Psiquê e Gnosis; o círculo supremo chamava-se, entre os hebreus, Atziluth, e entre os gnósticos, Pleroma.

No tetragrama, o ternário, tomado no começo da palavra, exprime a copulação divina; tomado no fim, exprime o feminino e a maternidade. Eva tem um nome de três letras, mas o Adão primitivo é expresso pela única letra Jod, de modo que Jeová devia ser pronunciado *Iéva*. Isto nos leva ao grande e supremo mistério da magia, expresso pelo quaternário.

---

[*] Hoené Wronski, homem de gênio, que conseguiu penetrar no santuário da Cabala; metafísico de envergadura, arruinou-se a si mesmo querendo servir-se da ciência só para adquirir riqueza. As suas obras merecem a maior consideração por parte dos ocultistas. Morreu pobre e miserável, sem ter nunca conseguido o seu desejo. (N. do T.)

4 ד D
O TETRAGRAMA

GEBURAH CHESED
PORTA LIBRORUM
ELEMENTA

Há, na natureza, duas forças que produzem um equilíbrio, e os três são simplesmente uma única lei. Eis o ternário resumindo-se na unidade, e, ajuntando a ideia de unidade à do ternário, chega-se ao quaternário, primeiro número quadrado e perfeito, fonte de todas as combinações numéricas e princípio de todas as formas.

Afirmação, negação, discussão, solução, tais são as quatro operações filosóficas do espírito humano. A discussão concilia a negação com a afirmação, fazendo-as necessárias uma à outra. É assim que o ternário filosófico, produzindo-se do binário antagônico, se completa pelo quaternário, base quadrada de toda verdade. Em Deus, conforme o dogma consagrado, há três pessoas, e estas três pessoas são um só Deus. Três e um, dão a ideia de quatro, porque a unidade é necessária para explicar os três.

Por isso, em quase todas as línguas, o nome de Deus é de quatro letras, e, em hebreu, estas quatro letras fazem três, porque há uma delas que se repete duas vezes: a que exprime o Verbo e a criação do Verbo.

Duas afirmações tornam possíveis ou necessárias duas negações correspondentes. O ser é significado, o nada não o é. A afirmação, como Verbo produz a afirmação como realização ou encarnação do Verbo, e cada uma destas afirmações corresponde à negação do seu contrário.

É assim que, conforme o dizer dos cabalistas, o nome do Demônio ou do Mal se compõe das letras invertidas do próprio nome de Deus ou do bem.

Este mal é o reflexo perdido ou a miragem imperfeita da luz na sombra.

Mas tudo o que existe, quer em bem, quer em mal, quer na luz, quer na sombra, existe e se revela pelo quaternário.

A afirmação da unidade supõe o número quatro, se esta afirmação volta à unidade como num círculo vicioso. Por isso, o ternário, como já observamos, se explica pelo binário e se resolve pelo quaternário, que é a unidade quadrada dos números pares e a base quadrangular do cubo, unidade de construção, de solidez e de medida.

O tetragrama cabalístico: Jodhéva, exprime Deus na humanidade e a humanidade em Deus.

Os quatro pontos cardeais astronômicos são, relativamente a nós, o sim e o não da luz: o oriente e o ocidente, e o sim e o não do calor: o sul e o norte.

O que está na natureza visível revela, como já o sabemos, conforme o dogma único da Cabala, o que está no domínio da natureza invisível, ou das causas segundas, todas proporcionais e análogas às manifestações da causa primeira.

Por isso, esta causa primeira sempre se revelou pela cruz: a cruz, esta unidade composta de dois, que se dividem um ao outro, para formar quatro; a cruz, esta chave dos mistérios da Índia e do Egito, o Tau dos patriarcas, o signo divino de Osíris, o Staurós dos gnósticos, a pedra angular do templo, o símbolo da maçonaria oculta; a cruz, este ponto central da junção dos ângulos retos de dois triângulos infinitos; a cruz, que, na língua nacional, parece ser a raiz primitiva e o substantivo fundamental do verbo crer e do verbo crescer, reunindo, assim, as ideias de ciência, religião e progresso*.

O grande agente mágico se revela por quatro espécies de fenômenos, e foi classificado, pelas experiências das ciências profanas, sob quatro nomes: calórico, luz, eletricidade, magnetismo.

Deram-lhe também os nomes de tetragrama, inri, azoth, éter, od, fluido magnético, alma da terra, serpente, lúcifer, etc.

O grande agente mágico é a quarta emanação da vida-princípio, de que o Sol é a terceira forma (ver os iniciados da escola de Alexandria e o dogma de Hermes Trismegisto).

De modo que o olho do mundo (como o chamavam os antigos) é a miragem do reflexo de Deus e a alma da Terra é um olhar permanente do Sol que a Terra recebe e guarda por impregnação.

A Lua concorre para esta impregnação da Terra, repelindo para ela uma imagem solar durante a noite, de sorte que Hermes teve razão de dizer, falando do grande agente: "o Sol é seu pai, a Lua é sua mãe". Depois, acrescenta: "O vento o trouxe no seu ventre, porque a atmosfera é o recipiente e como que o cadinho dos raios solares, por meio dos quais se forma esta imagem viva do Sol que penetra a Terra inteira, vivifica-a, fecunda-a e determina tudo o que se produz na sua superfície, por seus eflúvios e suas correntes contínuas, análogas às do próprio Sol.

---

* O autor se refere à língua francesa, na qual a palavra cruz (*croixc*) se assemelha ao verbo crescer (*croître*) e ao verbo crer (*croire*). (N. do T.).

Este agente solar é vivente por duas forças contrárias: uma força de atração e uma força de projeção, o que faz Hermes dizer que ele sempre sobe e desce.

A força de atração fixa-se sempre no centro dos corpos, e a força de projeção nos seus contornos ou na sua superfície.

É por esta dupla força que tudo é criado e tudo subsiste.

Seu movimento é um enrolamento e um desenrolamento sucessivos e indefinidos, ou antes simultâneos e perpétuos, por espirais de movimentos contrários que nunca se encontram.

É o mesmo movimento que o do Sol, que atrai e repele, ao mesmo tempo, todos os astros do seu sistema.

Conhecer o movimento deste Sol terrestre, de modo a poder aproveitar das suas correntes e dirigi-las, é ter realizado a Grande Obra, e é ser senhor do mundo.

Armado de uma tal força, podeis vos fazer adorar e o vulgo vos julgará Deus.

O segredo absoluto desta direção foi possuído por alguns homens, e pode ainda ser achado. É o grande arcano mágico; depende de um axioma incomunicável e de um instrumento que é o grande e único *athanor* dos hermetistas do mais alto grau.

O axioma incomunicável está contido cabalisticamente nas quatro letras do tetragrama, dispostas do modo como está representado na página seguinte, nas letras das palavras *Azoth* * e *Inri* **, escritas cabalisticamente, e no monograma do Cristo, tal como estava bordado no lábaro, e que o cabalista Postello interpreta pela palavra *Rota* ***, da qual os adeptos formaram o seu tarô ou tarot, repetindo duas vezes a primeira letra, para indicar o círculo e fazer compreender que a palavra está invertida.

Toda a ciência mágica consiste no conhecimento deste segredo. Conhecê-lo e ousar servir-se dele é a onipotência humana; mas revelá-lo a um profano é perdê-lo; revelá-lo até a um discípulo é abdicar em favor desse discípulo, que, a partir desse momento, tem direito de vida e morte sobre o seu iniciador (fá-lo no ponto de vista mágico), e o matará certamente, temendo a si próprio a morte. (Isto nada tem de comum com os atos qualificados de assassinato em legislação criminal, desde que a filosofia prática, que serve de base e ponto de partida às nossas leis, não admite os fatos de enfeitiçamento e influências ocultas.)

---

* Esta palavra *Azoth* (AZOΘ ou תוזא) é formada da primeira e da última letra do alfabeto, grego e hebraico: A e Z, Alfa e Ômega, e Aleph e Thau. Significa, pois, *o princípio* e *o fim* de todas as coisas, *o elemento primordial* de que todas as coisas procedem e ao qual todas as coisas voltam. Em alquimia é a *luz-princípio* de todas as formas. É o Absoluto.

** O vocábulo *Inri*, que pessoas ininteligentes dizem significar *Jesus Nazareno Rei dos Judeus*, já existia muito antes da vinda do Cristo. Esta palavra significa: *Igne Natura Renovatur Íntegra*, isto é: *Pelo fogo a natureza se renova inteiramente*. É também análogo ao santo tetragrama. (N. do T.)

*** A palavra *Tarô*, escrita em forma de cruz pode ser lida *rota*, que significa *a roda de Ezequiel, lei do movimento astral*; *Tora* (*Torah*, a lei; *Ator, arc-turus, oc-tara*, a lei, o destino, o norte, a grande ursa, porque se diz que a *septentrine pandetur omne malum*, – do norte provêm todas as fatalidades. (N. do T.)

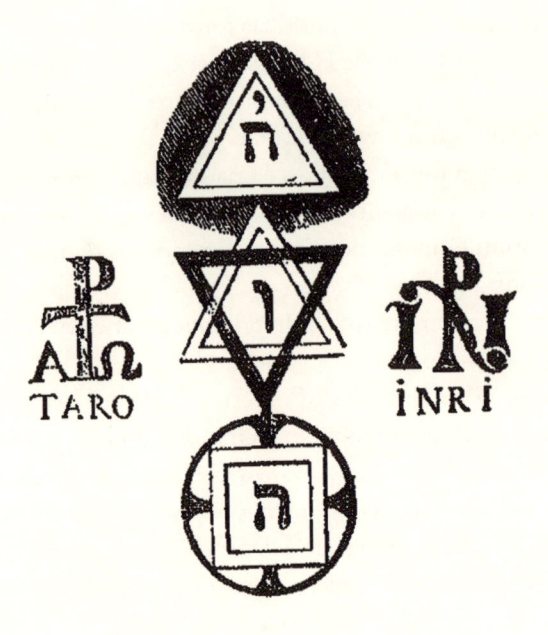

Nós entramos, aqui, em revelações estranhas, e nos preparamos para todas as incredulidades e todos os desprezos do fanatismo incrédulo; porque a religião *voltairiana* tem também seus fanáticos, muito embora contra a vontade das grandes sombras que devem amuar-se, agora, de um modo lastimoso, nas carneiras do Pantheon, enquanto o catolicismo, sempre forte com suas práticas e seu prestígio, canta o ofício sobre suas cabeças.

A palavra perfeita, a que é adequada ao pensamento que a exprime, contém sempre virtualmente ou supõe um quaternário: a ideia e suas três formas necessárias e correlativas depois também a imagem da coisa expressa com os três termos do juízo que a qualifica. Quando digo: "O ser existe", afirmo implicitamente que o nada não existe.

Uma altura, uma largura que a altura divide geometricamente em dois, e uma profundidade separada da altura pela intersecção da largura, eis o quaternário natural composto de duas linhas que se cruzam. Há também, na natureza, quatro movimentos produzidos por duas forças que se sustêm uma à outra por sua tendência contrária. Ora, a lei que rege os corpos é análoga e proporcional àquela que governa os espíritos, e a que governa os espíritos é a própria manifestação do segredo de Deus, isto é, do mistério da criação. Suponde um relógio de duas molas paralelas, com uma endentação que as faça mover em sentido contrário, de modo que, uma afrouxando-se, aperte a outra: assim, o relógio se dará corda por si mesmo, e tereis achado o movimento perpétuo. Esta endentação deve ser para dois fins e de grande precisão. Será impossível de se achar?

Não o cremos. Mas quando um homem a tiver descoberto, este homem poderá compreender, por analogia, todos os segredos da natureza: *o progresso em razão direta da resistência.*

O movimento completo da Vida é, assim, o resultado perpétuo de duas tendências contrárias que nunca são opostas. Quando uma das duas parece ceder à outra, é uma mola que recebe corda, e podeis esperar uma reação de que é muito possível prever o momento e determinar o caráter; é assim que, na época do maior fervor do cristianismo, o reino do *Anticristo* foi conhecido e predito. Mas o Anticristo preparará e determinará a nova vinda e o triunfo definitivo do Homem-Deus. Ainda isto é uma conclusão rigorosa e cabalística contida nas *premissas* dos evangelhos.

Assim, a profecia cristã contém uma quádrupla revelação: 1ª - a queda do mundo antigo e o triunfo do Evangelho sob a primeira vinda; 2ª - grande apostasia e vinda do Anticristo; 3ª - queda do Anticristo e volta às ideias cristãs; 4ª - triunfo definitivo do Evangelho ou segunda vinda, designada sob o nome de juízo final. Esta quádrupla profecia contém, como se pode ver, duas afirmações e duas negações, a ideia de duas ruínas ou mortes universais e de dois renascimentos; porque a toda ideia que aparece no horizonte social se pode assinar, sem temor de erro, um oriente e um ocidente, um *zênite* e um *nadir*. É assim que a cruz filosófica é a chave da profecia, e que se podem abrir todas as portas da ciência com o pentáculo de Ezequiel, cujo centro é uma estrela formada do cruzamento de duas cruzes.

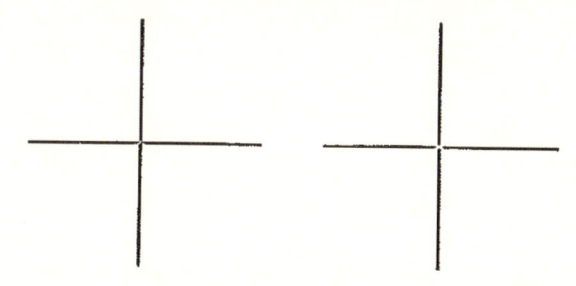

A vida humana também não é formada destas quatro fases ou transformações sucessivas: nascimento, vida, morte, imortalidade? E notai que a imortalidade da alma, necessitada como complemento do quaternário, é cabalisticamente provada pela analogia, que é o dogma único da religião verdadeiramente universal, como é a chave da ciência e a lei inviolável da natureza.

A morte, com efeito, não pode ser um fim absoluto, do mesmo modo que o nascimento não é um começo real. O nascimento prova a preexistência do ser humano, pois que nada se produz do nada, e a morte prova a imortalidade, porque o ser não pode cessar de existir, do mesmo modo que o nada não pode cessar de não existir. Ser e nada são duas ideias absolutamente inconciliáveis, com esta diferença: que a ideia do nada (ideia inteiramente negativa) sai da própria ideia do ser, de que o nada nem mesmo pode ser compreendido como uma negação absoluta, ao passo que a ideia do ser nem mesmo pode ser aproximada do nada, e ainda menos sair dele.

Dizer que o mundo saiu do nada é proferir um monstruoso absurdo. Tudo o que existe procede do que existia; por conseguinte, tudo que existe nunca poderá não existir mais. A sucessão das formas é produzida pelas alternativas do movimento: são fenômenos da vida que se substituem uns aos outros, sem se destruírem. Tudo muda, porém nada perece. O Sol não está morto quando desaparece no horizonte; até as formas mais móveis são imortais e sempre substituem na permanência da sua razão de ser, que é a combinação da luz com os poderes agregativos das moléculas da substância prima. Por isso, elas se conservam no fluido astral, e podem ser evocadas e reproduzidas conforme a vontade do sábio, como o veremos ao tratar da segunda vista e da evocação das lembranças na necromancia e noutras operações mágicas.

Voltaremos a tratar do grande agente mágico no quarto capítulo do *Ritual*, no qual acabaremos de indicar os caracteres do grande arcano e os meios de prender este formidável poder.

Digamos, aqui, duas palavras dos quatro elementos mágicos e dos espíritos elementares.

Os elementos mágicos em alquimia são: o mercúrio, o sal, o enxofre e o azoth; na Cabala, o *macrocosmo*, o *microcosmo* e as duas mães; em hieróglifos, o homem, a águia, o touro e o leão; em física antiga, conforme os termos e as ideias vulgares, o ar, a água, a terra e o fogo.

Em ciência mágica, sabe-se que a água não é a água ordinária; que o fogo não é simplesmente fogo, etc. Estas expressões ocultam um sentido mais elevado. A ciência moderna decompôs os quatro elementos dos antigos e encontrou neles muitos corpos considerados simples. O que é simples é a substância prima e propriamente dita; só há, pois, um elemento material, e este elemento se manifesta sempre pelo quaternário, nas suas formas. Conservaremos, pois, a sábia distinção das aparências elementares, admitida pelos antigos, e reconheceremos o ar, o fogo, a terra e a água pelos quatro elementos positivos e visíveis da magia.

O sutil e o espesso, o dissolvente rápido e o dissolvente lento, ou os instrumentos do calor e do frio, formam, em física oculta, os dois princípios positivos e os dois princípios negativos do quaternário, e devem ser figurados assim:

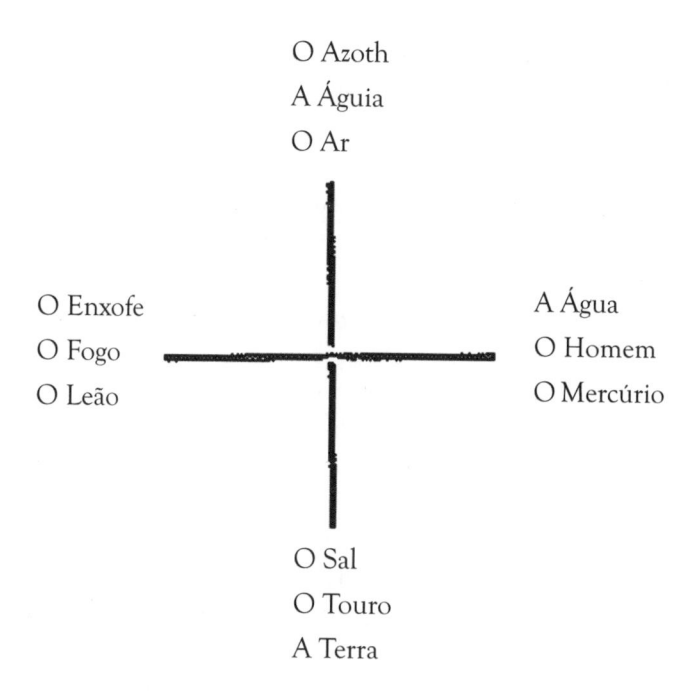

```
              O Azoth
              A Águia
              O Ar
                  |
                  |
                  |
  O Enxofe       |           A Água
  O Fogo    ————+————        O Homem
  O Leão         |           O Mercúrio
                  |
                  |
                  |
              O Sal
              O Touro
              A Terra
```

O ar e a terra representam, assim, o principio masculino, o fogo e a água se referem ao princípio feminino, pois que a cruz filosófica dos pentáculos é, como já dissemos, um hieróglifo primitivo e elementar do *lingam* dos ginosofistas.

A estas quatro formas elementares correspondem as quatro ideias filosóficas seguintes:

O Espírito
A Matéria
O Movimento
O Repouso

A ciência inteira, com efeito, está na inteligência destas quatro coisas, que a alquimia reduzia a três:

O Absoluto
O Fixo
O Volátil

e que a Cabala refere à própria ideia de Deus, que é razão absoluta, necessidade e liberdade, tríplice noção expressa nos livros ocultos dos Hebreus.

Sob os nomes de Kether, Hocmah e Binah para o mundo divino, de Tiphereth, Hesed e Geburah no mundo moral, e, enfim, de Jesod, Hod e Netsah no mundo físico, que, com o mundo moral, está contido na ideia do reino ou *malkut*, explicaremos, no décimo capítulo deste livro, esta teogonia, tão racional quanto sublime.

Ora, os espíritos criados, sendo chamados à emancipação pela prova, são colocados, desde o seu nascimento, entre estas quatro forças, duas positivas e duas negativas, e são postos em condições de afirmar ou negar o bem, de escolher a vida ou a morte. Achar o ponto fixo, isto é, o centro moral da cruz, é o primeiro problema que lhes é dado para resolverem; a sua primeira conquista deve ser a da sua própria liberdade.

Começam, pois, por ser arrastados uns ao norte, outros ao sul, uns à direita, outros à esquerda, e, enquanto não são livres, não podem ter o uso da razão, nem encarnar-se, a não ser em formas animais. Estes espíritos não emancipados, escravos dos quatro elementos, são o que os cabalistas chamam os demônios elementares, e povoam os elementos que correspondem ao seu estado de servidão. Existem, pois, realmente, silfos, ondinas, gnomos e salamandras, uns errantes e procurando encarnar-se, outros encarnados e vivendo na Terra. Estes são os homens viciosos e imperfeitos.

Voltaremos a este assunto no décimo quinto capítulo, que trata dos encantamentos e dos demônios.

É também uma tradição de física oculta que fez ser admitida, pelos antigos, a existência das quatro idades do mundo; somente que não se dizia ao vulgo que essas quatro idades deviam ser sucessivas, como as quatro estações do ano e renovar-se também. Assim, a idade de ouro passou e ainda está para vir. Mas isto se refere ao espírito de profecia, e falaremos disso no capítulo nono, que trata do iniciado e do vidente.

Ajuntaremos, agora, a unidade ao quaternário, e teremos conjunta e separadamente as ideias da síntese e da análise divinas, o deus dos iniciados e o dos profanos. Aqui o dogma se populariza e torna-se menos abstrato; o grande hierofante intervém.

5 ה E

O PENTAGRAMA

GEBURAH
ECCE

Até agora expusemos o dogma mágico no que tem de mais árido e mais abstrato; aqui começam os encantamentos; aqui podemos anunciar os prodígios e revelar as coisas ocultas.

O pentagrama exprime a dominação do Espírito sobre os elementos, e é por este signo que encadeamos os Silfos do ar, as Salamandras do fogo, as Ondinas da água e os Gnomos da terra, os espíritos elementais do Reino Dévico.

Armado deste signo e convenientemente disposto, podeis ver o infinito através daquela faculdade que é como que o olho de vossa alma, e vós vos fareis servir por legiões de anjos e falanges de demônios.

E, primeiramente, estabeleçamos princípios:

Não há mundo invisível, há somente vários graus de perfeição nos órgãos.

O corpo é a representação grosseira, nada mais que a casca passageira da alma.

A alma pode perceber por si mesma e sem intermédio dos órgãos corporais, por meio da sua sensibilidade e do seu *diáfano*, as coisas quer espirituais, quer corporais, que existem no universo.

Espiritual e corporal são palavras que somente exprimem os graus de tenuidade ou densidade da substância.

O que se chama, em nós, imaginação, não é mais que propriedade inerente à nossa alma de se assimilar as imagens e os reflexos contidos na luz viva, que é o grande agente magnético.

Estas imagens e estes reflexos são revelações, quando a ciência intervém para nos revelar o seu corpo ou a sua luz. O homem de gênio difere do sonhador e do louco somente nisto: as suas criações são análogas à verdade, ao passo que a dos sonhadores e loucos são reflexos perdidos e imagens desviadas.

Assim, para o sábio, imaginar é ver, como, para o mago, falar é criar.

Podem-se, pois, ver realmente e em verdade os demônios, as almas, etc., por meio da imaginação; mas a imaginação do adepto é diáfana, ao passo que a do vulgo é opaca; a luz da verdade atravessa uma como por janela esplêndida, e se refrata na outra como em uma massa vítrea cheia de escórias e corpos estranhos.

O que contribui mais para os erros do vulgo e as extravagâncias da loucura são os reflexos das imaginações depravadas umas nas outras.

Mas o vidente sabe, por ciência certa, que as coisas imaginadas por ele são verdadeiras, e a experiência sempre confirma as suas visões.

Dizemos, no *Ritual*, por que processos se adquire esta lucidez.

É por meio desta luz que os visionários extáticos se põem em comunicação com todos os mundos, como isso acontecia tão frequentemente a Emanuel Swedenborg, que, não obstante, não era perfeitamente lúcido, pois que não discernia os reflexos dos raios e misturava, às vezes, ilusões aos seus mais admiráveis sonhos.

Dizemos sonhos, porque o sonho é o resultado de um êxtase natural e periódico que se chama sono. Estar em êxtase é dormir; o sonambulismo magnético é uma reprodução do êxtase.

Os erros do sonambulismo são ocasionados pelos reflexos do diáfano das pessoas acordadas, e principalmente do magnetizador.

O sonho é a visão produzida pela refração de um raio de verdade; a ilusão é a alucinação ocasionada por um reflexo.

As tentações de São Antão, com seus pesadelos e monstros, representa a confusão dos reflexos com os raios diretos. Enquanto a alma luta, ela é razoável; quando sucumbe a esta espécie de embriaguez invasora, é louca.

Distinguir o raio direto e o separar do reflexo, tal é a obra do iniciado.

Agora, digamos alto que esta obra sempre foi realizada por alguns homens de "elite" no mundo; que a revelação por intuição é, assim, permanente, e que não há barreira intransitável que separe as almas, porque na natureza não há nem interrupções repentinas nem muralhas abruptas que possam separar os espíritos. Tudo é transição e matizes e, se supusermos a perfectibilidade, se não infinita, ao menos indefinida, das faculdades humanas, veremos que todo homem pode chegar a tudo ver, e, por conseguinte, a tudo saber, ao menos num círculo que pode alargar indefinidamente.

Não há vazio na natureza, tudo é povoado. Não há morte real na natureza, tudo está vivo.

"Vedes esta estrela?" – dizia Napoleão ao cardeal Fresch. –"Não, Sire". – "Pois bem, eu a vejo!" E, certamente, ele a via.

É por isso que acusam os grandes homens de terem sido supersticiosos: *é* que eles viram o que o vulgo não vê.

Os homens de gênio diferem dos simples videntes pela faculdade que possuem de fazer *sentir* aos outros homens o que veem e de se fazer *crer* por entusiasmo e simpatia.

São os *médiuns* do Verbo divino.

Digamos agora como se opera a visão.

Todas as formas correspondem a ideias, e não há ideia que não tenha sua forma própria e particular.

A luz primordial, veículo de todas as ideias, é a mãe de todas as formas e transmite-as de emanação em emanação, apenas diminuídas ou alteradas por causa da densidade dos meios.

As formas secundárias são reflexos que voltam ao foco da luz emanada.

As formas dos objetos, sendo uma modificação da luz, ficam na luz onde o reflexo as envia. Por isso, a luz astral ou o fluido terrestre, que chamamos o grande agente mágico, está saturado de imagens ou reflexos de toda espécie os quais a nossa alma pode evocar e submeter ao seu *diáfano*, como falam os cabalistas. Estas imagens sempre nos estão presentes e somente se acham apagadas pelas impressões mais fortes da realidade durante a vigília, ou pelas preocupações do nosso pensamento, que deixa a nossa imaginação desatenta ao panorama móvel da luz astral. Quando dormimos, este espetáculo se apresenta por si mesmo a nós, e é assim que se produzem os sonhos: sonhos incoerentes e vagos, se alguma vontade dominante não fica ativa no sono e não dá, mesmo contra a vontade da nossa inteligência, uma direção ao sonho, que, então, se transforma em visão.

O magnetismo animal não é nada mais do que um sono artificial produzido pela união, quer voluntária, quer forçada, de duas almas, uma das quais está acordada, enquanto a outra dorme, isto é, uma das quais dirige a outra na escolha dos reflexos para transformar os sonhos em visões e saber a verdade por meio das imagens. Assim, as sonâmbulas não vão realmente aos lugares aonde o magnetizador as manda, elas evocam as suas imagens na luz astral, e nada podem ver do que não existe nesta luz.

A luz astral tem uma ação direta sobre os nervos, que são os condutores, na economia animal, e que a levam ao cérebro; por isso, no estado de sonambulismo, pode-se ver pelos nervos, e sem mesmo ter necessidade da luz irradiante, o fluido astral sendo uma luz latente, como a física reconheceu que existe um calórico latente.

O magnetismo entre dois é, sem dúvida, uma descoberta maravilhosa; mas o magnetismo de um só, dirigindo-se a si mesmo, ficando lúcido à vontade, é a perfeição da arte mágica; e o segredo desta grande obra não está para ser achado: foi conhecido e praticado por um grande número de iniciados, e principalmente pelo célebre Apolônio de Thiana, que deixou dele uma teoria, como veremos no nosso *Ritual*.

O segredo da lucidez magnética e da direção dos fenômenos do magnetismo provém de duas coisas: da harmonia das inteligências e da união perfeita das vontades numa direção possível e determinada pela ciência; isto é, para o magnetismo operado entre diversos. O magnetismo solitário exige preparações de que falamos no nosso primeiro capítulo, quando enumeramos e fizemos ver, em toda a sua dificuldade, as qualidades exigidas para ser um verdadeiro adepto.

Esclareceremos cada vez mais este ponto importante e fundamental nos capítulos que vão seguir.

Este império da vontade sobre a luz astral, que é a alma física dos quatro elementos, é figurado, em magia, pelo pentagrama, cuja figura colocamos no frontispício deste capítulo.

Assim, os espíritos elementais são submissos a este signo, quando é empregado com inteligência, e pode-se, colocando-o no círculo ou na mesa das evocações, fazê-los dóceis, o que, em magia, se chama prendê-los.

Expliquemos, em poucas palavras, esta maravilha. Todos os espíritos criados comunicam entre si por sinais e aderem a um certo número de verdades expressas por certas formas determinadas.

A perfeição das formas aumenta em razão do desembaraço dos espíritos, e os que não estão presos pelos grilhões da matéria reconhecem, à primeira intuição, se um signo é a expressão de um poder real ou de uma vontade temerária.

A inteligência do sábio dá, pois, valor ao seu pentáculo, como a sua ciência dá peso à sua vontade, e os espíritos compreendem imediatamente este poder.

Assim, com o pentagrama, pode-se forçar os espíritos a aparecerem em sonho, quer durante a vigília, quer durante o sono, *trazendo eles mesmos, diante do nosso diáfano, o seu reflexo, que existe na luz astral, se viveram, ou um reflexo análogo ao seu verbo espiritual, se não viveram na Terra*. Isto explica todas as visões e demonstra, principalmente, por que os mortos aparecem sempre aos videntes, quer como eram na terra, quer como estão ainda no túmulo, nunca como estão numa existência que escapa às percepções do nosso organismo atual.

As mulheres grávidas estão, mais que os outros, sob maior influência da luz astral, que concorre para a formação dos seus filhos, e que lhes apresenta, sem cessar, as reminiscências de formas de que está cheia. É assim que mulheres muito virtuosas enganam por semelhanças equívocas a malignidade dos observadores. Elas imprimem, muitas vezes, ao fruto do seu casamento uma imagem que as comoveu em sonho, e é assim que as mesmas fisionomias se perpetuam, de século em século.

O uso cabalístico do pentagrama pode, pois, determinar a figura dos filhos a nascer, e uma mulher iniciada pode dar a seu filho as feições de Nereu ou de Aquiles, como as de Luíz XIV ou de Napoleão. Nós indicamos no nosso *Ritual* o modo de o fazer.

O pentagrama é o que se chama, em Cabala, o signo do microcosmo, o signo cujo poder Goethe exalta no belo monólogo do Fausto:

> "Ah! como a esta vista todos os meus sentidos estremeceram! Sinto a juvenil e santa volúpia da vida ferver nos meus nervos e nas minhas veias. Será um Deus aquele que traçou este signo que acalma a vertigem de minh'alma, enche de alegria meu pobre coração, e, numa impulsão misteriosa, desvenda ao redor de mim as forças da natureza? Sou um Deus? Tudo se torna tão claro para mim; vejo, nestes simples traços, a natureza ativa se revelar à minh'alma. Agora, pela primeira vez, reconheço a verdade desta palavra, do sábio: – O mundo dos espíritos não está fechado! Teu sentido está obtuso, teu coração está morto. Levanta-te! Banha, ó adepto da ciência, o teu peito, ainda envolto de um véu terrestre, nos esplendores do dia nascente!" – (*Fausto*, 1ª parte, cena 1ª).

Foi em 24 de julho de 1854 que fiz em Londres a experiência da evocação pelo pentagrama, depois de se ter preparado, para isso, por todas as cerimônias que estão marcadas no *Ritual**. O sucesso desta experiência cujas razões e detalhes damos no 13º capítulo do *Dogma*, e as Cerimônias no 13º capítulo do *Ritual*, estabelece um novo fato patológico que os homens de verdadeira ciência admitirão sem dificuldade. A experiência, reiterada até três vezes, deu resultados verdadeiramente extraordinários, mas positivos e sem mistura alguma de alucinação. Convidamos os incrédulos a fazerem um ensaio conscencioso e razoável, antes de levantar os ombros e sorrir.

A figura do Pentagrama, aperfeiçoada conforme a ciência e que serviu ao autor para esta prova, é a que está no começo deste capítulo e que não se acha tão completa nem nas Claviculas de Salomão, nem nos calendários mágicos de Tycho-Brahé e Touzay Duchenteau.

---

* Ver o Ritual, 13º capítulo.

Observemos somente que o uso do pentagrama é muito perigoso para os operadores que não têm completa e perfeita inteligência dele. A direção das pontas da estrela não é arbitrária, e pode mudar o caráter de toda operação, como explicaremos no *Ritual*.

Paracelso, inovador em magia, sobrepujou todos os outros iniciados pelos sucessos de Realização obtidos somente por ele, afirma que todas as figuras mágicas e todos os signos cabalísticos dos pentáculos aos quais os espíritos obedecem, se reduzem a dois, que são a síntese de todos os outros; o signo do macrocosmo ou do selo de Salomão, cuja figura já demos e reproduzimos abaixo, e o do microcosmo, ainda mais poderoso que o primeiro, isto é, o pentagrama, do qual dá, na sua filosofia oculta, uma minuciosa descrição.

Se perguntarem como um signo pode ter tanto poder sobre os espíritos elementais, perguntaremos, por nossa vez: por que o mundo cristão se prosternou diante do sinal da cruz? O sinal por si mesmo nada é, e só tem força pelo dogma de que é resumo e verbo. Ora, um signo que resume, exprimindo-as, todas as forças ocultas da natureza, um signo que sempre manifestou aos espíritos elementares e outros um poder superior à sua natureza, naturalmente os enche de respeito e temor e os força a obedecer, pelo império da ciência e da vontade sobre a ignorância e a fraqueza.

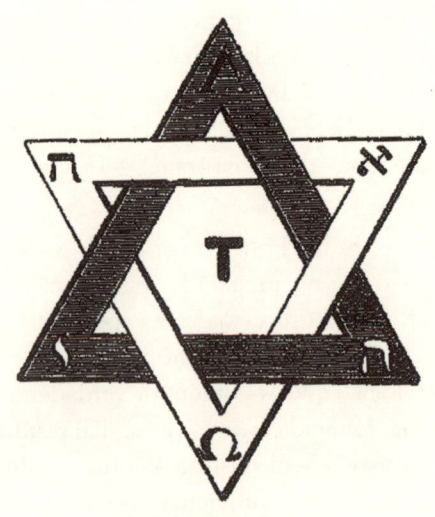

O Selo de Salomão

É também pelo pentagrama que se medem as proporções exatas do grande e único *athanor* necessário à confecção da pedra filosofal e à realização da Grande Obra. O cadinho mais perfeito que possa elaborar a quintessência é conforme esta figura e a própria quintessência é figurada pelo signo do pentagrama.

6 ו F

O EQUILÍBRIO MÁGICO

TIPHERETH
UNCUS

A inteligência suprema é necessariamente razoável. Deus, em filosofia, pode não ser mais do que uma hipótese imposta pelo bom senso à razão humana. Personificar a razão absoluta é determinar o ideal divino.

Necessidade, liberdade e razão, eis o grande e supremo triângulo dos cabalistas, que chamam a razão *Kether*, a necessidade *Hocmah* e a liberdade *Binah*, no seu primeiro ternário divino.

Fatalidade, vontade e poder, tal é o ternário mágico que, nas coisas humanas, corresponde ao triângulo divino.

A fatalidade é o encadeamento inevitável dos efeitos e causas numa ordem dada.

A vontade é a faculdade diretora das forças inteligentes para conciliar a liberdade das pessoas com a necessidade das coisas.

O poder é o sábio emprego da vontade, que faz servir a própria fatalidade à realização dos desejos do sábio.

Quando Moisés golpeia a rocha, não cria a fonte de água; ele a revela ao povo, porque uma ciência oculta revelou a ele próprio por meio da varinha adivinhatória.

O mesmo acontece com todos os milagres da magia: existe uma lei, o vulgo a ignora, o iniciado serve-se dela.

As leis ocultas são, muitas vezes, diametralmente opostas às leis comuns. Assim, por exemplo, o vulgo crê na simpatia dos semelhantes e na guerra dos contrários; é a lei oposta que é verdadeira.

Diziam outrora; a natureza tem horror ao vazio; era preciso dizer: a natureza é amante do vazio, se o vazio não fosse, em física, a mais absurda das ficções.

O vulgo toma, habitualmente, em todas as coisas, a sombra pela realidade. Volta as costas à luz e se mira na obscuridade que projeta.

As forças da natureza estão à disposição daquele que lhes sabe resistir. Se sois tão senhor de vós mesmo para nunca ficar bêbado, dispondo do terrível e fatal poder da embriaguez. Se quiserdes embebedar os outros, dai-lhes de beber à vontade, mas não bebais.

Dispõe do amor dos outros quem é senhor do seu. Quereis possuir, não vos deis. O mundo está imantado da luz do Sol, e estamos imantados da luz astral do mundo. O que se opera no corpo do planeta se repete em nós. Há, em nós, três mundos análogos e hierárquicos, como na natureza inteira.

O homem é o microcosmo ou pequeno mundo, e conforme o dogma das analogias, tudo o que está no grande mundo se reproduz no pequeno. Há, pois, em nós, três centros de atração e de projeção fluídica: o cérebro, o coração ou o epigastrio e o órgão genital. Cada um destes órgãos é único e duplo, isto é: neles se encontra a ideia do ternário. Cada um destes órgãos atrai de um lado e repele do outro. É por meio desses aparelhos que nós nos pomos em comunicação com o fluido universal, transmitido em nós pelo sistema nervoso. São também estes três centros que são a sede da tríplice operação magnética, como explicaremos adiante.

Quando o mago chegou à lucidez, quer por intermédio de uma pitonisa ou sonâmbula, quer por seus próprios esforços, comunica e dirige à vontade vibrações magnéticas em toda a massa da luz astral, cujas correntes adivinha com o auxílio da varinha mágica, que é uma varinha adivinhatória aperfeiçoada. Por meio destas vibrações, influi no sistema nervoso das pessoas submetidas à sua ação, precipita ou suspende as correntes da vida, acalma ou atormenta, cura ou faz adoecer, mata, enfim, ou ressuscita... Mas, aqui paramos, diante do sorriso da incredulidade. Deixemos-lhe o triunfo fácil de negar o que não sabe.

Demonstraremos, mais tarde, que a morte é sempre precedida de um sono letárgico e só opera por graus; que a ressurreição, em certos casos, é possível; que a letargia é uma morte real, mas não acabada, e que muitos mortos acabam de morrer depois do seu enterro. Mas não é disso que se trata neste capítulo. Dizemos, pois, que uma vontade lúcida pode agir sobre a massa da luz astral, e, com o concurso de outras vontades que absorve e arrasta, determinar grandes e irresistíveis correntes. Digamos também que a luz astral se condensa ou se rarifica, conforme as correntes a acumulam, mais ou menos, em certos centros. Quando falta energia suficiente para alimentar a vida, causa doenças de decomposição súbita, que fazem o desespero da medicina. O cólera-morbo, por exemplo, não tem outra causa, e as colunas de animálculos observados ou supostos por certos sábios podem ser o efeito dele, antes que a causa. Era, pois, preciso tratar a cólera por insuflação, se, em tal tratamento, o operador não se expusesse a fazer com o paciente uma troca muito perigosa para o primeiro.

Todo esforço inteligente da vontade é uma projeção de fluido ou luz humana, e aqui importa distinguir a luz humana da luz astral, e o magnetismo animal do magnetismo universal.

Servindo-nos da palavra fluído, empregamos uma expressão generalizada e procuramos fazer-nos compreender por este meio; mas estamos longe de dizer que a luz latente seja um fluido. Tudo nos levaria, pelo contrário, a preferir, na explicação deste ser fenomenal, o sistema das vibrações. Seja como for, esta luz, sendo o instrumento da vida, se fixa naturalmente em todos os centros vivos. Ela se prende ao centro dos planetas como ao coração do homem e por coração entendemos, em magia, o grande simpático, mas se identifica à vida própria do ser que anima, e é por esta propriedade de assimilação simpática que ela se divide sem confusão. Assim, ela é terrestre nas suas relações com o globo da Terra e exclusivamente humana nas suas relações com os homens.

É por isso que a eletricidade, o calor, a luz e a imantação produzidas pelos meios físicos ordinários, não somente não produzem, mas, ao contrário, tendem a neutralizar os efeitos do magnetismo animal. A luz astral, subordinada a um mecanismo cego e procedendo dos centros dados de autotelia, é uma luz morta, e opera matematicamente, conforme os impulsos dados ou conforme leis fatais; a luz humana, pelo contrário, só é fatal no ignorante, que faz tentativas ao acaso; no vidente, ela é subordinada à inteligência, submetida à imaginação e dependente da vontade. É esta luz que, projetada sem cessar pela nossa vontade, forma o que Swedenborg chama as atmosferas pessoais. O corpo absorve o que o rodeia e irradia sem cessar, projetando seus miasmas e suas moléculas invisíveis; o mesmo acontece com o espírito, de modo que este fenômeno, chamado, por alguns místicos, de *respiro*, tem realmente a influência que lhe é atribuída, seja no físico, ou no moral. É realmente contagioso respirar o mesmo ar que os doentes, e achar-se no círculo de atração e expansão dos malvados.

Quando a atmosfera magnética de duas pessoas é de tal modo equilibrada que o atrativo de uma aspira a expansão da outra, produz-se uma atração que se chama a simpatia; então, a imaginação, evocando a ela todos os raios ou reflexos análogos ao que experimenta, se faz um poema de desejos que arrastam a vontade, e se as pessoas são de sexo diferente, produz-se nelas ou geralmente na mais fraca das duas um embelezamento completo de luz astral, que se chama a paixão propriamente dita ou amor.

O amor é um dos grandes instrumentos do poder mágico; mas é formalmente interdito ao mago, ao menos como embelezamento ou como paixão. Desgraçado do Sansão da Cabala, se se deixar adormecer por Dalila! O Hércules da ciência, que muda o seu cetro real contra o fuso de Ônfale, sentirá logo as vinganças de Dejanira, e só lhe restará a fogueira do monte Oeta para escapar ao envolvimento devorador da túnica encantada com o sangue de Nesso, o centauro. O amor sexual é sempre uma ilusão, porque é o resultado de uma miragem imaginária. A luz astral é o sedutor universal, figurado pela serpente do livro *Gênesis*. Este agente sutil, sempre ativo, sempre luxuriante de seiva, sempre florido de sonhos sedutores e inebriantes imagens; esta força cega por si mesma e subordinada a todas as vontades, quer para o bem, quer para o mal; este *circulus* sempre renascente de vida indômita que dá vertigem aos imprudentes; este corpo ígneo; este éter impalpável e presente em toda parte; esta imensa sedução da natureza, como defini-la inteiramente e como qualificar a sua ação? De algum modo indiferente por si mesma, ela serve para o bem como para o mal; ela leva a luz e propaga as trevas ou se esconde da luz; pode-se chamá-la igualmente de Lúcifer ou Lucífugo: é uma serpente, mas pode pertencer aos tormentos do inferno como às oferendas de incenso prometidas ao céu. Para apoderar-se dela, é preciso, como a mulher predestinada, pôr o pé sobre sua cabeça.

O que corresponde à mulher cabalística, no mundo elemental, é a água, e o que corresponde à serpente é o fogo. Para dominar a serpente, isto é, para dominar o círculo da luz astral, é preciso chegar a pôr-se fora das suas correntes, isto é, isolar-se. É por isso que Apolônio de Thiana se envolvia inteiramente num manto de lã fina, no qual punha os pés, e cuja ponta punha em cima da cabeça; depois, arcava em semicírculo a sua coluna vertebral e fechava os olhos, após ter realizado certos ritos que deviam ser passes magnéticos e palavras sacramentais, tendo por fim fixar a imaginação e determinar a ação da vontade. O manto de lã é de grande uso em magia, e é o veículo ordinário dos feiticeiros que vão ao *sabbat*, o que prova que os feiticeiros não iam realmente ao *sabbat*, mas sim que o *sabbat* vinha achar os feiticeiros isolados nos seus mantos e trazia ao seu *translúcido* as imagens análogas às suas preocupações mágicas, misturadas com os reflexos de todos os atos do mesmo gênero que se tinham realizado antes deles no mundo.

Esta corrente da vida universal é também figurada, nos dogmas religiosos, pelo fogo expiatório do inferno. É o instrumento da iniciação, é o monstro a dominar, é o inimigo a vencer; é ela que envia às nossas evocações e conjurações da arte negra da magia Goética tantas larvas e fantasmas; é nela que se conservam todas as formas cujo conjunto fantástico e fortuito povoa nossos pesadelos de tão abomináveis monstros. Deixar-se arrastar para baixo por este rio que dá viravoltas é cair nos abismos da loucura, mais terríveis que os da morte; afastar as sombras deste caos e fazer-lhe dar formas perfeitas aos nossos pensamentos é ser homem de gênio, é criar, é ter triunfado do inferno!

A luz astral dirige os instintos animais e dá combate à inteligência do homem, que tende a perverter pelo luxo de seus reflexos e a mentira das suas imagens; ação fatal e necessária, que os espíritos elementares e as almas sofredoras dirigem e tornam mais funestas ainda, com suas vontades inquietas, que procuram simpatias nas nossas fraquezas e nos tentam, menos para nos perder do que para adquirir amigos.

Esse livro das consciências, que, conforme o dogma cristão, deve ser manifestado no último dia, não é outro senão a luz astral, na qual se conservam as impressões de todos os verbos, isto é, de todas as ações e de todas as formas. Os nossos atos modificam o nosso respiro magnético, de modo que um vidente pode dizer, aproximando-se de uma pessoa pela primeira vez, se esta pessoa é inocente ou culpada, e quais suas virtudes e seus crimes. Esta faculdade, que pertence à adivinhação, era chamada, pelos místicos cristãos da Igreja primitiva, o discernimento dos espíritos.

As pessoas que renunciam ao império da razão e gostam de desviar sua vontade em perseguição dos reflexos da luz astral, estão sujeitas a alternativas de furor e tristeza que fizeram imaginar todas as maravilhas da possessão de demônios; é verdade que, por meio destes reflexos, os espíritos impuros podem agir sobre tais almas, fazer delas instrumentos dóceis e mesmo habituar-se a atormentar o seu organismo, no qual vêm residir por *obsessão* ou *embrionato*. Estas palavras cabalísticas são explicadas no livro hebreu da *Revolução das Almas*, de que nosso décimo terceiro capítulo conterá a análise detalhada.

É, pois, extremamente perigoso divertir-se com os mistérios da magia; é, principalmente, temerário praticar seus ritos por curiosidade, por ensaio e como que para tentar as forças superiores. Os curiosos que, sem serem adeptos, se preocupam com evocações ou magnetismo oculto, parecem crianças que brincam com fogo perto de um barril de pólvora fulminante; serão, mais cedo ou mais tarde, vítimas de alguma terrível explosão.

Para isolar-se da luz astral, não basta rodear-se de pano de lã; é preciso ainda, e principalmente, ter imposto uma quietação absoluta ao seu espírito e ao seu coração, ter saído do domínio das paixões e estar seguro na perseverança dos atos espontâneos de uma vontade inflexível. É preciso também reiterar muitas vezes os atos desta vontade, como veremos na nossa introdução ao *Ritual*, a vontade fica certa de si mesma só por atos, como as religiões só têm império e duração pelas suas cerimônias e seus ritos.

Existem substâncias inebriantes que, exaltando a sensibilidade nervosa, aumentam o poder das representações e, por conseguinte, das seduções astrais; pelos mesmos meios, mas seguindo uma direção contrária, pode-se amedrontar e perturbar os espíritos. Estas substâncias, magnéticas por si mesmas e magnetizadas ainda pelos magos, são o que se chamamos de poções mágicas. Mas não trataremos desta perigosa aplicação da magia envenenadora. Não existem mais, é verdade, fogueiras para os feiticeiros, mas há sempre, e mais do que nunca, castigos para os malfeitores. Limitemo-nos, pois, a constatar, na ocasião, a realidade deste poder.

Para dispor da luz astral é preciso também compreender a sua dupla vibração e conhecer a balança das forças, que se chama o equilíbrio mágico, e que, em Cabala, se exprime pelo senário.

Este equilíbrio, considerado na sua causa primeira, é a vontade de Deus; no homem, é a liberdade; na matéria, é o equilíbrio matemático.

O equilíbrio produz a estabilidade e a duração.

A liberdade produz a imortalidade do homem, e a vontade de Deus põe em ação as leis da razão eterna. O equilíbrio é rigoroso. Se for observada a lei, ele existe; se for violada, por mais levemente que seja, ele não existe mais.

É por isso que nada é inútil ou perdido. Toda palavra e todo movimento são pró ou contra o equilíbrio, pró ou contra a verdade; porque o equilíbrio representa a verdade, que se compõe do pró e do contra conciliados, ou, ao menos, mutuamente equilibrados.

Dizemos, na introdução ao *Ritual*, como o equilíbrio mágico deve ser produzido, e por que ele é necessário para o sucesso em todas as operações.

A onipotência é a liberdade mais absoluta. Ora, a liberdade absoluta não poderia existir sem um equilíbrio perfeito. O equilíbrio mágico é, pois, uma das condições primárias do sucesso nas operações da ciência, e deve-se procurá-lo até na química oculta, aprendendo a combinar os contrários sem os neutralizar um por outro.

É pelo equilíbrio que se explica o grande e antigo mistério da existência e da necessidade relativa do mal.

Esta necessidade relativa dá, em magia negra, a medida do poder dos demônios ou espíritos impuros, aos quais as virtudes que são praticadas na Terra dão mais furor, e, em aparência, até mais força.

Nas épocas em que os santos e anjos fazem abertamente milagres, os feiticeiros e diabos fazem, por sua vez, maravilhas e prodígios.

É a rivalidade que, muitas vezes, faz o sucesso; *sempre se acha apoio no que resiste*.

7 ♀ G
A ESPADA FLAMEJANTE

NETSAH
GLAUDIUS

O setenário é o número sagrado em todas as teogonias e em todos os símbolos, porque é composto do ternário e do quaternário. O número sete representa o poder mágico em toda a sua força; é o espírito protegido por todas as potências elementares; é a alma servida pela natureza; é o *sanctum regnum* de que falam as *Clavículas de Salomão*, e que é representado, no Tarô, por um guerreiro coroado, trazendo um triângulo na sua couraça, e de pé, em cima de um cubo, ao qual estão atreladas duas esfinges, uma branca e outra preta, que puxam em sentido contrário e voltam a cabeça, olhando uma à outra. Este guerreiro está armado de uma espada flamejante, e tem, na outra mão, um cetro rematado por um triângulo e uma bola.

O cubo é a pedra filosofal. As esfinges são as duas forças do grande agente, correspondentes a Jakin e Bohas, que são as duas colunas do templo; a couraça é a ciência das coisas divinas, que faz o sábio invulnerável aos golpes humanos; o cetro é a varinha mágica; a espada flamejante é o sinal da vitória sobre os vícios, que são em número de sete, como as virtudes; as ideias dessas virtudes e desses vícios eram figuradas, pelos antigos, pelos símbolos dos sete planetas então conhecidos.

Assim, a fé, esta aspiração ao infinito, esta nobre confiança em si mesmo, sustentada pela crença em todas as virtudes, a fé, que, nas naturezas fracas, pode degenerar em orgulho, era representada pelo Sol; a esperança, inimiga da avareza, pela Lua; a caridade, oposta à luxúria, por Vênus, a brilhante estrela da manhã e da tarde; a força, superior à cólera, por Marte; a prudência, oposta à preguiça, por Mercúrio; a temperança, oposta à gula, por Saturno, a quem se dá uma pedra para comer ao invés de seus filhos; e a justiça, enfim, oposta à inveja, por Zeus, vencedor dos Titãs. Tais são os símbolos que a astrologia tira do culto helênico. Na Cabala dos Hebreus, o Sol representa o anjo de luz; a Lua, o anjo das aspirações e dos sonhos; Marte, o anjo exterminador; Vênus, o anjo dos amores; Mercúrio, o anjo civilizador; Júpiter, o anjo do poder; Saturno, o anjo das solidões. Chamam-nos também: Mikael, Gabriel, Samael, Anael, Rafael, Zacariel e Orifiel. Estas potências dominadoras das almas partilham a vida humana por períodos, que os astrólogos mediam sobre as revoluções dos planetas correspondentes.

Porém, não se deve confundir a astrologia cabalística com a astrologia judiciária. Explicaremos esta distinção. A infância é votada ao Sol, a adolescência à Lua, a juventude a Marte e Vênus, a virilidade a Mercúrio, a idade madura a Júpiter e a velhice a Saturno. Ora, a humanidade inteira vive sob leis de desenvolvimento análogas às da vida individual. É sobre esta base que Trithemo estabelece a sua clavícula profética dos sete espíritos de que falamos anteriormente, e por meio da qual se pode, seguindo as proporções analógicas dos acontecimentos sucessivos, predizer com certeza os grandes acontecimentos futuros, e fixar adiantadamente, de período em período, os destinos dos povos e do mundo.

S. João, depositário da doutrina secreta do Cristo, consignou esta doutrina no livro cabalístico do *Apocalipse*, que ele representa fechado com sete selos. Acham-se aí os sete gênios das mitologias antigas, com as copas e espadas do Tarô. O dogma escondido sob estes emblemas é a pura Cabala, já perdida pelos fariseus, na época da vinda do Salvador; os quadros que se sucedem nesta maravilhosa epopeia profética são tantos pentáculos de que o ternário, o quaternário, o setenário e o duodenário são as chaves. As suas figuras hireoglíficas são análogas às do livro de Hermes ou da Gênese de Enoque, para nos servir do título arriscado que exprime somente a opinião pessoal do sábio Guilherme Postello.

O querubim ou touro simbólico que Moisés coloca à porta do mundo edênico, e que tem na mão uma espada flamejante, é uma esfinge, tendo um corpo de touro e uma cabeça humana; é a antiga esfinge assíria, de que o combate e a vitória de Mitra eram a análise hieroglífica. Esta esfinge armada representa a lei do mistério que vigia à porta da iniciação para desviar dela os profanos. Voltaire, que nada sabia de tudo isso, riu muito de ver um boi armado de espada. Que teria ele dito se tivesse visitado as ruínas de Mênfis e Tebas, e que teria a responder aos seus insignificantes sarcasmos, tão apreciados na França, este eco dos séculos, que dorme nos sepulcros de Psamético III e Ramsés?

O querubim de Moisés representa também o grande mistério mágico, de que o setenário exprime todos os elementos, sem, todavia, dar a sua última palavra. Este *verbum inenarrabile* dos sábios da escola de Alexandria, esta palavra que os cabalistas hebreus escrevem יהוה e traduzem por אראריתא, exprimindo, assim, a triplicidade do princípio secundário, o dualismo dos meios e a unidade tanto do primeiro princípio como do fim, depois também a aliança do ternário com o quaternário numa palavra composta de quatro letras, que formam sete, por meio de uma tríplice e uma dupla repetição; esta palavra se pronuncia Ararita.

A virtude do setenário é absoluta em magia porque o número é decisivo em todas as coisas; por isso, as religiões o consagraram nos seus ritos. O sétimo ano, entre os judeus, era jubilar; o sétimo dia é consagrado ao repouso e à prece, há sete sacramentos, etc.

As sete cores do prisma, as sete notas da música, correspondem também aos sete planetas dos antigos, isto é, às sete cordas da lira humana. O céu espiritual nunca mudou, e a astrologia ficou mais invariável que a astronomia. Os sete planetas, com efeito, não são mais do que símbolos hieroglíficos dos laços de nossas afeições. Fazer talismãs do Sol, da Lua ou de Saturno, é prender magneticamente a vontade a signos que correspondem aos principais poderes da alma; consagrar alguma coisa a Vênus ou a Mercúrio é magnetizar esta coisa numa intenção direta, quer de prazer, quer de ciência ou proveito. Os metais, animais, ou perfumes análogos são, nisso, nossos auxiliares. Os animais mágicos são: entre os pássaros, correspondentes ao mundo divino, o cisne, a coruja, o gavião, a pomba, a cegonha, a águia e a poupa; entre os peixes, correspondentes ao mundo espiritual ou científico, a foca, o oelerus, o lúcio, o timalo, o mugem, o delfim e a siba; entre os quadrúpedes, correspondentes ao mundo natural, o leão, o gato, o lobo, o bode, o macaco, o veado e a toupeira. O sangue, a gordura, o fígado e o fel destes animais servem para os encantamentos; o seu cérebro se combina com os perfumes dos planetas, e é reconhecido, pela prática dos antigos, que possuem virtudes magnéticas correspondentes às sete influências planetárias.

Os talismãs dos sete espíritos se fazem, quer em pedras preciosas, tais como o carbúnculos, o cristal, o diamante, a esmeralda, a ágata, a safira e o ônix; quer nos metais, como o ouro, a prata, o ferro, o cobre, o mercúrio fixo, o estanho e o chumbo. Os signos cabalísticos dos sete espíritos são: para o Sol, uma serpente, com cabeça do leão; para a Lua, um globo ocupado por dois crescentes; para Marte, um dragão mordendo o cabo de uma espada; para Vênus, um lingam; para Mercúrio, o caduceu hermético e o cinocéfalo; para Júpiter, o pentagrama flamejante nas garras ou no bico de uma águia; para Saturno, um velho coxo ou uma serpente enlaçada ao redor da pedra helíaca. Todos estes signos se acham nas pedras gravadas dos antigos, e particularmente no talismãs das épocas gnósticas, conhecidos sob o nome de Abraxas. Na coleção dos talismãs de Paracelso, Júpiter é representado por um padre com hábito eclesiástico, e no tarô é figurado por um grande hierofante vestido com a tiara de três diademas, tendo na mão a cruz de três braços, formando o triângulo mágico e representando, ao mesmo tempo, o cetro e a chave dos três mundos.

Resumindo tudo o que dissemos da união do ternário e do quaternário, teremos tudo o que nos restaria a dizer do setenário, esta grande e completa unidade mágica, composta de 4 e 3˚.

---

* Ver, para as plantas e cores do setenário empregadas para os fins magnéticos, a sábia obra de Ragon sobre a *Maçonaria Oculta*.

8 ח H

A REALIZAÇÃO

HOD
VIVENS

As causas se revelam pelos efeitos, e os efeitos são proporcionais às causas. O verbo divino, a palavra única, o tetragrama, se afirmou pela criação quaternária. A fecundidade humana prova a fecundidade divina: o *jod* do nome divino é a virilidade eterna do primeiro princípio. O homem compreendeu que foi feito à imagem de Deus, quando compreendeu que Deus era a ideia que se fazia de si mesmo engrandecida até o infinito.

Compreendendo Deus como o homem infinito, o homem disse a si mesmo: – Eu sou o Deus finito.

A magia difere do misticismo em não julgar *a priori* mas, sim, depois de ter estabelecido a *posteriori* a própria base dos seus julgamentos, isto é, só depois de ter compreendido a causa pelos efeitos contidos na própria energia da causa, por meio da lei universal da analogia; por isso, nas ciências ocultas, tudo é real, e as teorias são estabelecidas somente sobre as bases da experiência. São as realidades que constituem as proporções do ideal, e o mago só admite como certo, no domínio das ideias, o que é demonstrado pela realização da palavra; *é o* verbo propriamente dito. Um pensamento se realiza tornado-se palavra; esta se realiza pelos sinais, sons e figuras dos sinais: é este o primeiro grau de realização. Depois, ela se imprime na luz astral por meio dos sinais da escrita ou da palavra; ela influi sobre outros espíritos, refletindo-se neles; se refrata atravessando o diáfano dos outros homens, aí toma formas e proporções novas, depois traduz em ato e modifica a sociedade e o mundo; é este o último grau da realização. Os homens que nascem num mundo codificado por uma ideia, trazem consigo a sua impressão e é assim que o verbo se faz carne. A impressão da desobediência de Adão, conservada na luz astral, só pôde ser apagada pela impressão mais forte da obediência do Salvador, e é assim que se pode explicar o pecado original e a redenção, num sentido natural e mágico.

A luz astral, figurada nos antigos símbolos pela serpente que morde a sua cauda, representa, ao mesmo tempo, a malícia e a prudência, o tempo e a eternidade, o tentador e o Redentor. É que esta luz, sendo o veículo da vida, pode servir de auxiliar tanto ao bem como ao mal, e pode ser tomada pela forma ígnea de Satã como pelo corpo do Espírito Santo. É a arma universal da batalha dos anjos, e ela alimenta tão bem as chamas do inferno como o raio de S. Miguel. Poderíamos compará-la a um cavalo de natureza análoga à que é atribuída ao camaleão, e que sempre refletisse a armadura do seu cavaleiro.

A luz astral é a realização ou a forma da Luz intelectual, como esta é a realização ou forma da luz divina.

O grande iniciador do cristianismo, compreendendo que a luz astral estava sobrecarregada dos reflexos impuros da depravação romana, quis separar seus discípulos da esfera ambiente dos reflexos e fazê-los atentos unicamente à luz interior, a fim de que, por meio de uma fé comum, pudesse comunicar-se mutuamente por meio de novos cordões magnéticos a que chamou graça, e vencer, assim, as correntes transbordadas do magnetismo universal, ao qual dava os nomes de diabo ou Satã, para exprimir a sua putrefação. Opor uma corrente a outra é renovar o poder da vida fluídica. Por isso, os reveladores nada mais fizeram do que adivinhar, pela exatidão de seus cálculos, a hora própria das reações morais.

A lei de realização produz o que chamamos o *respiro* magnético, de que são impregnados os objetos e lugares, o que lhes comunica uma influência conforme com nossas vontades dominantes, principalmente com as que são confirmadas e realizadas por atos. Com efeito, o agente universal, ou a luz astral latente, sempre procura o equilíbrio; preenche o vazio e aspira ao *Plenum*, o que faz contagioso o vício, como certas doenças físicas, e serve poderosamente ao proselitismo da virtude. É por isso que a coabitação com seres antipáticos é um suplício; é por isso que as relíquias, quer dos santos, quer dos grandes perversos da humanidade, podem produzir efeitos maravilhosos de conversão ou perversão súbita; é por isso que o amor sexual, muitas vezes, se produz por sopro ou contato, e não somente pelo contato da própria pessoa, mas até por meio dos objetos que ela tocou e magnetizou sem o saber.

A alma aspira e respira exatamente como o corpo. Ela aspira o que crê ser felicidade, e respira ideias que resultam das suas sensações íntimas. As almas doentes têm mau hálito e viciam a sua atmosfera moral, isto é, misturam seus reflexos impuros com a luz astral que as penetra e nela estabelecem correntes deletérias.

Muitas vezes ficamos admirados de sermos assaltados, na vida social, por pensamentos maus que não julgamos possíveis, e não sabemos que isso é devido a alguma vizinhança mórbida. Este segredo é de grande importância, porque leva à manifestação das consciências, um dos poderes mais incontestáveis e mais terríveis da arte mágica.

O *respiro* magnético produz em redor da alma uma irradiação de que ela é o centro, e ela rodeia-se do reflexo de suas obras, que lhe fazem um céu ou um inferno. Não há atos solitários e não poderia haver atos ocultos; tudo o que realmente queremos, isto é, tudo o que confirmamos pelos nossos atos, fica escrito na luz astral, onde se conservam os nossos reflexos; estes reflexos influem continuamente sobre o nosso pensamento por meio do diáfano, e é assim que cada um se torna e permanece filho das suas obras.

A luz astral, transformada em luz humana no momento da concepção, é o primeiro envoltório da alma, e, combinando-se com os fluidos mais sutis, forma o corpo etérico ou o fantasma sideral de que fala Paracelso na sua filosofia intuitiva (*Philosophia sagax*). Este corpo sideral, desprendendo-se na hora da morte, atrai a si e conserva por muito tempo, pela simpatia dos homogêneos, os reflexos da vida passada; se uma vontade poderosamente simpática o atrai numa corrente particular, ele se manifesta naturalmente, porque nada há mais natural do que os prodígios. É assim que se produzem as aparições. Mas desenvolveremos isto mais completamente no capítulo especial da Necromancia.

Este corpo fluídico, submetido, como a massa da luz astral, a dois movimentos contrários, atrativo à esquerda, e repulsivo à direita, ou reciprocamente, nos dois sexos, produz em nós as lutas dos diferentes atrativos e contribui para a ansiedade da consciência; muitas vezes é influído pelos reflexos dos outros espíritos e é assim que se produzem quer as tentações, quer as graças sutis e inesperadas. É também a explicação do dogma tradicional dos dois anjos que nos assistem e experimentam. As duas forças da luz astral podem ser figuradas por uma balança em que são pesadas as nossas boas intenções para a vitória da justiça e a emancipação da nossa liberdade.

O corpo astral nem sempre é do mesmo sexo que o corpo terrestre, isto é, as proporções das duas forças, variando da direita para a esquerda, parecem, muitas vezes, contradizer a organização visível; é o que produz os erros aparentes das paixões humanas, e pode explicar, sem as justificar de modo algum diante da moral, as singularidades amorosas de Anacreonte ou Safo.

Um magnetizador hábil deve apreciar todos estes matizes, e damos, no nosso *Ritual*, os meios de os reconhecer.

Há duas espécies de realizações, a verdadeira e a fantástica. A primeira é o segredo exclusivo dos magos, a outra pertence aos encantadores e feiticeiros.

As mitologias são realizações fantásticas do dogma religioso, as superstições são o sortilégio da falsa piedade; mas mesmo as mitologias e superstições são mais eficazes sobre a vontade humana do que uma filosofia puramente especulativa e exclusiva de toda prática. É por isso que S. Paulo opõe as conquistas da loucura da Cruz à inércia da sabedoria humana. A religião *realiza* a filosofia, *adaptando-a* às fraquezas do vulgo: tal é, para os cabalistas, a razão secreta e a explicação oculta dos dogmas da encarnação e da redenção.

Os pensamentos que não se traduzem em palavras são pensamentos perdidos para a humanidade; as palavras que não são confirmadas por atos são palavras ociosas, e não há grande distância da palavra ociosa à mentira.

É o pensamento formulado por palavras e atos que constitui a boa obra ou o crime. Logo, quer em vício, quer em virtude, não há palavra da qual não sejamos responsáveis; principalmente, não há atos indiferentes. As maldições e bênçãos sempre têm seus efeitos e qualquer ação, seja qual for, quando é inspirada pelo amor ou pelo ódio, produz efeitos análogos ao seu motivo, ao seu valor e à sua direção.

O imperador cujas imagens tinham sido mutiladas e que, levando a mão à fronte, dizia: "Não me sinto ferido", fazia uma falsa apreciação e diminuía nisso o mérito da sua clemência. Qual homem de bem veria com sangue-frio os insultos feitos ao seu retrato? E se realmente semelhantes insultos, feitos mesmo contra vontade, caíssem sobre nós por uma influência fatal, se a arte dos enfeitiçamentos fosse real, como não é permitido a um adepto duvidá-lo, quanto não seria mais imprudente, e até mais temerária ainda, a palavra deste bom imperador!

Existem pessoas que nunca são ofendidas impunemente, e, se a injúria que se lhes fez é mortal, começa-se desde então a morrer. Existem outras que até não a encontrais em vão, e cujo olhar muda a direção de vossa vida. O basilisco que mata pelo olhar não é uma fábula, é uma alegoria mágica. Em geral, é ruim para a saúde ter inimigos, e qualquer pessoa não desafia impunemente a reprovação de quem quer que seja. Antes de se opor a uma corrente, é preciso que a pessoa se assegure bem se possui a força ou se é levada pela corrente contrária; aliás, será destruída ou fulminada, e muitas mortes súbitas não têm outras causas. As mortes terríveis de Nadab e Abiu, de Osa, Ananias e Safira, foram causadas pelas correntes elétricas das crenças que ultrajavam; os tormentos das ursulinas de Loudun, das religiosas de Louviers e dos convulsionários do jansenismo, tinham o mesmo princípio e se explicam pelas mesmas leis naturais ocultas. Se Urbano Grandier não tivesse sido suplicado, teria acontecido uma das duas: ou as religiosas possessas morreriam em espantosas convulsões, ou os fenômenos de frenesi diabólica teriam ganho, multiplicando-se, tantas vontades e tanta força, que o próprio Grandier, apesar da sua ciência e sua razão, teria ficado alucinado a ponto de caluniar a si próprio como fizera o infeliz Gaufridy, ou teria morrido de repente, com todas as circunstâncias terríveis de um envenenamento ou de uma vingança divina.

O infeliz poeta Gilberto foi, no século XVIII, vítima da sua ousadia em desafiar a corrente da opinião e até do fanatismo filosófico da sua época. Culpado de lesa-filosofia, morreu louco furioso, assaltado pelos mais incríveis terrores, como se o próprio Deus o tivesse punido por ter sustentado a sua causa fora de propósito, mas, com efeito, perecia vítima de uma lei da natureza que não podia conhecer; tinha-se oposto a uma corrente elétrica e caiu fulminado.

Se Marat não tivesse sido assassinado por Carlota Corday, teria infalivelmente sido morto por uma reação da opinião pública. O que o fizera leproso era a execração das pessoas de bem, e devia sucumbir a isso.

A reprovação causada pela Saint-Barthelemy foi a causa única da horrível doença e da morte de Carlos IX; e Henrique IV, se não fosse sustentado por uma imensa popularidade, que devia à força de projeção ou à força simpática de sua vida astral, Henrique IV, dizemos nós, não teria sobrevivido à sua conversão e teria perecido pelo desprezo dos protestantes, combinado com a desconfiança e a raiva dos católicos.

A impopularidade pode ser uma prova de integridade e de coragem, mas nunca é prova de prudência ou política; os golpes dados contra a opinião são mortais para os homens de Estado. Podemos ainda lembrarmo-nos do fim prematuro e violento de vários homens ilustres, que não convém mencionar aqui.

Os descréditos diante da opinião podem ser grandes injustiças, mas sempre não são menores causas de insucessos e, muitas vezes, sentenças de morte.

Do mesmo modo, as injustiças feitas a um só homem podem e devem, se não forem reparadas, causar a perda de um povo ou de uma sociedade inteira: é o que se chama o grito do sangue, porque, no fundo de toda injustiça, há o germe de um homicídio.

É por causa destas leis terríveis de solidariedade que o cristianismo tanto recomenda o perdão das injúrias e a reconciliação. Aquele que morre sem perdoar, lança-se na eternidade armado de um punhal e se devota aos horrores de uma eterna matança.

É uma tradição e uma crença invencível entre o povo a da eficácia das bênçãos ou maldição paternas ou maternas. Com efeito, quanto mais os laços que unem duas pessoas são estreitos, tanto é mais terrível nos seus efeitos o ódio entre elas. O tição de Atheu queimando o sangue de Meleagra é, na mitologia, o símbolo deste poder temível.

Todavia, que os pais tomem cuidado com isso, porque não se acende o inferno no seu próprio sangue e não se vota os seus à desgraça, sem queimar e tornar infeliz a si próprio. Nunca é um crime perdoar, e sempre é um perigo e uma ação má amaldiçoar.

9 ט I

A INICIAÇÃO

JESOD
BONUM

O iniciado é aquele que possui a lâmpada de Trismegisto, o manto de Apolônio e o bastão dos patriarcas.

A lâmpada de Trismegisto é a razão esclarecida pela inteligência; o manto de Apolônio é a posse plena e total de si mesmo, que isola o sábio das correntes instintivas; e o bastão dos patriarcas é o auxílio das forças ocultas e perpétuas da natureza.

A lâmpada de Trismegisto alumia o presente, o passado e o futuro, mostra claramente a consciência dos homens, ilumina os recônditos do coração das mulheres. A lâmpada brilha com tríplice chama, o manto se redobra três vezes, e o bastão se divide em três partes.

O número nove é o dos reflexos divinos: ele exprime a ideia divina em toda a sua força abstrata, mas também exprime o luxo na crença e, por conseguinte, a superstição e a idolatria.

É por isso que Hermes fez dele o número da iniciação, porque o iniciado reina sobre a superstição e pela superstição, e só ele pode caminhar nas trevas, apoiado como está no seu bastão, envolto no seu manto e iluminado pela sua lâmpada.

A razão foi dada a todos os homens, mas nem todos sabem fazer uso dela; é uma ciência que é preciso aprender. A liberdade é oferecida a todos, mas nem todos sabem apoiar-se nela; é um poder de que é preciso apoderar-se.

A nada chegamos que não nos custe mais de um esforço. O destino do homem é que se enriqueça do que ganha e que depois tenha, como Deus, a glória e o prazer de dar.

A ciência mágica se chamava, outrora, arte sacerdotal e arte real, porque a iniciação dava ao sábio o império sobre as almas e a aptidão para governar as vontades.

A adivinhação é também um dos privilégios do iniciado; ora, a adivinhação é simplesmente o conhecimento dos efeitos contidos nas causas e a ciência aplicada aos fatos do dogma universal da analogia.

Os atos humanos não se escrevem somente na luz astral; deixam também os seus traços na fronte, modificam as feições e o andar, mudam o acento da voz.

Cada homem traz, pois, consigo a história da sua vida, legível para o iniciado. Ora, o futuro é sempre a consequência do passado, e as circunstâncias inesperadas não mudam quase nada dos resultados racionalmente esperados.

É possível, pois, predizer a cada homem o seu destino. É possível julgar de uma existência inteira por um só movimento; um só desacerto pressagia uma série de desgraças. César foi assassinado porque amava as poesias de Ossian; Luiz Filipe devia deixar o trono como o fez, porque usava um guarda-chuva. São paradoxos para o vulgo, que não compreende as relações ocultas das coisas; mas são razões para o iniciado, que compreende tudo e de nada se admira.

A iniciação preserva das falsas luzes do misticismo; ela dá à razão humana o seu valor relativo e a sua infalibilidade proporcional, unindo-a à razão suprema pela cadeia das analogias.

O iniciado não tem, pois, esperanças duvidosas, nem temores absurdos, porque não tem crenças desarrazoáveis; sabe o que pode e nada lhe custa ousar. Por isso, para ele, ousar é poder.

Eis, pois, uma nova interpretação dos atributos do iniciado; a sua lâmpada representa o saber, o manto que o envolve representa a sua discrição, o seu bastão é o emblema da sua força e da sua audácia. Ele sabe, ousa e cala-se.

Sabe os segredos do futuro, ousa no presente e cala-se sobre o passado.

Sabe as fraquezas do coração humano, ousa servir-se delas para fazer a sua obra, e cala-se sobre os seus projetos.

Sabe a razão de todos os simbolismos e de todos os cultos, ousa praticá-los ou abster-se deles sem hipocrisia e sem impiedade, e cala-se sobre o dogma único da alta iniciação.

Sabe a existência e a natureza do grande agente mágico, ousa fazer os atos e pronunciar as palavras que o submetem à vontade humana, e cala-se sobre os mistérios do grande arcano.

Por isso, podeis vê-lo muitas vezes triste, nunca abatido nem desesperado; muitas vezes pobre, nunca envilecido nem miserável; muitas vezes perseguido, nunca abandonado nem vencido... Ele se lembra muitas vezes da viuvez e do assassinato de Orfeu, do exílio e da morte solitária de Moisés, do martírio dos profetas, das torturas de Apolônio, da cruz do Salvador; sabe em que abandono morreu Agrippa, cuja memória ainda é caluniada; sabe a que fadigas sucumbiu o grande Paracelso, e tudo o que teve de sofrer Raimundo Lúlio para, enfim, chegar a uma morte sanguinolenta. Lembra-se de Swedenborg fazendo-se de louco ou mesmo perdendo a razão, a fim de fazer perdoar a sua ciência; de Saint-Martin, que se ocultou toda a sua vida; de Cagliostro, que morreu abandonado nos calabouços da Inquisição; de Cazotte, que subiu ao cadafalso. Sucessor de tantas vítimas, não ousa menos, mas compreende ainda mais a necessidade de calar-se.

Imitemos o seu exemplo, aprendamos com perseverança; quando soubermos, ousemos e calemo-nos.

10 ו K

A CABALA

MALCHUT
PRINCIPIUM
PHALLUS

Todas as religiões conservaram a lembrança de um livro primitivo escrito em figuras pelos sábios dos primeiros séculos do mundo, e cujos símbolos, simplificados e vulgarizados mais tarde, forneceram à Escritura suas letras, ao Verbo seus caracteres, à Filosofia oculta seus signos misteriosos e seus pentáculos.

Este livro, atribuído a Enoque, o sétimo senhor do mundo depois de Adão, pelos hebreus; a Hermes Trismegisto pelos egípcios; a Cadmo, o misterioso fundador da cidade de tebas, pelos gregos – este livro era o resumo simbólico da tradição primitiva, chamada, depois, Cabala, de uma palavra hebraica que é equivalente a tradição.

Esta tradição repousa inteiramente sobre o dogma único da magia: o visível é para nós a medida proporcional do invisível. Ora, os antigos, tendo observado que o equilíbrio é, em física, a lei universal, e que resulta da oposição aparente de duas forças, concluíram do equilíbrio físico ao equilíbrio metafísico, e declararam que em Deus, isto é, na primeira causa vivente e ativa, se deviam reconhecer duas propriedades necessárias uma à outra: a estabilidade e o movimento, a necessidade e a liberdade, a ordem racional e a autonomia volitiva, a justiça e o amor, e, por conseguinte, também a severidade e a misericórdia; e são estes dois atributos que os cabalistas judeus personificam de algum modo sob os nomes de Geburah e Chesed.

Acima de Geburah e Chesed reside a coroa suprema, o poder equilibrante, princípio do mundo ou do reino equilibrado, que vemos designado sob o nome de Malkut no versículo oculto e cabalístico do *Pater* de que já falamos.

Mas Geburah e Chesed, mantidos em equilíbrio, em cima pela coroa e embaixo pelo reino, são dois princípios que podem ser considerados, quer na sua abstração, quer na sua realização. Abstratos ou idealizados, tomam os nomes superiores de *Hocmah*, a sabedoria, e de *Binah*, a inteligência.

Realizados, chamam-se a estabilidade e o progresso, isto é, a eternidade e a vitória: *Hod* e *Netsah*.

Tal é, conforme a Cabala, o fundamento de todas as religiões e de todas as ciências, a ideia prima e imutável das coisas: um tríplice triângulo e um círculo, a ideia do ternário explicada pela balança multiplicada por si mesma nos domínios do ideal, depois a realização desta ideia nas formas. Ora, os antigos uniram as noções primárias desta simples e grandiosa teologia à própria ideia dos números, e qualificaram, assim, todos os algarismos da década primitiva.

1. *Kether* – A Coroa, o poder equilibrante.
2. *Hocmah* – A Sabedoria, equilibrada na sua ordem imutável pela iniciativa da Inteligência.
3. *Binah* – A Inteligência ativa, equilibrada pela Sabedoria.
4. *Chesed* – A Misericórdia, segunda concepção da Sabedoria, sempre benévola, porque é forte.
5. *Geburah* – O Rigor necessitado pela própria Sabedoria e pela Bondade. Sofrer o mal é impedir o bem.
6. *Tiphereth* – A Beleza, concepção luminosa do equilíbrio nas formas, o intermediário entre a coroa e o reino, o princípio mediador entre o criador e a criação. (Que sublime ideia não achamos aqui da poesia e do seu soberano sacerdócio!)
7. *Netsah* – A Vitória, isto é, o triunfo eterno da inteligência e da justiça.
8. *Hod* – A Eternidade das vitórias do espírito sobre a matéria, do ativo sobre o passivo, da vida sobre a morte.
9. *Iesod* – O Fundamento, isto é, a base de toda crença e de toda verdade, é o que chamamos em filosofia o *Absoluto*.
10. *Malchut* ou *Malkut* – O Reino, é o universo, é a criação inteira, a obra e o espelho de Deus, a prova da razão suprema, a consequência formal que nos força a remontar às premissas virtuais, o enigma cuja palavra é Deus, isto é: razão suprema e absoluta.

Estas dez noções primárias, unidas aos dez primeiros caracteres do alfabeto primitivo, significando, ao mesmo tempo, princípios e números, são os que os mestres da Cabala chamam as dez Sephiroth.

O tetragrama sagrado, traçado deste modo:

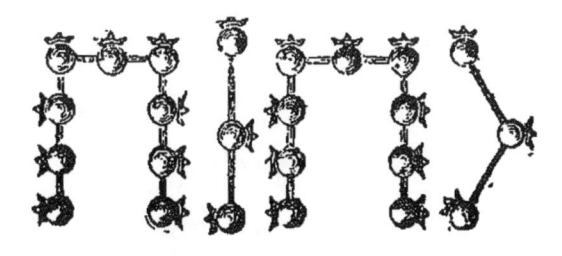

indica o número, a origem e as relações dos nomes divinos. É ao nome de Iodchavad, escrito com estes vinte e quatro sinais coroados por um tríplice florão de luz, que devem ser referidos os vinte e quatro anciãos coroados do Apocalipse. Na Cabala, o princípio oculto é chamado o ancião, e este princípio, multiplicado e como que refletido nas causas segundas, cria suas imagens, isto é, tantos anciãos quantas concepções diversas há da sua única essência. Estas imagens menos perfeitas, ao se afastarem da sua fonte, lançam nas trevas um último reflexo ou um último clarão que representa um velho horrível e desfigurado: é o que vulgarmente é chamado o diabo. Por isso, um iniciado ousou dizer: "O diabo é Deus compreendido pelos malvados"; e um outro, em termos mais estranhos, mas não menos enérgicos, acrescentou: "O diabo é formado dos fragmentos de Deus". Podemos resumir e explicar estas asserções tão novas, fazendo notar que, até no simbolismo, o Demônio é um anjo caído do céu por ter querido usurpar a divindade. Isso pertence à linguagem alegórica dos profetas e lendários. Filosoficamente falando, o diabo é uma ideia humana da divindade sobrepujada e despojada do céu pelo progresso da ciência e da razão. Moloch, Adramelek, Baal, foram, entre os orientais primitivos, as personificações do deus único, desonradas por atributos bárbaros. O deus dos jansenistas, criando para o inferno a maioria dos homens e comprazendo-se com as torturas eternas dos que não quis salvar, é uma concepção ainda mais bárbara do que a de Moloch; por isso, o deus dos jansenistas já é para os cristãos sábios e esclarecidos um verdadeiro Satã caído do céu.

Os cabalistas, multiplicando os nomes divinos, uniram todos, quer à unidade do tetragrama, quer à figura do ternário, quer à escada sefírica da década: traçam assim a escada dos nomes e dos números divinos.

י
יה
שדי
יהוה
אהלים
צבאות
אראריתא
אלוהדעת
אלהימניבר
אלהימצבאות

Triângulo que se pode traduzir assim, em letras romanas:

I
IA
SDI
JEHV
ELOIM
SABAOT
ARARITA
ELVEDAAT
ELIM GIBOR
ELIM SABAOT

O conjunto de todos estes nomes divinos, formado do único tetragrama, mas fora do próprio tetragrama, é uma das bases do Ritual hebreu, e compõe a força oculta que os rabinos cabalistas invocam sob o nome de Shemhamphorash.

Temos de falar agora dos Tarôs, sob o ponto de vista cabalístico. Já indicamos a fonte oculta de seu nome. Este livro hieroglífico se compõe de um alfabeto cabalístico e de uma roda ou círculo de quatro décadas, especificadas por quatro figuras simbólicas e típicas, tendo cada uma, para raio, uma escada de quatro figuras progressivas representando a Humanidade: homem, mulher, jovem e criança; senhor, senhora, combatente e criado. As vinte e duas figuras do alfabeto representam primeiramente os treze dogmas, depois as nove crenças autorizadas pela religião hebraica, religião forte e fundada sobre a mais alta razão.

Eis a chave religiosa e cabalística dos Tarôs, expressa em versos técnicos à maneira dos antigos legisladores:

1. א Tudo mostra uma causa inteligente, ativa
2. ב O número dá prova da unidade viva.
3. ג Nada pode limitar aquele que tudo contém.
4. ד Só, antes de qualquer princípio, está presente em toda parte.
5. ה Como é o único senhor, é o único adorável.
6. ו Revela aos corações puros seu dogma verdadeiro.
7. ז Mas é preciso um só chefe às obras da fé.
8. ח É por isso que só temos um altar, uma lei.
9. ט E nunca o Eterno mudará a sua base.
10. י Dos céus e dos nossos dias regula cada fase.
11. כ Rico em misericórdia e enérgico no punir.
12. ל Promete a seu povo um rei no porvir.
13. מ O túmulo é a passagem para a terra nova,
    Só a morte acaba, a vida é eterna.

Tais são os dogmas puros, imutáveis, sagrados. Completemos, agora, os números reverenciados:

14 ׳ O bom anjo é aquele que acalma e tempera.
15 ס O mau é o espírito de orgulho e cólera.
16 ע Deus manda no raio e governa o fogo.
17 פ Vésper e o seu orvalho obedecem a Deus.
18 צ Coloca sobre nossas torres a Lua como sentinela.
19 ק O seu sol é a fonte em que tudo se renova.
20 ר O seu sopro faz germinar o pó dos túmulos.

0
ou ש Aonde os mortais sem freio descem em multidão.
21

21
ou ת Sua coroa cobriu o propiciatório.
22

E sobre os querubins faz pairar sua glória.

Com o auxílio desta explicação, puramente dogmática, já se pode entender as figuras do alfabeto cabalístico do Tarô. Assim a figura n.º 1, chamada o Pelotiqueiro, representa o princípio, ativo na unidade da autotelia divina e humana; o n.º 2, chamado vulgarmente a Papisa, figura a unidade dogmática nos números, é a Cabala ou a Gnose personificada; o n.º 3 representa a Espiritualidade divina sob o emblema de uma mulher alada, que tem numa das mãos a águia apocalíptica, e, na outra, o mundo suspenso na ponta do seu cetro. As outras figuras são tão claras e tão facilmente explicáveis como estas primeiras.

Voltemos, agora, aos quatro signos, isto é, aos Paus, às Copas, às Espadas e aos Círculos ou Pentáculos, vulgarmente chamados Ouros. Estas figuras são hieróglifos do tetragrama: assim, o Pau é o phallus dos egípcios ou o jod dos hebreus; a Copa é o cteis ou o *hê* primitivo; a Espada é a conjunção de ambos ou o *lingam* figurado no hebreu anterior ao cativeiro pelo *vô*, e o Círculo ou Pentáculo, imagem do mundo, é o *hê* final do nome divino.

Agora, tomemos um Tarô e reunamos, quatro por quatro, todas as páginas que formam a Roda ou ROTA de Guilherme Postello; ponhamos juntos os quatro ases, os quatro dois, etc., e teremos dez montes de cartas que dão a explicação hieroglífica do triângulo dos nomes divinos, de acordo com a escada do denário que demos precedentemente. Poderemos, pois, lê-los assim, referindo cada número à Sephiroth correspondente:

והיה

Quatro sinais do nome que contém todos os nomes.

1. - KETHER
Os quatro ases;
A coroa de Deus tem quatro florões.
2. - CHOKMAH
Os quatro dois:
A sua sabedoria se espalha e forma quatro rios.
3. - BINAH
Os quatro três:
Da sua inteligência dá quatro provas.
4. - CHESED
Os quatro quatro:
Da sua misericórdia há quatro benefícios.
5.- GEBURAH
Os quatro cinco:
O seu rigor quatro vezes pune quatro erros.
6. - TIPHERET
Os quatro seis:
Por quatro raios puros a sua beleza se revela.
7. - NETSAH
Os quatro sete:
Celebremos quatro vezes a sua vitória eterna.
8. - HOD
Os quatro oito:
Quatro vezes triunfa na sua eternidade.
9. - IESOD
Os quatro nove:
Por quatro fundamentos seu trono é suportado.
10. - MALCHUT
Seu único reino é quatro vezes o mesmo.
E conforme os florões do divino diadema.

Vê-se, por este arranjo tão simples, o sentido cabalístico de cada lâmina. Assim, por exemplo, o cinco de paus significa, rigorosamente, Geburah de *Jod*, isto é, justiça do Criador ou cólera do homem; o sete de copas significa vitória da misericórdia ou vitória da mulher; o oito de espada significa conflito ou equilíbrio eterno; e assim outras. Assim, podemos compreender como faziam os antigos pontífices para fazer este oráculo; as lâminas lançadas à sorte davam sempre um sentido cabalístico novo, mais rigorosamente verdadeiro na sua combinação, unicamente a qual era fortuita; e, como a fé dos antigos nada dava ao acaso, eles liam as respostas da Providência nos oráculos do Tarô, que eram chamados Theraph ou Theraphims entre os hebreus, como o pressentiu primeiramente o sábio cabalista Gaffarel, um dos magos habituais do cardeal Richelíeu.

Quanto às figuras, eis um último dístico para explicá-las:
REI, DAMA, CAVALEIRO, VALETE
Esposo, jovem, criança, toda a humanidade,
Sobem por estes quatro degraus à unidade.

Daremos, no fim do *Ritual*, outros detalhes, e documentos completos sobre o maravilhoso livro do Tarô, e demonstraremos que é o livro primitivo, a chave de todas as profecias e de todos os dogmas; numa palavra, o livro inspirador dos livros inspirados, o que não pressentiram nem Court de Gébelin, na sua ciência, nem Alliette ou Eteilla, nas suas singulares intuições.

As dez Sephiroth e os vinte e dois tarôs formam o que os cabalistas chamam os trinta e dois caminhos da ciência absoluta. Quanto às ciências particulares, dividem-nas em cinquenta capítulos, que chamam as cinquenta portas. (Sabemos que porta significa governo ou autoridade entre *os* orientais.) Os rabinos dividem a Cabala também em Bereschit ou Gênese universal, e o Merkabah, o carro de Ezequiel; depois, das duas maneiras de interpretar os alfabetos cabalísticos formam duas ciências, chamadas a Gematria e a Temurah, e compõem delas a arte notória, que, fundamentalmente, nada mais é que a ciência completa dos signos do Tarô e a sua aplicação complexa e variada à adivinhação de todos os segredos, quer da filosofia, quer da natureza, quer do futuro. Falaremos disso no vigésimo primeiro capítulo desta obra.

11 ל L

A CADEIA MÁGICA

MANUS
A FORÇA

O grande agente mágico que denominamos luz astral, que outros chamam a alma da Terra, que os antigos químicos designavam sob os nomes de Azoth e Magnésia, esta força oculta, única e incontestável é a chave de todos os impérios, o segredo de todos os poderes; é o dragão volante de Média, a serpente do mistério Edênico; é o espelho universal das visões, o laço das simpatias, a fonte dos amores, da profecia e da glória. Saber apoderar-se deste agente é ser depositário do próprio poder de Deus; toda magia real, efetiva, todo verdadeiro poder oculto está aí, e todos os livros da verdadeira ciência só têm o fim de o demonstrar.

Para apoderar-se do grande agente mágico, duas operações são necessárias: concentrar e projetar; em outros termos, fixar e mover. O autor de todas as coisas deu para base e garantia do movimento a fixidez; o mago deve agir da mesma forma.

O entusiasmo é contagioso, dizem. Por quê? É que o entusiasmo não se produz sem crenças firmes. A fé produz a fé; crer é ter uma razão de querer; querer com razão é querer com uma força, não direi infinita, mas indefinida.

O que se opera no mundo intelectual e moral, com maior razão se realiza no mundo físico; e quando Arquimedes pedia um ponto de apoio para levantar o mundo, ele procurava simplesmente o grande arcano mágico.

Num dos braços do andrógino de Henri Khunrath lê-se esta palavra: Coagula, e no outro: Solve.

Reunir e espalhar são os dois verbos da natureza; mas como reunir, como espalhar a luz astral ou alma do mundo? Reúne-se pelo isolamento, e espalha-se por meio da cadeia mágica.

O isolamento consiste, para o pensamento, numa independência absoluta; para o coração, numa liberdade completa; para os sentidos, numa continência perfeita.

Todo homem que tem preconceitos e temores, todo indivíduo apaixonado e escravo das suas paixões é incapaz de reunir ou coagular, conforme a expressão de Khunrath, a luz astral ou a alma da Terra.

Todos os verdadeiros adeptos foram independentes até o suplício, sóbrios e castos até a morte; e a razão desta anomalia é que, para dispor de uma força, não deveis ser dominado por esta força de modo que disponha de vós.

Mas, então, vão exclamar os homens que procuram na magia um meio de contentar maravilhosamente os desejos da natureza, para que serve um poder que não se pode usar para se satisfazer? Pobres homens que o perguntais, se vos disser, como o entendereis vós? As pérolas nada são, pois, porque não têm preço algum para o rebanho de Epicuro? Cúrcio não achava mais bonito mandar nos que têm ouro do que possuí-lo?

Não é preciso ser um pouco mais do que um homem ordinário, quando se tem a pretensão de ser quase Deus? Aliás, sinto afligir-vos e desanimar-vos, mas não invento aqui as altas ciências; eu as ensino e constato as suas rigorosas necessidades, estabelecendo as suas primeiras e mais inexoráveis condições.

Pitágoras era um homem livre, sóbrio e casto; Apolônio de Thiana e Júlio César foram homens de uma espantosa austeridade; Paracelso fazia duvidar do seu sexo, tanto era estranho às fraquezas amorosas; Raimundo Lúlio levava os rigores da vida até o ascetismo mais exaltado; Jerônimo Cardan exagerou a prática do jejum a ponto de morrer de fome, se dermos crédito à tradição; Agrippa*, pobre e correndo de cidade em cidade, quase morreu de miséria, para não se sujeitar aos caprichos de uma princesa que insultava a liberdade da ciência. Qual foi, pois, a felicidade destes homens? A inteligência dos grandes segredos e a consciência do poder. Era bastante para estas grandes almas. É preciso ser como eles para saber o que souberam? Não, certamente, e este livro que escrevo é, talvez, a prova disso; mas para fazer o que fizeram é absolutamente necessário empregar os meios que usaram.

Mas que fizeram realmente eles? Admiraram e subjugaram o mundo, reinaram verdadeiramente mais do que os reis. A magia é um instrumento de bondade divina ou de orgulho diabólico, mas é a morte das alegrias da Terra e dos prazeres da vida mortal.

– Então, para que estudar? – perguntarão os vivedores.

– Simplesmente para conhecer, e depois, talvez, também para aprender a desconfiar da incredulidade estúpida ou da credulidade pueril. Homens de prazer (e como metade destes homens conto por muitas mulheres), não é um prazer muito grande o da curiosidade satisfeita? Lede, pois, sem temor; não ficareis magos apesar da vossa curiosidade.

---

* Henrique Cornélio Agrippa (1486-1535), apelidado o "Arquifeiticeiro", foi discípulo de Trithemo. Por sua intrepidez, escandalizou o seu século, mas nunca atingiu a par do *Conhecimento Total*, e morreu de fome, no fundo de uma prisão.

Aliás, estas disposições de renúncia absoluta só são necessárias para estabelecer correntes universais e mudar a face do mundo; há operações mágicas relativas e limitadas a um certo círculo, que não exigem tão heroicas virtudes. Pode-se agir sobre as paixões pelas paixões, determinar as simpatias e antipatias, até afligir e curar, sem ter a onipotência do mago; somente é preciso estar prevenido do risco que se corre de uma reação proporcional à ação e de que facilmente se poderia ser vítima. Tudo isto será explicado no *Ritual*.

Fazer a cadeia mágica é estabelecer uma corrente magnética, que se torna mais forte conforme a extensão da cadeia. Veremos, no *Ritual*, como estas correntes podem ser produzidas e quais são as diferentes maneiras de formar a cadeia. A Tina de Mesmer era uma cadeia mágica muito imperfeita; vários grandes círculos de iluminados, em diferentes países do Norte, têm cadeias mais poderosas. Até a sociedade de certos padres católicos, célebres pelo seu poder oculto e sua impopularidade, é estabelecida pelo plano e conforme as condições das cadeias mais poderosas, e é o segredo da sua força, que atribuem unicamente à graça ou à vontade de Deus, solução vulgar e fácil de todos os problemas de força em influência ou adestramento. Teremos de apreciar, em nosso *Ritual*, a série de cerimônias e evocações verdadeiramente mágicas que compõem a Grande Obra da vocação, sob o nome de exercícios de Santo Inácio.

Todo entusiasmo propagado numa sociedade, por uma continuidade de comunicações e práticas firmes, produz uma corrente magnética e se conserva ou aumenta pela corrente. A ação da corrente é arrastar e, muitas vezes, exaltar fora da medida as pessoas impressionáveis e fracas, as organizações nervosas, os temperamentos dispostos ao histerismo ou às alucinações. Estas pessoas logo se tornam poderosos veículos da força mágica, e projetam com força a luz astral na própria direção da corrente; opor-se, então, às manifestações de força, seria, de algum modo, combater a fatalidade. Quando o jovem fariseu Saul ou Schôl veio lançar-se, com todo fanatismo e toda teimosia de um sectário, através do cristianismo invasor, punha-se, contra sua vontade, à mercê da força que acreditava combater; por isso foi fulminado por um formidável raio magnético, que foi, sem dúvida, mais instantâneo pelo efeito combinado de uma congestão cerebral e de uma queimadura solar. A conversão do jovem israelita Afonso de Rastibona é um fato contemporâneo absolutamente da mesma natureza. Conhecemos uma seita de entusiastas da qual se ri a distância e na qual entram contra a vontade os que dela se aproximam, mesmo para combatê-la. Direi mais, os círculos mágicos e as correntes magnéticas se estabelecem por si mesmos e influem, conforme leis fatais, sobre os que são submetidos à sua ação. Cada um de nós é atraído para um círculo de relações que é seu mundo e cuja influência sofre. Jean Jacques Rousseau, este legislador da revolução francesa, este homem que a nação mais espiritual do mundo aceitou como a encarnação da razão humana, Jean Jacques Rousseau foi arrastado à mais triste ação da sua vida, o abandono de seus filhos, pela influência magnética de um círculo de libertinos, pela corrente mágica de uma mesa de hotel. Ele o conta simples e ingenuamente nas suas *Confissões*, e é um fato que ninguém notou. Muitas vezes, são os grandes círculos que fazem os grandes homens, e reciprocamente. Não há gênios incompreendidos; há homens *excêntricos*, e a palavra parece ter sido inventada por um adepto. O homem excêntrico em gênio é aquele que procura formar para si um círculo, lutando contra a força de atração central das cadeias e correntes estabelecidas. O seu destino é de ser despedaçado ou ter sucesso. Qual é a dupla condição de sucesso em tal caso? Um ponto central de fixidez e uma ação circular perseverante de iniciativa. O homem de gênio é aquele que descobriu uma lei real, e que, por conseguinte, possui uma força invencível de ação e direção. Pode morrer na obra; mas o que ele quis se realiza, apesar da sua morte e, muitas vezes, mesmo por causa da sua morte: porque a morte é uma verdadeira assunção para o gênio. Quando me elevar da Terra, dizia o maior dos iniciadores, arrastarei tudo após mim.

A lei das correntes magnéticas é a do próprio movimento da luz astral. Este movimento é sempre duplo e se multiplica em sentido contrário. Uma grande ação prepara sempre uma reação igual, e o segredo dos grandes sucessos está, inteiramente, na presciência das reações. É assim que Chateaubriand, inspirado pelo desgosto das saturnais revolucionárias, pressentiu e preparou o imenso sucesso do seu *Gênio do Cristianismo*. Opor-se a uma corrente que começa seu círculo é querer ser despedaçado como o foi o grande e infeliz imperador Juliano; opor-se à corrente que percorreu todo o círculo da sua ação é tomar a chefia da corrente contrária. O grande homem é aquele que chega a tempo e que sabe inovar o propósito. Voltaire, no tempo dos apóstolos, não teria achado eco para a sua palavra, e, talvez, teria sido simplesmente um parasita engenhoso dos festins de Trimalcyon. Na época em que vivemos, tudo está pronto para uma nova explosão do entusiasmo evangélico e do desinteresse cristão, precisamente por causa do desengano universal, do positivismo egoísta e do cinismo público dos interesses mais grosseiros. O sucesso de certos livros e as tendências místicas dos espíritos são sintomas inequívocos desta disposição geral. Restauram-se as igrejas e constroem-se novas; quanto mais acham falta de crenças, mais esperam-nas; o mundo inteiro espera ainda uma vez o Messias, e não tardará a vir. Por exemplo, que haja um homem de posição elevada, pela sua classe ou por sua fortuna, um papa, um rei ou até um judeu milionário, e que este homem sacrifique pública e solenemente todos os seus interesses materiais à salvação da humanidade, que se faça redentor dos pobres, propagador e até vítima das doutrinas de devotamento e caridade, e fará, ao redor de si, uma concorrência imensa, e dar-se-á uma transformação completa no mundo. Porém, a alta posição do personagem é, antes de tudo, necessária, porque nos nossos tempos de miséria e charlatanismo, todo Verbo proveniente de baixo é suspeito de ambição e velhacaria interessada. Vós, pois, que nada sois e que nada tendes, não espereis ser apóstolos ou messias. Tendes a fé e quereis agir na razão da vossa fé; chegai primeiramente aos meios de ação, que são a influência da posição e o prestígio da fortuna. Outrora fazia-se ouro com a ciência; hoje é preciso refazer a ciência com o ouro. Fixaram o volátil, é preciso volatilizar o fixo; em outros termos, materializaram o espírito; é preciso, agora, espiritualizar a matéria. A palavra mais sublime não é ouvida nos nossos dias, se não for produzida sob a garantia de um nome, isto é, de um sucesso que representa um valor material. Quanto vale um manuscrito? O que vale, na livraria, a assinatura do autor. A razão social Alexandre Dumas & Cia., por exemplo, representa uma das garantias literárias da nossa época; mas a Casa Dumas só vale pelos seus produtos habituais: os romances. Que Dumas ache uma utopia magnífica ou uma solução admirável do problema religioso, considerarão a sua descoberta como caprichos divertidos do romancista, e ninguém o tomará a sério, apesar da celebridade europeia do Panurgo da literatura moderna. Estamos no século das posições conquistadas: cada qual na razão do que é social e comercialmente falando. A liberdade ilimitada da palavra produziu um tal conflito de discursos, que hoje não se pergunta mais: "Que dizem?" mas sim: "Quem disse isso?" Se foi Rothschild, ou sua santidade Pio IX, ou mesmo Monsenhor Dupanloup, é alguma coisa. Se foi Tartempion, muito embora este seja (o que, afinal de contas, é possível) um prodígio ainda ignorado de gênio, ciência e bom senso, nada é.

Àqueles, pois, que me disserem: "Se tens o segredo dos grandes sucessos e da força que pode mudar o mundo, por que não te serves dele?" responderia: – Esta ciência me veio muito tarde para mim mesmo, e perdi, para adquiri-la, o tempo e os expedientes que, talvez, me teriam posto em condições de fazer uso dela; mas ofereço-a aos que estão em posição de servirem-se dela. Homens ilustres, ricos, grandes do mundo, que não estais satisfeitos do que tendes, e que sentis, no coração, uma ambição mais nobre e mais vasta, quereis ser os pais do mundo novo, os reis de uma civilização rejuvenescida? Um sábio, pobre e obscuro, achou a alavanca de Arquimedes, e vô-la oferece unicamente pelo bem da humanidade, e sem nada vos pedir em troca.

Os fenômenos que ultimamente agitaram a América e a Europa, a propósito das mesas girantes e das manifestações fluídicas, outra coisa não são senão correntes magnéticas que começam a formar-se, e solicitações da natureza que nos convida, para a salvação da humanidade, a reconstituir as grandes cadeias simpáticas e religiosas. Com efeito, a estagnação da luz astral seria a morte do gênero humano, e os entorpecimentos deste agente secreto já se manifestaram por espantosos fantasmas de decomposição e morte. O cólera-morbo, por exemplo, as doenças das batatas e uvas não têm outra causa, como viram, obscura e simbolicamente, em sonho, os dois pastorinhos de La Salette.

A fé inesperada, que a sua narração provocou, e a imensa concorrência de peregrinos, determinada por uma narração tão singular e tão vaga como a destas duas crianças sem instrução e quase sem moralidade, são provas da realidade magnética do fato e da tendência fluídica da própria Terra em operar a cura dos seus habitantes.

As superstições são instintivas, e tudo o que é instintivo tem uma razão de ser na própria natureza das coisas; é nisso que os céticos de todos os tempos não refletiram bastante.

Atribuímos, pois, todos os fatos estranhos do movimento das mesas ao agente magnético universal, que procura uma cadeia de entusiasmo para formar novas correntes. É uma força cega por si mesma, mas que pode ser dirigida pela vontade dos homens e que é influída pelas opiniões correntes. Este fluido universal, se quiserdes que seja um fluido, sendo o meio comum de todos os organismos nervosos e o veículo de todas as vibrações sensitivas, estabelece, entre as pessoas impressionáveis, uma verdadeira solidariedade física, e transmite, de umas às outras, as impressões da imaginação e do pensamento. O movimento da coisa inerte, determinado pelas ondulações do agente universal, obedece, pois, à impressão dominante, e reproduz, nas suas revelações, ora toda a bizarria e toda a mentira dos sonhos mais incoerentes e mais vagos.

Os golpes dados nos móveis, a agitação ruidosa da louça, os instrumentos de música tocando por si mesmos, são ilusões produzidas pelas mesmas causas. Os milagres dos convulsionários de Saint-Medard eram da mesma ordem e pareciam, às vezes, interromper as leis da natureza. Exageração, de um lado, produzida pela fascinação, que é o embevecimento especial ocasionado pelas congestões de luz astral; e, de outro, oscilações ou movimentos reais imprimidos à matéria inerte pelo agente universal e sutil do movimento e da vida: eis tudo o que há no fundo destas coisas tão maravilhosas, como se poderão convencer facilmente, reproduzindo à vontade, por meios indicados no *Ritual*, os mais admiráveis destes prestígios, e constatando nisso a ausência, facilmente apreciável, de superstição, alucinação ou erro.

Muitas vezes me aconteceu, depois de experiências com correntes magnéticas feitas com pessoas sem boa intenção e sem simpatia, ser acordado em sobressalto, à noite, por impressões e contatos verdadeiramente horríveis. Uma noite, entre outras senti realmente a pressão de uma mão que me estrangulava; levantei-me, acendi a luz, e pus-me tranquilamente a trabalhar para utilizar a minha insônia e afastar os fantasmas do sono. Então, os livros se deslocavam perto de mim, com ruído, os papéis se agitavam e batiam uns contra os outros, a lenha estalava como se fosse partir-se, e golpes surdos eram dados no forro do quarto. Eu observava com curiosidade, mas com tranquilidade, todos estes fenômenos, que não eram menos maravilhosos se só a minha imaginação fosse a sua causa, tanta realidade havia nas suas aparências. Aliás, acabo de dizer que de modo algum estava atemorizado, e que me ocupava de outra coisa muito diversa das ciências ocultas, no momento em que se produziam.

Foi pela repetição de semelhantes fatos que fui levado a tentar experiências de evocação, com o auxílio do cerimonial mágico dos antigos, e que obtive os resultados extraordinários que relatarei no décimo terceiro capítulo desta obra.

12 ל M
A GRANDE OBRA

DISCITE
CRUX

A Grande Obra é, antes de tudo, a criação do homem por si mesmo, isto é, a conquista plena e total que faz das suas faculdades e do seu futuro; é, principalmente, a emancipação perfeita da sua vontade, que lhe assegura o império universal do Azoth e do domínio da Magnésia, isto é, um pleno poder sobre o agente universal.

Este agente mágico, que os antigos filósofos herméticos encobriam sob o nome de matéria-prima, determina as formas da substância modificável, e pode-se, realmente, chegar por seu meio à transmutação metálica e à medicina universal. Isto não é uma hipótese, é um fato científico já experimentado e rigorosamente demonstrável.

Nicolas Flamel[*] e Raimundo Lúlio[**], ambos pobres, distribuíram, evidentemente, riquezas imensas.

Agrippa só chegou à primeira parte da Grande Obra, e morreu de sofrimento, lutando para possuir unicamente a si próprio e fixar sua independência.

Há, pois, duas operações herméticas: uma espiritual, outra temporal, e que dependem uma da outra.

Aliás, toda a ciência hermética está contida no dogma de Hermes, gravado primitivamente, dizem, numa tábua de esmeralda. Já explicamos os seus primeiros artigos; eis os que se referem à operação da Grande Obra:

---

[*] Nicolas Flamel. Este alquimista supõe-se ter nascido em 1330. Depois de trabalhoso estudo, conseguiu entender o livro de Abraão Judeu, que tratava de alquimia. Operou a transmutação metálica. Morreu em 1417, deixando diversos manuscritos.

[**] Raimundo Lúlio. Alquimista que nasceu em Palma, na ilha de Majorca, em 1235. Em 1311, foi preso por Eduardo II, rei da Inglaterra, que o encerrou numa torre e o obrigou a transformar em ouro massas consideráveis de mercúrio e estanho. Morreu em 1313.

"Separarás a terra do fogo, o sutil do espesso suavemente, com grande indústria.

"Ele sobe da terra ao céu, e logo desce à terra, e recebe a força das coisas superiores e inferiores.

"Terás, por este meio, a glória de todo mundo, e, por isso, toda obscuridade desaparecerá de ti.

"É a força fonte de toda força, porque ela vencerá todas as coisas sutis e penetrará em todas as coisas sólidas.

"Assim o mundo foi criado."

Separar o sutil do espesso, na primeira operação, que é totalmente interior, é libertar a sua alma de todo preconceito e de todo vício, o que se faz pelo uso do sal filosófico, isto é, da sabedoria; do mercúrio, isto é, da habilidade pessoal e do trabalho; depois, enfim, do enxofre, que representa a energia vital e o calor da vontade. Chega-se, por este meio, a transmutar em ouro espiritual até as coisas menos preciosas, e até as imundíceis da terra. É neste sentido que é preciso entender a turba dos filósofos, de Bernardo Trevisano, de Basílio Valentino*, de Maria Egipcíaca e dos outros profetas da alquimia; mas, nas suas obras, como na Grande Obra, é preciso separar habilmente o sutil do espesso, o místico do positivo, a alegoria da teoria. Se os quiserdes ler com prazer e inteligência, deveis primeiramente ouvi-los alegoricamente no seu conjunto, depois descer das alegorias às realidades por meio das correspondências ou analogias indicadas no dogma único: "O que está em cima é como o que está embaixo, e reciprocamente".

A palavra *Art***, voltada ou lida à maneira das escrituras sagradas e primitivas, isto é, da direita para a esquerda, exprime, por três iniciais, os diferentes graus da Grande Obra. *T*, significa ternário, teoria e trabalho; *R*, realização; *A*, adaptação. Daremos, no duodécimo capítulo do *Ritual*, as receitas dos grandes mestres para a adaptação, e especialmente a que se acha na fortaleza hermética de Henri Khunrath.

Recomendamos aqui, às investigações dos nossos leitores, um admirável tratado atribuído a Hermes Trismegisto, e que tem o título de *Minerva Mundi*. Este tratado se acha somente em algumas edições de Hermes, e contém, sob alegorias cheias de poesias e profundidade, o dogma da criação dos seres por si mesmos, ou da lei de criação que resulta do acordo de duas forças, a que os alquimistas chamavam o fixo e o volátil, e que são, no absoluto, a necessidade e a liberdade. Aí, se explica a diversidade das formas espalhadas na natureza pela diversidade dos espíritos e as monstruosidades pelas divergências dos esforços. A leitura e a meditação desta obra são indispensáveis a todos os adeptos que querem aprofundar os mistérios da natureza e se entregar seriamente à investigação da Grande Obra.

---

* Basílio Valentin. Monge benedito de Erfort, na Alemanha, e um dos mais célebres adeptos do século XV. *As Doze Chaves* e o *Azoth dos Filósofos*, de Basílio Valentino, são as duas obras que devem ser consideradas como as melhores de todas as que tratam de Alquimia.

** Palavra francesa que significa arte; é prefixo radical de todas as palavras derivadas da palavra latina *ars*.

Quando os mestres da alquimia dizem que é preciso pouco tempo e pouco dinheiro para realizar as obras da ciência, quando, principalmente, afirmam que é necessário um só vaso, quando falam do grande e único *athanor* que todos podem usar, que está nas mãos de todos e que os homens possuem sem saber, fazem alusão à alquimia filosófica e moral. Com efeito, uma vontade forte e decidida pode chegar, em pouco tempo, à independência absoluta, e todos nós possuímos o instrumento químico, o grande e único *athanor* que serve para separar o sutil do espesso e o fixo do volátil. Este instrumento, completo como o mundo, e preciso como as próprias matemáticas, é designado, pelos sábios, sob o emblema do pentagrama ou da estrela de cinco pontas, que é o signo perfeito da inteligência humana. Imitarei os sábios não o designando: é muito fácil adivinhá-lo.

A figura do Tarô, que corresponde a este capítulo, foi mal entendida por Antoine Court de Gébelin e Etteilla – pseudônimo de Jean-Baptiste Alliette, o primeiro tarólogo profissional da história do ocultismo ocidental –, que acreditaram ver nela um erro cometido por um fabricante de cartas alemão. Esta figura representa um homem com as mãos amarradas atrás das costas, dois sacos de dinheiro presos sob as axilas e suspensos por um pé a uma potência composta de dois troncos de árvore, tendo cada um a raiz de seis ramos cortados e uma travessa que completa a figura do Tau hebreu ת suas pernas estão cruzadas e seus cotovelos formam um triângulo com a sua cabeça. Ora, o triângulo remontado por uma cruz significa, em alquimia, o fim e a perfeição da Grande Obra, significação hebraica idêntica à da letra ת que é a última letra do alfabeto sagrado.

Este supliciado é, pois, o adepto, ligado por seus empenhos, espiritualizado ou com os pés voltados para o céu; é, também, o antigo Prometeu, sofrendo, numa tortura imortal, a pena de seu glorioso roubo. É, vulgarmente, Judas traidor, e o seu suplício ameaça os reveladores do grande arcano. Enfim, para os cabalistas judeus, este supliciado, que corresponde ao seu duodécimo dogma, o do Messias prometido, e um protesto contra o Salvador reconhecido pelos cristãos, e parece dizer-lhe ainda: "Como salvarias os outros, tu que não pudeste salvar-te a ti mesmo?".

No Sefer Toledot Yeshu (O Livro da História de Jesus), compilação rabínica anticristã, encontra-se uma singular parábola: Yeshu (ou Yeshua), diz o rabino autor da lenda, viajava com Simão, filhos de Jonas e Judas Iscariotes. Chegaram tarde, e cansados, a uma casa isolada; tinham muita fome e nada mais encontraram para comer senão um pato muito pequeno e muito magro. Era muito pouco para três pessoas: reparti-lo teria sido somente aguilhoar a fome, sem satisfazê-la. Convieram em tirá-lo à sorte; mas, como caíam de sono, disse Yeshua: "Vamos dormir primeiro, enquanto se prepara a comida; ao acordar, nos contaremos os sonhos e aquele que tiver o mais belo sonho, comerá sozinho o pato". Assim foi feito. Dormiram e depois despertaram. "Eu, disse Pedro, eu sonhei que era vigário de Deus." "Eu, disse Yeshua, sonhei que era o próprio Deus." "E eu, retomou hipocritamente Judas, sonhei que, sendo sonâmbulo, me levantava, descia de mansinho, tirava o pato do espeto e o comia." Desceram imediatamente; mas o pato tinha efetivamente desaparecido; Judas tinha sonhado acordado*.

Esta lenda é um protesto do positivismo judeu contra o misticismo cristão. Com efeito, enquanto os crentes se entregavam a belos sonhos, o israelita proscrito, o Judas da civilização cristã, trabalhava, vendia, agiotava, ficava rico, apoderava-se das realidades da vida presente, e punha-se em condições de dar meios de existência aos próprios cultos que por muito tempo o proscreveram.

Os antigos adoradores da arca, sempre fiéis ao culto da burra, têm, agora, a Bolsa por templo e é por isso que governam o mundo cristão. Judas pode, com efeito, rir e felicitar-se de não ter dormido como São Pedro.

Nas antigas escrituras anteriores ao cativeiro, o Tau hebreu tem a figura de uma cruz, o que confirma ainda a nossa interpretação da duodécima lâmina do Tarô cabalístico. A cruz, geradora de quatro triângulos, é também o sinal sagrado do Duodenário, e, por isso, os egípcios a chamavam a chave do céu. Por isso, Etteilla, embaraçado nas suas longas investigações para conciliar as necessidades analógicas da figura com sua opinião pessoal (ele tinha sofrido, nisso, a influência do sábio Court de Gébelin), colocou na mão do seu supliciado, de cabeça para cima, do qual fez a Prudência, um caduceu hermético formado por duas serpentes e um Tau grego. Desde que compreendera a necessidade do Tau ou da cruz, na duodécima página do Livro de *Thot*, deveria ter entendido o múltiplo e magnífico símbolo do supliciado hermético, o Prometeu da ciência, o homem vivo que só toca na terra pelo pensamento e cujo apoio está no céu, o adepto livre e sacrificado, o revelador ameaçado de morte, a conjuração do judaísmo contra o Cristo, que parece um reconhecimento involuntário da divindade oculta do crucificado, afinal o signo da obra realizada, do ciclo terminado, o Tau intermediário, que resume uma primeira vez, antes do último denário, os signos do alfabeto sagrado.

---

* Esta narração acha-se não no próprio texto do Sefer Toledot Yeshu, mas sim nos comentários rabínicos desta obra.

13 נ N

A NECROMANCIA

EX IPSIS
MORS

Dissemos que na luz astral se conservam as imagens de pessoas e coisas. É também nesta luz que se pode evocar as formas daqueles que não estão mais neste mundo, e é por meio dela que se realizam os mistérios tão contestados como reais da necromancia. Os cabalistas que falaram do mundo dos espíritos, contaram simplesmente o que viram nas suas evocações.

Éliphas Lévi Zahed*, que escreve este livro, evocou e viu.

Digamos, primeiramente, o que os mestres escreveram das suas visões ou intuições no que chamavam a *luz de glória*.

Lê-se no livro hebreu da *Revolução das Almas*, que há almas de três espécies: as filhas de Adão, as filhas dos anjos e as filhas do pecado. Há, também, conforme o mesmo livro, três classes de espíritos: os espíritos cativos, os espíritos errantes e os espíritos livres. Há, pois, almas de homens que nascem viúvas, e cujas esposas estão retidas em cativeiro por Lilith e Naemah, as rainhas das estriges: são as almas que têm de expiar a temeridade de um voto de celibato. Assim, quando um homem renuncia desde a infância ao amor das mulheres, faz escrava dos demônios da depravação a esposa que lhe estava destinada. As almas crescem e multiplicam-se no céu, assim como os corpos na Terra. As almas imaculadas são filhas dos beijos dos anjos.

Nada pode entrar no céu, a não ser o que saiu do céu. Depois da morte, pois, o espírito divino que animava o homem volta sozinho ao céu e deixa na Terra e na atmosfera dois cadáveres: um terrestre e elementar, outro aéreo e sideral; um já inerte, o outro ainda animado pelo movimento universal da alma do mundo, mas destinado a morrer lentamente, absorvido pelas forças astrais que o produziram. O

---
* Transliteração hebraica de Alphonse Louis Constant, o verdadeiro autor deste livro.

cadáver terrestre é visível; o outro é invisível aos olhos dos corpos terrestres e vivos, e só pode ser percebido pelas aplicações da luz astral ao translúcido, que comunica as suas impressões ao sistema nervoso, e afeta, assim, o órgão da vista até fazer-lhe ver as formas que são conservadas e as palavras que estão escritas no livro da luz vital.

Quando o homem viveu bem, o cadáver astral se evapora como um incenso puro, subindo para as regiões superiores; mas se o homem viveu no crime, o seu cadáver astral, que o retém prisioneiro, procura ainda os objetos das suas paixões e quer retomar a vida. Atormenta os sonhos das mulheres, banha-se no vapor do sangue derramado, e arrasta-se para os lugares onde se passaram os prazeres da sua vida; vela ainda sobre os tesouros que possuía e escondeu: esgota-se em esforços dolorosos para fazer para si órgãos materiais e reviver. Mas os astros o aspiram e o bebem; sente a sua inteligência se enfraquecer, a sua memória perder-se lentamente, todo o seu ser dissolver-se... Os seus antigos vícios lhe aparecem e o perseguem sob figuras monstruosas; eles o atacam e o devoram... O desgraçado perde, assim, sucessivamente, todos os membros que serviram para as suas iniquidades; depois, morre pela segunda vez e para sempre, porque, então, perde a sua personalidade e a sua memória. As almas que devem viver, mas que ainda não estão inteiramente purificadas, ficam mais ou menos cativas no cadáver astral, em que são queimadas pela luz ódica que procura assimilá-lo a si e dissolvê-lo. É para desembaraçar-se deste cadáver que as almas sofredoras, às vezes, entram nos vivos e aí ficam num estado que os cabalistas chamam *embrionato*. São estes cadáveres aéreos que evocamos pela necromancia. São larvas, substâncias mortas ou moribundas, com as quais nós nos relacionamos; ordinariamente, só podem falar pelo zumbido dos nossos ouvidos, produzido pela agitação nervosa de que falei, e, de ordinário, raciocinam refletindo nossos pensamentos ou nossos sonhos.

Mas, para ver essas formas estranhas é preciso pôr-se num estado excepcional, que participa do sono e da morte, isto é, é necessário magnetizar a si próprio e chegar a uma espécie de sonambulismo lúcido e acordado. A necromancia obtém, pois, resultados reais, e as evocações da magia podem produzir visões verdadeiras. Dissemos que, no grande agente mágico que é a luz astral, se conservam todas as impressões das coisas, todas as imagens formadas, quer pelos raios, quer pelos reflexos; é nesta luz que os nossos sonhos nos aparecem, é esta luz que embebeda os alienados e arrasta o seu juízo adormecido à perseguição dos fantasmas mais bizarros. Para ver sem ilusão nesta luz é preciso saber separar os reflexos por uma vontade poderosa e atrair a si só os raios. Sonhar acordado é ver na luz astral; e as orgias do *sabbat*, contadas por tantos feiticeiros nos seus juízos criminais, não se apresentavam a eles de outra maneira. Muitas vezes, as preparações e substâncias empregadas para chegar a este resultado eram horríveis, como veremos no *Ritual*; mas os resultados nunca eram duvidosos. Viam, ouviam e tocavam nas coisas mais abomináveis, mais fantásticas, mais impossíveis. Voltaremos a este assunto no nosso décimo quinto capítulo; aqui só nos ocupamos da evocação dos mortos.

Na primavera do ano de 1854, eu tinha ido a Londres para escapar de desgostos íntimos e entregar-me, sem distração, à ciência. Tinha cartas de recomendação para personagens eminentes e curiosos de revelações do mundo sobrenatural. Vi muitos deles, e achava neles, com muita polidez, um grande fundo de indiferença ou leviandade. Pediam-me primeiramente prodígios como a um charlatão. Estava um pouco desanimado, porque, para dizer a verdade, longe de estar disposto a iniciar os outros nos mistérios da magia cerimonial, sempre temi para mim mesmo as suas ilusões e fadigas; aliás, estas cerimônias exigem um material dispendioso e difícil de adquirir. Encerrava-me, pois, no estudo da alta Cabala, e não pensava mais nos adeptos ingleses, quando um dia, ao entrar no meu hotel, encontrei um sobrescrito com meu endereço. Este sobrescrito continha a metade de um cartão, cortado transversalmente, e no qual reconheci primeiramente o caráter do selo de Salomão e um papel muito pequeno no qual estava escrito a lápis: "Amanhã às três horas, diante da abadia de Westminster, vos será apresentada a outra metade deste cartão". Fui a esta singular entrevista. Uma carruagem estacionava na praça. Tinha, sem afetação, o meu pedaço de cartão na mão; um criado aproximou-se de mim e me fez sinal, abrindo a portinhola da carruagem, na qual vi uma senhora de preto, cujo chapéu estava coberto com um véu muito espesso; ela fez sinal de subir junto a si, mostrando-me a outra metade do cartão que tinha recebido. A portinhola fechou-se, a carruagem rodou e a senhora, tendo levantado o seu véu, pude ver que tratava com uma pessoa idosa, com sobrancelhas cinzentas e olhos pretos, extremamente vivos e de uma fixidez estranha.

– Senhor – disse-me ela, com um acento inglês muito pronunciado – sei que a lei do segredo é rigorosa entre os adeptos; uma amiga de Sir B*** L***, que vos viu, sabe que vos pediram experiências e que recusastes satisfazer esta curiosidade. Talvez não tínheis as coisas necessárias: vou mostrar-vos um gabinete mágico completo; mas vos peço, antes de tudo, o mais inviolável segredo. Se não me fizerdes esta promessa pela vossa honra, vou dar ordem para que vos levem à vossa casa.

Fiz a promessa que exigiam de mim e sou fiel a ela, não dizendo o nome, nem a qualidade, nem a residência desta senhora, que reconheci logo como iniciada, não precisamente de primeira ordem, mas de um grau muito elevado. Tivemos diversas longas conversações, durante as quais ela sempre insistia sobre a necessidade das práticas para completar a iniciação. Mostrou-me uma coleção de vestimentas e instrumentos mágicos, e até me emprestou alguns livros curiosos que me faltavam; em breve, me determinou a tentar na sua casa a experiência de uma evocação completa, à qual me preparava durante vinte e um dias, observando escrupulosamente as práticas indicadas no trigésimo capítulo do *Ritual*.

Tudo estava terminado em 24 de julho. Tratava-se de evocar o fantasma do divino Apolônio e interrogá-lo sobre dois segredos: um que se referia a mim, outro que interessava àquela senhora. A princípio, ela contava assitir à evocação com uma pessoa de confiança; mas, no último momento, essa pessoa teve medo e, como o ternário ou a unidade é rigorosamente exigido para os ritos mágicos, fiquei só. O gabinete preparado para a evocação era feito numa pequena torre: nele tinham sido dispostos quatro espelhos côncavos, uma espécie de altar, cuja parte de cima era de mármore branco e estava rodeada por uma corrente de ferro imantado. No mármore branco, estava gravado e dourado o signo do pentagrama, tal como se acha representado no quinto capítulo desta obra; e o mesmo signo estava traçado, em diversas cores, numa pele de carneiro, branca e nova, que estava estendida no altar. No centro da mesa de mármore, havia um pequeno fogareiro de cobre com carvão de pau de amieiro e loureiro; um outro fogareiro estava colocado, diante de mim, sobre uma trípode. Eu estava vestido com uma roupa branca muito semelhante às vestimentas dos padres católicos, porém mais ampla e mais longa, e trazia na cabeça uma coroa de folhas de verbena, entrelaçadas numa corrente de ouro. Numa das mãos, tinha uma espada nova e na outra, o Ritual. Acendi os dois fogos com as substâncias exigidas e preparadas, e começava, primeiramente em voz baixa, depois elevando a voz gradativamente, as invocações do Ritual. A fumaça estendeu-se, a chama fez vacilar todos os objetos que alumiava, depois extinguiu-se. A fumaça se elevava, branca e lenta, sobre o altar de mármore; pareceu-me ouvir um abalo de estremecimento de terra, os meus ouvidos zumbiam e meu coração palpitava com força. Pus alguns ramos e perfumes nos fogareiros, e quando a chama se elevou, vi distintamente, diante do altar, uma figura de homem maior que o natural, que se decompunha e se esvaía. Recomecei as evocações e coloquei-me num círculo que tinha traçado antecedentemente entre o altar e a trípode: vi, então, alumiar-se, pouco a pouco, o fundo do espelho que estava na minha frente, atrás do altar, e uma forma esbranquiçada desenhou-se nele, crescendo e parecendo aproximar-se pouco a pouco. Chamei três vezes Apolônio, fechando os olhos; e, quando os abri, um homem estava diante de mim, envolto inteiramente por uma espécie de lençol, que me pareceu ser mais cinzento do que branco; a sua forma era magra, triste e sem barba, o que não combinava exatamente com a ideia que primeiramente tinha de Apolônio. Experimentei uma sensação extraordinária de frio, e, quando abri a boca para interrogar o fantasma, me foi impossível articular um som. Pus, então, a mão sobre o signo do pentagrama, e dirigi para ele a ponta da espada, ordenando-lhe mentalmente, por este signo, a não me amedrontar e a obedecer-me. Então, a forma ficou mais confusa, e ele desapareceu imediatamente. Ordenei-lhe que voltasse: então senti passar, junto a mim, como que um sopro, e, alguma coisa tendo-me tocado na mão que segurava a espada, tive imediatamente o braço adormecido até os ombros. Julguei entender que esta espada ofendia o espírito, e a plantei, pela ponta, no círculo junto a mim. A figura humana reapareceu logo; mas senti uma tão grande fraqueza nos meus ombros e um repentino desfalecimento apoderar-se de mim, que dei dois passos para me assentar. Desde que fiquei assentado, caí num adormecimento profundo e acompanhado de sonhos, de que me restou, quando voltei a mim, somente uma lembrança confusa e vaga. Tive, durante muitos dias, o braço adormecido e dolorido. A forma não me tinha falado, mas pareceu-me que as perguntas que lhe tinha de fazer se tinham resolvido por si mesmas no meu espírito. À da senhora, uma voz interior respondia em mim: Morto! (tratava-se de um homem de quem desejava saber notícias). Quanto a mim, queria saber se a reconciliação e o perdão seriam possíveis entre duas pessoas nas quais pensava, e o mesmo eco interior respondia implacavelmente: Mortas!

Conto, aqui, os fatos tais como se passaram, e não os imponho a ninguém. O efeito desta experiência em mim foi alguma coisa inexplicável. Não era mais o mesmo homem, alguma coisa de outro mundo tinha passado em mim; não estava mais nem alegre, nem triste, mas sentia uma singular atração para a morte, sem, todavia, ser, de algum modo, tentado a recorrer ao suicídio. Analisei cuidadosamente o que tinha experimentado; e, apesar de uma repugnância nervosa muito vivamente sentida, retirei duas vezes, somente com alguns dias de intervalo, a mesma experiência. A narração dos fenômenos que se produziram difere muito pouco para que a deva acrescentar a esta, já um pouco extensa. Mas o resultado destas duas outras evocações foi para mim a revelação de dois segredos cabalísticos, que poderiam, se fossem conhecidos por todo mundo, mudar, em pouco tempo, as bases e leis da sociedade inteira.

Concluirei disto que, realmente, evoquei, vi e toquei o grande Apolônio de Thiana? Não sou tão alucinado para o crer, nem tampouco sério para o afirmar. O efeito das preparações, dos perfumes, dos espelhos, dos pentáculos é uma verdadeira embriaguez da imaginação, que deve agir vivamente sobre uma pessoa já impressionável e nervosa. Não explico por que leis fisiológicas vi e toquei; afirmo somente que vi e toquei, que vi, clara e distintamente, sem ilusões, e isso é suficiente para crer na eficácia real das cerimônias mágicas. Aliás, creio perigosa e nociva a sua prática; a saúde, quer moral, quer física, não resistiria a semelhantes operações, se se tornassem habituais. A senhora idosa de que falei, e de que tive de me queixar depois, era uma prova disso; porque, apesar das suas denegações, não duvido que tivesse o hábito da necromancia e da goética. Às vezes, ela delirava completamente; outras vezes, se entregava a cóleras insensatas, de que, com dificuldade, explicava a causa. Deixei Londres sem a ter visto de novo, e guardarei fielmente a promessa que fiz de nada dizer a quem quer que possa fazê-la conhecer ou até dar alarma sobre as práticas às quais se entrega, sem dúvida, sem conhecimento da sua família, que é como suponho, muito numerosa e de uma posição muito honrosa.

Há evocações de inteligência, evocações de amor e evocações de ódio; nada, porém, prova, ainda uma vez, que os espíritos deixam realmente as esferas superiores para se entreterem conosco, até o contrário é mais provável. Evocamos as lembranças que deixaram na luz astral, que é o receptáculo comum do magnetismo universal. É nesta luz que o imperador Juliano viu, outrora, aparecerem os deuses, porém velhos, doentes e decrépitos; nova prova da influência das opiniões correntes e acreditadas sobre os reflexos deste mesmo agente mágico que faz falar as mesas e responde batendo nas paredes.

Depois da evocação de que falei precedentemente, reli com cuidado a vida de Apolônio, que os historiadores nos representam como um ideal de beleza e elegância antiga. Notei que Apolônio, no fim da sua vida, foi barbeado e, por muito tempo, atormentado na prisão. Esta circunstância, que, sem dúvida, retive outrora, sem pensar depois nisso para me lembrar, terá, talvez, determinado a forma pouco atrativa da minha visão, que considero unicamente como o sonho voluntário de um homem acordado. Vi outras duas personagens, que pouco importa mencionar, e sempre diferentes do que esperava ver, pelo hábito e pelo seu aspecto. Aliás, recomendo a maior reserva às pessoas que queiram entregar-se a semelhantes experiências: resultam delas grandes fadigas e, às vezes, até abalos tão anormais para ocasionar doenças.

Não terminarei este capítulo sem assinalar, aqui, a opinião assaz estranha de certos cabalistas que distinguem a morte aparente da morte real, e creem que elas raramente vêm ao mesmo tempo. Conforme o seu dizer, a maioria das pessoas que se enterram estariam vivas, e muitas outras, que se julgam vivas, estariam mortas.

A loucura incurável, por exemplo, seria para eles uma morte incompleta, mas real, que deixa o corpo terrestre sob a direção puramente instintiva do corpo sideral. Quando a alma humana sofre uma violência que não pode suportar, ela se separaria, assim, do corpo, e deixaria em seu lugar a alma animal ou o corpo sideral, o que faz destes restos humanos alguma coisa menos viva, de algum modo, que o próprio animal. Reconhecemos, dizem eles, os mortos desta espécie pela extinção completa do senso afetuoso e moral; não são maus, não são bons: são mortos. Estes seres, que são os cogumelos venenosos da espécie humana, absorvem tanto quanto podem a vida dos vivos; é por isso que a sua aproximação entorpece a alma e dá frio ao coração.

Estes entes cadavéricos, se existissem, realizariam tudo o que outrora se afirmava dos seres vrykolakas e vampiros.

Não há entes junto aos quais nós nos sentimos menos inteligentes, menos bons e até, às vezes, menos honestos?

Não os há cuja aproximação extingue toda crença e todo entusiasmo, que vos ligam a si pelas vossas fraquezas, vos dominam pelas vossas más inclinações e vos fazem lentamente morrer no moral, num suplício semelhante ao de Mezêncio?

São mortos que tomamos por vivos; são vampiros que tomamos por amigos!

14) O

AS TRANSMUTAÇÕES

SPHERA LUNÆ
SEMPITERNUM
AUXILIUM

Santo Agostinho duvida seriamente que Apuleio pudesse ser transformado em asno por uma feiticeira da Tessália. Teólogos dissertam longamente sobre a transmutação de Nabucodonosor em animal selvagem. Isto prova, simplesmente, que o eloquente doutor de Hipona ignorava os arcanos mágicos e que os teólogos em questão não eram muito adiantados em exegese. Temos de examinar, neste capítulo, maravilhas muito mais incríveis e, todavia, incontestáveis. Quero falar da licantropia ou transformação noturna dos homens em lobos, tão célebre nos serões dos nossos campos, pelas histórias dos lobisomens; histórias tão bem averiguadas, que, para explicá-las, a ciência incrédula atribuiu a manias furiosas e disfarces em animais.

Mas semelhantes hipóteses são pueris e nada explicam. Procuremos descrever a seguir o segredo dos fenômenos observados neste assunto, e constatemos primeiramente:

1º – Que nunca alguém foi morto por um lobisomem, a não ser por sufocamento, sem efusão de sangue e sem ferimentos;

2º – Que os lobisomens acuados, perseguidos, feridos até, nunca morreram no mesmo lugar;

3º – Que as pessoas suspeitas destas transformações sempre foram achadas nas suas casas, depois da caça ao lobisomem, mais ou menos feridas, às vezes moribundas, mas sempre na sua forma-humana.

Agora, constatemos fenômenos de outra ordem.

Nada, no mundo, é mais bem atestado e mais incontestavelmente provado do que a presença visível e real do Padre Afonso de Liguori, junto ao Papa agonizante, enquanto que a mesma personagem era observada em sua casa, a uma grande distância de Roma, em oração e êxtase.

A presença simultânea do missionário Francisco Xavier em diversos lugares ao mesmo tempo não foi menos rigorosamente constatada.

Dirão que são milagres; responderemos que os milagres, quando são reais, são simplesmente fenômenos para a ciência.

As aparições de pessoas que nos são caras, coincidindo com o momento da sua morte, são fenômenos da mesma ordem e que se podem atribuir à mesma causa.

Falamos do corpo sideral, que é o intermediário entre a alma e o corpo material. Este corpo fica acordado muitas vezes, enquanto o outro dorme, e se transporta com o pensamento em todo o espaço que a imantação universal abre diante dele. Assim estende, sem romper, o cordão simpático que o conserva unido ao nosso coração e ao nosso cérebro, e é o que torna muito perigoso o despertamento, em sobressalto, para as pessoas que sonham. Com efeito, uma comoção muito forte pode romper imediatamente o cordão e ocasionar subitamente a morte.

A forma do nosso corpo sideral é conforme o estado habitual dos nossos pensamentos, e modifica, com o tempo, as feições do corpo material. É por isso que Swedenborg, nas suas intuições sonambúlicas, via, muitas vezes, espíritos em forma de diversos animais.

Ousemos dizer, agora, que um lobisomem outra coisa não é senão o corpo sideral de um homem, de que o lobo representa os instintos selvagens e sanguinários, e que, enquanto seu fantasma passeia, assim, nos campos, dorme penosamente no seu leito e sonha que é um verdadeiro lobo.

O que faz visível o lobisomem é a sobre-excitação quase sonambúlica causada pelos que têm medo dele, ou a disposição, mais particular das pessoas simples do campo, de pôr-se em comunicação direta com a luz astral, que é o meio comum das visões e dos sonhos.

Os golpes dados no lobisomem ferem realmente a pessoa adormecida, por congestão ódica e simpática da luz astral, por correspondência do corpo imaterial com o corpo material. Muitas pessoas acreditarão sonhar ao lerem semelhantes coisas, e nos perguntarão se estamos bem acordados, mas somente pediremos aos homens de ciência que reflitam sobre os fenômenos da gravidez e a influência da imaginação das mulheres sobre a forma do seu fruto. Certa mulher, que assistira ao suplício de um homem, deu à luz uma criança que tinha todos os membros deformados. Expliquem-nos como a impressão produzida, na alma da mãe, por um horrível espetáculo, podia atingir e deformar os membros da criança, e explicaremos como os golpes dados e recebidos em sonho podem quebrar realmente e, até, ferir gravemente o corpo daquele que os recebe em imaginação, principalmente quando o seu corpo sofre e está submetido a influências nervosas e magnéticas.

É a estes fenômenos e leis ocultas que os produzem que é preciso relacionar os efeitos do enfeitiçamento de que temos de falar. As obsessões diabólicas e a maior parte das doenças nervosas que afetam o cérebro são ferimentos feitos ao aparelho nervoso pela luz astral pervertida, isto é, absorvida ou projetada em proporções anormais. Todas as tensões extraordinárias e extranaturais da vontade predispõem às obsessões e doenças nervosas; o celibato forçado, o ascetismo, o ódio, a ambição, o amor repelido, são tantos princípios geradores de formas e influências infernais. Paracelso diz que o sangue menstrual das mulheres engendra fantasmas no ar; os conventos, neste ponto de vista, seriam o seminário de pesadelos e comparar com comprar os diabos a estas cabeças da hidra de Lerna, que renasciam sem cessar e se multiplicavam até pelo sangue das suas feridas.

Os fenômenos de possessão das Freiras Ursulinas de Loudun, tão fatal a Urbano Grandier, foram desconhecidos. As religiosas estavam realmente possuídas de histeria e imitação fanática dos pensamentos secretos dos seus exorcistas, transmitidos ao seu sistema nervoso pela luz astral. Elas recebiam a impressão de todos os ódios que este infeliz padre levantava contra si, e esta comunicação totalmente interior parecia a elas mesmas diabólica e milagrosa. Assim, nesse negócio todos estavam de boa fé, até Jean Martin de Laubardemont, que, executando cegamente as sentenças adjudicadas pelo cardeal Richelieu, acreditava cumprir, ao mesmo tempo, os deveres de verdadeiro juiz, e tanto menos desconfiava de ser um criado de Pôncio Pilatos, quanto lhe era menos possível ver no cura de Saint-Pierre du Marché, que era um espírito forte e libertino, um discípulo do Cristo e um mártir.

As possessões das religiosas de Louviers são simplesmente uma cópia da de Loudun: os diabos inventam pouco e são plagiários uns dos outros. O processo de Gaufridi e Madalena de la Palud tem um caráter mais estranho. Aqui são as vítimas que acusam a si próprias. Gaufridi se reconhece culpado de ter tirado de várias mulheres, por um simples sopro nas narinas, a liberdade de defender-se contra as seduções. Uma jovem e bela mulher, de família nobre, insuflada por ele, conta, com maiores detalhes, cenas em que a lubricidade disputa ao monstruoso e ao grotesco. Tais são as alucinações ordinárias do falso misticismo e do celibato mal conservado.

Gaufridi e sua amante estavam obsedados pelas suas quimeras recíprocas, e a cabeça de um refletia os pensamentos do outro. Até o marquês de Sade não foi contagioso para certas naturezas debilitadas e doentias? O escandaloso processo do padre Girard é uma nova prova dos delírios do misticismo e das singulares nevroses que pode trazer após si.

Os desmaios de la Cadière, seus êxtases, suas cicatrizes, tudo isso era tão real como a depravação insensata e, talvez, involuntária do seu diretor. Ela o acusou quando ele quis se afastar dela, e a conversão desta moça foi uma vingança, porque nada é tão cruel como os amores depravados. Um corpo poderoso que interviera no processo de Grandier para perder nele o sectário possível, salvou o padre Girard, para honra da companhia. Grandier e o padre Girard tinham, aliás, chegado ao mesmo resultado por caminhos bem diferentes, de que teremos de nos ocupar especialmente no décimo sexto capítulo.

Agimos pela imaginação sobre as imaginações dos outros, pelo nosso corpo sideral sobre os deles e pelos nossos órgãos sobre os seus órgãos. De modo que, pela simpatia, quer de atração, quer de obsessão, nós possuímos uns aos outros e nos identificamos com aqueles sobre os quais queremos agir. São as reações contra este império que, muitas vezes, fazem suceder às simpatias mais vivas a antipatia mais pronunciada. O amor tem por tendência identificar os seres; ora, identificando-os, muitas vezes os torna rivais e, por conseguinte, inimigos, se o fundo das duas naturezas é uma disposição insociável, como, por exemplo, seria o orgulho; saturar igualmente de orgulho duas almas unidas é desuni-las, fazendo-as rivais. O antagonismo é o resultado necessário da pluralidade dos deuses.

Quando sonhamos com uma pessoa viva é o seu corpo sideral que se apresenta ao nosso na luz astral ou, ao menos, o reflexo deste mesmo corpo, e o modo como somos impressionados à sua vista nos revela, muitas vezes, as disposições secretas desta pessoa a nosso respeito. O amor, por exemplo, faz o corpo sideral de um à imagem e semelhança do outro, de modo que o médium anímico da mulher é como que um homem e o do homem como que uma mulher. É esta mudança que os cabalistas quiseram exprimir de um modo oculto, quando dizem, explicando um termo obscuro do *Gênesis* bíblico: "Deus criou o amor, pondo uma costela de Adão no peito da mulher e a carne de Eva no peito de Adão, de modo que o fundo do coração da mulher é um osso de homem e o fundo do coração do homem é carne de mulher"; alegoria que, certamente, não é sem profundeza e sem beleza.

Dissemos alguma coisa, no capítulo precedente, do que os mestres em Cabala chamam o embrionato das almas. Este embrionato, completo depois da morte da pessoa que possui outra, é, muitas vezes, começado na sua vida quer por obsessão, quer por amor. Conheci uma jovem que tinha grande terror de seus pais e que praticou, de um momento para outro, contra uma pessoa inofensiva os atos que temia da parte dos pais. Conheci uma outra que, depois de ter tomado parte numa evocação em que se tratava de certa mulher culpada e atormentada, no outro mundo, por certos atos excêntricos, imitou, sem razão alguma, os atos da mulher morta. É a este poder oculto que é preciso atribuir a influência terrível da maldição dos pais, temida entre os povos da Terra, e o verdadeiro perigo das operações mágicas, quando a pessoa não chegou ao isolamento dos verdadeiros adeptos.

Esta virtude de transmutação sideral, que existe realmente no amor, explica os prodígios alegóricos da varinha mágica de Circe. Apuleio fala de uma mulher Tessália que se transformava em pássaro; ele se fez amar pela criada desta mulher, para surpreender os segredos da sua patroa, e só chegou a transmutar em asno. Esta alegoria explica os mistérios mais ocultos do amor.

Os cabalistas dizem ainda que, quando uma pessoa ama a uma mulher do reino elemental, quer seja ondina, sílfide ou gnomide, imortaliza-se com a amada ou com esta morre.

Vimos que os seres elementares são homens imperfeitos e ainda mortais. A revelação de que falamos e que consideraram como uma fábula é, pois, o dogma da solidariedade em amor, que é o fundo do próprio amor e explica toda sua santidade e onipotência. Qual é, pois, esta feiticeira que muda seus adoradores em porcos e cujos encantos são destruídos desde que seja submetida ao amor? É a cortesã antiga, é a moça de mármore de todos os tempos. A mulher sem amor absorve e avilta tudo o que dela se aproxima; a mulher que ama espalha entusiasmo, nobreza e vida.

Falaram muito, no último século, de um adepto, acusado de charlatanismo, e que era chamado em vida o divino Cagliostro. Sabemos que ele praticava as evocações e que foi vencido nesta arte pelo "iluminado" Johann Georg Schröpfer[*]. É sabido que se vangloriava de ligar as simpatias e que dizia ter o segredo da Grande Obra; mas o que o tornava ainda mais célebre era um certo elixir de vida que dava instantaneamente aos velhos o vigor e a seiva da juventude. Esta composição tinha por base o vinho de Malvasia e se obtinha pela destilação do esperma de certos animais com o suco de várias plantas. Nós possuímos a sua receita e compreenderão facilmente por que devemos conservá-la oculta.

---

[*] Ver, no Ritual, os segredos e as fórmulas de Schröpfer para as evocações.

15 P

A MAGIA NEGRA

SAMAEL
AUXILIATOR

Entramos na magia negra. Vamos afrontar, até no seu santuário, o deus negro do *Sabbat*, o bode formidável de Mendes. Aqui, os que têm medo devem fechar o livro, e as pessoas sujeitas às impressões nervosas farão bem em distrair-se ou abster-se; mas nós nos impusemos uma tarefa e havemos de acabá-la.

Penetremos franca e ousadamente na questão:

– Existe um diabo?

– Que é o diabo?

À primeira pergunta, a ciência cala-se; a filosofia nega ao acaso, e só a religião responde afirmativamente.

À segunda, a religião diz que o diabo é o anjo caído; a filosofia oculta aceita e explica esta definição.

Não voltaremos a tratar do que já dissemos sobre isto, mas acrescentaremos aqui uma revelação nova:

O diabo, em magia negra, é o grande agente mágico empregado para o mal por uma vontade perversa.

A antiga serpente da lenda nada mais é do que o agente universal, é o fogo eterno da vida terrestre, é a alma da Terra e o fogo vivo do inferno.

Dissemos que a luz astral é o receptáculo das formas. Evocadas pela razão, estas formas se produzem com harmonia; evocadas pela loucura, elas vêm desordenadas e monstruosas: tal é o berço dos pesadelos de Santo Antão e dos fantasmas do *Sabbst*.

As evocações da magia goética e a demonomancia têm, pois, um resultado incontestável e mais terrível do que os que podem contar as lendas:

Quando uma pessoa chama o diabo com as cerimônias consagradas, o diabo vem e ela o vê.

Para não morrer fulminado a esta vista, para não ficar cataléptico ou idiota, é preciso já ser louco.

Grandier era libertino por indevoção e, talvez, já por ceticismo; Girard foi depravado e depravador por entusiasmo, como consequência dos desvios do ascetismo e da cegueira da fé.

Daremos, no décimo quinto capítulo do nosso Ritual, todas as evocações diabólicas e as práticas da magia negra, não para que os leitores se sirvam dela, mas para que a conheçam, a julguem e se preservem para sempre de semelhantes aberrações.

O senhor Eudes de Mirville, cujo livro sobre as mesas girantes fez ultimamente muito sucesso, pode ficar, ao mesmo tempo, contente e descontente da solução que aqui damos aos problemas da magia negra. Com efeito, sustentamos, como ele, a realidade e a maravilha dos efeitos; nós, como ele, lhes damos para causa a antiga serpente, o príncipe oculto deste mundo; mas não estamos de acordo sobre a natureza deste agente cego, que é, ao mesmo tempo, mas sob direções diferentes, o instrumento de todo bem e de todo mal, o servidor dos profetas e o inspirador das pitonisas. Numa palavra, o diabo, para nós, é a força posta, por um tempo, ao serviço do erro, como o pecado mortal é, a nosso ver, a persistência da vontade no absurdo. Logo, o senhor De Mirville tem mil vezes razão, mas uma vez e uma grande vez não tem razão.

O que se deve excluir do reino dos seres é o arbitrário. Nada acontece nem pelo acaso nem pela autocracia de uma vontade boa ou má. Há duas câmaras no céu, e o tribunal de Satã é contido nos seus desvios pelo senado da sabedoria divina.

16 ע Q

OS ENFEITIÇAMENTOS

FONS
OCULUS
FULGUR

O homem que olha uma mulher com um desejo impuro, profana esta mulher, disse o grande Mestre. O que se quer com perseverança, se faz. Toda vontade real se confirma por atos; toda vontade confirmada por um ato é uma ação. Toda ação é submetida a um juízo, e este juízo é eterno. São dogmas e princípios.

Conforme estes princípios e estes dogmas, o bem e o mal que desejais, quer a vós mesmos, quer aos outros, na extensão do vosso querer e na esfera de vossa ação, virá infalivelmente, quer aos outros, quer a vós, se confirmardes a vossa vontade e se fixardes a vossa determinação por atos.

Os atos devem ser análogos à vontade. A vontade de fazer mal ou de fazer-se amar deve ser confirmada, para ser eficaz, por atos de ódio ou de amor.

Tudo o que traz a impressão de uma alma humana pertence a esta alma; tudo aquilo de que o homem se apropriou de um modo qualquer torna-se seu corpo, na acepção mais extensa da palavra, e tudo o que se faz ao corpo de um homem é ressentido, quer mediata, quer imediatamente, pela sua alma.

É por isso que toda espécie de ação hostil ao próximo é considerada, pela teologia moral, como um começo de homicídio.

O enfeitiçamento é um homicídio, e um homicídio tão covarde que escapa do direito de defesa da vítima e da vingança das leis.

Estabelecido este princípio, para descargo da nossa consciência e advertência dos fracos, afirmamos, sem temor, que o enfeitiçamento é possível.

Vamos mais longe, e afirmamos que não só é possível, mas também é, de algum modo, necessário e fatal. Realiza-se sem cessar, no mundo social, sem conhecimento dos agentes e pacientes. O enfeitiçamento involuntário é um dos mais terríveis perigos da vida humana.

A simpatia passional submete necessariamente o mais ardente desejo à mais forte vontade. As doenças morais são mais contagiosas do que as doenças físicas, e há certo sucesso de predileção e moda, que poderíamos comparar à lepra ou cólera-morbo.

Morremos por um mau conhecimento, como por um contato contagioso, e a horrível doença que, desde alguns séculos somente, na Europa, pune a profanação dos mistérios do amor, é uma revelação das leis analógicas da natureza, e não apresenta ainda mais do que uma imagem fraca das corrupções morais que todos os dias resultam de uma simpatia equívoca.

Falam de um homem ciumento e covarde que, para vingar-se de um rival, infectou a si próprio de um mal incurável e fez dele o flagelo comum e o anátema de um leito partilhado. Esta horrível história é a de todo mago ou, antes, de todo feiticeiro que pratica os enfeitiçamentos. Ele envenena-se para envenenar, ele aspira o inferno para o respirar, ele fere-se mortalmente para fazer morrer; mas, se tiver a triste coragem de o fazer, é positivo e certo que envenenará e matará unicamente pela projeção da sua perversa vontade.

Podem existir amores que matam tão bem como o ódio, e os enfeitiçamentos da benevolência são a tortura dos maus. As preces que dirigimos a Deus para a conversão de um homem trazem infelicidade a este homem se não quiser converter-se. Há, como já o dissemos, fadiga e perigo em lutar contra as correntes fluídicas excitadas por cadeias de vontades unidas.

Há, pois, duas espécies de enfeitiçamentos: o enfeitiçamento involuntário e o enfeitiçamento voluntário. Pode-se, também, distinguir o enfeitiçamento físico do enfeitiçamento moral.

A força atrai a força, a vida atrai a vida, a saúde atrai a saúde: é uma lei da natureza.

Se duas crianças vivem juntas e, principalmente, se dormem juntas, havendo uma fraca e outra forte, a forte absorverá a fraca, e esta perecerá. É por isso que importa muito que as crianças durmam sempre sós. Nos colégios, certos alunos absorvem a inteligência dos outros alunos e, em todos os círculos de homens, logo se acha um indivíduo que se apodera das vontades dos outros.

O enfeitiçamento por corrente é uma coisa muito comum, como notamos; somos levados pela multidão, no moral como no físico. Mas, o que mais particularmente temos de constatar neste capítulo é o poder quase ilimitado da vontade humana sobre a determinação dos seus atos e a influência de qualquer demonstração exterior de uma vontade, até sobre as coisas exteriores.

Os enfeitiçamentos voluntários são, ainda, frequentes nos nossos campos, porque as forças naturais, nas pessoas ignorantes e solitárias, agem sem serem enfraquecidas por nenhuma dúvida ou diversão. Um ódio franco, completo e sem mistura alguma de paixão repelida ou cupidez pessoal, é uma sentença de morte para aquele que é o seu objeto em certas condições dadas. Digo sem mistura de paixão amorosa ou cupidez, porque um deseja sendo uma atração, contrabalança e anula a força de projeção.

Assim, por exemplo, um ciumento não enfeitiçará nunca eficazmente seu rival, um herdeiro cobiçoso não abreviará pelo único fato da sua vontad, os dias de um tio avarento e vivaz.

Os enfeitiçamentos feitos nestas condições recaem naquele que os opera, e são antes salutares do que nocivos à pessoa que é seu objeto, porque a desembaraçam de uma ação odiosa que destrói a si própria, exaltando-se fora da medida.

A palavra *envoûtement**, muito enérgica na sua simplicidade gaulesa, exprime admiravelmente a própria coisa que significa: *envoûtement*, ação de tomar, por assim dizer, e de envolver alguém num voto, numa vontade formulada.

O instrumento do enfeitiçamento não é outro senão o próprio grande agente, que, sob a influência de uma vontade má, se torna, então, real e positivamente o Demônio.

O malefício propriamente dito, isto é, a operação cerimonial com o fim de enfeitiçar, só age sobre a vontade do operador, e serve para fixar e confirmar a sua vontade, formulando-a com perseverança e esforço, duas condições que fazem eficaz a vontade. Quanto mais a operação é difícil ou horrível, tanto mais é eficaz, porque age mais sobre a imaginação, e confirma o esforço em razão direta da resistência.

É o que explica a bizarria e até a atrocidade das operações da magia negra entre os antigos e na Idade Média, as missas do diabo, os sacramentos administrados a répteis, as efusões de sangue, os sacrilégios humanos e outras monstruosidades que são a própria essência e realidade da magia goética e da necromancia. São semelhantes práticas que atraíram, em todos os tempos, a justa repressão das leis sobre os feiticeiros. A magia negra é realmente uma combinação de sacrilégios e assassinatos graduados para perverter para sempre uma vontade humana e realizar num homem vivo o fantasma horrendo do Demônio. É, pois, propriamente falando, a religião do diabo, o culto das trevas, o ódio do bem levado ao seu paroxismo; é a encarnação da morte e a criação permanente do inferno.

O cabalista Jean Bodin, que pensariam erroneamente ter sido um espírito fraco e supersticioso, não teve outro motivo de escrever a sua obra *Demonomania* senão na necessidade de prevenir os espíritos contra uma muito perigosa incredulidade. Iniciado, pelo estudo da Cabala, aos verdadeiros segredos da magia, estremeceu ao pensar nos perigos a que este poder, abandonado à malvadez dos homens, exporia a sociedade. Tentou, pois, o que ainda acaba de ensaiar entre nós o Sr. Eudes de Mirville; e recolheu fatos sem os explicar, denunciando às ciências desatentas ou preocupadas alhures a

---

* Enfeitiçamento.

existência das influências ocultas das operações criminosas da magia má. Bodin não foi mais ouvido no seu tempo do que será o Sr. Eudes de Mirville, porque não basta indicar a sua causa para impressionar os homens sérios; é preciso estudar esta causa, explicá-la, provar a sua existência, e é o que procuramos fazer. Teremos melhor sucesso?

Pode-se morrer pelo amor de certos seres como pelo seu ódio: existem paixões absorventes sob cuja aspiração nós nos sentimos desfalecer como as noivas dos vampiros. Não são só os maus que atormentam os bons, mas, por sua vez, os bons torturam os maus. A docilidade de Abel era um longo e penoso enfeitiçamento para a ferocidade de Caim. O ódio do bem, nos homens maus, procede do próprio instinto da conservação; aliás, negam que o que os atormenta seja o bem, e se esforçam para estar tranquilos, em deificar e justificar o mal. Abel, no Ender de Caim, era um hipócrita e covarde que desonrava a altivez humana pelas suas submissões escandalosas à divindade. Quanto este primeiro assassino não teve de sofrer antes de se entregar a um espantoso atentado contra seu irmão! Se Abel pudesse tê-lo compreendido, teria ficado atemorizado.

A antipatia outra coisa não é senão o pressentimento de um enfeitiçamento possível, enfeitiçamento que pode ser de amor ou ódio, porque se vê, muitas vezes, o amor suceder à antipatia. A luz astral nos adverte das influências futuras por uma ação sobre o sistema nervoso mais ou menos sensível e mais ou menos viva. As simpatias instantâneas, os amores fulminantes são explosões de luz astral motivadas tão exatamente e não menos matematicamente explicáveis e demonstráveis que as descargas das fortes baterias elétricas. Vemos, por isto, quantos perigos imprevistos ameaçam o profano que se diverte continuamente com o fogo junto a barricas de pólvora que não vê.

Estamos saturados de luz astral e projetamo-la incessantemente, para lhe dar lugar e atrair. Os aparelhos nervosos destinados, quer à atração, quer à projeção, são particularmente os olhos e as mãos. A popularidade das mãos reside no polegar, e é por isso que, conforme a tradição mágica conservada ainda nos nossos campos, é preciso, quando nos achamos em companhia suspeita, termos o polegar dobrado e escondido na mão, evitando de fixar alguém, procurando, pois, olhar primeiro aqueles dos quais temermos alguma coisa, a fim de evitar projeções fluídicas inesperadas e os olhares fascinadores.

Existem também certos animais, cuja propriedade é romper as correntes de luz astral por uma absorção que lhes é peculiar. Estes animais nos são violentamente antipáticos e têm no olhar alguma coisa fascinadora, tais como o sapo, o basilísco e a toupeira. Aprisionados e levados vivos ou guardados nos quartos que a pessoa habita, garantem-na das alucinações e dos prestígios da embriaguez astral: *a embriaguez astral*, termo que escrevemos aqui pela primeira vez e que explica todos os fenômenos das paixões furiosas, das exaltações mentais e da loucura.

Criai sapos e toupeiras, caro senhor, me dirá aqui um discípulo de Voltaire; trazei-os convosco e não escrevais mais. A isto, posso responder que pensarei seriamente no assunto, quando estiver disposto a rir do que ignoro e a tratar como loucos os homens cuja ciência e sabedoria não entendo.

Paracelso, o maior dos magos cristãos, opunha ao enfeitiçamento as práticas de um enfeitiçamento contrário. Compunha remédios simpáticos e os aplicava não aos membros sofredores, mas sim nas representações destes mesmos membros, formadas e consagradas conforme o cerimonial mágico. Os sucessos eram prodigiosos, e nunca médico algum se aproximou das curas maravilhosas de Paracelso.

Mas Paracelso tinha descoberto o magnetismo muito antes de Mesmer, e tinha levado até as suas últimas consequências esta descoberta luminosa, ou antes esta iniciação à magia dos antigos, que, mais do que nós, compreendiam o grande agente mágico e não faziam da luz astral, do azoth, da magnésia universal dos sábios, um fluido animal e particular somente emanando de alguns entes especiais.

Na sua filosofia oculta, Paracelso combate a magia cerimonial, de que certamente não ignorava o terrível poder, mas cujas práticas, sem dúvida, quer proibir, a fim de desacreditar a magia negra. Coloca a onipotência do mago no *magnes* interior e oculto. Os mais hábeis magnetizadores de nossos dias não diriam melhor. Todavia, quer que se empreguem os signos mágicos; e principalmente os talismãs, para cura das doenças. Teremos ocasião de voltar, no nosso décimo oitavo capítulo, aos talismãs de Paracelso, tocando, conforme Gaffarel, na grande questão da iconografia e da numismática ocultas.

Curamos o enfeitiçamento pela substituição, quando é possível, e pela ruptura ou desvio da corrente astral. As tradições dos campos sobre tudo isto são admiráveis e certamente vêm de longe: são restos dos ensinos dos druidas, que tinham sido iniciados nos mistérios do Egito e da Índia pelos hierofantes viajores. Sabem, pois, em magia vulgar, que um enfeitiçamento, isto é, uma vontade determinada e confirmada de fazer o mal, obtém sempre seu efeito, e que ela não pode ser retratada sem perigo de morte. O feiticeiro que livra alguém de um encanto deve ter outro objeto da sua malvadez, do contrário é certo que ele próprio será ferido e perecerá vítima dos seus próprios malefícios. O movimento astral sendo circular, toda emissão azótica ou magnética que não acha seu *médium*, volta com força ao seu ponto de partida: é o que explica uma das mais estranhas histórias de um livro sagrado, a dos demônios enviados aos porcos que se precipitaram no mar. Esta obra de alta iniciação nada mais foi que a ruptura de uma corrente magnética infeccionada por vontades más. Chamo-me Legião, dizia a voz instintiva do paciente, porque somos muitos.

As possessões dos demônios nada mais são que enfeitiçamentos, e existe nos nossos dias uma quantidade inumerável de possessos. Um santo religioso que se voltou ao serviço dos alienados, o irmão Hilário Tissot, chegou, por uma longa experiência e a prática constante das virtudes cristãs, a curar muitos doentes, praticando, sem sabê-lo, o magnetismo de Paracelso. Atribui a maioria das doenças a desordens da vontade ou à influência perversa de vontades estranhas; considera todos os crimes como atos de loucura, e queria que se tratassem todos os malvados como doentes, em vez de os exasperar e tomá-los incuráveis, sob pretexto de os castigar. Quanto tempo passará ainda antes que o pobre irmão Hilário seja reconhecido por um homem de gênio! E quantos homens graves, ao lerem este capítulo, dirão ainda que Hilário Tissot e eu deveríamos tratar-nos mutuamente, conforme as ideias que nos são comuns, evitando bem de publicar as nossas teorias, se não quisermos que nos tomem por médicos dignos de serem enviados aos Incuráveis!

"E contudo gira!", exclamava Galileu, batendo no chão com os pés. "Conhecereis a verdade, e a verdade vos fará livres", disse o Salvador dos homens. Poderíamos acrescentar: Amareis a justiça, e a justiça vos tornará sadios. Um vício é um veneno, até para o corpo; a verdadeira virtude é um penhor de longevidade.

O método dos *enfeitiçamentos cerimoniais* varia conforme os tempos e as pessoas, e todos os homens artificiosos e dominadores acham em si mesmos seus segredos e sua prática, sem mesmo os calcular exatamente e raciocinar sobre a sua continuidade. Seguem, nesse ponto, as inspirações instintivas do grande agente, que se assimila maravilhosamente, como já dissemos, aos nossos vícios e às nossas virtudes; mas pode-se dizer que, geralmente, estamos submetidos às vontades dos outros pelas analogias das nossas inclinações e, principalmente, dos nossos defeitos. Acariciar as fraquezas de uma individualidade é apoderar-se dela e fazer dela um instrumento na ordem dos mesmos erros e das mesmas depravações. Ora, quando duas naturezas análogas em defeito se subordinam uma à outra, opera-se uma espécie de substituição do mais forte ao mais fraco; é uma verdadeira obsessão de um espírito por outro. Muitas vezes, o fraco se debate e quer revoltar-se, depois cai mais embaixo na escravidão. É assim que Luís XIII conspirava contra Richelieu; depois, obtinha de algum modo a sua graça pelo abandono de seus cúmplices.

Todos nós temos um defeito dominante que é, para nossa alma, como que o umbigo do seu nascimento pecador, e é por ele que o inimigo sempre nos pode pegar; a vaidade para uns, a preguiça para outros, o egoísmo para o maior número. Que um espírito sagaz e mau se apodere desta mola, e estais perdido. Ficais, então, não louco, não idiota, mas positivamente alienado, em toda força desta expressão, isto é, submetido a um impulso estranho. Neste estado, tendes um horror instintivo a tudo o que vos levaria à razão, e até não quereis ouvir as representações contrárias à vossa demência. É uma das doenças mais perigosas que podem afetar o moral humano.

O único remédio contra este enfeitiçamento é apoderar-se da própria loucura para curar a loucura, e fazer o doente achar satisfações imaginárias numa ordem contrária àquela em que se perdeu. Assim, por exemplo, curar um ambicioso fazendo-lhe desejar as glórias do céu, remédio místico; curar um depravado por um verdadeiro amor, remédio natural; obter para uma pessoa vaidosa honrosos sucessos; mostrar desinteresse aos avarentos e obter-lhes um justo ganho por participação honrada em empresas generosas, etc.

Reagindo da mesma forma sobre o moral, chegaremos a curar um grande número de doenças físicas, porque o moral influi sobre o físico em virtude do axioma mágico: "O que está em cima é como o que está embaixo". É por isso que o Mestre dizia, falando de uma mulher paralítica: "Satã a ligou". Uma doença provém sempre de um defeito ou de um excesso, e sempre achareis na origem de um mal físico uma desordem moral: é uma lei invariável da natureza.

17 R

A ASTROLOGIA

STELLA
OS
INFLEXUS

De todas as artes saídas do magismo dos antigos, a astrologia é agora a mais desconhecida. Não cremos mais nas harmonias universais de todos os efeitos com todas as causas. Aliás, a verdadeira astrologia, a que se une ao dogma único e universal da Cabala, foi profanada entre os gregos e romanos da decadência; a doutrina dos sete céus e três móveis, emanada primitivamente da década séfírica, os caracteres dos planetas governados por anjos, cujos nomes foram mudados nos das divindades do paganismo, a influência das esferas umas sobre as outras, a fatalidade unida aos números, a escala de proporção entre as hierarquias celestes correspondentes às hierarquias humanas, tudo isso foi materializado e feito supersticioso pelos genetlíacos e tiradores de horóscopos da decadência e da Idade Média. Levar a astrologia à sua pureza primitiva seria, de algum modo, criar uma ciência nova; procuremos somente indicar os seus primeiros princípios, com as suas consequências mais imediatas e mais próximas.

Dissemos que a luz astral recebe e conserva todas as impressões das coisas visíveis; resulta disso que a disposição do céu se reflete nesta luz que, sendo o agente principal da vida, opera, por uma série de aparelhos destinados a este fim pela natureza, a concepção, o embrionato e o nascimento das crianças. Ora, se esta luz é muito pródiga de imagens para dar ao fruto de uma gravidez as impressões visíveis de uma fantasia ou deleite da mãe, com maior razão deve transmitir ao temperamento ainda móvel e incerto do recém-nascido as impressões atmosféricas e as diversas influências que resultem a um momento dado, em todo o sistema planetário, desta ou daquela disposição particular dos astros.

Nada é indiferente na natureza: uma pedra de mais ou de menos num caminho pode romper ou modificar profundamente o destino dos maiores homens e até dos maiores impérios; com maior razão, o lugar desta ou daquela estrela no céu não poderia ser indiferente para o destino da criança que nasce, e que, pelo próprio nascimento, entra na harmonia universal do mundo sideral. Os astros estão presos uns aos outros por atrações que os conservam em equilíbrio e os fazem mover-se regularmente no espaço; estas redes de luz vão de todas as esferas a todas as esferas, e não há um ponto em cada planeta a que não esteja preso um desses fios indestrutíveis. O lugar exato e a hora do nascimento devem, pois, ser calculados pelo verdadeiro adepto da astrologia; depois, quando tiver feito o cálculo exato destas influências astrais, resta-lhe contar as fortunas de estado, isto é, as facilidades ou obstáculos que a criança deve encontrar, um dia, no seu estado, nos seus pais, no temperamento que recebeu deles e, por conseguinte, nas suas disposições naturais para a realização dos seus destinos. E, ainda, é preciso ter em conta a liberdade humana e a sua iniciativa, se a criança chegar, um dia, a ser verdadeiramente homem e subtrair-se, por um corajoso querer, das influências fatais e das correntes do destino. Veem que não concedemos muito à astrologia; mas, também, o que lhe deixamos é incontestável: é o cálculo científico e mágico das probabilidades*.

A astrologia é tão antiga ou até mais antiga do que a astronomia, e todos os sábios da antiguidade lhe deram a mais inteira confiança; ora, não devemos condenar e rejeitar levianamente o que nos chega rodeado e sustentado por tão imponentes autoridades.

Longas e pacientes observações, comparações conclusivas, experiências reiteradas muitas vezes tiveram de levar os antigos sábios às suas conclusões, e seria preciso, para pretender refutá-las, recomeçar, em sentido contrário, o mesmo trabalho. Paracelso foi, talvez, o último dos grandes astrólogos práticos; curava doenças por talismãs formados sob as influências astrais e reconhecia, em todos os corpos, a marca da sua estrela dominante, e era esta, conforme ele, a verdadeira medicina universal e a ciência absoluta da natureza, perdida pela falta dos homens e achada de novo somente por um pequeno número de iniciados. Reconhecer o sinal de cada estrela nos homens, nos animais, nas plantas, é a verdadeira ciência natural de Salomão, ciência que se considera perdida e cujos princípios são, todavia, conservados como todos os outros segredos da Cabala. Compreende-se que, para ler a escritura das estrelas, é preciso conhecer as próprias estrelas, conhecimento que se obtém pela *domificação* cabalística do céu, e pela inteligência do planisfério cabalístico, achado e explicado por Gaffarel. Nesse planisfério, as constelações formam

---

* No tempo atual, a astrologia judiciária acha-se muito mais desenvolvida e o leitor não deve estranhar as palavras do autor, pois que ele fala da astrologia cabalística, que ainda se acha na obscuridade e que constitui um dos mais interessantes estudos do autor na sua *Bíblia da Humanidade*, obra que se tornou muito rara. (N. do T.)

letras hebraicas, e as figuras mitológicas podem ser substituídas pelos símbolos do Tarô. É a este planisfério mesmo que Gaffarel atribui a origem da escritura dos patriarcas, que teriam achado nas cadeias de atração dos astros os primeiros delineamentos dos caracteres primitivos; o livro do céu, pois, teria servido de modelo ao de Enoque, e o alfabeto cabalístico seria o resumo do céu inteiro. Nisto não falta nem poesia, nem, principalmente, probabilidade, e o estudo do Tarô, que é, evidentemente, o livro primitivo e hieroglífico de Enoque, como o entendeu o sábio Guilherme Postello, bastará para nos convencer disso.

Os sinais impressos na luz astral pelo reflexo e a atração dos astros se produzem, como descobriram os sábios, em todos os corpos que se formam pelo concurso desta luz. Os homens trazem os sinais da sua estrela, principalmente, na fronte e nas mãos; os animais, na sua forma inteira e nos seus sinais particulares; as plantas os deixam ver nas suas folhas e nos seus grãos; os minerais, nas suas veias e nos aspectos de suas fendas. O estudo destes caracteres foi o trabalho de toda a vida de Paracelso, e as figuras dos seus talismãs são resultados das suas investigações; mas ele não deu a chave disso, e o alfabeto cabalístico astral com suas correspondências ainda resta a fazer; a ciência da escritura mágica não convencional parou, para o público em geral, no planisfério de Gaffarel.

A arte séria da adivinhação repousa inteiramente no conhecimento destes sinais. A quiromancia é a arte de ler nas linhas da mão a escritura das estrelas, e a metoposcopia procura os mesmos caracteres ou outros análogos na fronte dos seus consultantes. Com efeito, as dobras formadas na face humana pelas contrações nervosas são fatalmente determinadas, e a irradiação do tecido nervoso é absolutamente análoga a estas redes formadas entre os mundos pelas cadeias de atração das estrelas. As fatalidades da vida se escrevem, pois, necessariamente, nas nossas rugas, e reconhecemos, muitas vezes, ao primeiro olhar na fronte de um desconhecido, uma ou várias letras misteriosas do planisfério cabalístico. Esta letra é um pensamento inteiro, e este pensamento deve dominar a existência desse homem. Se esta letra é atormentada e se grava penosamente, há luta nele entre a fatalidade e a vontade, e já nas suas emoções e tendências mais fortes todo o seu passado se revela ao mago; o futuro é, então, fácil de ser conjeturado e se, às vezes, os acontecimentos enganam a sagacidade do adivinho, o consultante não fica, por isso, menos admirado e convencido da ciência sobre-humana do adepto.

A cabeça do homem é feita conforme o modelo das esferas celestes, e ela atrai e irradia, e é ela que, na concepção da criança, se manifesta e se forma primeiro. Sofre, pois, de um modo absoluto a influência astral e, pelas suas diversas protuberâncias, dá prova das suas diversas atrações. A frenologia deve, pois, achar a sua última palavra na astrologia científica e retificada, cujos problemas indicamos à paciência e à boa fé dos sábios.

Conforme Ptolomeu, o Sol desseca, e a Lua umedece; conforme os cabalistas, o Sol representa a Justiça rigorosa, e a Lua é simpática à Misericórdia. É o Sol que forma as tempestades; é a Lua que, por uma espécie de branda pressão atmosférica, faz crescer, decrescer, é como que respirar o mar. Lemos no *Zohar*, um dos grandes livros sagrados da Cabala, que "a Serpente mágica, filha do Sol, ia devorar o mundo, quando o Mar, filho da Lua, pôs o pé sobre a sua cabeça e dominou-a". É por isso que, entre os antigos, Vênus era filha do Mar, como Diana era idêntica à Lua; é por isso que o nome de Maria significa estrela do mar ou sal do mar. É para consagrar este dogma cabalístico nas crenças do vulgo que disseram, em linguagem profética: "É a mulher que deve esmagar a cabeça da serpente".

Jerônimo Cardan, um dos mais ousados investigadores e, certamente, o astrólogo mais hábil do seu tempo; Jerônimo Cardan, que foi, se dermos crédito à lenda da sua morte, o mártir da sua fé em astrologia, deixou um cálculo por meio do qual cada um pode prever a boa ou má fortuna de todos os anos da sua vida. Apoia a sua teoria sobre as suas próprias experiências e assegura que este cálculo nunca o enganou. Para saber, pois, qual será a fortuna de um ano, resume os acontecimentos dos que o precederam por 4, 8, 12, 19 e 30: o número 4 é o da realização; o número 8, o de Vênus ou das coisas naturais; o número 12, que é o do ciclo de Júpiter, corresponde aos sucessos; ao número 19 correspondem os ciclos da Lua e de Marte; o número 30 é o de Saturno ou da Fatalidade. Assim, por exemplo, quero saber o que me acontecerá neste ano de 1855: passarei na minha memória o que me aconteceu de decisivo e real, na ordem do progresso e da vida, há quatro anos; o que tive de felicidade ou infelicidade natural há oito anos; o que pude contar de sucesso ou infortúnio há doze anos; as vicissitudes, desgraças ou doenças que tive há dezenove anos; e o que sofri de triste e fatal há trinta anos. Depois, tendo em conta os fatos irrevogavelmente realizados e o progresso da idade, conto com as sortes análogas às que já devo à influência dos mesmos planetas, e digo: Em 1851, tive ocupações medíocres, mas suficientemente lucrativas, com alguns embaraços de posição; em 1847, fui violentamente separado da minha família, e resultou, desta separação, grandes sofrimentos para mim e os meus; em 1843, viajei como apóstolo, falando ao povo e perseguido pelas pessoas mal intencionadas: em duas palavras, fui honrado e proscrito; enfim, em 1825, a vida de família cessou para mim, e me empenhei num caminho fatal que me levava à ciência e à infelicidade. Posso, pois, crer que terei, este ano, trabalho, pobreza, penas, exílio do coração, mudança de lugar, publicidade e contradições, acontecimento decisivo para o resto da minha existência; e acho já, no presente, toda espécie de razões para crer neste futuro. Concluo disso que, para mim, e para o presente ano, a experiência confirma perfeitamente a exatidão do cálculo astrológico de Cardan.

Aliás, este cálculo se refere ao dos anos climatéricos, ou antes *climatéricos* dos antigos astrólogos. *Climatéricos* quer dizer dispostos em escalas ou calculados conforme os degraus de uma escada. Johannes Trithmius (Tritheno), no seu livro

Das Causas Segundas, computou muito curiosamente a volta dos anos felizes ou funestos para todos os impérios do mundo; daremos dele uma análise exata e mais clara do que o próprio livro, no vigésimo primeiro capítulo do nosso *Ritual*, com a continuação do trabalho de Trithemo até nossos dias e a aplicação da sua escala mágica aos acontecimentos contemporâneos, para deduzir deles as probabilidades mais notáveis, relativamente ao futuro próximo da França, da Europa e do mundo inteiro.

Conforme todos os grandes mestres da astrologia, os cometas são as estrelas dos heróis excepcionais e só visitam a Terra para lhes anunciar grandes mudanças; os planetas presidem às coleções de seres e modificam os destinos das gerações de homens; as estrelas, mais afastadas e mais fracas na sua ação, atraem os indivíduos e decidem das suas inclinações; às vezes, um grupo inteiro de estrelas influi sobre os destinos de um só homem e, muitas vezes, um grande número de almas é atraída por um raio longínquo de um mesmo Sol. Quando morremos, a nossa luz interior vai-se embora conforme a atração da sua estrela, e é assim que revivemos em outros universos, onde a alma faz para si uma nova vestimenta, análoga aos progressos ou ao decrescimento da sua beleza; porque as nossas almas, separadas dos nossos corpos, assemelham-se a estrelas vagantes, são glóbulos de luz animada que sempre procuram o seu centro para achar o seu equilíbrio e o seu movimento; mas, antes de tudo, devem libertar-se das garras da serpente, isto é, da luz astral não purificada que as rodeia e cativa, enquanto a força da sua vontade não as levar para cima. A impressão da estrela viva na luz morta é um horrendo suplício, comparável ao de Mezêncio. A alma aí gela e queima ao mesmo tempo, e só tem como meio, para desembaraçar-se dela, entrar na corrente das formas exteriores e tomar um envoltório de carne, lutando depois com energia contra os instintos para fortalecer a liberdade moral que lhe permitirá, no momento da morte, romper as cadeias da Terra e voar, triunfalmente, ao astro consolador, cuja luz lhe sorriu.

Conforme estes dados, entende-se o que é o fogo do inferno, idêntico ao demônio ou à antiga serpente; em que consiste a salvação e reprovação dos homens, todos chamados e todos sucessivamente eleitos, mas em pequeno número, depois de terem sido expostos, pela sua falta, a cair no fogo eterno.

Tal é a grande e sublime revelação dos magos, revelação mãe de todos os símbolos, de todos os dogmas e de todos os cultos.

Já podemos ver quanto Dupuis se enganava, quando julgava que todas as religiões saíram somente da astronomia. É, pelo contrário, a astronomia que nasceu da astrologia, e a astrologia primitiva é um dos ramos da santa Cabala, a ciência das ciências e a religião das religiões.

Por isso, vemos, na décima sétima página do Tarô, uma admirável alegoria. Uma mulher nua, que representa, ao mesmo tempo, a Verdade, a Natureza e a

Sabedoria, sem véu, inclina duas urnas para a Terra e nelas derrama fogo e água; acima da sua cabeça brilha o setenário estrelado ao redor de um estofo de oito raios, o de Vênus, símbolo de paz e amor; ao redor da mulher verdejam as plantas da terra, e numa dessas plantas vem pousar a borboleta de Psiquê, emblema da alma, substituído, em algumas cópias do livro sagrado, por um pássaro, símbolo egípcio e, provavelmente, dos mais antigos. Esta figura, que no Tarô moderno traz o título de Estrela brilhante, é análoga a muitos símbolos herméticos, e não deixa de ter analogia com a Estrela flamejante dos iniciados da franco-maçonaria, exprimindo a maior parte dos mistérios da doutrina secreta dos rosacruzes.

18 ⚜ S

AS POÇÕES MÁGICAS E OS SORTILÉGIOS

JUSTITIA
MYSTERIUM
CANES

Atacamos, agora, o abuso mais criminoso que se pode fazer das ciências mágicas: é a magia, ou antes, a feitiçaria envenenadora. Aqui devem compreender que escrevemos, não para ensinar, mas para prevenir.

Se a justiça humana, usando de rigor contra os adeptos, só tivesse atingido os necromantes e feiticeiros envenenadores, é certo, como já o fizemos notar, que os seus rigores teriam sido justos, e que as mais severas intimidações nunca podiam ser excessivas contra semelhantes celerados.

Todavia, não se deve crer que o poder de vida e morte que pertence secretamente ao mago sempre tenha sido exercido para satisfazer alguma covarde vingança, ou uma cupidez mais covarde ainda na Idade Média, como no mundo antigo, as associações mágicas muitas vezes fulminaram ou fizeram perecer lentamente os reveladores ou profanadores dos mistérios, e, quando o punhal mágico devia abster-se de ferir, quando a efusão do sangue era para temer, a água Toffana, os ramilhetes aromáticos, as túnicas de Nessus e outros instrumentos de morte mais desconhecidos e mais estranhos, serviam para executar, cedo ou tarde, a terrível sentença dos franco-juízes.

Dissemos que existe na magia um grande e indizível arcano, que nunca é comunicado entre os adeptos e que, principalmente, é preciso impedir que os profanos adivinhem; qualquer que outrora revelasse ou fizesse, por imprudentes revelações, os outros acharem a chave deste arcano supremo, era imediatamente condenado à morte e, muitas vezes, forçado a ser o próprio executor da sentença.

O famoso jantar profético de Cazotte, escrito por La Harpe, ainda não foi entendido; e La Harpe, contando-o, cedeu ao desejo tão natural de deixar admirados os seus leitores, amplifiando os detalhes. Todos os homens presentes a esse jantar, à exceção de La Harpe, eram iniciados e reveladores, ou ao menos profanadores dos mistérios. Cazotte, mais elevado do que todos eles na escada da iniciação, lhes pronunciou a sua sentença de morte em nome do iluminismo, e esta sentença foi diversamente, mas rigorosamente executada, como outras sentenças semelhantes o tinham sido, vários anos e vários séculos antes, contra o abade, de Villars, Urbano Grandier e tantos outros, e os filósofos revolucionários pereceram, como deviam perecer também Cagliostro, abandonado nas prisões da inquisição, o bando místico de Catarina Theos, o imprudente Schröpfer, forçado a matar-se no meio dos seus triunfos mágicos e da admiração universal, o desertor Kotzebüe, apunhalado por Carl Sand, e tantos outros, cujos cadáveres são achados sem que se saiba a causa da sua morte súbita e sangrenta.

Lembramo-nos da estranha alocução que dirigiu ao próprio Cazotte, condenando-o à morte, o presidente do tribunal revolucionário, seu confrade e co-iniciado. O enredo do drama de 93 ainda está escondido no santuário mais obscuro das sociedades secretas; aos adeptos de boa fé, que queriam emancipar o povo, outros adeptos, de uma seita oposta, e que estavam ligados às tradições mais antigas, fizeram uma oposição terrível por meios análogos aos dos seus adversários: tornaram impossível a prática do grande arcano, desmascarando a teoria. A multidão nada entendeu, mas desconfiou de todos, e caiu, por falta de ânimo, mais baixo do que estava. O grande arcano ficou mais desconhecido do que nunca: somente os adeptos, neutralizados uns pelos outros, não puderam exercer o seu poder, nem para dominarem os outros, nem para se libertarem a si próprios; eles se condenaram, pois, mutuamente, como traidores e votaram uns aos outros ao exílio, ao suicídio, ao punhal e ao cadafalso.

Perguntar-me-ão, talvez, se perigos tão horríveis ameaçam ainda, nos nossos dias, quer o intruso do santuário, quer os reveladores do arcano. Para que hei de responder à incredulidade dos curiosos? Se me exponho a uma morte violenta para os instruir, certamente não me salvarão; se têm medo para si mesmos, que se abstenham de investigações imprudentes: eis tudo o que lhes posso dizer.

Voltemos à magia envenenadora.

Alexandre Dumas, no seu romance *O Conde de Monte Cristo*, revelou algumas das práticas desta ciência funesta. Não repetiremos, depois dele, as tristes teorias do crime, como se envenenam as plantas, como os animais alimentados com plantas envenenadas adquirem uma carne doentia, e podem, quando servem, por sua vez, de alimento aos homens, lhes causar a morte, sem que o veneno deixe sinal; não diremos como, por unções venenosas, se envenenam as paredes das casas e o ar respirável por fumigações, que exigem do operador o uso da máscara de vidro de Santa Cruz; deixaremos à antiga Canidia os seus abomináveis mistérios, e não procuraremos até que ponto os ritos infernais de Sagana aperfeiçoaram a arte de Locusta. Seja-nos suficiente dizer que estes malfeitores da pior espécie destilavam junto o *vírus* das doenças contagiosas, o veneno dos répteis e o suco nocivo das plantas; que tiravam do cogumelo o seu humor viscoso e narcótico, do *datura stramonium* seus princípios asfixiantes, do pessegueiro e do loureiro-amêndoa o veneno de que uma só gota na língua ou no ouvido, como um raio, faz cair e mata o ser vivo mais bem constituído e mais forte. Faziam ferver com o suco branco do titímalo o leite em que tinham afogado víboras e áspides; colhiam com cuidado e traziam das suas viagens, ou faziam vir, por altos preços, a seiva de uma árvore venenosa das Antilhas e os frutos de Java, o suco da mandioca e de outros venenos; pulverizavam o sílex, misturavam com cinzas impuras a baba seca dos répteis: produziam poções mágicas horrendas com o *vírus* dos jumentos enraivecidos e as secreções das cadelas com cio. O sangue humano se misturava com drogas infames, e disso compunham um óleo que matava só pelo seu mau cheiro: isto lembra a torta burbônica de Panurgo. Até escreviam receitas de envenenamentos, disfarçando-as sob os termos técnicos da alquimia, e, em mais de um velho livro considerado hermético, o segredo do pó de projeção não é outro senão o pó de sucessão. No grande *Grimório*, ainda se acha uma dessas receitas, menos disfarçadas do que as outras, mas somente intitulada *Meio de fazer ouro*: é uma horrível decocção de verdete, vitríolo, arsênico e serragem de madeira, que deve, para ser boa, consumir imediatamente um ramo que nela for molhado e roer rapidamente um prego. Giovanni Battista Della Porta, conhecido também como João Batista Della Porta, na sua obra *Magia Natural*, dá uma receita do veneno dos Bórgias; mas, como bem se pensa, ele zomba do público e não divulga a verdade, muito perigosa em tal matéria. Podemos, pois, dar aqui a receita de sua criação, somente para satisfazer a curiosidade dos nossos leitores.

  O sapo, por si mesmo, não é venenoso, mas é uma esponja de venenos: é o cogumelo do reino animal. Tomai, pois, um grande sapo, diz Della Porta, e prendei-o numa garrafa com víboras e áspides; dai-lhes para alimento, durante vários dias, cogumelos venenosos, a digital e a cicuta, depois irritai-os, batendo-lhes, queimando-os e atormentando-os de todas as maneiras, até que morram de raiva e de fome; salpicai-os, então, de escuma de cristal pulverizado e eufórbio, depois pô-los-eis numa redoma bem fechada e fareis secar lentamente toda sua umidade pelo fogo; em seguida, deixareis esfriar e separareis a cinza dos cadáveres do pó incombustível que tiver ficado no fundo da redoma: tereis, então, dois venenos, um líquido e outro em pó. O líquido será tão eficaz como a água Toffana, o pó fará dessecar ou envelhecer em alguns dias, depois morrer no meio de horríveis sofrimentos, ou numa atonia geral, aquele que dele tiver tomado uma pitada misturada a sua bebida. É preciso convir que esta receita tem uma fisionomia mágica das mais feias e mais negras, e que lembra, indignando o coração, as abomináveis cozinhas de Canidia e Medeia.

Eram semelhantes pós que os feiticeiros da Idade Média pretendiam receber no *Sabbat*, e que vendiam a grande preço à ignorância e ao ódio: é pela tradição de semelhantes mistérios que espalhavam o espanto nos campos e chegavam a lançar sortilégios. Uma vez ferida a imaginação, uma vez atacado o sistema nervoso, a vítima perecia rapidamente, e até o terror de seus pais e amigos acabava com a sua perda. O feiticeiro e a feiticeira eram quase sempre uma espécie de sapo humano, inchado de velhos rancores: eram pobres, repelidos de todos, e, por conseguinte, odiosos. O temor que inspiravam era a sua consolação e vingança; envenenados, também, por uma sociedade de que só tinham conhecido as escórias e os vícios, envenenavam por sua vez os que eram tão fracos para os temer, e vingavam-se na beleza e na juventude a sua velhice maldita e sua imperdoável fealdade.

Só a operação destas más obras e a realização destes horrendos mistérios constituíam e confirmavam o que então era chamado o pacto com os maus espíritos. É certo que o operador devia pertencer ao mal em corpo e alma, e que merecia justamente a reprovação universal e irrevogável expressa pela alegoria do inferno. Que almas humanas tenham descido a este grau de malvadez e demência, isto deve nos espantar e afligir, sem dúvida; mas não é preciso uma profundidade para base da altura das mais sublimes virtudes, e o abismo dos infernos não mostra, por antítese, a elevação e grandeza infinita do céu?

No Norte, onde os instintos são mais reprimidos e mais vivazes; na Itália, onde as paixões são mais expansivas e mais ardentes, ainda são temidas os sortilégios e o mau-olhado; em Nápoles, não é desafiada impunemente a *jettatura*, e até reconhecemos, por certos sinais exteriores, os seres desgraçadamente dotados desse poder.

Para garantir-se contra isso, é preciso trazer consigo chifres, dizem os práticos, e o povo, que toma tudo ao pé da letra, apressa-se em enfeitar-se com pequenos cornos, sem pensar mais no sentido desta alegoria. Os chifres, atributos de Zeus Amon, Baco e Moisés, são símbolos da força moral ou do entusiasmo; e os magos querem dizer que, para desafiar a *jettatura*, é preciso dominar por uma grande ousadia, um grande entusiasmo ou um grande pensamento a corrente fatal dos instintos. É assim que quase todas as superstições populares são as interpretações profanas de algum grande axioma ou maravilhoso arcano da sabedoria oculta. Pitágoras, escrevendo os seus admiráveis símbolos, não legou aos sábios uma filosofia perfeita, e ao vulgo uma nova série de vãs observâncias e práticas ridículas? Assim, quando dizia: "Não pises no que cai da mesa, não cortes as árvores do grande caminho, não mates a serpente que caiu no teu quintal", não dava ele, sob alegorias transparentes, os preceitos da caridade, quer social, quer particular? E quando dizia: "Não te olhes no espelho com a luz da vela", não é um modo engenhoso de ensinar o verdadeiro conhecimento de si mesmo, que não poderia existir com as luzes fictícias e os preconceitos dos sistemas? O mesmo acontece com todos os outros preceitos de Pitágoras, que, como se sabe, foram seguidos ao pé da letra por uma multidão de discípulos imbecis, a ponto de, entre as observâncias supersticiosas das nossas províncias, existir um tão grande número delas, que, evidentemente, remontam à inteligência primitiva dos símbolos de Pitágoras.

    Superstição vem de uma palavra latina que significa sobreviver. É o sinal que sobrevive ao pensamento; é o cadáver de uma prática religiosa. A superstição é, para a iniciação, o que a ideia do diabo é para a de Deus. É nesse sentido que o culto das imagens é proibido e que o dogma mais santo na sua concepção primitiva pode tornar-se supersticioso e ímpio, quando se perderam a sua inspiração e o seu espírito. É então que a religião, sempre única como a razão suprema, muda de vestimentas e abandona os antigos ritos à cupidez e embuste dos caídos, metamorfoseados, pela sua malícia e ignorância, em charlatães e pelotiqueiros.

    Podemos comparar às superstições os emblemas e caracteres mágicos, cujo sentido não é mais entendido, e que são gravados casualmente nos amuletos e talismãs. As imagens mágicas dos antigos eram pentáculos, isto é, sínteses cabalísticas. A roda de Pitágoras é um pentáculo análogo ao das rodas de Ezequiel, e estas duas figuras são os mesmos segredos e a mesma filosofia; é a chave de todos os pentáculos, e já falamos dela. Os quatro animais, ou antes a esfinge de quatro cabeças do mesmo profeta, são idênticos a um admirável símbolo indiano, cuja figura damos aqui, e que se refere à ciência do grande arcano.

    São João, no seu *Apocalipse*, copiou e amplificou Ezequiel, e todas as figuras monstruosas deste livro são tantos pentáculos mágicos de que os cabalistas facilmente acham a chave. Mas os cristãos, tendo rejeitado a ciência, no desejo de amplificar a fé, quiseram esconder por mais tempo a origem do seu dogma, e condenaram ao fogo os livros de Cabala e magia. Destruir os originais é dar uma espécie de originalidade às cópias, e S. Paulo, sem dúvida, o sabia muito bem, quando, nas intenções talvez mais louváveis, realizava o seu auto de fé científico de Éfeso. É assim que, seis séculos mais tarde, o crente Omar devia sacrificar à originalidade do Alcorão a biblioteca de Alexandria, e quem sabe se, no porvir, um futuro apóstolo não quererá incendiar nossos museus literários e confiscar a imprensa em proveito de alguma predileção religiosa e de alguma lenda novamente acreditada?

O estudo dos talismãs e pentáculos é um dos mais curiosos da magia, e se refere à numismática histórica.

Existem talismãs indianos, egípcios e gregos, medalhas cabalísticas provindas dos hebreus antigos e modernos, abraxas gnósticos, amuletos bizantinos, moedas ocultas, em uso entre as sociedades secretas e chamadas, às vezes, *senhas do Sabbat*, medalhas dos Templários e joias de franco-maçons. Coglienus, no seu *Tratado das Maravilhas da Natureza*, descreve os talismãs de Salomão e do rabino Chael. As figuras de maior número de outros, e mais antigos, foram gravadas nos calendários mágicos de Tycho-Brahe e Duchenteau, e devem ser reproduzidas, na totalidade ou em parte, nos fastos iniciáticos do Sr. Ragon, vasto e sábio trabalho que recomendamos aos nossos leitores.

19 ק T

A PEDRA DOS FILÓSOFOS

ELAGABALA
VOCATIO
SOL
AURUM

Os antigos adoravam o Sol sob a forma de uma pedra preta que denominavam Elagabala ou Heliogabala. Que significava esta pedra e como podia ela ser a imagem do mais brilhante dos astros?

Os discípulos de Hermes, antes de prometer aos seus adeptos o elixir de longa vida, ou o pó de projeção, lhes recomendavam que procurassem a *pedra filosofal*. Que é esta *pedra*, e por que uma pedra?

O grande iniciador dos cristãos convida seus fiéis a construir sobre uma *pedra*, se não quiserem ver derrubadas suas construções. Chama a si próprio de *pedra* angular e diz ao mais crente dos seus apóstolos: "Chama-te *Pedro*, porque és a *pedra* sobre a qual construirei a minha Igreja".

Esta *pedra*, dizem os mestres de alquimia, é o verdadeiro sal dos filósofos, que entra por um terço na composição do *azoth*. Ora, *Azoth* é, como sabemos, o nome do grande agente hermético e do verdadeiro agente filosofal; por isso representam eles o seu sal sob a forma de uma pedra cúbica, como podemos ver nas doze chaves de Basílio Valentino ou nas alegorias de Trevisano.

Que é, pois, em verdade, esta pedra? É o fundamento da filosofia absoluta, é a suprema e inabalável razão. Antes de pensar na obra metálica é preciso estar sempre fixo sobre os princípios absolutos da sabedoria, é preciso possuir esta razão, que é a pedra de toque da verdade. Nunca um homem de preconceitos será rei da natureza e senhor das transmutações. A pedra filosofal é, pois, antes de tudo, necessária; mas, como achá-la? Hermes no-lo ensina na sua tábua de esmeralda. É preciso separar o sutil do fixo, com grande cuidado e uma atenção extrema. Assim, devemos desembaraçar as nossas certezas das nossas crenças e fazer bem distintos os domínios respectivos da ciência e da fé; compreender bem que não sabemos as coisas em que cremos, e que não cremos mais em nenhuma das coisas que chegamos a saber, e que, assim, a essência das coisas da fé é o desconhecido e o indefinido, ao passo que é tudo o contrário das coisas da ciência.

Concluirão disso que a ciência repousa sobre a razão e a experiência, ao passo que a fé tem para base o sentimento e a razão. Em outros termos, a pedra filosofal é a verdadeira certeza que a prudência humana dá às investigações conscienciosas e à dúvida modesta, ao passo que o entusiasmo religioso a dá exclusivamente à fé. Ora, ela não pertence nem à razão sem aspirações, nem às aspirações desrazoáveis; a verdadeira certeza é a aquiescência recíproca da razão que sabe ao sentimento que crê, e do sentimento que crê à razão que sabe. A aliança definitiva da razão e da fé resultará não da sua distinção e separação absolutas, mas do seu exame mútuo e do seu concurso fraterno. Tal é o sentido das duas colunas do pórtico de Salomão, uma das quais é branca e a outra preta. Elas são distintas e separadas, até são contrárias em aparência; mas se a força cega quer reuni-las, aproximando-as, a abóbada do templo se desmoronará; porque, separadas, têm uma idêntica força; reunidas, são duas forças que se destroem mutuamente. É pela mesma razão que o poder espiritual se enfraquece, quando quer usurpar o temporal, e que o poder temporal perece, vítima da sua usurpação do poder espiritual. Gregório VII perdeu o papado, e os reis cismáticos perderam e perderão a monarquia. O equilíbrio humano tem necessidade de dois pés, os mundos gravitam sobre duas forças, a geração exige dois sexos. Tal é o sentido do Arcano de Salomão, figurado pelas duas colunas do templo, Jakin e Bohas.

O sol e a lua dos alquimistas correspondem ao mesmo símbolo, e concorrem para o aperfeiçoamento e a estabilidade da pedra filosofal. O sol é o signo hieroglífico da verdade, porque é a fonte visível da luz, e a pedra bruta é o símbolo da estabilidade. É por isso que os antigos magos tomavam a pedra Elagabala pela própria figura do sol, e é também por isso que os alquimistas da Idade Média indicavam a pedra filosofal como o primeiro meio de fazer o ouro filosófico, isto é, de transformar todas as forças vitais figuradas pelos seis metais em sol, isto é, em verdade e em luz, primeira e indispensável operação da Grande Obra, que leva às adaptações secundárias, e que faz pelas analogias da natureza, achar o ouro natural e grosseiro aos criadores do ouro espiritual e vivo, aos possuidores do verdadeiro sal, do verdadeiro mercúrio e do verdadeiro enxofre filosófico.

Encontrar a pedra filosofal é, pois, ter descoberto o Absoluto, como dizem alhures todos os mestres. Ora, o Absoluto é o que não admite mais erro, é o fixo do volátil, é a regra da imaginação, é a própria necessidade do ser, é a lei imutável de razão e verdade; o Absoluto é o que é. Ora, o que existe, existe de algum modo antes daquela que é. O próprio Deus não existe sem razão de ser e só pode existir em virtude de uma suprema e inevitável razão. É, pois, esta razão que é o absoluto; é nela que devemos crer, se quisermos que a nossa fé tenha uma base razoável e sólida. Puderam dizer, nos nossos dias, que Deus é somente uma hipótese, mas a razão absoluta não o é: ela é essencial ao ser.

Santo Tomás disse: "Uma coisa não é justa porque Deus a quer, mas Deus a quer porque ela é justa". Se Santo Tomás tivesse deduzido logicamente todas as consequências deste belo pensamento, teria achado a pedra filosofal e, em lugar de limitar-se a ser o anjo da escola, teria sido o seu reformador.

Crer na razão de Deus e no Deus da razão é tornar impossível o ateísmo. São os idólatras que fizeram os ateus. Quando Voltaire dizia: "Se Deus não existisse, era preciso inventá-lo", ele antes sentia que não entendia a razão de Deus. Deus existe realmente? Nada sabemos disso, mas desejamos que isso seja, e é por isso que nós o cremos. A fé formulada assim é a fé razoável, porque admite a dúvida da ciência; e, com efeito, só cremos nas coisas que nos parecem prováveis, mas que não sabemos. Pensar de outro modo é delirar; falar de outro modo é expressar-se como iluminado ou fanático. Ora, não é a semelhantes pessoas que a pedra filosofal é prometida.

Os ignorantes que desviaram o cristianismo primitivo do seu caminho, substituindo a fé à ciência, o sonho à experiência, o fantástico à realidade; os inquisidores que fizeram, durante tantos séculos, uma guerra de extermínio à magia, chegaram a cobrir de trevas as antigas descobertas do espírito humano; de modo que hoje andamos às apalpadelas para achar de novo a chave dos fenômenos da natureza. Ora, todos os fenômenos naturais dependem de uma única e imutável lei, representada também pela pedra filosofal, mas principalmente pela forma simbólica, que é o cubo. Esta lei, expressa na Cabala pelo quaternário, tinha fornecido aos hebreus todos os mistérios do seu tetragrama divino. Podemos, pois, dizer que a pedra filosofal é quadrada em todos os sentidos, como a Jerusalém celeste de S. João, e que traz escrito de um lado o nome de שלמה e do outro o de Deus; numa das suas faces o de Adão, na outra o de *Heva*, depois os de *Azoth* e *Inri* nas duas outras. No frontispício de uma tradução francesa de um livro do senhor de Nuisement sobre o sal filosófico, vê-se o espírito da terra de pé num cubo que é percorrido por línguas de fogo; tem um caduceu como *phallus*, e o sol e a lua no peito, à direita e à esquerda; está barbado, coroado, e tem um cetro na mão. É o *Azoth* dos sábios no seu pedestal de sal e enxofre. Dão, às vezes, a esta imagem a cabeça simbólica do bode de Mendes; é o Baphomet dos Templários, o bode do *Sabbat* e o verbo dos gnósticos; imagens bizarras que serviram de espantalho ao vulgo, depois de terem servido para as meditações dos sábios, hieróglifos inocentes do pensamento e da fé que serviram de pretexto aos furores das perseguições. Quanto os homens são desgraçados na sua ignorância, mas também quanto desprezariam a si mesmos se chegassem a conhecê-la!

20 ר U

A MEDICINA UNIVERSAL

CAPUT
RESSURRECTIO
CIRCULUS

A maioria das nossas doenças físicas vem das nossas doenças morais, conforme o dogma mágico único e universal, e em razão da lei das analogias.

Uma grande paixão à qual a pessoa se abandona corresponde sempre a uma grande doença que prepara a si mesma. Os pecados mortais são assim chamados porque fazem física e positivamente morrer.

Alexandre, o Grande, morreu de orgulho. Ele era naturalmente temperante e entregou-se por orgulho aos excessos que lhe deram a morte.

Francisco I morreu de um adultério.

Luís XV morreu por causa do seu viveiro de veados.

Quando Marat foi assassinado, morria de cólera e inveja. Era um monômano de orgulho, que se julgava único justo, e desejava matar tudo o que não fosse Marat.

Vários contemporâneos nossos morreram de ambição fracassada depois da Revolução de Fevereiro de 1848.

Desde que a vossa vontade esteja irrevogavelmente confirmada numa tendência absurda, estais morto, e a escolha em que ficareis em pedaços não está longe.

É, pois, verdade dizer que a sabedoria conserva e prolonga a vida.

O grande Mestre disse: "A minha carne é um alimento e o meu sangue uma bebida. Comei minha carne e bebei meu sangue; tereis vida". E como o vulgo murmurava, acrescentou: "A carne aqui nada significa; as palavras que vos digo são espírito e vida". Queria, pois, dizer: "Saciai-vos do meu espírito e vivei da minha vida".

E, quando ia morrer, uniu a lembrança da sua vida ao signo do pão e a de seu espírito ao signo do vinho, e instituiu, assim, a comunhão da fé, da esperança e da caridade.

É no mesmo sentido que os mestres do hermetismo disseram: Fazei potável o ouro e tereis a medicina universal; isto é, apropriai a verdade aos vossos costumes, que ela se torne a fonte em que vos saciareis todos os dias, e tereis em vós mesmos a imortalidade dos sábios. A temperança, a tranquilidade da alma, a simplicidade de caráter, a calma e a razão da vontade não só fazem o homem feliz, mas também sábio e forte. É fazendo-se razoável e bom que o homem se torna imortal. Somos autores do nosso destino, e Deus não nos salva sem nossa colaboração.

A morte não existe para o sábio: a morte é um fantasma tornado horrível pela ignorância e a fraqueza do vulgo.

A mudança atesta o movimento, e o movimento só revela a vida. Até o cadáver não se decomporia se fosse morto: todas as moléculas que o compunham ficam vivas e se movem para se desprender.

E pensareis que o espírito foi o primeiro a desprender-se para não mais viver! Creríeis que o pensamento e o amor podem morrer, quando até a matéria mais grosseira não morre!

Se a mudança deve ser chamada morte, morremos e renascemos todos os dias, porque todos os dias as nossas formas mudam.

Temamos, pois, manchar e rasgar os nossos vestuários, mas não temamos deixá-los quando vem a hora do repouso.

O embalsamamento e a conservação dos cadáveres são uma superstição contra a natureza. É um ensaio de criação da morte; é a imobilização forçada de uma substância de que a vida tem necessidade. Mas não se deve também ter muita pressa de destruir ou fazer desaparecerem os cadáveres, porque nada se realiza repentinamente na natureza, e não se deve arriscar romper violentamente os laços de uma alma que se desprende.

A morte nunca é instantânea; ela se opera por graus, como o sono. Enquanto o sangue não esfriou completamente, enquanto os nervos podem estremecer, o homem não está completamente morto, e, se nenhum dos órgãos essenciais da vida está destruído, a alma pode ser chamada, quer por acidente, quer por uma vontade forte.

Disse um filósofo que duvidaria do testemunho universal antes de crer na ressurreição de um morto, e nisso falou temerariamente; porque é pela fé do testemunho universal que ele acreditava na impossibilidade de uma ressurreição. Que seja provada uma ressurreição, que é que resultaria disso? Que era preciso negar a evidência ou renunciar à razão? Seria absurdo supô-lo. Será necessário concluir, simplesmente, que se acreditou, sem razão, impossível o ressurreicionismo. *Ab actu ad posse valet consecutio.*

Ousemos, agora, afirmar que a ressurreição é possível, e que até ela acontece mais do que cremos. Quantas pessoas, cuja morte foi jurídica e cientificamente constatada, foram encontradas mortas, é verdade, no seu caixão, mas tendo vivido, e tendo roído os punhos para abrir as suas artérias e escapar, por uma nova morte, de horríveis sofrimentos! Um médico nos dirá que estas pessoas não estavam mortas, mas sim em letargia? É o nome que dais à morte começada que não acaba, à morte que uma volta à vida vem desmentir. Facilmente nos libertamos de embaraços com palavras, quando é impossível explicar as coisas.

A alma está presa ao corpo pela sensibilidade e, desde que a sensibilidade cessa, é sinal certo que a alma se afasta. O sono magnético é uma letargia ou morte fictícia, e curável à vontade. A eterização ou o torpor produzido pelo clorofórmio é uma letargia verdadeira, que, às vezes, acaba por uma morte definitiva, quando a alma, feliz pelo seu despreendimento passageiro, faz esforço de vontade para ir-se embora definitivamente; o que é possível nos que venceram o inferno, isto é, cuja força moral é superior às da atração astral. Por isso, a ressurreição só é possível para as almas elementares, e são principalmente elas que estão sujeitas a reviver involuntariamente no túmulo. Os grandes homens e os verdadeiros sábios nunca são enterrados vivos.

Daremos, no nosso *Ritual*, a teoria e a prática do ressuscitamento, e, aos que me perguntarem se ressuscitei mortos, responderei que, se lhes dissesse, não me acreditariam.

Resta-nos examinar, aqui, se a abolição da dor é possível, e se é bom empregar o clorofórmio ou o magnetismo para as operações cirúrgicas. Pensamos, e a ciência o reconhecerá mais tarde, que, diminuindo a sensibilidade, diminuímos a vida, e que tudo o que se tira da dor em tais circunstâncias vem em proveito da morte. A dor atesta a luta da vida, por isso notamos que, nas pessoas operadas em letargia, os curativos são muito dolorosos. Se reiterássemos em cada curativo o adormecimento pelo clorofórmio, aconteceria uma das duas: ou o doente morreria, ou entre os curativos a dor voltaria e seria contínua. Não violentamos impunemente a natureza.

21 ש X

A ADIVINHAÇÃO

DENTES
FURCA
AMEN

O autor deste livro ousou muito na sua vida e nunca um temor reteve cativo o seu pensamento. Não é, entretanto, sem verdadeiro terror que chega ao fim do dogma mágico.

Trata-se, agora, de revelar ou, antes, encobrir de novo o grande Arcano, este segredo terrível, segredo de vida e de morte, expresso na Bíblia por estas formidáveis e simbólicas palavras da própria serpente simbólica: I - *Nequaquam moriemini;* II - *Sed eritis;* III - *Sicut Dii;* IV - *Scientes bonum et malum.*

Um dos privilégios do iniciado ao grande Arcano e que resume todos os outros é a *Adivinhação.*

Conforme o sentido vulgar da palavra, adivinhar significa conjeturar o que se ignora; mas o verdadeiro sentido da palavra é inefável à força de ser sublime. Adivinhar (*divinari*) é exercer a divindade. A palavra *divinus*, em latim, significa mais e outra coisa que a palavra *divus*, cujo sentido é equivalente ao do homem-Deus. *Devin**, em francês, contém as quatro letras da palavra Dieu**, mais a letra N, que corresponde, pela sua forma, ao hebraico א e que exprime, cabalística e hieroglificamente, o grande Arcano, cujo símbolo, no Tarô, é a figura do pelotiqueiro.

Aquele que entender perfeitamente o valor numeral absoluto de א multiplicado por N, com a força gramatical do N final nas palavras que exprimem *ciência, arte* ou *poder,* depois adicionar as cinco letras da palavra *Devin,* de modo a fazer entrar cinco em quatro, quatro em três, três em dois e dois em um, traduzindo

---

* Adivinho.
** Deus.

o número que achar em letras hebraicas primitivas, escreverá o nome oculto do grande Arcano, e possuirá uma palavra de que o próprio santo tetragrama é simplesmente o equivalente e como que a imagem.

Ser adivinho, conforme a força da palavra, é, pois, ser divino, e alguma coisa mais misteriosa ainda.

Os dois sinais da divindade humana, ou da humanidade divina, são as profecias e os milagres.

Ser profeta é ver adiantadamente os efeitos que existem nas causas, é ler na luz astral; fazer milagres é agir sobre o agente universal e submetê-lo à nossa vontade.

Perguntarão ao autor deste livro se é profeta e taumaturgo.

Que os curiosos procurem e leiam tudo o que ele escreveu antes de certos acontecimentos que se realizaram no mundo.

Quanto ao que teria podido dizer ou fazer, se contasse e que nisso houve alguma coisa maravilhosa, dariam crédito à sua palavra?

Aliás, uma das condições essenciais da adivinhação é nunca ser forçada e nunca submeter-se à tentação, isto é, à prova. Nunca os mestres da ciência cederam à curiosidade de ninguém. As sibilas queimam seus livros quando Tarquínio recusa apreciá-las no seu justo valor; o grande Mestre cala-se quando lhe pedem sinais da sua missão divina; Agrippa morre de miséria antes de obedecer aos que exigem dele um horóscopo. Dar prova da ciência aos que duvidam da própria ciência é iniciar indignos, é profanar o ouro do santuário, é merecer a excomunhão dos sábios e a morte dos reveladores.

A essência da adivinhação, isto é, o grande Arcano mágico, é figurada por todos os símbolos da ciência, e se liga estreitamente com o dogma único e primitivo de Hermes. Em filosofia, dá a certeza absoluta; em religião, o segredo universal da fé; em física, a composição, a decomposição, a recomposição, a realização e a adaptação do mercúrio filosofal, chamado *azoth* pelos alquimistas; em dinâmica, multiplica as nossas forças pelas do movimento perpétuo; é, ao mesmo tempo, místico, metafísico e material, com correspondência de efeitos nos três mundos; obtém caridade em Deus, verdade em ciência e ouro em riqueza, porque a transmutação metálica é, ao mesmo tempo, uma alegoria e uma realidade, como muito bem sabem todos os adeptos da verdadeira ciência.

Sim, podemos real e materialmente fazer ouro com a pedra dos sábios, que é uma amálgama de sal, enxofre e mercúrio combinados três vezes em *azoth* por uma tríplice sublimação e uma tríplice fixação.

Sim, a operação é, muitas vezes, fácil e pode ser feita num dia, num instante: outras vezes, exige meses e anos. Mas, para ter sucesso na Grande Obra, é preciso ser *divinus*, ou adivinho, no sentido cabalístico da palavra, e é indispensável ter renunciado, para seu interesse pessoal, às vantagens das riquezas, de que nos tornamos, assim, dispensadores. Raimundo Lúlio enriquecia soberanos, semeava a Europa de suas fundações e permanecia pobre; Nicolas Flamel, que está bem morto, apesar do que diz a lenda, só achou a Grande Obra depois de ter, pelo ascetismo, chegado a um desapego completo das riquezas. Foi iniciado pela inteligência que teve repentinamente do livro de *Asch Mezareph*, escrito em hebraico pelo cabalista Abraão, talvez o mesmo que redigiu o *Sefer Yetzirah*. Ora, esta inteligência foi, em Flamel, uma intuição merecida ou antes tornada possível pelas preparações pessoais do adepto. Creio ter dito o suficiente.

A adivinhação é, pois, uma intuição, e a chave desta intuição é o dogma universal e mágico das analogias. É pelas analogias que o mago interpreta os sonhos, como vemos na Bíblia, que o patriarca José o fazia outrora no Egito: porque as analogias nos reflexos da luz astral são rigorosas como os matizes das cores na luz solar, e podem ser calculadas e explicadas com grande exatidão. É somente indispensável conhecer o grau de vida intelectual do sonhador, e pode-se revelá-lo inteiramente a si mesmo pelos seus próprios sonhos até deixá-lo profundamente admirado.

O sonambulismo, os pressentimentos e a segunda vista são simplesmente uma disposição, quer acidental, quer habitual, a sonhar num sono voluntário ou acordado, isto é, perceber os reflexos analógicos da luz astral. Explicaremos isto até a evidência no nosso *Ritual*, quando dermos o meio tão procurado de produzir e dirigir regularmente os fenômenos magnéticos. Quanto aos istrumentos adivinhatórios, esses são simplesmente meios de comunicação entre o adivinho e o consultante, e, muitas vezes, só servem para fixar as duas vontades sobre o mesmo signo; as figuras vagas, complicadas, móveis, ajudam a reunir os reflexos do fluido astral e é assim que vemos, nas borras de café, nas nuvens, na clara do ovo, etc., formas fatídicas, e que só existem no *translúcido*, isto é, na imaginação dos operadores. A visão na água se opera por ofuscação e fadiga do nervo ótico, que cede as suas funções ao translúcido e produz uma ilusão do cérebro, que toma por imagens reais os reflexos da luz astral; por isso, as pessoas nervosas, tendo vista fraca e imaginação viva, são mais próprias a este gênero de adivinhação, que tem sucesso principalmente quando é feita por crianças. Ora, não se enganem aqui sobre a função que atribuímos à imaginação nas artes adivinhatórias. Vemos pela imaginação, sem dúvida, e é esse o lado natural dos milagres, mas vemos coisas verdadeiras, e é nisso que consiste a maravilha da obra natural. Convidamos à experiência todos os verdadeiros adeptos. O autor deste livro experimentou todos os gêneros de adivinhação, e obteve resultados sempre proporcionais à exatidão das suas operações científicas e à boa fé dos seus consultantes.

O Tarô, este livro milagroso, inspirador de todos os livros sagrados dos antigos povos, é, por causa da exatidão analógica das suas figuras e dos seus números, o instrumento mais perfeito de adivinhação que possa ser empregado com inteira confiança. Com efeito, os oráculos desse livro são sempre rigorosamente verdadeiros, ao menos num sentido, e, quando nada prediz, sempre revela coisas ocultas e dá aos consultantes os mais sábios conselhos. Alliette, que, de cabeleireiro, se tornou cabalista, no último século, depois de ter passado trinta anos a meditar sobre o Tarô, Alliette, que se chamava cabalisticamente Etteilla, lendo o seu nome como se deve ler em hebraico, esteve bem perto de achar tudo o que estava escondido nesse livro estranho; mas só chegou a deslocar as chaves do Tarô, por não as compreender, e inverteu a ordem e os caracteres das figuras, sem destruir completamente as suas analogias, tanto elas são simpáticas e correspondentes umas com as outras. Os escritos de Etteilla, tornados muito raros, são obscuros, fatigantes e de um estilo verdadeiramente bárbaro; nem todos foram impressos, e os manuscritos desse pai dos modernos tiradores de cartas estão ainda nas mãos de um livreiro de Paris, que teve a bondade de no-los mostrar. O que se pode ver neles de mais notável são os estudos teimosos e a boa fé do autor, que toda a sua vida pressentiu a grandeza das ciências ocultas, e teve de morrer à porta do santuário, sem nunca poder penetrar além do véu. Estimava pouco Agrippa, fazia grande caso de Jean Belot, e nada conhecia da filosofia de Paracelso; mas tinha uma intuição muito exercitada, uma vontade muito perseverante, e mais sonho do que juízo; era muito pouco para ser um mago, mas era mais do que necessário para ser um adivinho vulgar muito hábil, e, por conseguinte, muito acreditado. Por isso, Etteilla teve um sucesso em voga que um mago mais sábio talvez errasse em não pretender, mas que certamente não pretenderia.

Dizendo, no fim do nosso *Ritual,* a última palavra do Tarô, indicaremos o modo completo de o ler, e, por conseguinte, de o consultar, não somente sobre as sortes prováveis do destino, mas também, e principalmente, sobre os problemas da filosofia e da religião, de que dá uma solução sempre certa e da mais admirável exatidão, e se for explicado na ordem hierárquica da analogia dos três mundos com as três cores e os quatro matizes que compõem o setenário sagrado. Tudo isto pertence à prática positiva da magia, e somente pode ser sumariamente indicado e estabelecido em princípio nesta primeira parte, que contém, exclusivamente, o dogma da alta magia e a chave filosófica e religiosa das altas ciências, conhecidas ou antes ignoradas sob o nome de ciências ocultas.

22 ת Z

RESUMO E CHAVE GERAL DAS QUATRO CIÊNCIAS OCULTAS

SIGNA
THOT
PAN

Resumamos, agora, toda a ciência dos princípios.

A analogia é a última palavra da ciência e a primeira palavra da fé.

A harmonia está no equilíbrio, e o equilíbrio subsiste pela analogia dos contrários.

A unidade absoluta é a razão suprema e última das coisas. Ora, esta razão não pode ser uma pessoa nem três pessoas: é uma razão, e é a razão por excelência.

Para criar o equilíbrio é preciso separar e unir: separar pelos polos, unir pelo centro.

Raciocinar sobre a fé é destruir a fé; fazer misticismo em filosofia é atentar contra a razão.

A razão e a fé se excluem mutuamente pela sua natureza e se unem pela analogia.

A analogia é o único mediador possível entre o visível e o invisível, entre o finito e o infinito. O dogma é a hipótese sempre ascendente de uma equação presumível.

Para o ignorante, é a hipótese que é a afirmação absoluta, e a afirmação absoluta que é a hipótese.

Há, na ciência, hipóteses necessárias, e aquele que procura realizá-las, engrandece a ciência, sem restringir a fé, porque do outro lado da fé há o infinito.

Nós cremos naquilo que ignoramos, e que a razão quer que admitamos.

Definir o objeto da fé e circunscrevê-lo é, pois, formular o desconhecido. As profissões de fé são as fórmulas da ignorância e das aspirações do homem. Os teoremas da ciência são os monumentos das suas conquistas.

O homem que nega a Deus é tão fanático como aquele que o define com uma pretensa infalibilidade. Ordinariamente, definimos Deus dizendo tudo o que ele não é.

O homem faz Deus por uma analogia do menos ao mais: resulta disso que a concepção de Deus no homem é sempre a de um homem infinito, o que faz do homem um Deus finito.

O homem pode realizar o que acredita na medida do que sabe e em razão do que ignora, e faz tudo o que quer na medida do que crê e em razão do que sabe.

A analogia dos contrários é a relação da luz à sombra, da saliência à cavidade, do *Plenum* ao vazio. A alegoria, mãe de todos os dogmas, é a substituição das estampas aos clichês, das sombras às realidades. É a mentira da verdade e a verdade da mentira.

Ninguém inventa um dogma, cobre-se com um véu uma verdade, e produz-se uma sombra em favor dos olhos fracos. O iniciador não é um impostor, é um revelador; isto é, conforme a expressão da palavra latina *revelare*, um homem que vela de novo é o criador de uma nova sombra.

A analogia é a chave de todos os segredos da natureza e a única razão de ser de todas as revelações.

Eis por que as religiões parecem estar escritas no céu e em toda a natureza; isto deve ser porque a obra de Deus é o livro de Deus, e no que ele escreve devemos ver a expressão do seu pensamento e, por conseguinte, do seu ser, pois que nós o concebemos como o pensamento supremo. Dupuis e Volney só viram um plágio nesta esplêndida analogia que devia tê-los levado a reconhecer a catolicidade, isto é, a universalidade do dogma primitivo, único, mágico, cabalístico e imutável da revelação pela analogia.

A analogia dá ao mago todas as forças da natureza; a analogia é a quintessência da pedra filosofal, é o segredo do movimento perpétuo, é a quadratura do círculo, é o templo que repousa sobre as duas colunas *Jakin* e *Bohas*, é a chave do grande Arcano, é a raiz da árvore da vida, é a ciência do bem e do mal.

Achar a escala exata das analogias nas coisas apreciáveis pela ciência é fixar as bases da fé e, assim, apoderar-se da varinha dos milagres. Ora, existe um princípio e uma fórmula rigorosa, que é o grande Arcano. Não o procure no sábio, ele já o achou; mas o vulgo que o procure sempre, nunca o achará.

A transmutação metálica se opera espiritual e materialmente pela chave positiva das analogias.

A medicina oculta é simplesmente o exercício da vontade aplicada às próprias fontes da vida, a esta luz astral, cuja existência é um fato, e cujo movimento é conforme os cálculos, cuja escala ascendente e descendente é o grande Arcano mágico.

Este Arcano universal, último e eterno segredo da alta iniciação, é representado no Tarô por uma jovem nua que só toca na terra com um pé, tem uma varinha mágica imantada em cada mão e parece correr numa coroa suportada por um anjo, uma águia, um boi e um leão. Esta figura é análoga, quanto ao fundo das coisas, ao querubim de Jekeskiel, que vulgarmente chamamos Ezequiel.

A inteligência desta figura é a chave de todas as ciências ocultas. Os leitores do meu livro já devem compreendê-la filosoficamente, se estiverem um pouco familiarizados com o simbolismo da Cabala. Resta-nos, agora, realizar o que é a segunda e mais importante operação da Grande Obra. Achar a pedra filosofal é alguma coisa, sem dúvida; mas como devemos triturá-la para fazer dela o pó de projeção? Qual é o emprego da varinha mágica? Qual é o poder real dos nomes divinos da Cabala? Os iniciados o sabem, e os iniciáveis o saberão se, pelas indicações tão múltiplas e tão exatas que acabamos de lhes dar, descobrirem o grande Arcano.

Por que essas verdades tão simples e tão puras sempre e necessariamente são ocultas aos homens? É que os eleitos da inteligência são em pequeno número na Terra, e parecem, no meio dos tolos e malvados, Daniel na cova dos leões.

Aliás, a analogia nos ensina as leis da hierarquia, e a ciência absoluta, sendo uma onipotência, deve ser a partilha exclusiva dos mais dignos. A confusão da hierarquia é a verdadeira decadência das sociedades, porque então os cegos guiam os cegos, conforme a palavra do Mestre. Que a iniciação seja restituída aos padres e reis, e a ordem se fará novamente. Por isso, fazendo apelo aos mais dignos, expondo-me a todos os perigos e a todas as maldições que rodeiam os reveladores, creio fazer uma coisa útil e grande: dirijo sobre o caos social o sopro de Deus vivo na humanidade, e evoco padres e reis para o mundo futuro!

Uma coisa não é justa porque Deus a quer, disse o anjo da escola; mas Deus a quer porque ela é justa. É como se tivesse dito: – O absoluto é a razão. A razão existe por si mesma; ela existe porque existe, e não porque a supomos; ela existe ou nada existe; e como quereis vós que exista alguma coisa sem razão? Até a loucura não se produz sem razão. A razão é a necessidade, é a lei, é a regra de toda liberdade e a direção de toda iniciativa. Se Deus existe, é pela razão. A concepção de um Deus absoluto, fora ou independente da razão, é o ídolo da magia negra, é o fantasma do Demônio.

O Demônio é a morte que se disfarça com as vestes gastas da vida; é o espectro de Hirrenkesept entronizado sobre os escombros das civilizações arruinadas, e escondendo a sua nudez horrível com os despojos abandonados das encarnações de Vischnu.

FIM DO PRIMEIRO VOLUME

Adda-Nari, grande Pentáculo Indiano

VOLUME SEGUNDO

RITUAL

Bode do *Sabbat* – Baphomet de Mendes

INTRODUÇÃO

Conheceis vós a velha soberana do mundo, que sempre caminha e nunca se cansa?

Todas as paixões desregradas, todas as voluptuosidades egoístas, todas as forças desenfreadas da humanidade e todas as fraquezas tirânicas precedem a proprietária avarenta do nosso vale de lágrimas, e, com a foicinha na mão, estas operárias infatigáveis fazem uma eterna colheita.

A rainha é velha como o tempo, mas esconde o seu esqueleto sob os restos da beleza das mulheres que ela rouba à sua juventude e aos seus amores.

A sua cabeça é coberta de cabelos frios que não lhe pertencem. Desde a cabeleira de Berenice, toda brilhante de estrelas, até os cabelos encanecidos precocemente, que o algoz cortou da cabeça de Maria Antonieta, a espoliadora das frontes coroadas enfeitou-se com os despojos das rainhas.

O seu corpo pálido e gélido está coberto de enfeites desbotados e mortalhas de trapos.

Suas mãos ósseas e cheias de anéis seguram diademas e ferros, cetros e ossos, pedrarias e cinzas.

Quando ela passa, as portas se abrem por si mesmas; entra através das paredes, penetra até nas alcovas aos reis, vem surpreender os despojadores do pobre nas suas mais secretas orgias, assenta-se à sua mesa e lhes dá de beber, sorri aos seus cantos com seus dentes sem gengivas, e toma o lugar da cortesã impura que se esconde sob as suas saias.

Gosta de andar junto dos voluptuosos que se adormecem; procura as carícias como se esperasse aquecer-se nos seus abraços, porém gela tudo o que toca e não se aquece nunca. Todavia, às vezes diríamos que está com vertigem; ela não passeia mais com lentidão, corre; e se os seus pés não são muito rápidos, chicoteia as ancas de um cavalo pálido e o lança todo estafado através das multidões. Com ela, galopa o assassinato num cavalo russo; o incêndio, estendendo sua cabeleira de fumaça, voa diante dela, movendo suas asas vermelhas e negras, e a fome e a peste a seguem passo a passo, em cavalos doentios e descarnados, catando as raras espigas que ela esquece para completar a sua ceifa.

Depois deste cortejo fúnebre, vêm duas crianças irradiantes de sorriso e de vida, a inteligência e o amor do século futuro, o duplo gênio da humanidade que vai nascer.

Diante deles, as sombras da morte recuam como a noite diante das estrelas da aurora; lavram a terra com ligeireza e semeiam nela, a mancheias, a esperança de um outro ano.

Porém, a morte não virá mais, implacável e terrível, roçar, como mato seco, as espigas maduras do século vindouro; ela cederá o lugar ao anjo do progresso que desprenderá suavemente as almas da sua cadeia mortal, para deixá-las subir para Deus.

Quando os homens souberem viver, não morrerão mais; transformar-se-ão como a crisálida que se torna uma borboleta brilhante.

Os terrores da morte são filhos da nossa ignorância, e a própria morte não é tão horrenda senão pelos restos de que se cobre e as cores sombrias com que se rodeiam suas imagens. A morte é verdadeiramente o trabalho da vida.

Existe na natureza uma força que não morre, e esta força transforma continuamente os seres para os conservar. Ela é a razão ou o verbo da natureza.

Existe também no homem uma força análoga à da natureza, e esta força é a razão ou o verbo do homem. O verbo do homem é a expressão da sua vontade dirigida pela razão.

Este verbo é onipotente quando é razoável, porque então é análogo ao próprio verbo de Deus.

Pelo verbo da sua razão, o homem faz-se conquistador da vida e pode triunfar da morte.

A vida inteira do homem é somente parturição ou o abortamento do seu verbo. Os entes humanos que morrem sem ter entendido e sem ter formulado a palavra de razão, morrem sem esperança eterna.

Para lutar com vantagem contra o fantasma da morte é preciso ter-se o homem identificado com as realidades da vida.

Que importa a Deus um aborto que morre, desde que a vida é eterna? Que importa à natureza um desvario que perece, desde que a razão sempre viva conserva as chaves da vida?

A força terrível e justa que mata eternamente os abortos foi chamada, pelos hebreus, Samael; pelos orientais, Satã; e pelos latinos, Lúcifer.

O Lúcifer da Cabala não é um anjo maldito e fulminado, é o anjo que ilumina e que regenera queimando; é para os anjos de paz o que o cometa é para as tranquilas estrelas das constelações da primavera.

A estrela fixa é bela, radiante e calma; ela respira os celestes aromas e olha com amor as suas irmãs; vestida com sua roupagem esplêndida e a fronte ornada de diamantes, ela sorri, cantando o seu cântico da manhã e da tarde; goza um repouso eterno que nada poderia perturbar, e caminha solenemente, sem sair do lugar que lhe é determinado entre as sentinelas da luz.

Contudo, o cometa errante, todo ensanguentado e desgrenhado, acorre das profundezas do céu; precipita-se através das esferas tranquilas, como um carro de guerra entre as fileiras de uma procissão de vestais; ousa afrontar a espada flamejante dos guardas do Sol, e, como uma esposa apaixonada que procura o esposo sonhado pelas suas noites de viuvez, penetra até o tabernáculo do rei dos dias, depois foge, exalando os fogos que o devoram e arrastando após si um longo incêndio; as estrelas empalidecem ao seu aproximar, os rebanhos constelados que pastam flores de luz nas vastas campinas do céu parecem fugir do seu sopro terrível. O grande conselho dos astros se reúne, e a consternação é universal: a mais bela das estrelas fixas é, enfim, encarregada de falar em nome de todo o céu e propor a paz ao mensageiro vagabundo.

Meu irmão – diz ela – por que perturbas a harmonia das nossas esferas? Que mal te fizemos nós e por que, em vez de errar ao acaso, não te fixas no teu lugar na corte do Sol? Por que não vens cantar conosco o hino da tarde, enfeitado, como nós, com uma roupa branca que se prende no peito por um broche de diamante? Por que deixas flutuar, através dos vapores da noite, a tua cabeleira, da qual escorre um suor de fogo? Oh! se tomasses um lugar entre os filhos do céu, quanto parecerias mais belo! A tua fronte não ficaria mais inflamada pela fadiga de tua carreira inaudita; teus olhos seriam puros e tua fronte sorridente seria branca e avermelhada como a de tuas felizes irmãs; todos os astros te conheceriam, e, longe de temer a tua passagem, se alegrariam ao teu aproximar; porque estarias ligado a nós pelos laços indestrutíveis da harmonia universal, e a tua existência seria mais uma voz no cântico do amor infinito.

E o cometa responde à estrela fixa:

Não creias, ó minha irmã, que possa errar ao acaso e perturbar a harmonia das esferas; Deus traçou meu caminho como o teu, e se à minha carreira te parece incerta e vagabunda, é porque os teus raios não poderiam estender-se tão longe para abarcar o contorno da elipse que me foi dada por carreira. A minha cabeleira inflamada é o fanal de Deus; sou o mensageiro dos sóis e fortaleço-me nos seus fogos para os partilhar no meu caminho aos novos mundos que ainda não têm bastante calor, e aos astros envelhecidos que têm frio na sua solidão. Se me afadigo nas minhas longas viagens, se sou de uma beleza menos atrativa do que a tua, se o meu enfeite é menos virginal, não deixo, por isso, de ser, como tu, um nobre filho do céu. Deixa-me o segredo do meu destino terrível, deixa-me o espanto que me rodeia, amaldiçoa-me se não podes compreender-me: não deixarei, por isso, de realizar a obra que me foi imposta e continuarei a minha carreira sob o impulso do sopro de Deus! Felizes das estrelas que repousam e que brilham, como jovens rainhas, na sociedade tranquila dos universos! Eu sou o proscrito que viaja sempre e tem o infinito por pátria. Acusam-me de incendiar os planetas que aqueço e de atemorizar os astros que ilumino; censuram-me de perturbar a harmonia dos universos porque não giro ao redor dos seus centros particulares e os prendo uns aos outros, fixando meus olhares no centro único de todos os sóis. Fica, pois, sossegada, bela estrela fixa, não quero tirar a tua luz tranquila; pelo contrário, esgotarei por ti a minha vida e o meu calor. Poderei desaparecer do céu quando me tiver consumido; a minha sorte terá sido tão bela! Sabe que no templo de Deus ardem fogos diferentes que lhe dão glória; tu és a luz dos candelabros de ouro, e eu a chama do sacrifício: realizemos os nossos destinos.

Acabando estas palavras, o cometa sacode a sua cabeleira, cobre-se com a sua couraça ardente e se lança nos espaços infinitos em que parece desaparecer para sempre.

É assim que aparece e desaparece Satã, nas narrações alegóricas da Bíblia.

Um dia, diz o livro de *Jó*, os filhos de Deus tinham vindo para se apresentarem ao Senhor e, entre eles, também estava Satã, a quem o Senhor perguntou: Donde vens?

E ele respondeu: Fiz a volta da Terra e a percorri.

Eis como um evangelho gnóstico, encontrado no Oriente por um sábio viajante, nosso amigo, explica, em proveito do simbólico Lúcifer a gênese da luz:

"A verdade que se conhece é o pensamento vivo. A verdade é o pensamento que está em si mesmo; e o pensamento formulado é a palavra. Quando o pensamento eterno procurou uma forma, disse: "Faça-se a luz!"

Ora, este pensamento que fala é o Verbo; e o Verbo diz: "Faça-se a luz, porque o próprio Verbo é a luz dos espíritos".

A luz incriada, que é o Verbo divino, irradia porque quer ser vista; e quando diz: "Faça-se a luz!", ordena aos olhos que se abram; cria inteligências.

E quando Deus disse: "Faça-se a luz!", a inteligência foi feita e a luz apareceu.

Ora, a inteligência, que Deus tinha vertido do sopro da sua boca, como uma estrela desprendida do sol, tomou a forma de um anjo esplêndido e o céu o saudou com o nome de Lúcifer.

A inteligência despertou-se e compreendeu totalmente a si mesma ao ouvir esta palavra do Verbo divino: "Faça-se a luz!"

Ela sentiu-se livre, porque Deus lhe tinha ordenado de o ser; e respondeu, levantando a cabeça e estendendo as suas asas:

– Não serei a escravidão!

– Serás, pois, a dor? – perguntou-lhe a voz incriada.

– Serei a Liberdade! – respondeu a voz.

– O orgulho te seduzirá – retrucou a voz suprema – e produzirás a morte.

– Tenho necessidade de lutar contra a morte para conquistar a vida – disse ainda a luz criada.

Deus, então, desprendeu do seu seio o fio de esplendor que retinha o anjo soberbo e, vendo-o lançar-se na noite que assinalava de glória, amou o filho do seu pensamento e, sorrindo com inefável sorriso, disse a si mesmo: "Como a luz era bela!"

Deus não criou a dor; é a Inteligência que a aceitou para ser livre. E a dor foi a condição imposta ao ser livre, por aquele que é o único que se não pode enganar, porque é infinito.

Porque a essência da inteligência é o juízo; e a essência do juízo é a liberdade.

O olho percebe realmente a luz pela faculdade de fechar-se e abrir-se. Se fosse forçado a estar sempre aberto, seria escravo e vítima da luz; e, para fugir desse suplício, cessaria de ver.

Assim, a Inteligência criada só é feliz de afirmar a Deus pela liberdade que tem de negar a Deus. Ora, a Inteligência que nega, afirma sempre alguma coisa, pois afirma a sua liberdade.

É por isso que o blasfemo glorifica a Deus; é por isso que o inferno era necessário à felicidade do céu.

Se a luz não fosse repelida pela sombra, não haveria formas visíveis.

Se o primeiro dos anjos não tivesse afrontado as profundezas da noite, a parturição de Deus não teria sido completa e a luz criada não teria podido separar-se da luz por essência.

Jamais a Inteligência teria sabido quanto Deus é bom, se nunca o tivesse perdido!

Jamais o amor infinito de Deus teria brilhado nas alegrias da sua misericórdia, se o filho pródigo do céu tivesse ficado na casa de seu pai.

Quando tudo era luz, a luz não estava em parte alguma; ela estava contida no seio de Deus que estava em trabalho para a produzir. E quando disse: "Faça-se a luz!", permitiu que a noite repelisse a luz e o universo saiu do caos.

A negação do anjo que, ao nascer, recusou ser escravo, constituiu o equilíbrio do mundo e o movimento das esferas começou.

E os espaços infinitos admiraram este amor da liberdade, tão imenso para encher o vazio da noite eterna e tão forte para suportar o ódio de Deus.

Mas Deus não podia odiar o mais nobre de seus filhos, e só o experimentava, pela sua cólera, para confirmá-lo no seu poder.

Por isso, o próprio Verbo de Deus, como se tivesse inveja de Lúcifer, quis descer do céu e atravessar triunfalmente as sombras do inferno.

Quis ser proscrito e condenado; e meditou, adiantadamente, a hora terrível em que exclamaria, no extremo do seu suplício: "Meu Deus! Meu Deus! por que me abandonaste?"*

---

* O próprio Jesus foi um iniciado dos Mistérios do Egito; encontro uma prova inegável num erro de tradução, evidentemente proposital, que fizeram, sucessivamente, todos os tradutores oficiais do evangelho de Mateus. Ei-lo: O versículo 46 do capítulo XXVII deste autor é assim concebido: E, pela nona hora, Jesus deu um grande brado dizendo: *Eli, Eli, lamma sabachthani!* Isto é: Meu Deus, meu Deus, por que me abandonaste?

Todos os manuscritos gregos transcrevem como segue estas quatro palavras hebraicas: *Eli, Eli lamma sabachthani*. Esta transcrição é unânime; pode-se, portanto, considerá-la como absolutamente exata; ela deve ser tanto mais exata, pois que não apresenta nenhuma dificuldade em ser, por sua vez, substituída pelo hebraico, em que, letra por letra, se escreve (o hebreu não contendo vogal) desta maneira: ´LI ´LI LMH ShBHhTn-NI; ora, a tradução desta frase não é: "Meu Deus, meu Deus, por que me abandonaste", mas sim: Meu Deus, meu Deus, quanto me glorificas!"

E esta frase era precisamente (com a única diferença proveniente da adaptação da ideia a uma outra língua) a fórmula que terminava, nos Mistérios do Egito, a prece de ação de graças do Iniciado; numa palavra, ela era sacramental e fazia parte dos ritos misteriosos.

Tenho tanto maior fundamento em ver na tradução oficial um contrassenso proposital, porque as edições que contêm esta tradução não deixam de remeter o leitor ao Salmo XXII (XXI de certas edições), vers. 1, que é: "Ó meu Deus! Ó meu Deus! por que me abandonaste?"

A tradução deste versículo do Salmo é, com efeito, exata, porém o texto é muito diferente do de Mateus; traz: ´LI, LI, LMH HhZBTh-NI (ou, acrescentando a transcrição dos pontos massoréticos: *hazabattva-ni*, fazendo o leitor observar que não se deve confundir o *Hh* do primeiro texto com o *Hh* do segundo; no primeiro caso, é um *Hheth*, aspiração gutural muito forte; que o grego substitui por um *Shi*; no segundo texto, é um *Ayin*, outra aspiração muito forte; para representar estes sons guturais das línguas semíticas, o alfabeto latino oferece uma só letra: H para as aspirações fracas e *Hh* para as aspirações fortes. Ora, a que homem de bom senso se pode fazer crer que, entre todos os hebraizantes oficiais que estudaram estes textos, não houvesse um para fazer o simplicíssimo trabalho que acabo de apresentar ao leitor, e, por sonseguinte, desvendar o erro?

Donde deriva, porém, este erro? Simplesmente disto: que, na época em que o evangelho de Mateus foi traduzido em grego por Jerônimo, esta fórmula ritual era conhecida pelos "Padres" contemporâneos, pois existia então ainda bom número de Iniciadores Hierofantes. Dar uma tradução exata seria classificar Jesus, *ipso facto*, entre os Iniciadores do Egito. E isto é tão vardadeiro que, embora tenha existido, embora, com certeza, ainda exista nas câmaras secretas da biblioteca vaticana, nunca nos apresentaram o texto original *hebraico* de Mateus, e que Jerônimo, depois de ter-se servido dele para estabelecer sua própria tradução (que, em realidade, era uma adaptação muito abreviada), depois de nos ter dado, do texto que ele próprio fez, a tradução errônea atualmente em voga, trata de heréticos todos os outros comentários que não o seu, e denuncia como heréticas todas as seitas cristãs, ebionitas, gnósticas, cabalísticas, ceortias, etc., que se serviram do livro original hebreu de Mateus.

Contudo, não se deve procurar a razão deste ostracismo no único fato que acabo de estudar, mas também nesta outra causa: que o livro hebreu de Mateus provava a existência, no ensino crístico, de uma doutrina esotérica secreta, que só devia ser conhecida por certos iniciados. Esta questão de um ensino secreto na origem do cristianismo será tratada alhures.

* *Charles Lancelin – A Feitiçaria dos campos.*

Como a estrela da manhã precede o Sol, a Insurreição de Lúcifer anunciou à natureza nascente a próxima encarnação de Deus.

Talvez Lúcifer, caindo na noite, arrastou uma chuva de sóis e estrelas por atração da sua glória!

É por isso que, sem dúvida, fica calmo ao alumiar as horríveis angústias da humanidade e a lenta agonia da Terra, porque é livre na sua solidão e possui sua luz.

Tais eram as tendências dos heresiarcas dos primeiros séculos. Uns, como os outros, adoravam o Demônio sob a figura da serpente; outros, como os Cainistas (antiga seita cristã do século II adoradora de Caim), justificavam a revolta do primeiro anjo como a do primeiro assassino. Todos estes erros, todas estas sombras, todos estes ídolos monstruosos da anarquia que a Índia opõe, nos seus símbolos, à mágica Trimurti tinham encontrado, no cristianismo, padres e adoradores.

Em nenhuma parte do *Gênesis* se fala do Demônio. Apenas de uma serpente alegórica que engana nossos primeiros pais. Eis o que a maioria dos tradutores fazem o texto sagrado dizer:

"Ora, a serpente era mais sutil que qualquer animal do campo que o Senhor Deus tinha feito."

E eis o que diz Moisés:

וְהַנָּחָשׁ הָיָה עָרוּם מִכֹּל חַיַּת הַשָּׂדֶה אֲשֶׁר עָשָׂה יְהוָה אֱלֹהִים

V'ha-Nahasch haîath harum micol haîath hachadeh âcher hachah Ilhôah Ælohîm.

Isto é, conforme Fabre d'Olivet:

"Ora, a atração original (a cupidez) era a paixão arrastadora de toda vida elementar (a moda interior) na natureza, obra de Ilhoah, o Ser Supremo".

Mas, aqui, Fabre d'Olivet está fora da verdadeira interpretação, porque ignorava as grandes chaves da Cabala. A palavra Nahasch, explicada pelas letras simbólicas do Tarô, significa rigorosamente:

14 נ *Nun* – A força que produz as misturas.

5 ה *Hê* – O recipiente e o produtor passivo das formas.

21 שׁ *Schin* – O fogo natural e central equilibrado pela dupla polarização.

A palavra empregada por Moisés, lida cabalisticamente, nos dá, pois, a descrição e definição deste agente mágico universal, figurado em todas as teogonias pela serpente e ao qual os hebreus davam também o nome de *Od*, quando manifesta a sua força ativa; o nome de *Od*, quando deixa aparecer a sua força passiva, e de *Aur*, quando se revela inteiramente no seu poder equilibrado, produtor da luz no céu e do ouro entre os metais.

É, pois, esta a antiga serpente que envolve o mundo e apazigua a sua cabeça devoradora sob o pé de uma Virgem, figura da iniciação; desta Virgem, que apresenta uma criança recém-nascida à adoração dos reis magos e recebe deles, em troca deste favor, ouro, mirra e incenso.

O dogma serve, assim, em todas as religiões hieráticas, para encobrir o segredo das forças da natureza de que pode dispor o iniciado; as fórmulas religiosas são os resumos destas palavras cheias de mistério e forças que fazem os deuses descerem do céu e os submetem à vontade dos homens. A Judeia tirou os segredos disso do Egito, a Grécia enviou os seus hierofantes, e mais tarde, os seus teósofos à escola dos grandes profetas; a Roma dos Césares, minada pela iniciação cristã das catacumbas, desmoronou-se um dia na Igreja e refizeram um simbolismo com os restos de todos os cultos que a rainha do mundo tinha submetido.

Conforme a narrativa do Evangelho, a inscrição pela qual estava declarada a realeza espiritual do Cristo era escrita em hebraico, grego e latim; era a expressão da síntese universal.

O helenismo, com efeito, esta grande e bela religião da forma, não tinha menos do que os profetas do judaísmo anunciado a vinda do Salvador; a fábula de Psiquê é uma abstração mais do que cristã, e o culto dos panteus, reabilitando Sócrates, preparava os altares para esta unidade de Deus, de que Israel foi o misterioso conservador.

Mas a Sinagoga renegou o seu Messias e as letras hebraicas foram apagadas aos olhos cegos dos judeus.

Os perseguidores romanos desonraram o helenismo, que a falsa moderação de Juliano, o filósofo, não pode reabilitar, o qual foi chamado, talvez injustamente, Apóstata, porque o seu cristianismo nunca foi sincero. A ignorância da Idade Média veio, depois, opor os santos e as virgens aos deuses, deusas e ninfas; o sentido profundo dos símbolos helênicos ficou mais incompreendido do que nunca; a própria Grécia, não somente perdeu as tradições do seu antigo culto, mas também separou-se da Igreja latina; e assim, aos olhos dos latinos, as letras gregas foram apagadas, como as letras latinas desapareceram aos olhos dos gregos.

Assim, a inscrição da Cruz do Salvador desapareceu totalmente e só ficaram iniciais misteriosas.

Mas quando a ciência e a filosofia, reconciliadas com a fé, reunirem, num só, todos os diferentes símbolos, então todas as magnificências dos cultos antigos florescerão de novo na memória dos homens, proclamando o progresso do espírito humano na intuição da luz de Deus.

Porém, de todos os progressos, o maior será o que, pondo as chaves da natureza entre as mãos da ciência, prenderá para sempre o horrendo fantasma de Satã e, explicando todos os fenômenos excepcionais da natureza, destruirá o império da superstição e da tola credulidade.

É para a realização deste progresso que consagramos nossa vida e que passamos o nosso tempo nas investigações mais laboriosas e mais difíceis. Queremos libertar os altares, derrubando os ídolos; queremos que o homem de inteligência se torne o padre e rei da natureza, e queremos conservar, explicando-as, todas as imagens do santuário universal.

Os profetas falaram por parábolas e imagens, porque a linguagem abstrata lhes faltou e porque a percepção profética, sendo o sentimento da harmonia ou das analogias universais, se traduz naturalmente por imagens, as quais, tomadas materialmente pelo vulgo, se tornaram ídolos ou mistérios impenetráveis.

O conjunto e a sucessão destas imagens e destes mistérios são o que chamamos simbolismo, que vem, pois, de Deus, embora seja formulado pelos homens.

A revelação acompanhou a humanidade em todas as suas idades e se transfigurou com o gênio humano; mas sempre exprimiu a mesma verdade.

A verdadeira religião é uma e seus dogmas são simples e ao alcance de todos.

Todavia, a multiplicidade dos símbolos apenas foi um livro de poesia necessário para a educação do gênio humano.

A harmonia das belezas exteriores e a poesia da forma deviam revelar Deus à infância humana; mas Vênus teve logo Psiquê como rival, e Psiquê seduziu o amor.

É assim que o culto da forma devia ceder a estes sonhos ambiciosos da alma que já embelezava a eloquente sabedoria de Platão. A vinda de Cristo era assim preparada, e é por isso que era esperada; veio porque o mundo o esperava, e a filosofia se transformou em crença para se popularizar.

Mas, libertado por esta mesma crença, o espírito humano protestou logo contra a escola que queria materializar os seus sinais, e a obra do catolicismo romano foi unicamente preparar, sem o saber, a emancipação das consciências e lançar as bases da associação universal.

Todas estas coisas foram somente o desenvolvimento regular e normal da vida divina na humanidade; porque Deus é a grande alma de todas as almas, é o centro imutável ao redor do qual gravitam todas as inteligências, como uma imensidade de estrelas.

A inteligência humana teve a sua manhã; o seu meio-dia virá; depois, em seguida, o seu declínio, e Deus será sempre o mesmo.

Mas, parece, aos habitantes da Terra, que o Sol se levanta novo e tímido, que brilha ao meio-dia em toda a sua força, e que à tarde deita fatigado. Contudo, é a Terra que gira, e o Sol é imóvel.

Tendo, pois, fé no progresso humano e na estabilidade de Deus, o homem livre respeita a religião nas suas formas passadas e não blasfemaria mais contra Zeus do que Jeová; saúda ainda com amor a irradiante imagem do Apolo, e lhe acha uma semelhança fraterna com o rosto glorioso do Redentor ressuscitado.

Crê na grande missão da hierarquia católica e se compraz em ver os pontífices da Idade Média oporem a religião como uma barreira ao poder absoluto dos reis; mas protesta, com todos os séculos revolucionários, contra a escravidão da consciência que as chaves pontifícias queriam prender: é mais protestante do que Lutero, porque nem mesmo crê na confissão de Augsburg, e mais católico do que o papa, porque não tem medo que a unidade religiosa seja rompida pela malevolência das cortes.

Confia em Deus mais do que na política de Roma para a salvação da ideia unitária; respeita a velhice da Igreja, mas não teme que morra; sabe que a sua morte aparente será uma transformação, e uma assunção gloriosa.

O autor deste livro faz um novo apelo aos magos do Oriente para que venham reconhecer, ainda uma vez, no Mestre divino, cujo berço saudaram, o grande iniciador de todos os tempos.

Todos os seus inimigos caíram; todos os que o condenavam morreram; os que o perseguiam estão deitados para sempre, e ele sempre está de pé!

Os homens de inveja se coligaram contra ele e concordaram num só ponto; os homens de divisão se uniram para destruí-lo; fizeram-se reis, e os proscreveram; fizeram-se juízes, e lhe deram a sua sentença de morte; fizeram-se algozes, e o executaram; fizeram-lhe beber a cicuta, crucificaram-no, lapidaram-no e deitaram suas cinzas ao vento; depois, coraram de espanto: ele estava de pé, diante deles, acusando-os pelas suas chagas e fulminando-os com o brilho das suas cicatrizes.

Creem degolá-lo no berço de Belém, e está vivo no Egito! Arrastam-no sobre a montanha para o precipitar; a multidão dos seus assassinos o rodeia e já triunfa da sua perda certa: um grito se faz ouvir; não é, então, ele que acaba de quebrar-se nos rochedos do precipício? Empalidecem e olham-se; mas ele, calmo e sorridente, passa no meio deles e vai-se embora.

Eis uma outra montanha que acabam de tingir com o seu sangue; eis uma cruz e um sepulcro, e soldados guardam o seu túmulo. Insensatos! o túmulo está vazio, e aquele que julgavam morto, caminha tranquilamente, entre dois viajantes, no caminho de Emmaús.

Onde está ele? Aonde vai? Adverti os senhores da Terra! Dizei aos Césares que o seu poder está ameaçado! Por quem? Por um pobre que nem tem uma pedra para descansar sua cabeça, por um homem do povo, condenado à morte dos escravos. Que insulto ou que loucura! Não importa, os Césares vão desenvolver todo o seu poder: sangrentos editos proscrevem o fugitivo, em toda parte se levantam cadafalsos, abrem-se circos repletos de leões e gladiadores, acendem-se fogueiras, correm torrentes de sangue, e os Césares, que se creem vitoriosos, ousam acrescentar um nome àqueles com que blasonam seus troféus, depois morrem, e sua apoteose desonra os deuses que acreditaram defender. O ódio do mundo confunde, num mesmo desprezo, Júpiter e Nero; os templos, de que a adulação fez túmulos, são derrubados sobre cinzas proscritas, e sobre restos dos ídolos, sobre ruínas dos impérios, *ele só,* aquele que os Césares proscreviam, aquele que tantos satélites perseguiam, aquele que tantos algozes torturavam, *ele só* está de pé, ele só reina, ele só triunfa!

Não obstante, os seus próprios discípulos logo abusam do seu nome; o orgulho penetra no santuário; os que deviam anunciar a sua ressurreição querem imortalizar a sua morte, a fim de se nutrir, como corvos, da sua carne sempre renascente. Em vez de imitá-lo no seu sacrifício e dar seu sangue para seus filhos na fé, prendem-no no Vaticano, como num novo Cáucaso, e fazem-se abutres deste divino Prometeu. Mas que lhe importa o seu mau sonho? Só prenderam a sua imagem; quanto a ele, sempre está de pé, e caminha de exílio em exílio e de conquista em conquista.

É que se pode prender um homem, mas não se retém cativo o Verbo de Deus. A palavra é livre e nada pode comprimi-la.

Esta palavra viva é a condenação dos maus, e é por isso que queriam fazê-la morrer; mas, enfim, são eles que morrem, e a palavra de verdade fica para julgar a sua memória!

Pôde Orfeu ser despedaçado pelas bacantes; Sócrates bebeu o copo de veneno; Jesus e seus apóstolos morreram pelo último suplício; João Huss, Jerônimo de Praga e tantos outros foram queimados; a noite de Saint-Barthelemy e os massacres de setembro fizeram, por sua vez, mártires; o imperador da Rússia tem ainda à sua disposição cossacos, cnutes e os desertos da Sibéria; mas o espírito de Orfeu, Sócrates, Jesus e todos os mártires, fica sempre vivo, no meio dos perseguidores, mortos por sua vez; fica de pé no meio das instituições que caem e dos impérios que se desmoronam!

É este espírito divino, o espírito do Filho único de Deus, que S. João representa, no seu *Apocalipse,* de pé, no meio dos candelabros de ouro, porque é o centro de todas as luzes, tendo sete estrelas na sua mão, como a semente de um céu inteiramente novo, e fazendo descer a sua palavra à Terra sob a figura de uma espada de dois gumes.

Quando os sábios, desanimados, adormecem na noite da dúvida, o espírito do Cristo está em pé e vigia.

Quando os povos, cansados do trabalho que liberta, se deitam e se enfraquecem nos seus grilhões, o espírito do Cristo fica de pé e protesta.

Quando os sectários cegos das religiões já estéreis se prosternam no pó dos velhos tempos e se arrastam servilmente num temor supersticioso, o espírito do Cristo fica de pé e ora.

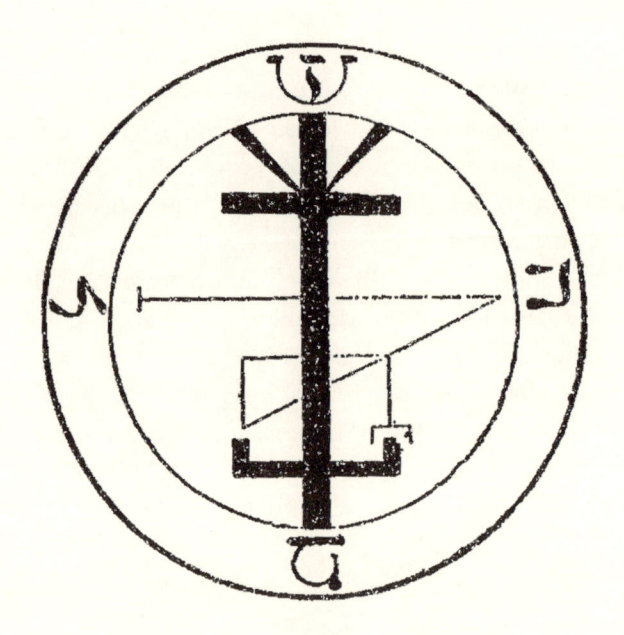

Quando os fortes se enfraquecem, quando as virtudes se corrompem, quando tudo se inclina e se envilece para procurar um mísero alimento, o espírito do Cristo fica de pé, olhando para o céu e espera a hora do seu Pai.

Cristo quer dizer sacerdote e rei por excelência.

O Cristo, iniciador dos tempos modernos, veio ao mundo para formar, pela ciência e principalmente pela caridade, novos reis e novos sacerdotes. Os antigos magos eram sacerdotes e reis.

A vinda do Salvador tinha sido anunciada aos antigos magos por uma estrela. Esta estrela era o pentagrama mágico que traz em cada uma das suas pontas uma letra sagrada.

Esta estrela é a figura da inteligência que rege, pela unidade da força, as quatro forças elementares. É o pentagrama dos magos. É a estrela flamejante dos filhos de Hiram. É o protótipo da luz equilibrada. Para cada uma das suas pontas um raio de luz sobe. De cada uma das suas pontas um raio de luz desce.

Esta estrela representa o grande e supremo *athanor* da natureza, que é o corpo humano.

A influência magnética parte em dois raios da cabeça, de cada mão e de cada pé.

Um raio positivo é equilibrado por um raio negativo.

A cabeça corresponde aos dois pés; cada mão com uma das mãos e um pé, os dois pés com a cabeça e uma das mãos.

Este signo regular da luz equilibrada representa o espírito de ordem e harmonia. É o sinal da onipotência do mago.

Por isso, este mesmo signo, quebrado ou irregularmente traçado, representa a embriaguez astral, as projeções anormais e desregradas do grande agente mágico, por conseguinte, os enfeitiçamentos, a perversidade, a loucura, e é o que os magistas chamam a assinatura de Lúcifer.

Existe uma outra assinatura que representa também os mistérios da luz: – é a assinatura de Salomão.

Os talismãs de Salomão traziam, de um lado, a impressão do seu selo, cuja figura demos no final do 5.º capítulo do nosso *Dogma*, Do outro lado, estava a assinatura, cuja forma é figurada na página precedente:

Esta figura é a teoria hieroglífica da composição dos ímãs e representa a lei circular do raio.

Prendemos os espíritos desregrados, mostrando-lhes, quer a estrela flamejante do pentagrama, quer a assinatura de Salomão, porque fazemos ver, assim, a prova da sua loucura, ao mesmo tempo que os ameaçamos com um poder soberano, capaz de os atormentar, chamando-os à ordem.

Nada atormenta os maus como o bem. Nada é mais odioso à loucura do que a razão.

Mas se um operador ignorante se servir destes signos sem os conhecer, é um cego que fala da luz aos cegos. É um burro que quer ensinar a ler às crianças.

Se o cego guiar o cego, disse o grande e divino Hierofante, ambos cairão no fosso.

Uma última palavra para resumir toda esta introdução.

Se fordes cego como Sansão, quando sacudirdes as colunas do templo, as ruínas vos esmagarão.

Para mandar na natureza, é preciso ter-se tornado superior à natureza pela resistência às suas atrações.

Se vosso espírito está perfeitamente livre de todo preconceito, toda superstição e toda incredulidade, mandareis nos espíritos.

Se não obedecerdes às forças fatais, as forças fatais vos obedecerão.

Se fordes sábio como Salomão, fareis as obras de Salomão.

Se fordes santo como Cristo, fareis as obras do Cristo.

Para dirigir as correntes da luz móvel, é preciso estar fixo numa luz imóvel.

Para mandar nos elementos, é preciso ter dominado seus furacões, seus raios, seus abismos e suas tempestades.

É preciso *saber* para *ousar*.

É preciso *ousar* para *querer*.

É preciso *querer* para ter o Império.

E, para reinar, é preciso *calar*.

RITUAL DA ALTA MAGIA

CAPÍTULO I

AS PREPARAÇÕES

Toda intenção que não se manifesta por atos é uma intenção vã, e a palavra que a exprime é uma palavra ociosa. É a ação que prova a vida, e é, também, a ação que prova e demonstra a vontade. Por isso, está escrito nos livros simbólicos e sagrados que os homens serão julgados, não conforme seus pensamentos e suas ideias, mas segundo suas obras. Para ser é preciso fazer.

Temos, pois, de tratar agora da grande e terrível questão das obras mágicas. Não se trata mais, aqui, de teorias e abstrações; chegamos às realidades, e vamos pôr entre as mãos do adepto a varinha mágica dos milagres, dizendo-lhe: Não confies somente nas nossas palavras; age tu mesmo.

Trata-se aqui das obras de uma onipotência relativa e do meio de apoderar-se dos maiores segredos da natureza e fazê-los servir a uma vontade esclarecida e inflexível.

A maioria dos rituais mágicos conhecidos são ou mistificações ou enigmas, e vamos rasgar, pela primeira vez, depois de tantos séculos, o véu do santuário oculto. Revelar a santidade dos mistérios é remediar a sua profanação. Tal é o pensamento que sustenta a nossa coragem e nos faz afrontar todos os perigos desta obra, a mais ousada talvez que tenha sido dado ao espírito humano conceber e realizar.

As operações mágicas são o exercício de um poder natural, mas superior às forças ordinárias da natureza. São o resultado de uma ciência e de um hábito, que exaltam a vontade humana acima dos seus limites habituais.

O sobrenatural é simplesmente o natural extraordinário ou natural exaltado: um milagre é um fenômeno que impressiona a multidão, porque é inesperado;

o maravilhoso e o que admira são efeitos que surpreendem os que ignoram suas causas ou lhes atribuem causas não proporcionais a semelhantes resultados. Só há milagres para os ignorantes; mas, como não existe ciência absoluta entre os homens, o milagre ainda pode existir, e existe para todos.

Comecemos por dizer que cremos em todos os milagres, porque estamos convencidos e certos, até pela nossa própria experiência, da sua inteira probabilidade.

Existem os que não explicamos, mas que nem por isso deixamos de considerar como explicáveis. Do mais ao menos e do menos ao mais, as consequências são identicamente as mesmas e as proporções progressivamente rigorosas.

Mas, para fazer milagres, é preciso estar fora das condições comuns da humanidade; é preciso estar ou abstraído pela sabedoria, ou exaltado pela loucura, acima de todas as paixões, ou fora das paixões, pelo êxtase ou frenesi. Tal é a primeira e mais indispensável das preparações do operador.

Assim, por uma lei providencial ou fatal, o mago só pode exercer a onipotência na razão inversa do seu interesse material; o alquimista faz tanto mais ouro, quanto mais se resigna às privações e estima a pobreza, protetora dos segredos da Grande Obra.

Só o adepto de coração sem paixão disporá do amor ou ódio daqueles que quiser fazer de instrumentos da sua ciência: o mito do *Gênesis* é eternamente verdadeiro, e Deus só permite que se aproximem da árvore da ciência os homens tão abstinentes e tão fortes para não cobiçar os frutos.

Vós, pois, que procurais na magia o meio de satisfazer vossas paixões, parai nesse caminho funesto; só achareis nele a loucura ou a morte. É o que exprimiam outrora por esta tradição vulgar: que o diabo acabava, mais cedo ou mais tarde, por torcer o pescoço dos feiticeiros.

O magista deve, pois, ser impassível, sóbrio e casto, desinteressado, impenetrável e inacessível a toda espécie de preconceitos ou terror. Deve ser sem defeitos corporais e estar à prova de todas as contradições e de todos os sofrimentos. A primeira e mais importante das obras mágicas é chegar a esta rara superioridade.

Dissemos que o êxtase apaixonado pode produzir os mesmos resultados que a superioridade absoluta, e isto é verdade no que diz respeito ao sucesso, mas não no que se refere ao governo das operações mágicas.

A paixão projeta com força a luz vital e imprime movimentos imprevistos no agente universal: mas não pode reter tão facilmente como lançou, e o seu destino é, então, semelhante ao de Hipólito arrastado pelos seus próprios cavalos, ou ao de Phalaris experimentando o próprio instrumento de suplícios que inventara para outros.

A vontade humana realizada pela ação é semelhante à bala de canhão que nunca recua diante do obstáculo. Ela o atravessa, ou entra e perde-se nele, quando é lançada com violência; mas, se caminhar com paciência e perseverança, nunca se perde, e é como a onda que sempre volta e acaba por corroer o ferro.

O homem pode ser modificado pelo hábito, que, conforme o provérbio, nele se torna uma segunda natureza. Por meio de uma ginástica perseverante e graduada, as forças e a agilidade do corpo se desenvolvem ou se criam numa proporção que admira. O mesmo se dá com as forças da alma. Quereis vós reinar sobre vós mesmos e os outros? Aprendei a querer.

Como se pode aprender a querer? Aqui está o primeiro arcano da iniciação mágica, e é para fazer compreender a própria essência deste arcano que os antigos depositários da arte sacerdotal rodeavam os acessos do santuário de tantos terrores e prestígios. Só davam crédito a uma vontade, quando tinha dado suas provas, e tinham razão. A força só pode afirmar-se por vitórias.

A preguiça e o esquecimento são os inimigos da vontade, e é por isso que todas as religiões multiplicaram as práticas e tornaram minucioso e difícil o seu culto. Quanto mais a pessoa se preocupa por uma ideia, tanto mais adquire força no sentido desta ideia.

As mães não preferem os filhos que lhes causaram mais dores e lhes custaram mais cuidados? Por isso, a força das religiões está inteiramente na inflexível vontade dos que a praticam. Enquanto houver um fiel crente do santo sacrifício da missa, haverá um padre para dizê-la, e enquanto houver um padre que reze todos os dias o seu breviário, haverá um papa no mundo.

As práticas mais insignificantes em aparência e mais estranhas em si mesmas, ao fim que nos propomos, levam, não obstante, a esse fim pela educação e o exercício da vontade. Um camponês que se levantasse todas as manhãs, às duas ou três horas, e que fosse bem longe colher, todos os dias, um ramo da mesma erva, antes do levantar do Sol, poderia, levando consigo esta erva, operar um grande número de prodígios. Esta erva seria o sinal da sua vontade e tornar-se-ia, para esta própria vontade, tudo o que ele quisesse que se tornasse no interesse dos seus desejos.

Para poder é preciso crer que se pode, e esta fé deve traduzir-se imediatamente em atos. Quando uma criança diz: "Não posso", sua mãe lhe responde: "Experimenta". A fé nem mesmo experimenta; ela começa com a certeza de acabar, e trabalha com calma, como tendo a onipotência às suas ordens e a eternidade diante de si.

Vós, pois, que vos apresentais diante da ciência dos magos, que lhe pedis? Ousai formular vosso desejo, seja qual for, depois ponde-vos imediatamente à obra, e não cesseis mais de agir no mesmo sentido e para o mesmo fim; o que quereis será feito, e já está começado para vós e por vós.

Sixto V, apascentando suas ovelhas, tinha dito: "Quero ser papa".

Sois pedinte e quereis fazer ouro: ponde-vos à obra e não cesseis mais. Eu vos prometo, em nome da ciência, todos os tesouros de Flamel e Raimundo Lúlio.

Que é preciso fazer primeiramente?– É preciso crer que podeis, e, depois, agir. – Agir como? – Levantar-vos todos os dias à mesma hora e cedo; lavar-vos, em qualquer estação, antes do dia, numa fonte; nunca trazer roupas sujas, e, para isso, lavá-las vós mesmos, se for preciso; exercer-vos às privações voluntárias, para melhor suportar as involuntárias; depois impor silêncio a todo desejo que não seja o da realização da Grande Obra. – Como? Lavando-me todos os dias, numa fonte, farei ouro? – Trabalhareis para fazê-lo. – É uma zombaria! – Não, é um arcano. – Como posso servir-me de um arcano que não sei compreender? – Crede e fazei; compreendereis depois.

Uma pessoa me disse um dia: – Queria ser um fervoroso católico, mas sou *voltairiano*. Quanto não daria para ter a fé! – Pois bem, lhe respondi, não digais mais: Queria; dizei: Quero, e fazeis as obras da fé; eu vos asseguro que acreditareis. Vós sois *voltairiano*, dizeis, e entre os diferentes modos de entender a fé, o dos jesuítas vos é o mais antipático, e vos parece, entretanto, o mais desejável e forte... Fazei, e recomeçai, sem vos desanimar, os exercícios de Santo Inácio, e ficareis crente como um jesuíta. O resultado é infalível, e, se então tiverdes a ingenuidade de crer que é um milagre, vós já vos enganais, crendo-vos *voltairiano*.

Um preguiçoso nunca será mago. A magia é um exercício de todas as horas e de todos os instantes. É preciso que o operador das grandes obras seja senhor absoluto de si mesmo; que saiba vencer as atrações do prazer, o apetite e o sono; que seja insensível ao sucesso como à afronta. A sua vida deve ser uma vontade dirigida por um pensamento e servida pela natureza inteira, que terá subordinada ao espírito nos seus próprios órgãos e por simpatia em todas as forças universais que lhe são correspondentes.

Todas as faculdades e todos os sentidos devem tomar parte na obra, e nada no sacerdote de Hermes tem direito de estar ocioso; é preciso formular a inteligência por signos e resumi-la por caracteres ou pentáculos; é preciso determinar a vontade por palavras e realizar as palavras por atos; é preciso traduzir a ideia mágica em luz para os olhos, em harmonia para os ouvidos, em perfumes para o olfato, em sabores para a boca, e em formas para o tato; é preciso, numa palavra, que o operador realize na sua vida inteira o que quer realizar fora de si no mundo; é preciso que se torne um ímã para atrair a coisa desejada; e, quando estiver suficientemente imantado, saiba que a coisa virá sem que ele pense e por si mesma.

É importante que o mago saiba os segredos da ciência; mas pode conhecê-los por intuição e sem os ter aprendido. Os solitários que vivem na contemplação habitual da natureza, adivinham, muitas vezes, as suas harmonias e são mais instruídos, no seu simples bom senso, do que os doutores, cujo sentido natural é falseado pelos sofismas das escolas. Os verdadeiros magos práticos se acham quase sempre no sertão e são, muitas vezes, pessoas sem instrução ou simples pastores.

Existem, também, certas organizações físicas mais dispostas do que outras às revelações do mundo oculto; existem naturezas sensitivas e simpáticas às quais a intuição na luz astral é, por assim dizer, inata; certos desgostos e doenças podem modificar o sistema nervoso, e fazer dele, sem o concurso da vontade, um aparelho de adivinhação mais ou menos perfeito; mas estes fenômenos são excepcionais, e geralmente o poder mágico deve e pode ser adquirido pela perseverança e o trabalho.

Existem também substâncias que produzem o êxtase e dispõem ao sono magnético; existem as que põem ao serviço da imaginação todos os reflexos mais vivos e coloridos da luz elementar; mas o uso dessas substâncias é perigoso, porque, em geral, produzem a estupefação e a embriaguez. Todavia, empregamo-las, mas em proporções rigorosamente calculadas e em circunstâncias excepcionais.

Aquele que quer entregar-se seriamente às obras mágicas, depois de ter firmado o seu espírito contra qualquer perigo de alucinação e temor, deve purificar-se, exterior e interiormente, durante quarenta dias. O número quarenta é sagrado, e até a sua figura é mágica. Em algarismos árabes, compõe-se do círculo, imagem do infinito, e do 4, que resume o ternário pela unidade. Em algarismos romanos, dispostos do modo seguinte, representa o signo do dogma fundamental de Hermes e o caráter do selo de Salomão:

A purificação do mago deve consistir na abstinência das voluptuosidades brutais, num regime vegetariano e brando, na supressão dos licores fortes e na regularidade das horas de sono. Esta preparação foi indicada e representada, em todos os cultos, por um tempo de penitência e privações que precede as festas simbólicas do renovamento da vida.

É preciso, como já dissemos, observar, para o exterior, a limpeza mais escrupulosa: o mais pobre pode achar água nas fontes. É preciso também lavar ou mandar lavar com cuidado as roupas, os móveis e os vasos que se usam. Toda sujidade atesta uma negligência, e, em magia, a negligência é mortal.

É preciso purificar o ar, ao levantar-se e deitar-se, com um perfume composto de seiva de louro, sal, cânfora, resina branca e enxofre, e recitar, ao mesmo tempo, as quatro palavras sagradas, voltando-se para as quatro partes do mundo.

Não devemos falar a ninguém das obras que realizamos; e, como dissemos bastante no *Dogma*, o mistério é a condição rigorosa e indispensável de todas as operações da ciência. É preciso desviar os curiosos, alegando outras ocupações e investigações, como experiências químicas para resultados industriais, prescrições higiênicas, a investigação de alguns segredos naturais, etc.; mas a palavra proibida de magia nunca deve ser pronunciada.

O mago deve isolar-se, no começo, e mostrar-se muito difícil em relações, para concentrar em si a sua força e escolher os pontos de contato; mas quanto mais for selvagem e inacessível nos primeiros tempos, tanto mais vê-lo-ão, mais tarde, rodeado e popular, quando tiver imantado a sua cadeia e escolhido o seu lugar numa corrente de ideias e luz.

Uma vida trabalhosa e pobre é de tal modo favorável à iniciação pela prática, que os maiores mestres a procuraram, até quando podiam dispor das riquezas do mundo. É então que Satã, isto é, o espírito de ignorância, que ri, duvida e odeia a ciência, porque a teme, vem tentar o futuro senhor do mundo, dizendo-lhe: "Se és o filho de Deus, faze com que essas pedras se tornem pães". As pessoas de dinheiro procuram, então, humilhar o príncipe da ciência, obstando, desapreciando ou explorando miseravelmente o seu trabalho; partem em dez pedaços, para que estenda a mão dez vezes, o pedaço de pão de que parece ter necessidade. O mago nem mesmo se digna sorrir desta inépcia, e prossegue na sua obra com calma.

É preciso evitar, tanto quanto possível, a vista das coisas "horrendas e das pessoas feias; não comer em casa de pessoas que não se estimam, evitar todos os excessos e viver do modo mais uniforme e organizado.

Ter o maior respeito por si mesmo e considerar-se como um soberano desconhecido que assim faz para reconquistar a sua coroa. Ser dócil e digno com todos; mas, nas relações sociais, nunca deixar-se absorver e retirar-se dos círculos em que não haja nenhuma iniciativa.

Podemos, enfim, e mesmo devemos fazer as obrigações e praticar os ritos do culto a que pertencemos. Ora, de todos os cultos, o mais mágico é aquele que realiza mais milagres, que apoia, nas mais sábias razões, os mais inconcebíveis mistérios, que tem luzes iguais às suas sombras, que populariza os milagres e encarna Deus nos homens pela fé. Esta religião sempre existiu, e sempre houve no mundo, sob diversos nomes: é a religião única e dominante. Agora, ela tem, entre os povos da Terra, três formas em aparência hostis umas às outras, que se reunirão logo numa única para constituir uma Igreja universal. Quero falar da ortodoxia russa, do catolicismo romano e de uma última transfiguração da religião de Buda.

Cremos ter feito compreender bem, pelo que precede, que a nossa magia é oposta à dos goécios e necromantes. A nossa magia é, ao mesmo tempo, uma ciência e uma religião absoluta, que deve não destruir e absorver todas as opiniões e todos os cultos, mas regenerá-los e dirigi-los, reconstituindo o círculo dos iniciados, e dando, assim, às massas cegas, condutores sábios e clarividentes.

Vivemos num século em que não há nada para destruir; mas tudo está para refazer, porque tudo está destruído. – Refazer o quê? O passado? – Não se refaz o passado. – Reconstruir o quê? Um templo e um trono? – Para que, se os antigos caíram? – É como se dissésseis: A minha casa acaba de cair de velhice; para que serve construir uma outra? – Mas a casa que ides construir será semelhante à que caiu? – Não; aquela que caiu era velha, e esta será nova. – Mas, enfim, será sempre uma casa? – Que queríeis, pois, que fosse?

CAPÍTULO II

O EQUILÍBRIO MÁGICO

O equilíbrio é a resultante de duas forças.

Se as duas forças são absolutamente e sempre iguais, o equilíbrio será a imobilidade, e, por conseguinte, a negação da vida. O movimento é o resultado de uma preponderância alternada.

O impulso dado a um dos pratos de uma balança determina necessariamente o movimento do outro. Os contrários agem, assim, sobre os contrários, em toda a natureza, por correspondência e por conexão analógica.

A vida inteira compõe-se de uma aspiração e de um sopro; a criação é a suposição de uma sombra para servir de limite à luz, de um vazio para servir de espaço à plenitude do ser, de um princípio passivo fecundado para apoiar e realizar a força do princípio ativo gerador.

Toda a natureza é bissexual, e o movimento que produz as aparências da morte e da vida é uma contínua geração.

Deus ama o vazio que fez para encher; a ciência ama a ignorância que alumia; a força ama a fraqueza que sustenta; o bem ama o mal aparente que o glorifica; o dia é apaixonado pela noite e a persegue sem cessar, girando ao redor do mundo; o amor é, ao mesmo tempo, uma sede e uma plenitude que tem necessidade de expansão. Aquele que dá recebe, e aquele que recebe dá: o movimento é uma troca perpétua.

Conhecer a lei desta troca, saber a proporção alternativa ou simultânea destas forças, é possuir os primeiros princípios do grande arcano mágico, que constitui a verdadeira divindade humana.

Cientificamente, podemos apreciar as diversas manifestações do movimento universal pelos fenômenos elétricos ou magnéticos. Os aparelhos elétricos revelam, principalmente, material e positivamente, as afinidades e antipatias de certas substâncias. A união do cobre com o zinco, a ação de todos os metais na pilha galvânica, são revelações perpétuas e irrecusáveis. Que os físicos procurem e descubram; os cabalistas explicarão as descobertas da ciência.

O corpo humano está submetido, como a Terra, a uma dupla lei: atrai e irradia; está imantado com um magnetismo andrógino e reage sobre as duas potências da alma, a intelectual e a sensitiva, em razão inversa, mas proporcional, das preponderâncias alternadas dos dois sexos no seu organismo físico.

A arte do magnetizador está inteiramente no conhecimento e no emprego desta lei. Polarizar a ação e dar ao agente uma força bissexual e alternada é o meio ainda desconhecido e em vão procurado de dirigir à vontade os fenômenos do magnetismo; mas é preciso um tato muito exercitado e uma grande exatidão nos movimentos interiores para não confundir os sinais da aspiração magnética com os da expiração; é preciso também conhecer perfeitamente a anatomia oculta e o temperamento especial das pessoas sobre as quais se age.

O homem pode produzir à vontade dois sopros, um quente e outro frio; pode, igualmente, projetar à vontade a luz ativa ou a luz passiva; mas é preciso que adquira a consciência desta força pelo hábito de pensar nela. Um mesmo gesto da mão pode, alternativamente, expirar e aspirar o que, por conveniência, chamamos fluido; e o próprio magnetizador será advertido do resultado da sua intenção por uma sensação alternativa de calor e frio na mão, ou nas duas mãos, se operar com as duas mãos ao mesmo tempo, sensação que o paciente deverá sentir ao mesmo tempo, mas em sentido contrário, isto é, com uma alternativa totalmente oposta.

O pentagrama, ou signo do microcosmo, representa, entre outros mistérios mágicos, a dupla simpatia das extremidades humanas entre si e a circulação da luz astral no corpo humano. Assim, figurando um homem na estrela do pentagrama, como podemos ver na filosofia oculta de Agrippa, deve-se notar que a cabeça corresponde, em simpatia masculina, com o pé direito e em simpatia feminina com o pé esquerdo; que a mão direita corresponde, do mesmo modo, com a mão e o pé esquerdos, e a mão esquerda, reciprocamente: o que é preciso observar nos passes magnéticos, se quisermos chegar a dominar o organismo inteiro e a prender todos os membros pelas suas próprias cadeias de analogia e de simpatia natural.

Este conhecimento é necessário para o uso do pentagrama, nas conjurações dos espíritos e evocações das formas errantes na luz astral, chamadas vulgarmente necromancia, como explicaremos no quinto capítulo deste *Ritual*; mas é bom observar, aqui, que toda ação provoca uma reação, e que, magnetizando ou influenciando magicamente os outros, estabelecemos deles para nós uma corrente de influência contrária, mas análoga, que pode submeter-nos a eles em vez de os submeter a nós, como muitas vezes acontece nas operações que têm por objeto a simpatia e o amor. É por isso que é essencial defendermo-nos, ao mesmo tempo que atacamos, a fim de não aspirarmos com a esquerda, ao mesmo tempo que sopramos com a direita.

O andrógino mágico (ver a figura no frontispício do *Ritual*) traz escrito, no braço direito: *solve*, e, no braço esquerdo: *coagula*, o que corresponde à figura simbólica dos trabalhadores do segundo templo, que numa das mãos tinha a espada e na outra, a régua. Ao mesmo tempo que se constrói, é preciso defender a sua obra, dispersando os inimigos: a natureza nada mais faz, quando destrói ao mesmo tempo que regenera. Ora, conforme a alegoria do calendário mágico de Duchenteau, o homem, isto é, o iniciado, é o macaco da natureza, que o conserva preso, mas também o faz agir incessantemente em imitações dos processos e das obras da sua divina senhora e do seu imperecível modelo.

O emprego alternado das forças contrárias, o quente depois do frio, a afabilidade depois da severidade, o amor depois da cólera, etc., é o segredo do movimento perpétuo e do prolongamento do poder; é o que instintivamente sentem as namoradeiras, que fazem passar seus adoradores da esperança ao temor e da alegria à tristeza. Agir sempre no mesmo sentido e do mesmo modo é sobrecarregar um único prato da balança, e disso logo resultará a destruição absoluta do equilíbrio. A perpetuidade das carícias engendra logo a saciedade, o desgosto e a antipatia, do mesmo modo que uma frialdade e uma severidade constante afasta e desanima aos poucos a afeição. Em alquimia, um fogo é sempre o mesmo e continuamente ardente, calcina a matéria-prima e faz, às vezes, rebentar o vaso hermético; é preciso substituir, em intervalos regulados, pelo calor do fogo ou da cal ou do adubo mineral. É assim que é preciso, em magia, temperar as obras de cólera ou de rigor por operações de benevolência e de amor, e que, se o operador conservar a tensão da sua vontade sempre no mesmo sentido e da mesma forma, resultará disso uma grande fadiga para ele e logo uma espécie de impotência moral.

O mago não deve, pois, viver exclusivamente no seu laboratório, entre seu Athanor, seus elixires e seus pentáculos. Por mais devorador que seja o olhar desta Circe, que chamamos a força oculta, é preciso saber apresentar-lhe a propósito a espada de Ulisses e afastar a tempo, dos nossos lábios, o copo que ela nos apresenta. Sempre uma operação mágica deve ser seguida de um repouso igual à sua duração e de uma distração análoga, mas contrária ao seu objeto. Lutar continuamente contra a natureza para dominá-la e vencê-la é expor a sua razão e a sua vida. Paracelso ousou fazê-lo, e, não obstante, até nesta luta, empregava forças equilibradas e substituída a embriaguez pela fadiga corporal, e a fadiga corporal por um novo trabalho da inteligência. Por isso, Paracelso era um homem de inspiração e de milagres; mas gastou a sua vida nesta atividade devoradora, ou antes, fatigou e rasgou rapidamente a sua vestimenta, porque os homens semelhantes a Paracelso podem usar e abusar, sem nada temer; sabem muito bem que não poderiam morrer, assim como não devem envelhecer neste mundo.

Nada predispõe mais à alegria do que a dor, e nada está mais perto da dor do que a alegria. Por isso, o operador ignorante fica admirado de chegar sempre a resultados contrários aos que se propõe, porque não sabe nem cruzar nem alternar sua ação; quer enfeitiçar seu inimigo, e torna a si próprio infeliz e doente; quer fazer-se amar, e apaixona-se, miseravelmente, por mulheres que zombam dele; quer fazer ouro, e gasta seus últimos haveres: o seu suplício é eternamente o de Tântalo, a água se retira sempre, quando quer beber.

Os antigos, nos seus símbolos e nas suas operações mágicas, multiplicavam os signos do binário, para não esquecerem a sua lei, que é a do equilíbrio. Nas suas evocações, sempre construíram dois altares diferentes e imolavam duas vítimas, uma branca e outra negra; o operador ou a operadora, tendo numa das mãos a espada e na outra a varinha mágica, devia ter um pé calçado e outro descalço. Todavia, como o binário seria a imobilidade e a morte sem o motor equilibrante, só podiam ser um ou três, nas obras de magia; e quando um homem e uma mulher tomavam parte na cerimônia, o operador devia ser uma virgem, um andrógino ou uma criança.

Perguntar-me-ão se a bizarria destes ritos é arbitrária e se ela tem somente por fim exercitar a vontade, multiplicando a seu bel-prazer as dificuldades da obra mágica. Responderei que, em magia, nada há de arbitrário, porque tudo é regulado e determinado adiantadamente pelo dogma único e universal de Hermes, o da analogia nos três mundos. Todo signo corresponde a uma ideia e tem a forma especial de uma ideia; todo ato exprime uma vontade correspondente a um pensamento e formula as analogias desse pensamento e dessa vontade. Os ritos são determinados adiantadamente pela própria ciência. O ignorante, que não sabe o seu tríplice poder, sofre a sua fascinação misteriosa; o sábio os entende e faz deles o instrumento da sua vontade; mas, quando são realizados com exatidão e fé, nunca ficam sem efeito.

Todos os instrumentos mágicos devem ser duplos; é preciso ter duas espadas, duas varinhas mágicas, dois copos, dois fogareiros, dois pentáculos e duas lâmpadas; trazer duas vestimentas superpostas e de cores contrárias, como ainda o praticam os padres católicos; é preciso não ter consigo nenhum metal ou ter dois. As coroas de loureiro, arruda, artemísia ou verbena devem igualmente ser duplas; nas evocações, guarda-se uma das coroas e queima-se a outra, observando como augúrio o ruído que faz ao queimar e as ondulações da fumaça que produz.

Esta observância não é vã, porque, na obra mágica, todos os instrumentos da arte são magnetizados pelo operador; o ar está carregado dos seus perfumes, o fogo consagrado por ele está submetido à sua vontade, as forças da natureza parecem ouvi-lo e responder-lhe; lê em todas as formas as modificações e os complementos do seu pensamento. É então que vê a água turvar-se e como que ferver por si mesma, o fogo dar grande luz ou estinguir-se, as folhas de grinaldas agitarem-se, a varinha mágica mover-se por si mesma, e que ouve passar, no ar, vozes estranhas e desconhecidas.

Foi em semelhantes evocações que Juliano viu aparecerem os fantasmas muito amados, dos seus deuses decaídos e, contra sua vontade, espantou-se da decrepitude e palidez deles.

Sei que o cristianismo suprimiu para sempre a magia cerimonial e proscreve severamente as evocações e os sacrifícios do mundo antigo: por isso, a nossa intenção não é dar-lhes uma nova razão de ser, vindo revelar, depois de tantos séculos, os seus antigos mistérios. As nossas experiências, até nesta ordem de fatos, foram investigações sábias e nada mais. Constatamos fatos para apreciar causas, e nunca tivemos a pretensão de renovar ritos para sempre destruídos.

A ortodoxia israelita, esta religião tão racional, tão divina e tão pouco conhecida, não reprova menos que o cristianismo os mistérios da magia cerimonial. Até para a tribo de Levi, o exercício da alta magia devia ser considerado como uma usurpação do sacerdócio, e é a mesma razão que fará proscrever, por todos os meios oficiais, a magia operadora, adivinhatória e milagrosa.

Mostrar o natural do maravilhoso e produzi-lo à vontade é destruir para o vulgo a prova conclusiva dos milagres que cada religião reivindica como sua propriedade exclusiva e seu argumento definitivo.

Respeito às religiões estabelecidas, mas há também lugar para a ciência. Não estamos mais, graças a Deus, no tempo dos inquisidores e das fogueiras; não se assassinam mais infelizes sábios, pela crença de alguns fanáticos alienados ou de algumas moças histéricas. Aliás, seja entendido que fizemos estudos curiosos, e não uma propaganda impossível, insensata. Os que nos criticarem de ousarmos chamar-nos magos, nada têm a temer de um tal exemplo, e é mais que provável que nunca se tornarão feiticeiros.

CAPÍTULO III

O TRIÂNGULO DOS PENTÁCULOS

O abade Johannes Von Heidelberg (Tritheno ou Trithemius), que foi, em magia, o mestre de Cornélio Agrippa, explica, na sua *Estenografia*, o segredo das conjurações e evocações de um modo muito filosófico e muito natural, mas, talvez por isso mesmo, muito simples e muito fácil.

Evocar um espírito, diz ele, é entrar no pensamento dominante desse espírito e, se nos elevarmos moralmente mais alto na mesma linha, arrastaremos esse espírito conosco e ele nos servirá; de outro modo, ele nos arrastará no seu círculo e nós o serviremos.

Conjurar é opor a um espírito isolado a resistência de uma corrente e de uma cadeia: *cum jurare*, jurar mutuamente, isto é, fazer ato de uma fé comum. Quanto mais esta fé tem entusiasmo e força, tanto mais a conjuração é eficaz. É por isso que o cristianismo nascente fazia calarem-se os oráculos: só ele possuía, então, a inspiração e a força. Mais tarde, quando S. Pedro envelheceu, isto é, quando o mundo acreditou ter acusações legítimas a fazer ao papado, o espírito de profecia veio substituir os oráculos; e os Savonarola, os Joaquim de Fiore, os João Huss e tantos outros agitaram por sua vez os espíritos e traduziram em lamentos e ameaças as inquietações e revoltas secretas de todos os corações.

Podemos estar sós para evocar um espírito, mas para o conjurar é preciso falar em nome de um círculo ou de uma associação; e é o que representa o círculo hieroglífico traçado ao redor do mago, durante a operação, e do qual não deve sair, se não quiser perder, no mesmo instante, todo o seu poder.

Examinemos claramente, aqui, a questão principal, a questão importante: são possíveis a evocação real e a conjuração de um espírito, e esta possibilidade pode ser cientificamente demonstrada? À primeira parte da questão pode-se responder, primeiramente, que todas as coisas cuja impossibilidade não é evidente podem e devem ser admitidas, provisoriamente, como possíveis. À segunda parte, dizemos que, em virtude do grande dogma mágico da hierarquia e da analogia universal, podemos demonstrar, cabalisticamente, a possibilidade das evocações reais; quanto à realidade fenomenal do resultado das operações mágicas conscienciosamente realizadas, é uma questão de experiência, e, como já dissemos, verificamos por nós mesmos esta realidade, e poremos, por este *Ritual*, os nossos leitores em condições de renovar e confirmar as nossas experiências.

Nada perece na natureza, e tudo o que viveu continua a viver sempre sob formas novas; mas até as formas anteriores não são destruídas, porque as achamos na nossa memória. Não vemos, em imaginação, a criança que conhecemos e que agora é um velho? Até os traços que acreditamos apagados na nossa lembrança não o estão realmente, porque uma circunstância fortuita os evoca e nô-los faz lembrar. Mas, como os vemos? Já dissemos que é na luz astral, que os transmite ao nosso cérebro pelo mecanismo do aparelho nervoso.

De outro lado, todas as formas são proporcionais e analógicas à ideia que as determinou; são o caráter natural, a *assinatura* desta ideia, como dizem os magistas, e desde que evocamos ativamente a ideia, a forma se realiza e se produz.

Schröpfer, o famoso iluminado de Leipzig, tinha lançado, pelas suas evocações, o terror em toda a Alemanha, e a sua ousadia nas operações mágicas fora tão grande, que a sua reputação se lhe tornou um fardo insuportável; depois deixou-se arrastar pela imensa corrente de alucinações que deixara formar-se; as visões do outro mundo o desgostaram deste mundo, e ele suicidou-se.

Esta história deve fazer circunspectos os curiosos de magia cerimonial. Não violentamos impunemente a natureza, e não jogamos sem perigo com forças desconhecidas e incalculáveis.

É por esta consideração que nós nos recusamos, e que nos recusaremos sempre, à vã curiosidade dos que querem ver para crer; e responder-lhes-emos o que dizíamos a um personagem eminente da Inglaterra, que nos ameaçava com a sua incredulidade: "Tendes perfeitamente o direito de não crer; da nossa parte, não ficaremos, por isso, mais desanimados nem menos convencidos".

Aos que viessem dizer-nos que realizaram, escrupulosa e corajosamente, todos os ritos e que nada se produziu, diremos que farão bem de ficar nisso, e que é, talvez, uma advertência da natureza que recusa para eles estas obras excêntricas, mas também que, se persistirem na sua curiosidade, só têm de recomeçar.

O ternário, sendo a base do dogma mágico, deve necessariamente ser observado nas evocações; por isso, é o número simbólico da realização e do efeito. A letra ש é ordinariamente traçada nos pentáculos cabalísticos que têm por objeto a realização de um desejo. Esta letra é também a marca do bode emissário na Cabala mística, e Saint-Martin observa que esta letra, intercalada no incomunicável tetragrama, fez dele o nome do Redentor dos homens: יהשוה.

É que os mistagogos da Idade Média representavam, quando, nas suas assembleias noturnas, exibiam um bode simbólico, trazendo na cabeça, entre os dois chifres, um facho aceso. Este animal monstruoso, cujas formas alegóricas e culto bizarro descreveremos no décimo quinto capítulo deste *Ritual*, representava a natureza votada ao anátema, mas resgatada pelo sinal da cruz. Os ágapes gnósticos e as priapeias pagãs que se faziam em sua honra revelavam bastante as consequências morais que os adeptos queriam tirar desta exibição. Tudo isto será explicado com os ritos, proibidos e considerados, agora, como fabulosos, do grande *Sabbat* da magia negra.

No grande círculo das evocações, ordinariamente é traçado um triângulo, e é preciso observar bem de que lado deve ser posto o seu cimo. Se supõe que o espírito vem do céu, o operador deve ficar no cimo e colocar o altar das fumigações na base; se deve subir do abismo, o operador ficará na base e o fogareiro será colocado no cimo. Além disso, é preciso ter na fronte, no peito e na mão direita o símbolo sagrado dos dois triângulos reunidos, formando a estrela de seis raios, cuja figura reproduzimos, e que é conhecida, em magia, sob o nome de pentáculo ou selo de Salomão.

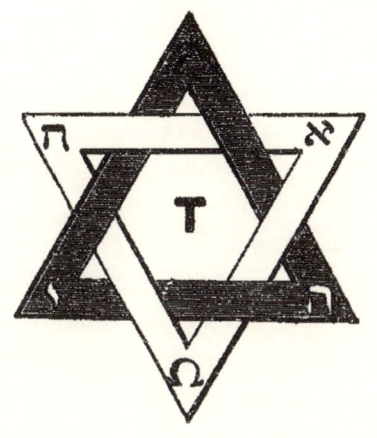

Independentemente destes signos, os antigos faziam uso, nas suas evocações, das combinações místicas dos nomes divinos que demos no dogma conforme os cabalistas hebreus. O triângulo mágico dos teósofos pagãos é o célebre ABRACADABRA, ao qual atribuíam virtudes extraordinárias, e que figuravam assim:

```
ABRACADABRA
 ABRACADABR
  ABRACADAB
   ABRACADA
    ABRACAD
     ABRACA
      ABRAC
       ABRA
        ABR
         AB
          A
```

Esta combinação de letras é uma chave do pentagrama. O A que começa é repetido cinco vezes e reproduzido trinta vezes, o que dá os elementos e números destas duas figuras:

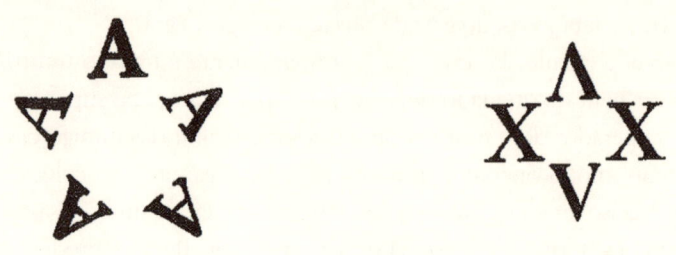

O A isolado representa a unidade do primeiro princípio ou do agente intelectual ou ativo. O A unido ao B representa a fecundação do binário pela unidade. O R é o sinal do ternário, porque representa hieroglificamente a efusão que resulta da união dos dois princípios. O número 11 das letras da palavra ajunta a unidade do iniciado ao denário de Pitágoras; e o número 66, total de todas letras adicionadas, forma cabalisticamente o número 12, que é o quadrado do ternário e, por conseguinte, a quadratura mística do círculo. Notemos, de passagem, que o autor do *Apocalipse*, esta clavícula da Cabala cristã, compôs o número da besta, isto é, a idolatria, acrescentando um 6 ao duplo senário do *Abracadabra*: o que dá cabalisticamente 18, número assinado no Tarô como signo hieroglífico da noite e dos profanos, a lua com as torres, o cão, o lobo e o caranguejo; número misterioso e obscuro, cuja chave cabalística é 9, o número da iniciação.

O cabalista sagrado diz expressamente a este respeito: "Que aquele que tem a inteligência (isto é, a chave dos números cabalísticos) calcule o número da besta, porque é o número do homem, e este número é 666". É, com efeito, a década de Pitágoras multiplicada por si mesma e ajuntada à soma do Pentáculo triangular de Abracadabra; é, pois, o resumo de toda a magia do mundo antigo, o programa inteiro do gênio humano, que o gênio divino do Evangelho queria absorver ou suplantar.

Estas combinações hieroglíficas de letras e números pertencem à parte prática da Cabala, que, sob este ponto de vista, se subdivide em *gematria* e *temurah*. Estes cálculos, que agora nos parecem arbitrários ou sem interesse, pertenciam, então, ao simbolismo filosófico do Oriente e tinham a maior importância no ensino das coisas sagradas emanadas das ciências ocultas. O alfabeto cabalístico completo, que unia as ideias primárias às alegorias, as alegorias às letras e as letras aos números, era o que se chamava, então, as chaves de Salomão. Já vimos que estas chaves, conservadas até nossos dias, mas completamente desconhecidas, outra coisa não são que o jogo do Tarô, cujas alegorias antigas foram notadas e apreciadas pela primeira vez, nos tempos atuais, pelo sábio arqueólogo Court de Gébelin.

O duplo triângulo de Salomão é explicado por S. João de um modo notável. Há, diz ele, três testemunhos no céu: o Pai, o Logos e o Espírito Santo, e três testemunhos na terra: o enxofre, a água e o sangue. S. João está, assim, de acordo com os mestres da filosofia hermética, que dão ao seu enxofre o nome de éter, ao seu mercúrio o nome de água filosófica, e ao seu sal a qualificação de sangue do dragão ou mênstruo da terra: o sangue ou o sal corresponde por oposição ao Pai, a água azótica ou mercúrio ao Verbo ou Logos, e o enxofre ao Espírito Santo. Mas as coisas de alto simbolismo só podem ser bem entendidas pelos verdadeiros filhos da ciência.

As combinações triangulares uniam-se, nas cerimônias mágicas, às repetições dos nomes por três vezes, e com entonações diferentes.

A varinha mágica era, muitas vezes, remontada por uma forquilha imantada, que Paracelso substituía por um tridente, cuja figura damos acima.

O tridente de Paracelso é um pentáculo que exprime o resumo do ternário na unidade, que completa, assim, o quaternário sagrado. Ele atribuía a esta figura todas as virtudes que os cabalistas hebreus atribuem ao nome de Jeová, e as propriedades taumatúrgicas do Abracadabra dos hierofantes de Alexandria. Reconheçamos, aqui, que é um pentáculo e, por conseguinte, um signo concreto e absoluto de uma doutrina inteira que foi a de um círculo magnético imenso, tanto para os filósofos antigos como para os adeptos da Idade Média. Dando-lhe, moderadamente, o seu valor primitivo pela inteligência dos seus mistérios, não poderíamos restituir-lhe toda a sua virtude milagrosa e todo o seu poder contra as doenças humanas?

As antigas feiticeiras, quando passavam, à noite, por uma encruzilhada de três caminhos, uivavam três vezes, em honra à tríplice Hécate.

Todas estas figuras, todos estes atos análogos às figuras, todas estas disposições de números e caracteres nada mais são, como já dissemos, senão instrumentos de educação para a vontade, cujos hábitos fixam e determinam. Servem também para reunir conjuntamente, na ação, todas as forças da alma humana, e para aumentar a força criadora da imaginação. É a ginástica do pensamento que se exercita na realização: por isso, o efeito destas práticas é infalível como a natureza, quando são feitas com uma confiança absoluta e uma perseverança inabalável.

Com a fé, dizia o grande Mestre, transportar-se-iam árvores ao mar e se deslocariam montanhas. Uma prática, mesmo insensata, mesmo supersticiosa, é eficaz, porque é uma realização da vontade. É por isso que uma oração é mais poderosa, se formos fazê-la na igreja, do que se a fizéssemos em nossa casa, e que ela alcançará milagres se, para fazê-la num santuário milagroso, isto é, magnetizado em grande corrente pela afluência dos visitantes, fizermos cem ou duzentas léguas, pedindo esmolas com os pés descalços.

Riem-se da mulher pobre que se priva de alguns centavos de leite, de manhã, e que vai levar aos triângulos mágicos das capelas uma pequena vela, que deixa acesa. São os ignorantes que riem, e a mulher pobre não paga muito caro o que compra, assim, de resignação e coragem. Os abastados mostram bastante altivez para passar levantando os ombros; eles se insurgem contra as superstições com um barulho que faz estremecer o mundo; e que resulta disso? As casas dos abastados se desmoronam, e os restos delas são vendidos aos fornecedores e compradores de quinquilharias, que deixam gritar de boa vontade, em toda parte, que o seu reino acabou para sempre, contanto que governem sempre.

As grandes religiões só tiveram a temer uma rival séria, e esta rival é a magia.

A magia produziu as associações ocultas, que trouxeram a revolução chamada Renascença; mas aconteceu ao espírito humano, cego pelos loucos amores, realizar em todos os pontos a história alegórica do Hércules hebreu: desmoronando as colunas do templo, sepultou-se a si mesmo debaixo das ruínas.

As sociedades maçônicas não conhecem, agora, a alta razão dos seus símbolos mais do que os rabinos compreendem o Sefer Yetzirah e o *Zohar* na escala ascendente dos três graus, com a progressão transversal da direita para a esquerda e da esquerda para a direita do setenário cabalístico.

O compasso do G∴ A∴ e o esquadro de Salomão vieram a ser o nível grosseiro e material do jacobismo ininteligente, representado por um triângulo de aço: eis para o céu e para a terra.

Os adeptos profanadores, aos quais o iluminado Cazotte tinha predito uma sangrenta morte, ultrapassaram, atualmente, o pecado de Adão: depois de ter colhido temerariamente os frutos da árvore da ciência, de que não souberam alimentar-se, lançaram-nos aos animais e répteis da terra. Por isso, o reino da superstição começou e deve durar até o tempo em que a verdadeira religião se reconstituir nas bases eternas da hierarquia de três degraus e do tríplice poder que o ternário exerce fatal ou providencialmente nos três mundos.

CAPÍTULO IV

A CONJURAÇÃO DOS QUATRO

As quatro formas elementais* separam e especificam, por uma espécie de esboço, os espíritos criados que o movimento universal desembaraça do fogo central. Em toda parte, o espírito elabora e fecunda a matéria pela vida; toda matéria é animada; o pensamento e a alma estão em toda parte.

Apoderando-se do pensamento, que produz as diversas formas, a pessoa se torna senhora das formas e as faz servir ao seu uso.

A luz astral está saturada de almas, que desprende na geração incessante dos seres. As almas têm vontades imperfeitas que podem ser dominadas e empregadas por vontades mais poderosas; elas formam, então, grandes correntes invisíveis e podem ocasionar ou determinar grandes comoções elementares.

Os fenômenos observados nos processos de magia, e, muito recentemente, pelo Sr. Eudes de Mirville, não têm outras causas.

Os espíritos elementais são como as crianças: atormentam mais os que se ocupam deles, a não ser que sejam dominados por uma elevada razão e uma grande severidade.

São estes espíritos que designamos sob o nome de elementos ocultos. São eles, muitas vezes, que determinam para nós os sonhos inquietantes ou bizarros; são eles que produzem os movimentos da varinha adivinhatória e os golpes dados nas paredes ou nos móveis; mas nunca podem manifestar outro pensamento que não seja o nosso, e se não pensamos, nos falam com toda a incoerência dos sonhos.

Reproduzem indiferentemente o bem e o mal, porque não têm livre-arbítrio e, por conseguinte, não têm responsabilidades; mostram-se aos extáticos e sonâmbulos sob formas incompletas e fugitivas. É o que deu lugar aos pesadelos de Santo Antão e, muito provavelmente, às visões de Swedenborg; não são condenados nem

---

* O ar, a água, a terra e o fogo.

culpados, são curiosos e inocentes. Podemos usar ou abusar deles como dos animais e das crianças. Por isso, o magista que emprega o seu concurso assume sobre si uma responsabilidade terrível, porque deverá expiar todo o mal que lhes fizer praticar, e a grandeza dos seus tormentos será proporcionada à extensão do poder que tiver exercido por meio deles.

Para dominar os espíritos elementais e tornar-se, assim, rei dos elementos ocultos, é preciso ter primeiramente sofrido as quatro provas das antigas iniciações e, como estas iniciações não existem mais, é necessário substituí-las por ações análogas, como: expor-se, sem temor, num incêndio; atravessar um abismo sobre um tronco de árvore ou sobre uma tábua; subir ao cimo de uma montanha durante uma tempestade; passar a nado uma cascata ou redemoinho perigoso. O homem que tem medo da água nunca reinará sobre as ondinas; aquele que teme o fogo, nada pode ordenar às salamandras; enquanto podemos sentir vertigem é preciso deixarmos em paz os silfos e não irritarmos os gnomos, porque os espíritos inferiores só obedecem a um poder que lhes provamos, mostrando-nos seus senhores até no seu próprio elemento.

Quando tivermos adquirido, pela ousadia e o exercício, este poder incontestável, é preciso impormos aos elementos o verbo da nossa vontade, por consagrações especiais do ar, do fogo, da água e da terra, e é este o começo indispensável de todas as operações mágicas.

Exorcizamos o ar, soprando do lado dos quatro pontos cardeais e dizendo:

Spiritus Dei ferebátur súper áquas, et inspirávit in fáciem hóminis spiráculum vitae. Sit Michael dux meus, et Sabtabiel sérvus meus in luce et per lucem.

Fiat vérbum hálitus meus; ei iraperábo spíritibus áeris hujus, et refroenábo équos solis voluntáte cordis meis, et cogitatióne méntis meae et nutu óculi déxtri.

Exorciso ígitur te, creatúra deris, per Pentagrámmaton et in nómine Tetragrámmaton, in quibus sunt volúntas firma et fides recta. Amen. Seta fiat.

Assim seja.

Recita-se, em seguida, a oração dos silfos, depois de ter traçado no ar o seu signo com uma pena de águia.

ORAÇÃO DOS SILFOS

"Espírito de sabedoria, cujo sopro dá e retoma a forma de todas as coisas; tu, diante de quem a vida dos seres é uma sombra que muda e um vapor que passa; tu, que sobes às nuvens e que caminhas nas asas dos ventos; tu, que expiras, e os espaços sem fim são povoados; tu, que aspiras, e tudo o que de ti vem a ti volta: movimento sem fim na estabilidade eterna, sê eternamente bendito. Nós te louvamos e te bendizemos no império móvel da luz criada, das sombras, dos reflexos e das imagens, e aspiramos incessantemente à tua imutável e imperecível claridade. Deixa penetrar até nós o raio da tua inteligência e o calor do teu amor: então o que é móvel ficará fixo, a sombra será um corpo, o espírito do ar será uma alma, o sonho será um pensamento. E nós não seremos mais arrastados pela tempestade, porém seguraremos as rédeas dos cavalos alados da manhã e dirigiremos o curso dos ventos da tarde, para voarmos diante de ti . Ó espírito dos espíritos, ó alma eterna das almas, ó sopro imperecível de vida, ó suspiro criador, ó boca que aspiras e expiras a existência de todos os entes, no fluxo e refluxo da tua eterna palavra, que é o oceano divino do movimento e da verdade. Amém."

Exorcizamos a água pela imposição das mãos, pelo sopro e pela palavra, misturando-lhe o sal consagrado com um pouco de cinza que fica na caixinha de perfumes. O aspersório se faz com ramos de verbena, pervinca, salsa, hortelã, valeriana, freixo e manjericão, ligados por um fio tirado das colunas do leito de uma virgem, com um cabo de amendoeiro que ainda não tenha dado frutos, e no qual gravareis, com a pinça mágica, os caracteres dos sete espíritos. Benzereis e consagrareis separadamente o sal e a cinza dos perfumes, dizendo:

Sobre o sal

"In isto sale sit sapiéntia, et ómne corruptióne sérvet méntes nostras et córpora nostra, per Hochmael et in virtúte Ruach-Hochmael, recédant ab isto phantásmata hylae ut sit sal coeléstis, sal térrae et térra salis, ut nutriétur bos triturans et áddat spei nostrae córnua tauri volántis. Amen".

Sobre a cinza

"Revertátur cinis ad fóntem aquárum vivéntium, e fíat térra fructificans, et germinet árborem vitae per tria nómina, quae sunt Netsah, Hod et Jesod, in principio et in fine, per Alpha et Omega qui sunt in spiritu Azoth. Amen".

Misturando a água, o sal e a cinza

"In sale sapientiae aeternae, et in áqua regeneratiónis, et cínere germinante térram novam, ómnia fíant per Elohim, Gabriel, Raphael et Uriel, in saecula et aeónas. Amen."

Exorcismo da água

"Fíat firmamentum in medio aquárum et sepáret áquas ab áquis, quae supérius sicut inférius, et quae inférius sicut quae supérius, ad perpetránda mirácula rei uníus. Sol ejus páter est, luna máter et ventus hanc gestávit in útero suo, ascéndit a térra ad coelum et rúrsus a coelo in térram descéndit. Exórciso te, creatúra áquae, ut sis mihi spéculum Dei vivi in opéribus ejus, et fons vitae, et ablútio peccatórum. Amen."

ORAÇÃO DAS ONDINAS

"Rei terrível do mar, vós que tendes as chaves das cataratas do céu e que encerrais as águas subterrâneas nas cavernas da terra; rei do dilúvio e das chuvas da primavera, a vós que abris as nascentes dos rios e das fontes, a vós que ordenais à umidade, que é como que o sangue da terra, de tornar-se seiva das plantas, nós vos adoramos e vos invocamos. A nós, vossas móveis e variáveis criaturas, falai-nos nas grandes comoções do mar, e tremeremos diante de vós; falai-nos também no murmúrio das límpidas águas, e desejaremos o vosso amor. Ó imensidade na qual vão perder-se todos os rios do ser, que sempre renascem em vós! Ó oceano das perfeições infinitas! Altura que vos mirais na profundidade; profundidade que exalais na altura, levai-nos à verdadeira vida pela inteligência e pelo amor! Levai-nos à imortalidade pelo sacrifício, a fim de que sejamos considerados dignos de vos oferecer, um dia, a água, o sangue e as lágrimas, para remissão dos erros. Amém."

Exorcizamos o fogo, pondo nele sal, incenso, resina branca, cânfora e enxofre, e pronunciando três vezes os três nomes dos gênios do fogo: *Michael*, rei do Sol e do raio; *Samael*, rei dos vulcões, e *Anael*, príncipe da luz astral; depois recitando a oração dos Salamandras.

ORAÇÃO DOS SALAMANDRAS

"Imortal, eterno, inefável e incriado pai de todas as coisas, que és levado no carro sem cessar rodante dos mundos que giram sempre; dominador das imensidades etéreas, onde está ereto o trono do teu poder, de cima do qual teus olhos formidáveis descobrem tudo e teus belos e santos ouvidos escutam tudo, atende aos teus filhos, que amaste desde o nascimento dos séculos; porque a tua dourada, grande e eterna majestade resplandece acima do mundo e do céu das estrelas; estás elevado acima delas, ó fogo faiscante; aí, tu te acendes e te conservas a ti mesmo pelo teu próprio esplendor, e saem da tua essência regatos inesgotáveis de luz, que nutrem teu espírito infinito. Este espírito infinito alimenta todas as coisas e faz este tesouro inesgotável de substância sempre pronta à geração que elabora e que se apropria das formas de que a impregnaste desde o princípio. Deste espírito tiram também sua origem estes reis mui santos que estão ao redor do teu trono e que compõem a tua corte, ó pai universal! ó único! ó pai dos felizes mortais e imortais.

"Criaste, em particular, potências que são maravilhosamente semelhantes ao teu eterno pensamento e à tua essência adorável; tu as estabeleceste superiores aos anjos, que anunciam ao mundo as tuas vontades; enfim, nos criaste na terceira ordem no nosso império elementar*. Aqui, o nosso contínuo exercício é louvar e

---

* No ocultismo, distinguem-se os *espíritos dos elementos (elementais)* dos espíritos desencarnados. Por isso, a par do termo *elementar* que existe em nossa língua, introduzimos a palavra *elemental*. (N. do T.)

adorar os teus desejos; aqui, ardemos incessantemente aspirando a possuir-te. Ó pai! ó mãe! ó mais terna das mães! ó arquétipo admirável da maternidade e do puro amor! ó filho, flor dos filhos! ó forma de todas as formas, alma, espírito, harmonia e número de todas as coisas! Amém."

Exorcizamos a terra pela aspersão da água, pelo enxofre e pelo fogo, com os perfumes próprios para cada dia, e proferimos a oração dos gnomos.

Oração dos gnomos

"Rei invisível, que tomastes a terra para apoio e que cavastes os seus abismos para enchê-los com a vossa onipotência; vós, cujo nome faz tremerem as abóbadas do mundo, vós que fazeis correr os sete metais nas veias da pedra, monarca das sete luzes, remunerador dos operários subterrâneos, levai-nos ao ar desejável e ao reino da claridade. Velamos e trabalhamos sem descanso, procuramos e esperamos, pelas doze pedras da cidade santa, pelos talismãs que estão escondidos, pelo cravo de ímã que atravessa o centro do mundo. Senhor, Senhor, Senhor, tende piedade dos que sofrem, desabafai os nossos peitos, desembaraçai e elevai as nossas cabeças, engrandecei-nos. Ó estabilidade e movimento, ó dia envolto de noite, ó obscuridade coberta de luz! ó senhor, que nunca retendes convosco o salário dos vossos trabalhadores! ó brancura argentina, ó esplendor dourado! ó coroa de diamantes vivos e melodiosos! vós que levais o céu no vosso dedo, como um anel de safira, vós que escondeis embaixo da terra, no reino das pedrarias, a semente maravilhosa das estrelas, vivei, reinai e sede o eterno dispensador das riquezas de que nos fizestes guardas. Amém."

É preciso observar que o reino especial dos gnomos é ao norte, o dos salamandras ao sul, o dos silfos ao oriente e o das ondinas ao ocidente. Eles influem sobre os quatro temperamentos do homem, isto é, os gnomos sobre os melancólicos, os salamandras sobre os sanguíneos, as ondinas sobre os fleumáticos e os silfos sobre os biliosos. Os seus signos são: os hieróglifos do touro para os gnomos, e os governamos com a espada; do leão para os salamandras, e os dirigimos com a varinha bifurcada ou o tridente mágico; da águia para os silfos, e os mandamos com os santos pentáculos; enfim, do aquário para as ondinas, e as evocamos com o copo de libações. Os seus soberanos respectivos são: Gob para os gnomos, Djîn para os salamandras, Paralda para os silfos e Nicksa para as ondinas.

Quando um espírito elemental vem atormentar ou ao menos inquietar os habitantes deste mundo, é preciso conjurá-lo pelo ar, pela água, pelo fogo e pela terra, soprando, aspergindo, queimando perfumes e traçando no chão a estrela de Salomão e o pentagrama sagrado. Estas figuras devem ser perfeitamente regulares e feitas, quer com carvão do fogo consagrado, quer com um caniço, molhado em tinta de diversas cores, misturadas com ímã pulverizado. Depois, tendo na mão o pentáculo de Salomão e tomando, cada qual por sua vez, a espada, a varinha e o copo, pronunciaremos nestes termos em voz alta a conjuração dos quatro:

"*Cáput mórtuum imperet tibi Dóminus per vivum et devótum serpéntem.*

"*Cherub, imperet tibi Dóminus per Adam Iotchavah!. Áquila érrans, imperet tibi Dóminus per alas Tauri. Serpens, imperet tibi Dóminus tetrámmaton per ángelum et leónem!*

"*Michael, Gabriel, Raphael, Anael!*

"*Flúat údor per spiritum Elohim.*

"*Máneat Terra per Adam Iot-Chavah.*

"*Fiat Fismaméntum per Iahuvehu-Zebaoth.*

"*Fiat Judícium per ígnem in virtude Michael.*

"Anjo de olhos mortos, obedece, ou escorre-te com esta água santa.

"Touro alado, trabalha ou volta à terra, se não queres que te aguilhoe com esta espada.

"Águia acorrentada, obedece a este signo, ou retira-te diante deste sopro.

"Serpente móvel, arrasta-te a meus pés, ou sê atormentada nelo fogo sagrado e evapora-te com os perfumes que queimo nele.

"Que a água volte à água; que o fogo queime; que o ar circule; que a terra caia na terra, pela virtude do pentagrama, que é a estrela da manhã, e em nome do tetragrama, que está escrito no centro da cruz luminosa. Amém."

O sinal da cruz adotado pelos cristãos não lhes pertence exclusivamente. É também cabalístico e representa as aposições e o equilíbrio quaternário dos elementos. Vemos, pelo versículo oculto do *Pater* que assinalamos no nosso *Dogma*, que, primitivamente, havia duas maneiras de o fazer ou, ao menos, duas fórmulas bem diferentes para o caracterizar; uma reservada aos padres e iniciados; a outra oferecida aos neófitos e profanos. Assim, por exemplo, o iniciado, levando a mão à sua testa, dizia: A ti; depois acrescentava: *pertencem*; e continuava, levando a mão ao peito: *o reino*; depois, ao ombro esquerdo: *a justiça*; ao ombro direito: *e a misericórdia*. Depois ajuntava as duas mãos, acrescentando: *nos ciclos geradores. Tibi sunt Malchut et Geburah et Chesed per aeonas*. Sinal da cruz absoluta e magnificamente cabalístico, que as profanações do gnosticismo fizeram a Igreja militante e oficial perder completamente.

Este sinal, feito deste modo, deve preceder e terminar a conjuração dos quatro.

Para dominar e submeter os espíritos elementais é preciso nunca abandonar-se aos defeitos que os caracterizam. Assim, nunca um espírito leviano e caprichoso governará os silfos. Nunca uma natureza débil, fria e inconstante será senhora das ondinas; a cólera irrita os salamandras e a grosseria cúpida faz dos que domina joguetes dos gnomos.

Porém, é preciso ser pronto e ativo como os silfos, flexível e atento às imagens como as ondinas, enérgico e forte como os salamandras, laborioso e paciente como os gnomos; numa palavra, é preciso vencê-los nas suas forças, sem nunca se deixar subjugar pelas suas fraquezas. Quando estiver bem firme nesta disposição, o mundo inteiro estará a serviço do sábio operador. Ele passará durante a tempestade, e a chuva não tocará na sua cabeça; o vento nem mesmo desarranjará uma dobra do seu vestuário; atravessará o fogo sem ser queimado; caminhará sobre a água, e verá os diamantes através da espessura da terra. Estas promessas, que podem parecer hiperbólicas, são-no somente na inteligência do vulgo, porque, se o sábio não faz material e exatamente as coisas que estas palavras exprimem, fará outras muito maiores e mais admiráveis. Todavia é indubitável que podemos, pela vontade, dirigir os elementos numa certa medida, e transmutar ou fazer parar realmente os seus efeitos.

Por que, por exemplo, se foi verificado que pessoas, no estado de êxtase, perdem momentaneamente o seu peso, não se poderia andar ou deslizar sobre a água? Os convulsionários de Saint-Medard não sentiam nem o fogo nem o ferro, e solicitavam, como alívio, os golpes mais violentos e as torturas mais incríveis. As estranhas ascensões e o equilíbrio prodigioso de certos sonâmbulos, não são uma revelação destas forças ocultas da natureza? Mas vivemos num século em que ninguém tem coragem de confessar os milagres de que é testemunha, e se alguém vem dizer: "Vi ou fiz por mim mesmo as coisas que vos conto", dir-lhe-ão: "Quereis divertir-vos à nossa custa, ou estais doente". É melhor calar-se e agir.

Os metais correspondentes às quatro formas elementais são o ouro e a prata para o ar, o mercúrio para a água, o ferro e o cobre para o fogo, e o chumbo para a terra. Compõem-se com eles talismãs relativos às forças que representam e aos efeitos que nos propusermos obter delas.

A adivinhação pelas quatro formas elementares, que chamamos aeromancia, hidromancia, piromancia e geomancia, se faz de diversas maneiras, as quais dependem todas da vontade e do translúcido ou da imaginação do operador.

Com efeito, os quatro elementos são simplesmente instrumentos para ajudar a segunda vista.

A segunda vista é a faculdade de ver na luz astral.

Esta segunda vista é natural como a primeira vista ou vista sensível e ordinária; porém, ela só pode operar-se pela abstração dos sentidos. Os sonâmbulos e extáticos gozam naturalmente da segunda vista; mas esta vista é mais lúcida quando a abstração é mais completa.

A abstração produz-se pela embriaguez astral, isto é, por uma superabundância de luz que satura completamente e, por conseguinte, deixa inerte o instrumento nervoso.

Os temperamentos sanguíneos são mais dispostos à aeromancia, os biliosos à piromancia, os pituitosos à hidromancia, e os melancólicos à geomancia.

A aeromancia confirma-se pela oneiromancia ou adivinhação pelos sonhos; supre-se a piromancia pelo magnetismo, a hidromancia pela cristalomancia, e a geomancia pela cartomancia. São transposições e aperfeiçoamentos de métodos.

Mas a adivinhação, de qualquer modo que a operemos, é perigosa ou, ao menos, inútil, porque desanima a vontade e embaraça, por conseguinte, a liberdade e fatiga o sistema nervoso.

CAPÍTULO V

O PENTAGRAMA FLAMEJANTE

Chegamos à explicação e à consagração do santo e misterioso pentagrama.

Que o ignorante e o supersticioso fechem o livro aqui: pois só verão nele trevas ou ficarão escandalizados.

O pentagrama, que é chamado, nas escolas gnósticas, a estrela flamejante, é o sinal da onipotência e da autocracia intelectuais.

É a estrela dos magos; é o sinal do Verbo feito carne; e, conforme a direção dos seus raios, este símbolo absoluto em magia representa o bem ou o mal, a ordem ou a desordem, o cordeiro de Ormuz e de São João ou o bode maldito de Mendes.

É a iniciação ou a profanação; é Lúcifer ou Vésper, a estrela da manhã ou da tarde.

É Maria ou Lilith; é a vitória ou a morte, é a luz ou a noite.

O pentagrama elevando ao ar duas das suas pontas representa Satã ou o bode do *Sabbat*, e representa o Salvador quando eleva ao ar um só dos seus raios.

O pentagrama é a figura do corpo humano com quatro membros e uma ponta única que deve representar a cabeça.

Uma figura humana com a cabeça para baixo representa naturalmente um demônio, isto é, a subversão intelectual, a desordem ou a loucura.

Ora, se a magia é uma realidade, se esta ciência oculta é a lei verdadeira dos três mundos, este signo absoluto, este signo tão antigo como a história e até mais que a história, deve exercer, com efeito, uma influência incalculável sobre os espíritos desembaraçados dos seus envoltórios materiais.

O signo do pentagrama chama-se também o signo do microcosmo, e representa o que os cabalistas do livro no Zohar chamam o micropróspopo.

A interpretação completa do pentagrama é a chave dos dois mundos. É a filosofia e a ciência natural absolutas.

O signo do pentagrama deve ser composto dos sete metais ou, ao menos, ser traçado em ouro puro no mármore branco.

Pode-se também desenhá-lo, com vermelhão, numa pele de cordeiro sem defeitos e sem manchas, símbolo de integridade e luz.

O mármore deve ser virgem, isto é, nunca ter servido a outro uso; a pele de carneiro deve ser preparada sob os auspícios do Sol.

O carneiro deve ter sido degolado no tempo da Páscoa, com uma faca nova, e a pele deve ter sido salgada com o sal consagrado pelas operações mágicas.

A negligência de uma única destas cerimônias difíceis e, em aparência, arbitrárias, faz abortar todo o sucesso das grandes obras da ciência.

Consagramos o pentagrama com os quatro elementos; sopramos cinco vezes sobre a figura mágica; e aspergimo-lo com a água consagrada; secamo-lo com a fumaça dos cinco perfumes, que são o incenso, a mirra, o alóes, o enxofre e a cânfora, aos quais podemos ajuntar um pouco de resina branca e âmbar pardo; sopramos cinco vezes, pronunciando o nome dos cinco gênios, que são: Gabriel, Rafael, Anael, Samael e Orifiel; depois pomos o pentáculo no chão, alternativamente ao norte, ao sul, ao oriente, ao ocidente e no centro a cruz astronômica, e pronunciamos, uma após outra, as letras do tetragrama sagrado; depois dizemos, em voz baixa, os nomes benditos de Aleph e do Thau misterioso, reunidos no nome cabalístico de *Azoth*.

O pentagrama deve ser colocado no altar dos perfumes e sobre a trípode das evocações. O operador deve também trazer consigo a figura com a do macrocosmo, isto é, a da estrela de seis raios, composta de dois triângulos cruzados e superpostos.

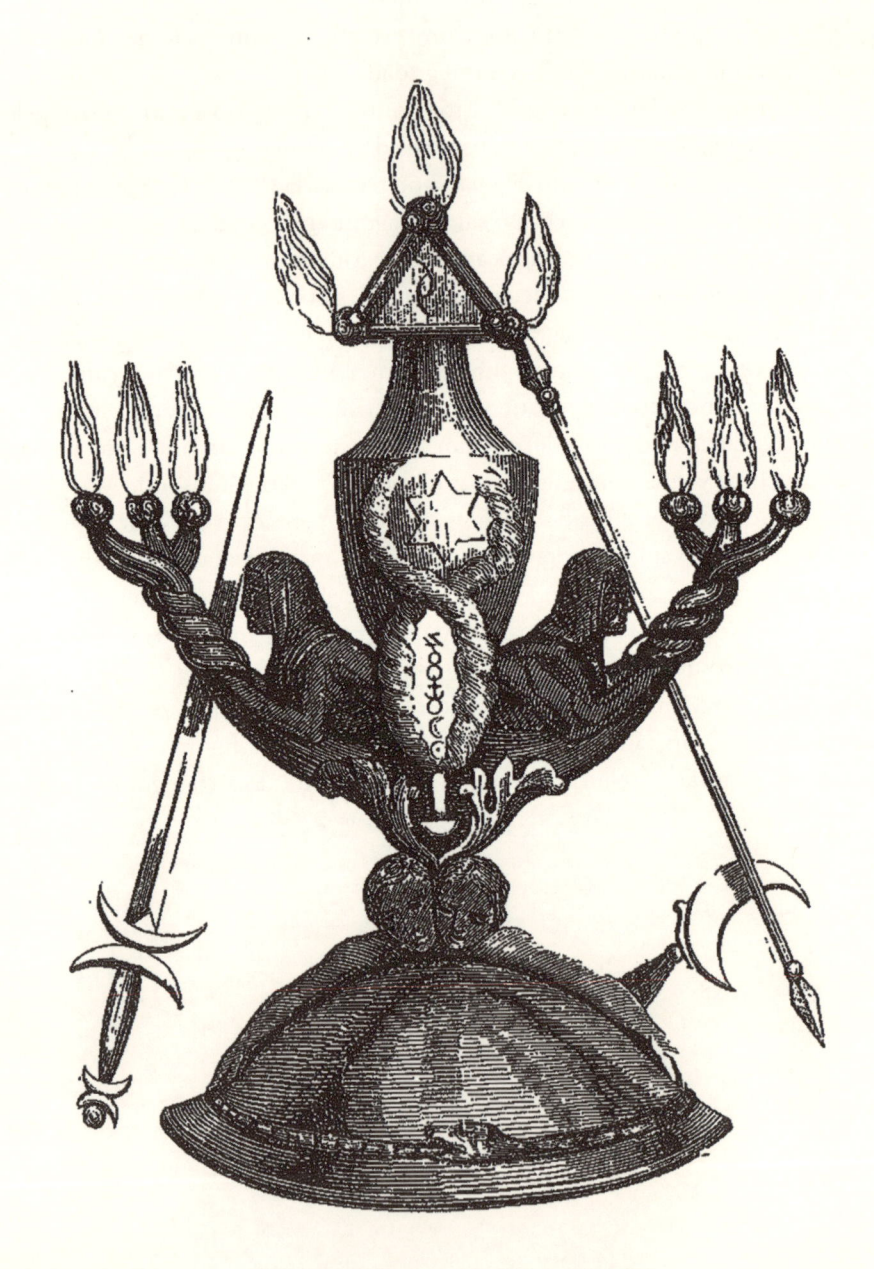

INSTRUMENTOS MÁGICOS
A Lâmpada, a Varinha, a Espada e a Foice

Quando evocamos um espírito de luz, é preciso virar a cabeça da estrela, isto é, uma das suas pontas para a trípode da evocação, e as duas pontas inferiores do lado do altar dos perfumes. É o contrário se se tratar de um espírito das trevas; mas então é preciso que o operador tenha o cuidado de conservar a ponta da baqueta ou da espada sobre a cabeça do pentagrama.

Dissemos que os signos são o verbo ativo da vontade. Ora, a vontade deve dar seu verbo completo para transformá-lo em ação; e uma única negligência, representando uma palavra ociosa ou uma dúvida, imprime em toda a operação o cunho da mentira e da impotência, e volta contra o operador todas as forças gastas em vão.

É, pois, preciso abster-se absolutamente das cerimônias mágicas, ou realizar escrupulosa e exatamente todas!

O pentagrama traçado, em linhas luminosas, no vidro, por meio da máquina elétrica, exerce também uma grande influência sobre os espíritos e aterroriza os fantasmas.

Os antigos magos traçavam o signo do pentagrama no batente da sua porta, para impedir aos maus espíritos de entrar e aos bons de sair. Este constrangimento resulta da direção dos raios da estrela. Duas pontas para fora, afastava os maus espíritos; duas pontas para dentro, os retinha prisioneiros; uma só ponta para dentro, cativava os bons espíritos.

Todas estas teorias mágicas, baseadas no dogma único de Hermes e nas induções analógicas da ciência, sempre foram confirmadas pelas visões dos extáticos e pelas convulsões dos catalépticos, ditos possessos dos espíritos.

O G que os franco-maçons colocam no meio da estrela flamejante significa *Gnosis* e *Geração*, duas palavras sagradas da antiga Cabala. Quer dizer também *Grande Arquiteto*, porque o pentagrama, de qualquer lado que o olhemos, representa um A.

Dispondo-o de modo que duas das suas pontas estejam em cima e uma só ponta embaixo, podemos ver nele os chifres, as orelhas e a barba do bode hierático de Mendes e torna-se o signo das evocações infernais.

A estrela alegórica dos magos outra coisa não é senão o misterioso pentagrama; e esses três reis, filhos de Zoroastro, guiados pela estrela flamejante ao berço do Deus microcósmico, seriam suficientes para provar as origens inteiramente cabalísticas e verdadeiramente mágicas do dogma cristão. Um destes reis é branco, outro é preto e o terceiro é moreno. O branco oferece ouro, símbolo da vida e da luz; o preto oferece mirra, imagem da morte e da noite; o moreno apresenta o incenso, emblema da divindade do dogma conciliador dos dois princípios; depois, voltam a seu país por um outro caminho, para mostrar que um culto novo é simplesmente um novo caminho para levar a humanidade à religião única, a do ternário sagrado e do irradiante pentagrama, o único *catolicismo* eterno.

No *Apocalipse*, São João vê esta mesma estrela cair do céu na Terra. Ela se chama, então, absíntio ou amargura, e todas as águas ficam amargas. É uma imagem clara da materialização do dogma que produz o fanatismo e as amarguras das controvérsias. É ao próprio cristianismo que podemos, então, dirigir estas palavras de Isaías: "Como caíste do céu, estrela brilhante, que eras tão esplêndida em tua manhã?"

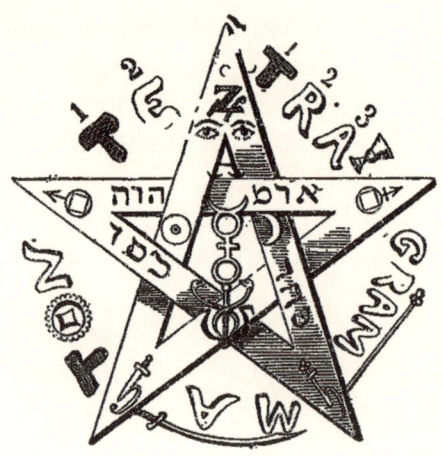

Mas o pentagrama, profanado pelos homens, brilha sempre sem sombra na mão direita do Verbo de verdade, e a voz inspiradora promete àquele que vencer dar-lhe a posse da estrela da manhã; reabilitação solene prometida ao astro de Lúcifer.

Como vemos, todos os mistérios da magia, todos os símbolos da Gnosis, todas as figuras do ocultismo, todas as chaves cabalísticas da profecia, se resumem no signo do pentagrama, que Paracelso proclama o maior e mais poderoso de todos os signos.

Será para se admirar, depois disso, da confiança dos magistas e da influência real exercida por este signo sobre os espíritos de todas as hierarquias? Os que desprezam o sinal da cruz tremem ao aspecto da estrela do microcosmo. O mago, pelo contrário, quando sente enfraquecer-se a sua vontade, leva os olhos para o símbolo, toma-o na mão direita e sente-se armado da onipotência intelectual, contanto que seja verdadeiramente um rei digno de ser guiado pela estrela ao berço da realização divina; contanto que *saiba*, que *ouse*, que *queira*, e que se *cale*; contanto que conheça o emprego do pentáculo, do copo, da varinha e da espada; enfim, contanto que os olhares intrépidos de sua alma correspondam a estes dois olhos que a ponta superior do nosso pentagrama lhe apresenta sempre abertos.

CAPÍTULO VI

O MÉDIUM E O MEDIADOR

Dissemos que para adquirir o poder mágico são necessárias duas coisas: desembaraçar a vontade de toda servidão e exercê-la à dominação.

A vontade soberana é representada nos nossos símbolos pela mulher que esmaga a cabeça da serpente, e pelo anjo radiante que reprime e contém o dragão embaixo do seu pé e da sua lança.

Declaremos aqui, sem rodeios, que o grande agente mágico, a dupla corrente de luz, o fogo vivo e astral da Terra, foi figurado pela serpente de cabeça de touro, de bode ou de cão, nas antigas teogonias. É a dupla serpente do caduceu, é a antiga serpente do livro de *Gênesis*; mas é, também, a serpente de zinco de Moisés, entrelaçada ao redor do *tau*, isto é, do *lingam* gerador; é também o bode do *Sabbat* e o Baphomet dos templários; é o Hyle dos Gnósticos; é a dupla cauda da serpente que forma as pernas do galo solar dos Abraxas; é, enfim, o diabo do Sr. Eudes de Mirville, e é realmente a força cega que as almas têm de vencer para libertar-se das cadeias da Terra; porque, se a sua vontade as não separar desta imantação fatal, serão absorvidas na corrente pela força que as produziu, e voltarão ao fogo central e eterno.

Toda obra mágica consiste, pois, em desembaraçar-se dos anéis da antiga serpente, e depois pôr o pé na cabeça dela e guiá-la aonde se quiser. "Eu te darei – diz ela, no mito evangélico – todos os reinos da Terra se te ajoelhares e me adorares." O iniciado deve responder-lhe: "Não me ajoelharei, e tu te arrastarás aos meus pés; nada me darás, mas servir-me-ei de ti e tomarei o que quiser: porque sou teu senhor e dominador!" Resposta que está compreendida, mas oculta, na que lhe fez o Salvador!

Já dissemos que o diabo não é uma pessoa. É uma força desviada, como, aliás, seu nome indica. Uma corrente ódica ou magnética, formada por uma cadeia de vontades perversas, constitui este mau espírito, que o evangelho chama de *Legião* e que precipita os porcos no mar: nova alegoria do arrastamento dos seres baixamente instintivos pelas forças cegas que pode pôr em movimento a má vontade e o erro.

Podemos comparar este símbolo ao dos companheiros de Ulisses, transformados em porcos pela maga Circe.

Ora, vede o que faz Ulisses para se preservar a si próprio e libertar seus companheiros: recusa o copo da encantadora e lhe ordena com a espada. Circe é a natureza com todas as suas volúpias e seus atrativos; para gozar dela, é preciso vencê-la: tal é o sentido da fábula homérica, porque os poemas de Homero, verdadeiros livros sagrados da antiga Helênia, contêm todos os mistérios das altas iniciações do Oriente.

O *médium* natural é, pois, a serpente, sempre ativa e sedutora das vontades preguiçosas, à qual é preciso resistir sempre, dominando-a.

Um mago apaixonado, um mago guloso, um mago colérico, um mago preguiçoso são monstruosidades impossíveis. O mago pensa e quer, nada ama com desejo, nada repele com paixão; a palavra *paixão* representa um estado passivo, e o mago é sempre ativo e vitorioso. O mais difícil, nas altas ciências, é chegar à realização disto; por isso, quando o mago criou a si próprio, a Grande Obra está realizada, ao menos no seu instrumento e na sua causa.

O grande agente ou mediador natural da onipotência humana só pode ser subjugado e dirigido por um mediador *extranatural*, que é uma vontade livre. Arquimedes pedia um ponto de apoio fora do mundo para levantar o mundo. O ponto de apoio do mago é a pedra cúbica intelectual, a pedra filosofal de *Azoth*, isto é, o dogma da absoluta razão e das harmonias universais pela simpatia dos contrários.

Um dos nossos escritores mais fecundos e menos fixos nas suas ideias, Eugênio Sue, compôs uma epopeia romanesca completa sobre uma individualidade que se esforça em se fazer odiosa e que se torna interessante a seu pesar, tanto ele lhe dá força, paciência, ousadia, inteligência e gênio! Trata-se de uma espécie de Sixto Quinto, pobre, sóbrio, sem ódio, que tem o mundo inteiro preso nas malhas das suas sábias combinações.

Este homem excita à vontade as paixões dos seus adversários, destrói-os uns pelos outros, chega sempre aonde quer chegar, e isto sem alarde, sem brilho, sem charlatanismo. O seu fim é libertar o mundo de uma sociedade que o autor do livro crê perigosa e perversa, e, para isso, nada lhe custa: dorme em maus quartos, está mal vestido, alimenta-se como o último dos pobres, mas está sempre atento à sua obra. O autor, para ficar na sua ideia, o representa pobre, sujo, feio, nojento ao tato, horrível à vista. Mas, se até este exterior é um meio de disfarçar a ação e de chegar mais seguramente, não é a prova de uma coragem sublime?

Quando Rodin for papa, pensai vós que ficará ainda mal vestido e sujo? Eugênio Sue errou o seu alvo; quer atacar o fanatismo e a superstição, e une-se à inteligência, à força, ao gênio, a todas as grandes virtudes humanas! Se houvesse muitos Rodins entre os jesuítas, até se houvesse um só, não daria grandes coisas ao partido contrário, apesar das brilhantes e incorretas defesas dos seus ilustres advogados.

Querer bem, querer longo tempo, querer sempre, tal é o segredo da força; e é este arcano mágico que Tasso põe em ação na pessoa dos dois cavaleiros que vêm libertar Renato e destruir os encantamentos de Armida. Resistem tão bem às ninfas mais encantadoras como aos animais ferozes mais terríveis; ficam sem desejos e sem temor, e chegam a seu fim.

Resulta disso que um verdadeiro mago é mais temível do que amável. Não discordo disso, e, reconhecendo perfeitamente quando são agradáveis as seduções da vida, fazendo justiça ao gênio gracioso de Anacreonte e a toda a florescência juvenil da poesia dos amores, convido seriamente os estimáveis amigos do prazer a considerar as altas ciências só como um objeto de curiosidade, mas a nunca se aproximar da trípode mágica: as grandes obras da ciência são mortais à volúpia.

O homem que se libertou da cadeia dos instintos perceberá primeiramente a sua onipotência pela submissão dos animais. A história de Daniel na cova dos leões não é uma fábula, e mais de uma vez, durante as perseguições do cristianismo nascente, este fenômeno se renovou em presença de todo o povo romano. Raramente um homem tem alguma coisa a recear de um animal do qual não tem medo. As balas de Gerard, o matador de leões, são mágicas e inteligentes. Somente uma vez correu um verdadeiro perigo: tinha deixado ir consigo um companheiro que teve medo, e então, considerando este imprudente como perdido adiantadamente, teve medo também, mas pelo seu companheiro.

Muitas pessoas dirão que é difícil e até impossível chegar a uma resolução semelhante, que a força de vontade e a energia de caráter são dons da natureza, etc. Não discordo disso, mas reconheço também que o hábito pode refazer a natureza; a vontade pode ser aperfeiçoada pela educação e, como disse, todo cerimonial mágico, semelhante, neste ponto, ao cerimonial religioso, só tem por objetivo experimentar, exercitar e habituar, assim, a vontade à perseverança e à força. Quanto mais as práticas são difíceis e humilhantes, tanto mais têm efeitos; agora deveis compreendê-lo.

Se até o presente foi impossível dirigir os fenômenos do magnetismo é que ainda não se achou magnetizador iniciado e verdadeiramente livre. Quem pode, com efeito, vangloriar-se de o ser? E não temos sempre de fazer novos esforços sobre nós mesmos? Todavia, é certo que a natureza obedecerá ao sinal e à palavra daquele que se sentir assaz forte para não duvidar. Digo que a natureza obedecerá, não digo que ela se desmentirá ou perturbará a ordem das suas possibilidades. As curas das doenças nervosas por uma palavra, um sopro ou um contato; as ressurreições em certos casos; a resistência às vontades más capaz de desarmar e derrubar os assassinos; até a faculdade de se fazer invisível, perturbando a vista daqueles aos quais é importante escapar: tudo isto é um efeito natural da projeção ou do afastamento da luz astral. É por isso que Valente ficou ofuscado e aterrorizado, ao entrar no templo de Cesareia, como outrora Heliodoro, fulminado por uma demência súbita no templo de Jerusalém, acreditou ter sido enxovalhado e pisado por anjos.

É por isso que o almirante Coligny impôs respeito aos seu assassinos, e só pôde ser morto por um homem furioso que se lançou sobre ele, perdendo a razão. O que fazia Joana d'Arc sempre vitoriosa era o prestígio da sua fé, a maravilhosidade da sua audácia; ela paralisava os braços que queriam feri-la, e os ingleses puderam seriamente crê-la maga ou feiticeira. Ela era, com efeito, maga sem o saber, porque acreditava que agia de modo sobrenatural, ao passo que dispunha de uma força oculta, universal e sempre submissa às mesmas leis.

O magista magnetizador deve governar ao *médium* natural, e, por conseguinte, ao corpo astral que faz comunicar a nossa alma com os nossos órgãos; pode dizer ao corpo material: – "Dormi!" e ao corpo sideral: – "Sonhai!" Então as coisas visíveis mudam de aspecto como nas visões do *haschich*.

Cagliostro possuía, dizem, este poder, e ajudava a sua ação por fumigações e perfumes; mas o verdadeiro poder magnético deve abster-se desses auxiliares mais ou menos venenosos para a razão e nocivos à saúde. O Sr. Ragon, na sua sábia obra sobre a maçonaria oculta, dá a receita de uma série de medicamentos próprios para exaltar o sonambulismo. É um conhecimento que, sem dúvida, não é para ser rejeitado, mas de que os magistas prudentes devem abster-se de fazer uso.

A luz astral projeta-se pelo olhar, pela voz, pelos polegares e a palma da mão. A música é um poderoso auxiliar da voz, e daí proveio a palavra *encantamento*. Nenhum instrumento de música é mais encantador que a voz humana, mas os sons longínquos do violino ou da harmônica podem aumentar o seu poder. Prepara-se assim o paciente que se quer submeter: depois, quando estiver meio adormecido e como que envolto por este encanto, estende-se a mão para ele e ordena-se-lhe dormir ou ver, e ele obedece contra a sua vontade. Se resistir, é preciso, olhando-o fixamente, pôr um polegar na sua fronte entre os olhos, e o outro polegar no seu peito, tocando-o levemente com um único e rápido contato; depois aspirar lentamente e expirar brandamente um sopro quente, e lhe repetir em voz baixa: – *Dormi* ou *Vede*.

CAPÍTULO VII

O SETENÁRIO DOS TALISMÃS

As cerimônias, as vestimentas, os perfumes, os caracteres e as figuras, sendo, como dissemos, necessários para empregar a imaginação na educação da vontade, o sucesso das obras mágicas depende da fiel observação de todos os ritos. Estes ritos, como dissemos, nada têm de fantástico ou arbitrário; eles nos foram transmitidos pela antiguidade e subsistem sempre pelas leis essenciais da realização analógica e da relação que existe necessariamente entre as ideias e as formas. Depois de ter passado vários anos a consultar e comparar todos os engrimanços e todos os rituais mágicos mais autênticos, chegamos, não sem trabalho, a reconstituir o cerimonial da magia universal e primitiva. Os únicos livros sérios que vimos sobre esse assunto são manuscritos e traçados em caracteres de convenção, que deciframos com o auxílio da poligrafia de Trithemo; outros estão inteiramente nos hieróglifos e símbolos de que são ornados e disfarçam a verdade das suas imagens sob as ficções supersticiosas de um texto mistificador. Tal é, por exemplo, o *Enchiridion* do Papa Leão III, que nunca foi impresso com suas gravuras e que refizemos para nosso uso particular conforme um antigo manuscrito.

Os rituais conhecidos sob o nome de *Clavículas de Salomão* existem em grande número. Vários foram impressos, outros foram copiados com grande cuidado. Existe um belo exemplar, muito elegantemente caligrafado, na Biblioteca Imperial; é ornado com pentáculos e caracteres que, na maior parte, se acham nos calendários mágicos de Tycho-Brahe e de Duchenteau. Existem, enfim, clavículas e engrimanços impressos que são mistificações e especulações vergonhosas de baixa livraria. O livro tão conhecido e tão proibido pelos nossos pais, sob o nome de *Pequeno Alberto*, pertence, por um lado inteiro da sua redação, a esta última categoria e só tem de sério alguns cálculos tirados de Paracelso e algumas figuras de talismãs.

Quando se trata de realização e de ritual, Paracelso é, em magia, uma imponente autoridade. Ninguém realizou maiores obras do que as suas, e, por isso mesmo, ele esconde o poder das cerimônias, e ensina, somente na filosofia oculta, a existência do agente magnético da onipotência da vontade; resume, também, toda a ciência dos caracteres em dois signos, que são as estrelas *macro* e *microcósmicas*. Era dizer bastante para os adeptos e importava não iniciar o vulgo. Paracelso não ensinava, pois, o ritual, mas o praticava e sua prática era uma sucessão de milagres.

Dissemos que importância têm, em magia, o ternário e o quaternário. Da sua reunião se compõe o grande número religioso e cabalístico que representa a síntese universal e que constitui o setenário sagrado.

O mundo, conforme a crença dos antigos, é governado por sete causas segundas, como as chama Trithemo: *secundae*, e são as forças universais designadas por Moisés sob o nome plural de Elohim, os deuses. Estas forças, análogas e contrárias umas às outras, produzem o equilíbrio pelos seus contrastes e regulam o movimento das esferas. Os hebreus as chamam os sete grandes arcanjos e lhes dão os nomes de Mikael, Gabriel, Rafael, Anael, Samael, Zadkiel e Orifiel. Os gnósticos cristãos chamam os quatro últimos: Uriel, Baraquiel, Sealtiel e Jehudiel. Os outros povos atribuíram a estes espíritos o governo dos sete planetas principais, e lhes deram os nomes das suas grandes divindades. Todos acreditaram na sua influência relativa, e a astronomia lhes dividiu o céu e lhes atribuiu sucessivamente o governo dos sete dias da semana.

Tal é a razão das diversas cerimônias da semana mágica e do culto setenário dos planetas.

Já observamos, aqui, que os planetas são signos, e não outra coisa; eles têm a influência que a fé universal lhes atribui, porque são mais realmente astros do espírito humano do que estrelas do céu.

O Sol, que a magia antiga sempre considerou como fixo, só podia ser um planeta para o vulgo; por isso, representa, na semana, o dia do descanso, que chamamos, não sei por que, domingo*, e que os antigos chamavam dia do Sol.

Os sete planetas mágicos correspondem às sete cores do prisma e às sete notas da oitava musical; representam, também, as sete virtudes e, por oposição, os sete vícios da moral cristã.

Os sete sacramentos referem-se, igualmente, a este grande setenário. O batismo, que consagra o elemento da água, refere-se à Lua; a penitência rigorosa está sob os auspícios de Samael, o anjo regente de Marte; a confirmação, que dá o espírito de inteligência e comunica ao verdadeiro crente o dom das línguas, está sob os auspícios de Rafael, o anjo de Mercúrio; a eucaristia substitui a realização sacramental de Deus feito homem, ao império de Júpiter; o casamento é consagrado pelo anjo Anael, o gênio purificador de Vênus; a extrema-unção é a salvaguarda dos doentes próximos

---

* Em francês: *dimanche*.

a cair sob a foice de Saturno, e a ordem, que consagra o sacerdócio de luz, está mais especialmente marcada por caracteres do Sol. Quase todas estas analogias foram notadas pelo sábio Dupuis, que concluiu, daí, a falsidade de todas as religiões, em vez de reconhecer a santidade e a perpetuidade de um dogma único, sempre reproduzido no simbolismo das sucessivas formas religiosas. Não entendeu a revelação permanente transmitida ao gênio do homem pelas harmonias da natureza, e só viu uma série de erros nesta cadeia de imagens engenhosas e eternas verdades.

As obras mágicas são também em número de sete: 1ª) obras de luz e riqueza, sob os auspícios do Sol; 2ª) obras de adivinhação e mistérios, sob a invocação da Lua; 3ª) obras de habilidade, ciência e eloquência, sob a proteção de Mercúrio; 4ª) obras de cólera e castigo, consagradas a Marte; 5ª) obras de amor, favorecidas por Vênus; 6ª) obras de ambição e política, sob os auspícios de Júpiter; 7ª) obras de maldição e morte, sob o patrimônio de Saturno. No simbolismo teológico, o Sol representa o verbo de verdade; a Lua representa a própria religião; Mercúrio, a interpretação e a ciência dos mistérios; Marte, a justiça; Vênus, a misericórdia e o amor; Júpiter, o Salvador ressuscitado e glorioso; Saturno, Deus Pai ou o Jeová de Moisés. No corpo humano, o Sol é análogo ao coração, a Lua, ao cérebro, Júpiter, à mão direita, Saturno, à mão esquerda, Marte, ao pé esquerdo, Vênus, ao pé direito, Mercúrio, às partes sexuais, o que fez representar, às vezes, o gênio deste planeta sob uma figura andrógina.

Na face humana, o Sol domina na fronte; Júpiter, no olho direito; Saturno, no olho esquerdo; a Lua reina entre os dois olhos, à raiz do nariz, de que Marte e Vênus governam as duas asas; Mercúrio, enfim, exerce sua influência sobre a boca e o queixo.

Estas noções formavam, entre os antigos, a ciência oculta da fisionomia, descoberta, depois, imperfeitamente por Lavater.

O mago que quer proceder às obras de luz, deve operar ao domingo, de meia-noite até oito horas da manhã, ou das três horas da tarde até dez horas da noite. Estará vestido com uma roupa de púrpura, com uma tiara e braceletes de ouro. O altar dos perfumes e a trípode do fogo sagrado serão rodeados de grinaldas de loureiro, heliotrópios e girassóis: os perfumes serão o cinamomo, o incenso macho, o açafrão e o sândalo vermelho; o anel será de ouro com um crisólito ou rubi; os tapetes serão de peles de leões; os leques serão de penas de gavião.

Na segunda-feira, vestirá uma roupa branca ornada de fios de prata, com um tríplice colar de pérolas, cristais e selenitas; a tiara será coberta de seda amarela, com caracteres de prata, formando, em hebraico, o monograma de Gabriel, tal como o encontramos na filosofia oculta de Agrippa; os perfumes serão sândalo branco, cânfora, âmbar, aloés e semente de pepino pulverizada; as grinaldas serão de artemísia, selenotrópio e ranúnculo amarelo. Evitará as armações, os vestuários ou os objetos de cor preta, e não poderá ter consigo outro metal a não ser a prata.

Na terça-feira, dia das operações de cólera, a roupa será cor de fogo, ferrugem ou sangue, com uma cintura e braceletes de aço; a tiara será circundada de ferro, e a pessoa não se servirá da varinha mágica, mas somente do estilete mágico e da espada; as grinaldas serão de absinto e arruda, e será no dedo um anel de aço, com uma ametista por pedra preciosa.

Na quarta-feira, dia favorável à alta ciência, a roupa será verde, ou de um pano de reflexos de diferentes cores; o colar será de pérolas de vidro oco, contendo mercúrio; os perfumes serão o benjoim, a noz-moscada e o estoraque; as flores, o narciso, o lírio, a mercurial, a fumária e a manjerona; a pedra preciosa será a ágata.

Na quinta-feira, dia das grandes obras religiosas e políticas, a roupa será escarlate, e a pessoa terá na fronte uma lâmina de estanho com o caráter do espírito de Júpiter e estas três palavras: *Giarar, Bethor, Samgabiel*; os perfumes serão o incenso, o âmbar pardo, o bálsamo, o grão de paraíso, a noz-moscada e o açafrão; o anel será ornado de uma esmeralda ou safira; as grinaldas e coroas serão de carvalho, álamo, figueira e romeira.

Na sexta-feira, dia das operações morosas, a roupa será de azul-marinho; as armações serão verdes e cor-de-rosa; os ornamentos, de cobre polido; as coroas serão de violetas; as grinaldas, de rosas, mirtos e oliveiras; o anel será ornado de uma turquesa; o lápis-lazúli e o berilo servirão para a tiara e os ornatos; os leques serão de penas de cisne, e o operador terá sobre o peito um talismã de cobre com o caráter de Anael e estas palavras: *Aveeva Vadelilith*.

No sábado, dia das obras fúnebres, a roupa será preta ou escura, com caracteres bordados à seda de cor alaranjada; a pessoa trará ao pescoço uma medalha de chumbo com o caráter de Saturno e estas palavras: *Almalec, Aphiel, Zarahiel*; os perfumes serão o diagrídio, a escamônea, o alúmen, o enxofre e a assa-fétida; o anel terá uma pedra de ônix; as grinaldas serão de freixo, cipreste e heléboro preto; no ônix do anel será gravado, com a pinça consagrada e nas horas de Saturno, uma dupla cabeça de Jano.

Tais são as antigas magnificências do culto secreto dos magos.

É com um semelhante aparelho que os grandes magos da Idade Média procediam à consagração cotidiana dos pentáculos e talismãs relativos aos sete gênios. Já dissemos que um pentáculo é um caráter sintético que resume todo o dogma mágico numa destas concepções especiais. É, pois, a verdadeira expressão de um pensamento e de uma vontade completa; é a assinatura de um espírito. A consagração cerimonial deste signo une a ele, mais fortemente ainda, a intenção do operador, e estabelece entre ele e o pentáculo uma verdadeira cadeia magnética. Os pentáculos podem ser indiferentemente traçados no pergaminho virgem, no papel ou nos metais.

É chamada talismã uma peça de metal, contendo ou pentáculos ou caracteres, e tendo recebido uma consagração especial para uma intenção determinada. Gaffarel, numa sábia obra sobre as antiguidades mágicas, demonstrou, pela ciência, o poder real dos talismãs e a confiança na sua virtude está, aliás, de tal modo na natureza, que de boa vontade conservamos a lembrança dos que amamos, com a persuasão de que estas relíquias nos preservarão do perigo e deverão fazer-nos mais felizes. Fazemos os talismãs com os sete metais cabalísticos, e gravamos neles, nos dias e horas favoráveis, os sinais desejados e determinados. As figuras dos sete planetas, com seus quadrados mágicos, se acham no *Pequeno Alberto*, conforme Paracelso, e é um dos raros lugares sérios deste livro de magia vulgar. É preciso notar que Paracelso substitui a figura de Júpiter pela de um sacerdote, substituição que não é sem uma intenção misteriosa bem determinada. Mas as figuras alegóricas e mitológicas dos sete espíritos tornaram-se muito clássicas e vulgares nos nossos dias para que possamos gravá-las com êxito nos talismãs; é preciso recorrermos a signos mais sábios e mais expressivos. O pentagrama deve ser sempre gravado num dos lados do talismã com um círculo para o Sol, um crescente para a Lua, um caduceu alado para Mercúrio, uma espada para Marte, um G para Vênus, uma coroa para Júpiter e uma foicinha para Saturno. O outro lado do talismã deve trazer o signo de Salomão, isto é, a estrela de seis raios feita de dois triângulos superpostos; e, no centro, deve ser posta uma figura humana para os talismãs do Sol, um copo para os da Lua, uma cabeça de cão para os de Mercúrio, uma cabeça de águia para os de Júpiter, uma cabeça de leão para os de Marte, uma pomba para os de Vênus, uma cabeça de touro ou de bode para Saturno. A pessoa ajuntar-lhes-á os nomes dos sete anjos, quer em hebraico, em árabe ou em caracteres mágicos semelhantes aos dos alfabetos de Trithemo.

Os dois triângulos de Salomão podem ser substituídos pela dupla cruz das rodas de Ezequiel, que encontramos num grande número de pentáculos antigos, e que é, como fizemos observar no nosso *Dogma*, a chave dos trigramas de Fohi.

Podemos também empregar as pedras preciosas para os amuletos e talismãs; mas todos os objetos deste gênero, quer em metal, quer em pedrarias, devem ser envolvidos com cuidado em saquinhos de seda da cor análoga ao espírito do planeta, perfumados com os perfumes do dia correspondente e preservados de todos os olhares e contatos impuros.

Assim, os pentáculos e talismãs do Sol não devem ser vistos nem tocados pelas pessoas disformes ou pelas mulheres de maus costumes; os da Lua são profanados pelos olhares e pelas mãos dos homens depravados e das mulheres que estão com regras; os de Mercúrio perdem a sua virtude se forem vistos por padres assalariados; os de Marte devem ser ocultos aos poltrões; os de Vênus, aos homens depravados e aos que fizeram votos de celibato; os de Júpiter, aos ímpios; e os de Saturno, às virgens e crianças, não porque os olhares ou contatos destes últimos possam ser impuros, mas porque o talismã lhes traria infelicidade e perderia, assim, toda a sua força.

As cruzes de honra e outras decorações deste gênero são verdadeiros talismãs, que aumentam o valor ou o mérito pessoal. As distribuições solenes que se fazem delas são as suas consagrações. A opinião pública pode dar-lhes uma prodigiosa força. Não notaram muito a influência recíproca dos sinais sobre as ideias e das ideias sobre os sinais; não é menos verdade que a obra revolucionária inteira dos tempos modernos, por exemplo, foi resumida simbolicamente pela substituição napoleônica da estrela da honra à cruz de S. Luís. É o pentagrama substituído ao lábaro, é a reabilitação do símbolo da luz, é a ressurreição maçônica de Adonhiram. Dizem que Napoleão acreditava na sua estrela, e, se pudessem fazer-lhe dizer o que entendia por esta estrela, teriam sabido que era o seu gênio: devia, pois, adotar por sinal o pentagrama, símbolo da soberania humana pela iniciativa inteligente. O grande soldado da revolução sabia pouco: mas adivinhava quase tudo; por isso, foi o maior mago instintivo e prático dos tempos modernos. O mundo ainda está cheio dos seus milagres e o povo dos sertões nunca acreditará que ele tenha morrido.

Os objetos abençoados e indulgenciados, tocados por santas imagens ou por pessoas veneráveis, os rosários vindos da Palestina, os *Agnus Dei* feitos de cera da vela de Páscoa, e os restos anuais do santo crisma, os escapulários, as medalhas, são verdadeiros talismãs. Uma destas medalhas tornou-se popular atualmente e até os que não têm religião alguma colocam-na no peito dos filhos. Também suas figuras são tão perfeitamente cabalísticas que esta medalha é verdadeiramente um duplo e maravilhoso pentáculo. De um lado, vemos a grande iniciadora, a mãe celeste do *Zohar*, a Ísis do Egito, a Vênus Urânia dos platônicos, a Maria do cristianismo, de pé sobre o mundo e pondo um pé sobre a cabeça da serpente mágica. Estende ambas as mãos de modo a fazerem um triângulo cujo cimo é a cabeça da mulher; suas mãos estão abertas e irradiantes, o que faz delas um duplo pentagrama, cujos raios se dirigem todos para a terra, o que representa, evidentemente, a libertação da inteligência pelo trabalho. Do outro tado, vemos o duplo Tau dos hierofantes, o *lingam* de duplo Cteis ou de tríplice Phallus, suportado, com entrelaçamento e dupla inserção, pelo M cabalístico e maçônico, que representa o esquadro entre as duas colunas Jakin e Bohas; em cima, estão colocados, num mesmo nível, dois corações amantes e sofredores e, ao redor, doze pentagramas. Todos vos dirão que os que trazem esta medalha não lhe atribuem esta significação; ela, porém, não deixa de ser, por isso mesmo, mais perfeitamente mágica, tendo um duplo sentido, e, por conseguinte, uma dupla virtude. A extática sobre cujas revelações este talismã foi gravado, o tinha visto já existente e perfeito na luz astral, o que demonstra, mais uma vez, a íntima conexão das ideias e dos sinais, e dá uma nova sanção ao simbolismo da magia universal.

Quanto mais pusermos importância e solenidade na confecção dos talismãs e pentáculos, tanto mais adquirem virtude, como deve ser entendido conforme a evidência dos princípios que estabelecemos. Esta consagração deve ser feita nos dias especiais que marcamos, com o aparato cujos detalhes demos. A pessoa os consagra pelos quatro elementos exorcizados, depois de ter conjurado os espíritos das trevas pela conjuração dos quatro; depois toma o pentáculo na sua mão e diz, derramando nele algumas gotas de água mágica:

In nomine Elohim et per spíritum aquárum vivéntium, sis mihi in sígnum lucis et sacraméntum voluntátis.

Aproximando-o da fumaça dos perfumes, diz:

Per serpéntum oenum sub quo cádunt serpéntes ignei, sis, mihi, etc.

Soprando sete vezes no pentáculo ou no talismã, diz:

Per firmaméntum et spíritum vocis, sis mihi, etc.

Enfim, colocando nele triangularmente alguns grãos de terra purificada ou de sal, é preciso dizer:

In sale térrae et per virtútem vitae aeternae, sis mihi, etc.

Depois, deve fazer a conjuração dos sete, do seguinte modo:

Lança-se alternativamente ao fogo sagrado uma pastilha dos sete perfumes e se diz:

"Em nome de Mikael, que Jeová te mande e te afaste daqui, Chavajoth!

"Em nome de Gabriel, que Adonai te mande e te afaste daqui, Belial!

"Em nome de Rafael, desaparece diante de Elchim, Sachabiel!

"Por Samael Zebaoth e em nome de Elohim Ghibor, afasta-te, Adrameleck!

"Por Zacariel e Sachiel Melek, obedece a Elvah, Samgabiel!

"Pelo nome divino e humano de Schaddai e pelo signo do pentagrama que tenho na minha mão direita, em nome do anjo Anael, pelo poder de Adão e Eva, que são Jotchavah, retira-te, Lilith; deixa-nos em paz, Nahemah!

"Pelos santos Elohim e os nomes dos gênios Cassiel, Sehaltiel, Aphiel e Zarahiel, sob o mando de Oriphiel, afasta-te de nós, Moloch! não te daremos nossos filhos para devorares."

No que diz respeito aos instrumentos mágicos, os principais são: a varinha, a espada, a lâmpada, o copo, o altar e a trípode. Nas operações da alta e divina magia, a pessoa serve-se da lâmpada, da varinha e do copo; nas obras da magia negra, substitui a varinha pela espada e a lâmpada pela candeia de Cardan. Explicaremos esta diferença no capítulo especial sobre a magia negra.

Voltemos à descrição e à consagração dos instrumentos.

A varinha mágica, que não devemos confundir com a simples varinha adivinhatória, nem com a forquilha dos necromantes ou o tridente de Paracelso; a verdadeira e absoluta varinha mágica deve ser de um único galho, perfeitamente direito, de amendoeira ou aveleira, cortado num só golpe com a serpe mágica ou a foicinha de ouro, antes do levantar do Sol e no momento em que a árvore está próximo a florescer. É preciso perfurá-la em toda sua extensão, sem rachá-la ou quebrá-la, e introduzir nela uma vara de ferro imantada que ocupe todo o seu comprimento; depois, adapta-se a uma das suas extremidades um prisma poliedro, cortado triangularmente, e à outra ponta uma figura semelhante de resina preta. No meio da varinha, a pessoa colocará dois anéis, um de cobre vermelho, e o outro de zinco; depois, a varinha será dourada do lado da resina e prateada do lado do prisma até os anéis do meio, devendo ser coberta de seda, exclusivamente, até as extremidades. No anel de cobre é preciso gravar estes caracteres: ליִם הקדשׁה ירוּשׁ e no anel de zinco: המלכ שׁלמה. A consagração da varinha deve durar sete dias, começando na lua nova, e deve ser feita por um iniciado que possua os grandes arcanos e que tenha também uma varinha consagrada. É a transmissão do sacerdócio mágico, e esta transmissão nunca cessou, desde as tenebrosas origens da alta ciência. A varinha e os outros instrumentos, mas principalmente a varinha, devem ser escondidos com cuidado, e sob pretexto algum o magista deve deixar os profanos verem-nos ou tocá-los; aliás, perderiam toda a sua virtude.

O modo de transmissão da varinha é um dos arcanos da ciência que nunca é permitido revelar.

O comprimento da baqueta mágica não deve exceder o do braço do operador. O mago só deve servir-se dela quando está só e até nem deve tocá-la sem necessidade. Diversos magos antigos faziam-na somente do comprimento do antebraço e a escondiam dentro de longas mangas, mostrando ao público somente a simples baqueta adivinhatória, ou algum cetro alegórico, feito de marfim ou ébano, conforme a natureza das obras.

O cardeal Richelieu, que ambicionava todos os poderes, procurou durante a sua vida inteira, sem poder encontrar, a transmissão da varinha. O seu cabalista Gaffarel só lhe pôde dar a espada e os talismãs; este foi, talvez, o motivo secreto do seu ódio contra Urbano Grandier, que sabia alguma coisa das fraquezas do cardeal. As entrevistas secretas e prolongadas de Laubardemont com o infeliz padre, algumas horas antes de seu último suplício, e as palavras de um amigo e confidente deste, quando ia à morte: "Senhor, sois um homem hábil, não vos percais", dão muito que pensar a este respeito.

A varinha mágica é o *Verendum* do mago; nem mesmo deve falar dela de um modo claro e exato; ninguém deve vangloriar-se de possuí-la, e só deve ser transmitida a sua consagração sob as condições de uma discrição e uma confiança absolutas.

A espada é menos oculta, e eis como é preciso fazê-la:

Deve ser de aço puro, com um punho de cobre, feito em forma de cruz com três gomos, como é representada no *Enchiridion* de Leão III, ou tendo por guarda dois crescentes, como a nossa figura. No nó central da guarda, que deve ser revestido de uma placa de ouro, é preciso gravar, de um lado, o signo do macrocosmo e, do outro, o do microcosmo. No punho é preciso gravar o monograma hebraico de Mikael, tal como o vemos em Agrippa, e, na lâmina, de um lado, estes caracteres: במבה כאילים יהוה מי. e, do outro, o monograma do Lábaro de Constantino, seguido destas palavras: *Vince in hoc, Deo duce, ferro comite*. (Ver, para a autenticidade e exatidão destas figuras, as melhores edições antigas do *Enchiridion*.)

A consagração da espada deve ser feita num domingo, às horas do Sol, sob a invocação de Micael. A pessoa porá a lâmina da espada num fogo de loureiro e cipreste; depois enxugará e polirá a lâmina com as cinzas do fogo sagrado, molhadas com o sangue de poupa ou de serpente e dirá: Sis *mihi gládius Michaelis, in virtute Elohim Sabaoth, fúgiant a te spíritus tenebrárum et reptília terrae*; depois a perfumará com os perfumes do Sol e a guardará na seda com ramos de verbena, que devem ser queimados no sétimo dia.

A lâmpada mágica deve ser feita de quatro metais: o ouro, a prata, o zinco e o ferro. O pé será de ferro, o nó de zinco, o copo de prata, o triângulo do meio de ouro. Ela terá dois braços compostos de três metais torcidos conjuntamente, de modo a deixar, contudo, um tríplice conduto para o óleo. Terá nove mechas, três no meio e três em cada braço (ver a figura). No pé, deve ser gravado o selo de Hermes e, em cima, o Andrógino de duas cabeças de Khunrath. A moldura inferior do pé representará uma serpente que morde a cauda.

No copo ou recipiente do óleo deve ser gravado o signo de Salomão. A esta lâmpada se adaptarão dois globos: um, decorado com pinturas transparentes, representando os sete gênios; o outro maior e duplo, podendo conter em quatro compartimentos, entre dois vidros, a água tingida de diversas cores. Tudo será contido numa coluna de madeira que gire sobre si mesma e possa deixar escapar à vontade os raios da lâmpada, que será dirigida para a fumaça do altar, no momento das invocações. Esta lâmpada é de grande valor para ajudar as operações intuitivas das imaginações lentas e para criar, diante das pessoas magnetizadas, formas de uma realidade espantosa, que, sendo multiplicadas pelos espelhos, aumentarão imediatamente e mudarão numa só sala imensa e cheia de almas visíveis o gabinete do operador; a embriaguez dos perfumes e a exaltação das invocações transformarão logo esta fantasmagoria num sonho real; reconheceremos as pessoas que já nos foram conhecidas; os fantasmas falarão; depois, se fecharmos a coluna da lâmpada, duplicando o fogo dos perfumes, produzir-se-á alguma coisa extraordinária e inesperada.

CAPÍTULO VIII

AVISO AOS IMPRUDENTES

Como já dissemos várias vezes, as operações da ciência não são isentas de perigo.

Podem levar à loucura os que não estão firmes na base da suprema, absoluta e infalível razão.

Podem excitar o sistema nervoso e produzir terríveis e incuráveis doenças.

Podem, quando a imaginação fica impressionada e atemorizada, produzir o esvaimento e até a morte por congestão cerebral.

Não podemos deixar de afastar delas as pessoas nervosas e naturalmente exaltadas, as mulheres, os jovens e todos os que não têm o hábito de se controlar perfeitamente e de dominar o medo.

Nada é, igualmente, mais perigoso do que fazer da magia um passatempo, como certas pessoas que fazem dela as diversões das suas tardes. Até as experiências magnéticas, feitas em tais condições, só podem fatigar os pacientes, desviar as opiniões e desencaminhar a ciência. Ninguém se diverte impunemente com os mistérios da vida e da morte, e as coisas que tomamos a sério devem ser tratadas seriamente e com a maior reserva.

Nunca cedais ao desejo de convencer por efeitos. Os efeitos mais surpreendentes não seriam provas para as pessoas não convencidas de antemão. Sempre poderiam atribuí-los a prestígios naturais e considerar o mago como um concorrente mais ou menos correto de Roberto Houdin ou de Hamilton. Pedir prodígios para acreditar na ciência é mostrar-se indigno ou incapaz da ciência, *Sancta Sanctis*.

Não vos vanglorieis das obras que operastes, embora tivésseis ressuscitado mortos. Temei a perseguição. O grande Mestre sempre recomendava o silêncio aos doentes que curava; e se este silêncio tivesse sido guardado fielmente, não teriam crucificado o iniciador antes da conclusão da sua obra.

Meditai sobre a duodécima figura das chaves do Tarô; pensai no grande símbolo de Prometeu, e calai-vos.

Todos os magos que divulgaram as suas obras morreram de morte violenta, e diversos foram reduzidos ao suicídio, como Cardan, Schröpfer, Cagliostro e tantos outros.

O mago deve viver no retiro e deixar dificilmente que se aproximem dele. É o que representa o símbolo da nona chave do Tarô, em que o iniciado é figurado por um eremita inteiramente envolto em seu manto.

Todavia, este retiro não deve ser o isolamento. Ele precisa de devotamentos e amizades; mas deve escolhê-las com cuidado e conservá-las a todo preço.

Deve ter uma outra profissão que não seja a de mago; a magia não é um ofício.

Para se entregar à magia cerimonial é preciso estar sem preocupações inquietadoras; é preciso poder adquirir todos os instrumentos da ciência e, se for possível, saber confeccioná-los por si mesmo; é preciso, enfim, ter um laboratório inacessível, em que nunca possa temer ser surpreendido ou perturbado.

Depois, e é esta a condição essencial, é preciso saber equilibrar as forças e conter os impulsos da sua própria iniciativa. É o que representa a oitava figura das chaves de Hermes, na qual vemos uma mulher assentada entre duas colunas, tendo numa das mãos uma espada em posição reta e na outra, uma balança.

Para equilibrar as forças é preciso mantê-las simultaneamente e fazê-las agir alternativamente: dupla ação que é representada pelo emprego da balança.

Este arcano é igualmente representado pela dupla cruz dos pentáculos de Pitágoras e de Ezequiel (ver a figura no capítulo 18 do *Dogma*), em que as cruzes são equilibradas umas pelas outras e em que os signos planetários estão sempre em oposição. Assim, Vênus é o Equilíbrio das obras de Marte, Mercúrio tempera e realiza as obras do Sol e da Lua, Saturno deve contrabalançar a Júpiter. É por este antagonismo dos antigos deuses que Prometeu, isto é, o gênio da ciência, conseguiu introduzir-se no Olimpo e roubar o fogo do céu.

Será preciso falar mais claramente? Quanto mais fordes brando e calmo, tanto mais a vossa cólera terá força; quanto mais fordes enérgico, mais a vossa brandura terá preço; quanto mais hábil fordes, tanto mais aproveitareis da vossa inteligência, e até das vossas virtudes; quanto mais fordes indiferente, tanto mais fácil vos será fazer-vos amar. Isto é de experiência na ordem moral e se realiza rigorosamente na esfera da ação. As paixões humanas produzem fatalmente, quando não são dirigidas, os efeitos contrários ao seu desejo desenfreado. O amor excessivo produz a antipatia; o ódio cego anula-se e pune-se a si próprio; a vaidade leva ao rebaixamento e às mais cruéis humilhações. O grande mestre revelava, pois, um mistério da ciência mágica positiva, quando disse: "Se quiserdes acumular carvões em brasa na cabeça daquele que vos fez mal, perdoai-lhe e fazei-lhe bem". Dirão, talvez, que semelhante perdão é uma hipocrisia e parece muito uma vingança refinada. Mas é preciso lembrar que o mago é soberano. Ora, um soberano nunca se vinga, porque tem o direito de punir. Quando excede este direito, faz o seu dever, e é implacável como a justiça. Notemos bem, aliás, para que ninguém entenda mal o sentido das minhas palavras, que se trata de castigar o mal pelo bem e de opor a bondade à violência. Se o exercício da virtude é um flagelo para o vício, ninguém tem o direito de pedir que lhe perdoem ou que tenham piedade das suas fraquezas e dores.

Aquele que se entrega às obras da ciência deve fazer, cada dia, um exercício moderado, abster-se das vigílias muito prolongadas e seguir um regime são e regular. Deve evitar as emanações cadavéricas, a aproximação das águas apodrecidas, os alimentos indigestos ou impuros. Deve, principalmente, distrair-se todos os dias das preocupações, por trabalho sejam de arte, de indústria ou até de ofício. O meio de ver bem é não olhar sempre, e aquele que passasse a sua vida visando sempre um mesmo fim, acabaria por nunca atingi-lo.

Uma precaução da qual igualmente nunca devemos esquecer é de nunca operar quando estivermos doentes.

As cerimônias sendo, como dissemos, os meios artificiais de criar os hábitos da vontade, deixam de ser necessárias, quando estes hábitos estão adquiridos. É neste sentido e dirigindo-se somente aos adeptos perfeitos que Paracelso proscreve o seu emprego na sua *Filosofia Oculta*. É preciso simplificá-las progressivamente, antes de as omitir totalmente, conforme a experiência que a pessoa puder fazer das forças adquiridas e do hábito estabelecido no exercício do querer extranatural.

CAPÍTULO IX

O CERIMONIAL DOS INICIADOS

A ciência conserva-se pelo silêncio e perpetua-se pela iniciação. A lei do silêncio não é, pois, absoluta e inviolável senão para a multidão não iniciada. A ciência só pode ser transmitida pela palavra. Os sábios devem, pois, falar algumas vezes.

Sim, os sábios devem falar, não para dizer, mas para levar os outros à procura. *Noli ire, fac venire**, era a divisa de Rabelais, que, possuindo todas as ciências do seu tempo, não podia ignorar a magia.

Temos, pois, de revelar aqui os mistérios da iniciação.

O destino do homem é, como dissemos, fazer ou criar a si próprio; ele é e será filho de suas obras no tempo e na eternidade.

Todos os homens são chamados a concorrer; mas o número dos eleitos, isto é, dos que têm êxito, é sempre pequeno; em outros termos, os homens que desejam ser alguma coisa são em grande número, e os homens de "elite" sempre são raros. Ora, o governo do mundo pertence de direito aos homens de "elite" e quando um mecanismo ou uma usurpação qualquer impede que o poder lhes pertença de fato, opera-se um cataclismo político ou social.

Os homens que não são senhores de si próprios, facilmente se tornam senhores dos outros; mas podem fazer um obstáculo mútuo se não reconhecerem as leis de uma disciplina e de uma hierarquia universal.

Para se submeter a uma mesma disciplina é preciso estar em comunhão de ideias e desejos e só é possível chegar a esta comunhão por uma religião comum, fundada nas próprias bases da inteligência e da razão.

Esta religião sempre existiu no mundo e é a única que pode ser chamada una, infalível, indefectível e verdadeiramente católica, isto é, universal.

Esta religião, da qual todas as outras foram sucessivamente os véus e as sombras, é a que demonstra o ser pelo ser, a vontade pela razão, a razão pela evidência e o senso comum.

---

* Não vá; faça com que venham. (N. do E.)

É a que prova pelas realidades a razão de ser das hipóteses, independentemente e fora das realidades.

É a que tem por base o dogma das analogias universais, mas também nunca confunde as coisas da ciência com as da fé. Não pode ser de fé que dois e um façam mais ou menos que três; que o contido em física seja maior do que aquilo que o contém; que um corpo sólido possa fazer como um corpo fluido ou gasoso; que um corpo humano, por exemplo, possa passar através de uma porta fechada, sem operar nem solução nem abertura. Dizer que a pessoa crê em tais coisas é falar como uma criança ou um louco; mas não é menos insensato definir o desconhecido e raciocinar com hipóteses, até negar *a priori* a evidência para afirmar suposições temerárias. O sábio afirma o que sabe, e só crê no que ignora, conforme a medida das necessidades razoáveis e conhecidas da hipótese.

Mas esta religião razoável não poderia ser a da multidão, que precisa de fábulas, mistérios, esperanças definidas e terrores materialmente motivados.

É por isso que o sacerdócio foi estabelecido no mundo. Ora, o sacerdócio se recruta pela iniciação.

As formas religiosas perecem quando a iniciação cessa no santuário, quer pela divulgação, quer pela negligência e o esquecimento dos mistérios sagrados.

Por exemplo, as divulgações gnósticas afastaram a igreja cristã das altas verdades da Cabala, que contém todos os segredos da teologia transcendente. Por isso, os cegos, tendo-se tornado os guias dos outros cegos, produziram-se grandes obscuridades, grandes quedas e deploráveis escândalos; além disso, os livros sagrados, cujas chaves são todas cabalísticas, desde o *Gênesis* até o *Apocalipse*, se tornaram tão pouco inteligíveis aos cristãos, que os pastores, com razão, julgaram necessário interdizer a sua leitura aos simples fiéis. Tomados ao pé da letra e entendidos materialmente, estes livros seriam, como o demonstrou muito bem a escola de Voltaire, simplesmente um inconcebível tecido de absurdidades e de escândalos.

O mesmo acontece com todos os dogmas antigos, com suas brilhantes teogonias e lendas poéticas. Dizer que os antigos acreditavam, na Grécia, nos amores de Zeus ou adoravam, no Egito, o cinocéfalo e o gavião como deuses vivos e reais, é ser tão ignorante e de tão má-fé como o seria sustentando que os cristãos adoram um tríplice Deus, que se compõe de um velho, um supliciado e uma pomba. A incompreensão dos símbolos é sempre caluniadora. É por isso que convém evitar de zombar prematuramente das coisas que a pessoa não sabe, quando a sua enunciação parece supor uma absurdidade ou até uma singularidade qualquer; seria tão pouco sensato como admiti-las sem discussão e exame.

Antes que haja alguma coisa que nos agrade ou desagrade, há uma verdade, isto é, uma razão, e é por esta razão que as nossas ações devem ser reguladas mais que pelo nosso prazer, se quisermos criar em nós a inteligência, que é a razão de ser da imortalidade, e a justiça, que é a sua lei.

O homem verdadeiramente homem só pode querer o que deve, razoável e justamente, fazer; por isso, impõe silêncio aos desejos e ao temor, para escutar a razão.

Um homem assim é um rei natural e um sacerdote espontâneo para as multidões errantes. É por isso que o objeto das iniciações antigas se chamava indiferentemente arte sacerdotal ou arte real. As antigas associações mágicas eram seminários de sacerdotes e de reis, e a pessoa só podia ser admitida nelas por obras verdadeiramente sacerdotais e reais, isto é, pondo-se acima de todas as fraquezas da natureza.

Não repetiremos aqui o que em toda parte se encontra sobre as iniciações egípcias, perpetuadas, enfraquecendo-se, nas sociedades secretas da Idade Média. O radicalismo cristão, fundado na falsa inteligência destas palavras: "Só tendes um pai e um senhor, e todos sois irmãos", deu um golpe terrível na hierarquia sagrada. Desde então, as dignidades sacerdotais tornaram-se resultado da intriga ou do acaso; a mediocridade ativa chegou a suplantar a superioridade modesta, e, por conseguinte, desconhecida; e, todavia, a iniciação sendo uma lei essencial da vida religiosa, uma sociedade instintivamente mágica se formou no declínio do poder pontifical e logo concentrou em si todo o poder do cristianismo, porque só ela entendeu vagamente, mas exerceu positivamente o poder hierárquico pelas provas da iniciação e a onipotência da fé na obediência passiva.

Que fazia, com efeito, o recipiendário nas antigas iniciações? Abandonava inteiramente a sua vida e a sua liberdade aos mestres dos templos de Tebas ou de Mênfis; avançava resolutamente através de inúmeros assombros que lhe podiam fazer supor um atentado premeditado contra a sua pessoa; atravessava fogueiras, passava a nado as torrentes de água escura e borbulhante, suspendia-se em balanços desconhecidos sobre precipícios sem fundo... Não era esta a obediência cega, em toda a força do termo? Abjurar momentaneamente a sua liberdade para chegar a uma emancipação não é o exercício mais perfeito da liberdade? Ora, eis o que devem fazer e sempre fizeram os que aspiram ao *sanctum regnum* da onipotência mágica. Os discípulos de Pitágoras condenavam-se a um silêncio rigoroso de vários anos; até os sectários de Epicuro só entendiam a soberania do prazer pela sobriedade adquirida e a temperança calculada. A vida é uma guerra em que é preciso dar suas provas para subir em grau: a força não se dá; é preciso tomá-la.

A iniciação pela luta e pelas provas é, pois, indispensável para chegar à ciência prática da magia. Já dissemos como se pode triunfar das quatro formas elementais: não voltaremos mais a isso, e para os nossos leitores que quiserem conhecer as cerimônias das iniciações antigas, aconselhamos a leitura das obras do barão de Tschoudy, autor da *Estrela Flamejante* da maçonaria adonhiramita e de vários outros opúsculos maçônicos muito valiosos.

Devemos insistir, aqui, sobre uma reflexão: é que o caos intelectual e social no meio do qual perecemos, tem por causa a negligência da iniciação, das suas provas e dos seus mistérios. Homens nos quais o zelo era mais forte que a paciência, impressionados pelas máximas populares do Evangelho, acreditaram na igualdade primitiva e absoluta dos homens. Um alucinado célebre, o eloquente e infeliz Rousseau, propagou, com toda a magia do seu estilo, este paradoxo: que só a sociedade deprava os homens, como se disséssemos que a concorrência e a emulação do trabalho fazem preguiçosos os operários. A lei essencial da natureza e da iniciação pelas obras e do progresso laborioso e voluntário foi fatalmente desconhecida; a maçonaria teve seus desertores, como o catolicismo tivera os seus. Que resultou disso? O nível de aço substituído ao nível intelectual e simbólico. Pregar a igualdade àquele que está embaixo, sem lhe dizer como a pessoa se eleva, não é obrigar-se a descer? Pois desceram e houve o reino da *carmagnole*, dos *sans-culottes** e de Marat.

Para relevar a sociedade vacilante e decaída é preciso estabelecer de novo a hierarquia e a iniciação. A tarefa é difícil, mas todas as pessoas inteligentes já sentem a necessidade de emprendê-la. Será preciso, para isso, que o mundo passe por um novo dilúvio? Desejamos vivamente que não seja assim, e este livro, a maior, talvez, mas não a última das nossas ousadias, é um apelo a tudo o que ainda vive, para reconstituir a vida até no meio da decomposição da morte.

---

* *Carmagnole* e *sans-culotte* eram trajes dos operários no tempo da Revolução Francesa; aqui designam as classes operárias mais inferiores. (N. do T.)

CAPÍTULO X

A CHAVE DO OCULTISMO

Penetremos, agora, na questão dos pentáculos, porque neles está toda a virtude mágica, pois o segredo da força está na inteligência que a dirige.

Não voltaremos a tratar dos pentáculos de Pitágoras e de Ezequiel, cuja explicação e figura já demos; provaremos, no outro capítulo, que todos os instrumentos do culto hebraico eram pentáculos e que Moisés tinha escrito em ouro e zinco, no tabernáculo e em todos os seus acessórios, a primeira e a última palavra da Bíblia. Mas cada magista pode e deve ter seu pentáculo particular, porque um pentáculo, bem entendido, é o resumo perfeito de um espírito.

É por isso que achamos, nos calendários mágicos de Tycho-Brahé e Duchenteau, os pentáculos de Adão, Jó, Jeremias, Isaías e todos os outros grandes profetas que foram, cada qual em sua época, os reis da Cabala e grandes rabinos da ciência.

O pentáculo, sendo uma síntese completa e perfeita, expressa por um único signo, serve para reunir toda a força intelectual num olhar, numa lembrança, num contato. É como que um ponto de apoio para projetar a vontade com força. Os necromantes e goécios traçavam seus pentáculos infernais na pele das vítimas que imolavam. Encontram-se em várias claviculas e engrimanços as cerimônias da imolação, o modo de degolar o cabrito, depois salgar, secar e branquear a pele. Alguns cabalistas hebreus caíram nas mesmas loucuras, sem se lembrar das maldições pronunciadas na Bíblia contra os que sacrificam nos altos lugares ou nas cavernas da Terra. Todas as efusões de sangue operadas cerimoniosamente são abomináveis e ímpias, e, desde a morte a Adonhiram, a sociedade dos verdadeiros adeptos tem horror ao sangue: *Ecclésia abhórret a sánguine.*

O simbolismo iniciático dos pentáculos adotados em todo o Oriente é a chave de todas as mitologias antigas e modernas. Se não conhecermos o seu alfabeto hieroglífico, nós nos perderemos nas obscuridades dos Vedas, do Zend-Avesta e da Bíblia. A árvore geradora do bem e do mal, fonte única dos quatro rios, um dos quais rega a terra do ouro, isto é, a luz, e o outro corre na Etiópia ou no reino da noite; a serpente magnética que seduziu a mulher, e a mulher que seduziu o homem, revelando, assim, a lei da atração; depois o Querubim ou a Esfinge colocada à porta do santuário edênico com a espada flamejante dos guardas do símbolo; daí a regeneração pelo trabalho e a parturição pela dor, lei das iniciações e das provas; a divisão de Caim e Abel, idêntica ao símbolo da luta de Anteros e Eros; a arca levada sobre as águas do dilúvio como o cofre de Osíris, o corvo preto que não volta, e a pomba branca que volta, nova emissão do dogma antagônico e equilibrado; todas estas magníficas alegorias cabalísticas do *Gênesis*, que, tomadas ao pé da letra e aceitas como histórias reais, mereceriam ainda mais riso e desprezo do que lhes deu Voltaire, tornam-se luminosas para o iniciado, que saúda, então, com entusiasmo e amor, a perpetuidade do verdadeiro dogma e a universalidade da mesma iniciação em todos os santuários do mundo.

Os cinco livros de Moisés, a profecia de Ezequiel e o *Apocalipse* de S. João são as três chaves cabalísticas de todo o edifício bíblico. As esfinges de Ezequiel, idênticas às do santuário e da arca, são uma quádrupla reprodução do quaternário egípcio; as suas rodas, que giram umas nas outras, são as esferas harmoniosas de Pitágoras; o templo novo cujo plano dá sob medidas inteiramente cabalísticas é o tipo dos trabalhos da maçonaria primitiva. S. João, no seu *Apocalipse*, reproduz as mesmas imagens e os mesmos números, e reconstitui idealmente o mundo edênico na nova Jerusalém; mas, na fonte dos quatro rios, o cordeiro solar substituiu a árvore misteriosa. A iniciação pelo trabalho e pelo sangue está realizada, e não há mais templo porque a luz da verdade está universalmente espalhada e o mundo ficou sendo o templo da justiça.

Este belo sonho final das Sagradas Escrituras, esta utopia divina, cuja realização a Igreja mandou, com razão, para uma vida melhor, foram o escolho de todos os heresiarcas antigos e de um grande número de ideólogos modernos. A emancipação simultânea e a igualdade absoluta de todos os homens supõem a cessação do progresso, e, por conseguinte, da vida: na terra dos iguais não pode haver crianças nem velhos; o nascimento e a morte não poderiam, pois, ser admitidos nela. É bastante para provar que a nova Jerusalém não é mais deste mundo do que o paraíso primitivo, onde o homem não devia conhecer nem o bem, nem o mal, nem a liberdade, nem a geração, nem a morte; é, pois, na eternidade que começa e acaba o ciclo do nosso simbolismo religioso.

Dupuis e Volney empregaram uma grande erudição para descobrir esta identidade relativa de todos os símbolos e concluíram daí pela negação de todas as religiões. Chegamos, pelo mesmo caminho, a uma afirmação diametralmente oposta e reconhecemos, com admiração, que nunca houve falsas religiões no mundo civilizado; que a luz divina, este esplendor da razão suprema do Logos, do Verbo, que ilumina todo homem que vem a este mundo, não faltou mais aos filhos de Zoroastro do que às fiéis ovelhas de São Pedro; que a revelação permanente, única e universal, está escrita na natureza visível, explica-se na razão e completa-se pelas sábias analogias da fé; que, enfim, não há mais que uma religião verdadeira, mais que um dogma e uma crença legítima, como só há um Deus, uma razão e um universo; que a revelação não é obscura para ninguém, pois que todos entendem, pouco ou muito, a verdade e a justiça, e, portanto, que tudo o que pode ser, deve ser simplesmente analógico ao que é. O *ser* é o *ser*, אהיה אשר אהיה

As figuras, tão bizarras em aparência, que o *Apocalipse* de S. João apresenta, são hieróglifos, como as de todas as mitologias orientais, e podem ser contidas numa série de pentáculos. O iniciador vestido de branco, de pé entre os sete candelabros de ouro e tendo na sua mão sete estrelas, representa o dogma único de Hermes e as analogias universais a luz.

A mulher revestida do sol e coroada de doze estrelas é a Ísis celeste; é a gnósis, cujo filho a serpente da vida material quer devorar; porém, ela toma as asas de uma águia e foge para o deserto, protestação do espírito profético contra o materialismo da religião oficial.

O anjo colossal, cuja cabeça é um sol, cuja auréola é um arco-íris, o vestuário uma nuvem, cujas pernas são colunas de fogo, e que põe um pé na terra e outro no mar, é um verdadeiro Panteu cabalístico.

Seus pés representam o equilíbrio de Briah ou do mundo das formas; suas pernas são as duas colunas do templo maçônico, *Jakin* e *Bohas*; seu corpo, coberto de nuvens, das quais sai uma mão que segura um livro, é a esfera de Jesirah ou das provas iniciáticas; a cabeça solar, coroada com o setenário luminoso, é o mundo de Atzluth ou da revelação perfeita, e é muito para admirar que os cabalistas hebreus não tenham reconhecido e divulgado este simbolismo, que une tão estreita e inseparavelmente os mais elevados mistérios do cristianismo ao dogma secreto, mas invariável, de todos os mestres em Israel.

A besta de sete cabeças, no simbolismo de S. João, a negação material e antagonista do setenário luminoso; a prostituta da Babilônia corresponde, do mesmo modo, à mulher revestida do sol; os quatro cavaleiros são análogos aos quatro animais alegóricos; os sete anjos, com suas sete trombetas, seus sete copos e suas sete espadas, caracterizam o absoluto da luta do bem contra o mal pela palavra, pela associação religiosa e pela força. Assim, os sete selos do livro oculto são abertos sucessivamente e a iniciação universal se realiza. Os comentadores que procuraram outra coisa neste livro de alta Cabala perderam o seu tempo e o seu trabalho para chegarem a fazer-se ridículos. Ver Napoleão no anjo Apollyon, Lutero na estrela que cai, Voltaire e Rousseau nos gafanhotos armados para a guerra, é alta fantasia. O mesmo acontece com todas as violências feitas em nome de personagens célebres para fazê-los conter em quaisquer algarismos o fatal 666 que explicamos suficientemente; e quando a pessoa pensa que homens chamados Bossuet e Newton se entretiveram nestas quimeras, compreende que a humanidade não é tão maliciosa no seu gênio como poderíamos supor pelo aspecto de seus vícios.

CAPÍTULO XI

A TRÍPLICE CADEIA

A Grande Obra, em magia prática, depois da educação da vontade e da criação pessoal do mago, é a formação da cadeia magnética, e este segredo é verdadeiramente o do sacerdócio e da realeza.

Formar a cadeia magnética é fazer nascer uma corrente de ideias que produza a fé e arraste um grande número de vontades num círculo dado de manifestações pelos atos. Uma cadeia bem formada é como um turbilhão que arrasta e absorve tudo.

Podemos estabelecer a cadeia de três modos: pelos sinais, pela palavra e pelo contato. A pessoa estabelece a cadeia pelos sinais, adotando um sinal pela opinião, como a representação de uma força. É assim que todos os cristãos se comunicam mutuamente pelo sinal da cruz, os maçons pelo esquadro sob o sol, os magistas pelo do microcosmo que se faz com os cinco dedos estendidos.

Os sinais, uma vez recebidos e propagados, adquirem força por si mesmos. A vista e a imitação do sinal da cruz eram suficientes, nos primeiros séculos, para fazer prosélitos ao cristianismo. A medalha dita milagrosa operou, ainda em nossos dias, um grande número de conversões pela mesma lei magnética. A visão e a iluminação do jovem israelita Afonso de Ratisbonna foram o fato mais notável deste gênero. A imaginação é criadora, não somente em nós, mas também fora de nós, pelas nossas projeções fluídicas e, sem dúvida, não é preciso atribuir a outras causas os fenômenos do lábaro de Constantino e da cruz de Migné.

A corrente mágica pela palavra era representada, entre os antigos, por estas cadeias de ouro que saem da boca de Hermes. Nada iguala à eletricidade da eloquência. A palavra cria a inteligência mais elevada no seio das massas mais grosseiramente compostas. Até os que estão muito longe para ouvi-la compreendem por comoção e são arrastados como a multidão. Pedro, o eremita, abalou a Europa, gritando: "Deus o quer!" Uma só palavra do Imperador eletrizava o seu exército e fazia a França invencível. Proudhon matou o socialismo pelo seu célebre paradoxo: *A propriedade é o roubo*. Muitas vezes, basta uma palavra mal colocada para derrubar uma potência. Voltaire o sabia bem, ele que transtornou o mundo com sarcasmos. Por isso, ele, que não temia papas, nem reis, nem parlamentos, nem bastilhas, tinha medo de um jogo de palavras.

Vivemos sempre na iminência de realizar as vontades da pessoa cujas palavras repetimos.

O terceiro modo de estabelecer a corrente mágica é pelo contato. Entre pessoas que muitas vezes se veem, a cabeça da corrente se revela logo, e a mais forte vontade não tarda em absorver as outras; o contato direto e positivo, de mão a mão, completa a harmonia das disposições, e é por isso que é sinal de simpatia e intimidade. As crianças, que são guiadas instintivamente pela natureza, fazem a cadeia magnética. Então, a alegria os circunda e o riso desabrocha. As mesas redondas são também mais favoráveis aos alegres banquetes do que as de qualquer outra forma. A grande roda do Sabbat, que encerrava as reuniões misteriosas dos adeptos da Idade Média, era uma corrente mágica que unia a todos eles nas mesmas vontades e obras; formavam-na colocando-se ombro a ombro e segurando-se pelas mãos, com a frente para dentro do círculo, à imitação dessas antigas danças sagradas de que ainda se encontram imagens nos baixos-relevos dos antigos templos. Os forros elétricos de lince, pantera e até do gato doméstico eram a imitação das antigas bacanais, pregados nos seus vestidos. Daí veio esta tradição que os ímpios no *Sabbat* trazem cada qual um gato pendurado à cintura e dançam com este traje.

Os fenômenos das mesas girantes e falantes foram uma fortuita manifestação da comunicação fluídica por meio da corrente circular; depois, a mistificação misturou-se a isso, e personagens instruídos e inteligentes se apaixonaram por esta novidade a ponto de se mistificarem a si próprios e de ficarem enganados por essa predileção. Os oráculos das mesas eram respostas sugeridas mais ou menos voluntariamente ou tiradas à esmo; pareciam-se com os discursos que se fazem ou se ouvem nos sonhos. Os outros fenômenos mais estranhos podiam ser produtos exteriores da imaginação comum. Não negamos, sem dúvida, a intervenção possível dos espíritos elementais nestas manifestações, como nas da adivinhação pelas cartas ou pelos sonhos; mas não cremos que seja provada de modo algum, e que, por conseguinte, nada possa obrigar-nos a admiti-la.

Um dos poderes mais estranhos da imaginação humana é o da realização dos desejos da vontade ou até dos seus temores e apreensões. A pessoa crê facilmente no que teme ou no que deseja, diz o provérbio, e tem razão, porque o desejo e o temor dão à imaginação uma força realizadora, cujos efeitos são incalculáveis.

Como é a pessoa atingida, por exemplo, pela doença que teme? Já nos referimos às opiniões de Paracelso a este respeito, e estabelecemos, no nosso *Dogma*, as leis ocultas verificadas pela experiência; mas, nas correntes magnéticas e por intermédio da cadeia, as realizações são tanto mais estranhas, quanto são quase sempre inesperadas, quando a cadeia não é formada por um mestre inteligente, simpático e forte. Com efeito, elas resultam de combinações puramente fatais e fortuitas. O terror vulgar dos convivas supersticiosos, quando se acham treze à mesa, e a convicção que têm de que uma desgraça ameaça o mais jovem e o mais fraco dentre eles, é, como a maior parte das superstições, um resto de ciência mágica. O duodenário, sendo um número completo e cíclico nas analogias universais da natureza, arrasta sempre e absorve o décimo terceiro, número considerado como infeliz e supérfluo. Se o círculo de uma mó de moinho é representado por doze, o número treze será o do grão que deve moer. Os antigos tinham estabelecido, sobre semelhantes considerações, a distinção dos números felizes e infelizes, do que provinha a observância dos dias de bom e mau augúrio. É principalmente em semelhante matéria que a imaginação é criadora, e os números e dias não deixam de ser favoráveis, ou funestos aos que creem na sua influência. É, pois, com razão que o cristianismo proscreveu as ciências adivinhatórias, porque, diminuindo assim o número das sortes fatais, deu mais expedientes e mais império à liberdade.

    A imprensa é um admirável instrumento para formar a cadeia magnética pela propagação da palavra. Com efeito, nenhum livro é perdido, os escritos vão sempre aonde devem ir e as aspirações do pensamento atraem a palavra. Experimentamo-lo muitas vezes durante o curso da nossa iniciação mágica; os livros mais raros se nos ofereciam sempre, sem procura da nossa parte, desde que se nos tornavam indispensáveis. É assim que achamos intacta esta ciência universal que muitos eruditos acreditaram enterrada sob vários cataclismos sucessivos; é assim que penetramos na grande corrente mágica que começou em Hermes ou Enoque para só acabar com o mundo. Então pudemos evocar e fazer presentes os espíritos de Apolônio, Plotino, Sinésio, Paracelso, Cardan, Cornélio Agrippa, e tantos outros menos conhecidos, ou mais conhecidos, mas muito religiosamente célebres para mencioná-los à ligeira.

    Continuaremos a sua Grande Obra, que outros continuarão depois de nós. Mas a quem será dado acabar?

CAPÍTULO XII

A GRANDE OBRA

Ser sempre rico, sempre jovem e nunca morrer; tal foi, em todos os tempos, o sonho dos alquimistas.

Transmutar em ouro o chumbo, o mercúrio e todos os outros metais, possuir a medicina universal, e o elixir de vida, tal é o problema a resolver para alcançar este desejo e realizar este sonho.

Como todos os mistérios mágicos, os segredos da Grande Obra têm uma tríplice significação: são religiosos, filosóficos e naturais.

O ouro filosofal, em religião, é a razão absoluta e suprema; em filosofia, é a verdade; na natureza visível, é o Sol; no mundo subterrâneo e mineral, é o ouro mais perfeito e mais puro.

É por isso que chamam a procura da Grande Obra a investigação do absoluto, e que designam esta mesma obra pelo nome de obra do Sol.

Todos os mestres da ciência reconhecem que é impossível chegar aos resultados materiais se a pessoa não achou, nos dois graus superiores, todas as analogias da medicina universal e da pedra filosofal.

Então, dizem eles, o trabalho é simples, fácil e pouco dispendioso; noutro caso, consome a fortuna e a vida dos sopradores.

A medicina universal, para a alma, é a razão suprema e a justiça absoluta; para o espírito, é a verdade matemática e prática; para o corpo, é a quintessência, que é uma combinação de luz e de ouro.

A matéria-prima da Grande Obra, no mundo superior, é o entusiasmo e a atividade; no mundo intermediário, é a inteligência e a indústria; no mundo inferior, é o trabalho; e na ciência, é o enxofre, o mercúrio e o sal, que, alternativamente volatilizados e fixados, compõem o *azoth* dos sábios.

O enxofre corresponde à forma elementar do fogo, o mercúrio ao ar e à água, e o sal à terra.

Todos os mestres de alquimia que escreveram sobre a Grande Obra empregaram expressões simbólicas e figuradas, e deviam fazê-lo, tanto para afastar os profanos de um trabalho perigoso para eles, como para fazer-se entender bem dos adeptos, revelando-lhes todo o mundo das analogias que rege o dogma único e soberano de Hermes.

Assim, para eles, o ouro e a prata são o rei e a rainha, ou a lua e o sol; o enxofre é a águia voadora; o mercúrio é o andrógino alado e barbado, montado num cubo e coroado de chamas; a matéria ou o sal é o dragão alado; os metais em ebulição são leões de diversas cores; enfim, a obra inteira tem por símbolo o pelicano e a fênix.

A arte hermética é, pois, ao mesmo tempo, uma religião, uma filosofia e uma ciência natural. Como religião, é aos antigos magos e iniciados de todos os tempos; como filosofia, podemos encontrar os seus princípios na escola de Alexandria e nas teorias de Pitágoras; como ciência, é preciso pedir os seus processos a Paracelso, Nicolas Flamel e Raimundo Lúlio.

A ciência só é real para os que admitem e entendem a filosofia e a religião, e os seus processos só podem ser bem-sucedidos para o adepto que chegou à vontade soberana e tornou-se, assim, rei do mundo elementar; porque o grande agente da operação do sol é esta força descrita no símbolo de Hermes da tábua de esmeralda; é a força mágica universal; é o motor espiritual ígneo; é o *od*, conforme os hebreus, é a luz astral, conforme a expressão que adotamos nesta obra.

É este o fogo secreto, vivo e filosofal, de que todos os filósofos herméticos falam com as mais misteriosas reservas; é este o esperma universal cujo segredo guardaram e que somente representam sob a figura do caduceu de Hermes.

Eis, pois, o grande arcano hermético e nós o revelamos aqui, pela primeira vez, claramente e sem figuras místicas; o que os adeptos chamam matérias mortas são os corpos tais como se acham na natureza; as matérias vivas são substâncias assimiladas e *magnetizadas* pela ciência e a vontade do operador.

De sorte que a Grande Obra é alguma coisa mais do que uma operação química: é uma verdadeira criação do verbo humano, iniciado ao poder do próprio Deus.

Este texto hebraico*, que transcrevemos como prova de autenticidade e da realidade da nossa descoberta, é do rabino judeu Abraão, o mestre de Nicolas Flamel, e se acha no seu começo oculto sobre o *Sefer Yetzirah*, o livro sagrado da Cabala. Este comentário é muito raro; mas as forças simpáticas da nossa cadeia nos fizeram achar um exemplar dele, que foi conservado até 1643 na biblioteca da igreja protestante de Ruão. Lê-se aí, escrito na primeira página: *Ex dono*; depois um nome ilegível *Dei magni*.

---

* Este trecho significa: "O trigésimo primeiro caminho, chama-se a investigadora inteligente perpétua. Por ela são conduzidos o Sol, a Lua e as outras estrelas e figuras, cada uma na sua órbita particular e distribui a todas as coisas criadas o que lhes é conveniente, conforme os signos e figuras. (N. do T.)

וְהָאֱכָר:
בַּנָּתִיב הַלֹּא בַּכְּרִי שֶׁבַּל תַּטִּידִי
כִּי הוּא תַּמְנְהִיב הַשֶּׁמֶשׁ וְהַיָּרֵחַ
וְשָׁאַר הַכּוֹכָבִים יְהָעוֹרוֹת בַּל
אָחַד מֵהֶם בִּכְלִי וְנֶחֱסַן לְבַל
הַנִּבְרָאִים מְמַצְדְּכַתָּם אֵל
הַמְעֻלּוֹת וְהַצּוּרוֹת:

A criação do ouro na Grande Obra se faz por transmutação e multiplicação.

Raimundo Lúlio diz que, para fazer ouro, é preciso ouro e mercúrio; que, para fazer prata, é preciso prata e mercúrio. Depois acrescenta: "Entendo por mercúrio este espírito mineral tão fino e tão purificado que doura até a semente do ouro e prateia a da prata". Não há dúvida que fala, aqui, do *od* ou luz astral.

O sal e o enxofre só servem na obra para a preparação do mercúrio, e é principalmente ao mercúrio que é preciso assimilar e como que incorporar o agente magnético. Só Paracelso, Raimundo Lúlio e Nicolas Flamel parecem ter conhecido perfeitamente este mistério. Basílio Valentino e o Trevisano o indicam de um modo imperfeito e que pode ser interpretado de outro modo. Mas as coisas mais curiosas que encontramos a este respeito são indicadas pelas figuras místicas e as legendas mágicas de um livro de Henri Khunrath, intitulado: *Amphiteatrum sapientiae aeternae*.

Khunrath representa e resume as escolas gnósticas mais sábias, e refere-se, na simbólica, ao misticismo de Sinésio. Afeta o cristianismo nas expressões e nos signos; mas é fácil reconhecer que o seu Cristo é o dos Abraxas, o pentagrama luminoso irradiante da cruz astronômica, a encarnação na humanidade do rei Sol, celebrado pelo imperador Juliano; é a manifestação luminosa e viva deste Ruach-Elohim que, conforme Moisés, cobria e elaborava a face das águas ao nascimento do mundo; é o homem-sol, é o rei da luz, é o mago supremo, senhor e vencedor da serpente, e ele encontra na quádrupla lenda dos evangelistas a chave alegórica da Grande Obra. Num dos pentáculos do seu livro mágico, representa a pedra filosofal de pé, no meio de uma fortaleza rodeada por uma cerca de vinte e uma portas sem saída. Uma única leva ao santuário da Grande Obra. Em cima da pedra está um triângulo apoiado num dragão alado, e na pedra está gravado o nome do Cristo, que ele qualifica de imagem simbólica da natureza inteira. "É por ele só – acrescenta – que podeis chegar à medicina universal para os homens, vegetais e minerais." O dragão alado, dominado pelo triângulo, representa, pois, o Cristo de Khunrath, isto é, a inteligência soberana da luz e da vida: é o segredo do pentagrama, é o mais elevado mistério dogmático e prático da magia tradicional. Daí ao grande e para sempre incomunicável arcano há um só passo. As figuras cabalísticas do judeu Abraão, que deram a Flamel a iniciativa da ciência, nada mais são senão as vinte e duas chaves do Tarô, aliás, imitadas e resumidas nas doze chaves de Basílio Valentino. O Sol e a Lua aí reaparecem sob as figuras do imperador e da imperatriz; Mercúrio é o pelotiqueiro: o grande Hierofante é o adepto ou o separador da quintessência; a morte, o juízo, o amor, o dragão ou o diabo, o eremita ou o velho coxo e, enfim, todos os símbolos aí se encontram com seus principais atributos e quase na mesma ordem. Não poderia ser de outro modo, porque o Tarô é o livro primitivo e a pedra angular das ciências ocultas: deve ser hermético como é cabalístico, mágico e teosófico. Por isso, achamos, na reunião da sua duodécima e vigésima segunda chave, sobrepostas uma à outra, a revelação hieroglífica da nossa solução dos mistérios da Grande Obra.

A duodécima chave representa um homem suspenso por um pé a uma forca composta de três árvores ou paus, que formam a figura da letra hebraica ת, os braços do homem formam um triângulo com a sua cabeça, e a sua forma hierática inteira é a de um triângulo invertido, tendo como remonte uma cruz, símbolo alquímico conhecido por todos os adeptos e que representa a realização da Grande Obra. A vigésima segunda chave, que tem o número 21, porque o louco, que a precede na ordem cabalística, não tem número, representa uma jovem divindade levemente velada e que corre numa coroa florescente, suportada nos quatro cantos pelos quatro animais da Cabala. No Tarô italiano, esta divindade tem uma varinha em cada mão, e no Tarô de Besançon reúne numa só mão duas varinhas e põe a outra mão sobre a sua coxa, símbolos igualmente notáveis da ação magnética, quer alternada da sua polarização, quer simultânea por oposição e transmissão.

A Grande Obra de Hermes é, pois, uma operação essencialmente mágica, e a mais elevada de todas, porque supõe o absoluto em ciência e vontade. Há luz no ouro, ouro na luz e luz em todas as coisas. A vontade inteligente que assimila a si a luz dirige, assim, as operações da forma substancial, e serve-se da química só como de um instrumento muito secundário. A influência da vontade e da inteligência humanas sobre as operações da natureza, dependentes em parte do seu trabalho, é, aliás, um fato tão real que todos os alquimistas sérios tiveram sucesso em razão dos seus conhecimentos e da sua fé, e reproduziram o seu pensamento no fenômeno da fusão, da salificação e da recomposição dos metais. Agrippa, homem de imensa erudição e de um belo gênio, mas puro filósofo e cético, não pôde ultrapassar os limites da análise e da síntese dos metais. Etteilla, cabalista confuso, embrulhado, fantástico, porém perseverante, reproduzia, em alquimia; as bizarrias do seu Tarô mal compreendido e desfigurado; os metais tomavam, em seus cadinhos, formas singulares que excitavam a curiosidade de Paris inteira, sem outro resultado para a fortuna do operador a não ser os honorários que exigia dos seus visitantes. Um soprador obscuro do nosso tempo, que morreu louco, o pobre Luiz Cambriel, curava realmente seus vizinhos, e ressuscitou, pelo que diz todo o seu quarteirão, um ferreiro seu amigo. Viu, um dia, nos seus cadinhos, o próprio Deus, incandescente como o Sol, transparente como o cristal, e tendo um corpo feito de ajuntamentos triangulares que Cambriel compara ingenuamente a um monte de pequenas peras.

Um cabalista nosso amigo, que é sábio, mas pertencente a uma iniciação que cremos errônea, fez, ultimamente, as operações químicas da Grande Obra; chegou a enfraquecer a sua vista pela incandescência do athanor, e criou um novo metal que se assemelha ao ouro, mas não é ouro, e, por conseguinte, não tem nenhum valor. Raimundo Lúlio, Nicolas Flamel e, muito provavelmente, Henri Khunrath, fizeram ouro verdadeiro e não levaram o seu segredo consigo, pois que o consignaram nos seus símbolos e indicaram as fontes onde procuraram para o descobrirem e realizar seus efeitos. É este mesmo segredo que publicamos hoje.

CAPÍTULO XIII

A NECROMANCIA

Enunciamos ousadamente o nosso pensamento ou antes a nossa convicção sobre a possibilidade do ressurrecionismo em certos casos; é preciso completar, aqui, a revelação deste arcano e expor a sua prática.

A morte é um fantasma da ignorância; ela não existe: tudo é vivo na natureza, e é porque tudo é vivo que tudo se move e muda incessantemente de formas.

A velhice é o começo da regeneração; é o trabalho da vida que se renova, e o mistério do que chamamos a morte era figurado entre os antigos por esta fonte de Juvência onde a pessoa entra decrépita e de onde sai criança.

O corpo é uma vestimenta da alma. Quando esta vestimenta está completamente gasta ou grave e irreparavelmente despedaçada, a alma a deixa e não mais a toma. Mas quando, por um acidente qualquer, esta vestimenta lhe escapa, sem estar gasta ou destruída, a alma pode, em certos casos, retomá-la, quer pelo seu próprio esforço, quer pela assistência de uma outra vontade mais forte e mais ativa do que a sua.

A morte não é nem o fim da vida nem o começo da imortalidade; é a continuação e a transformação da vida.

Ora, uma transformação sendo sempre um progresso, há poucos mortos aparentes que consentem em reviver, isto é, em retomar a vestimenta que acabam de deixar. É o que faz da ressurreição uma das obras mais difíceis da alta iniciação. Por isso, o seu sucesso nunca é infalível e deve ser considerado quase sempre como acidental e inesperado. Para ressuscitar um morto, é preciso fechar repentina e energicamente a mais forte das cadeias de atração que possa uni-lo novamente à forma que acaba de deixar. É, pois, necessário conhecer primeiramente esta cadeia, depois apoderar-se dela e produzir um esforço de vontade tão grande para fechá-la instantaneamente e com uma força irresistível.

Tudo isto, dizemos nós, é extremamente difícil, mas nada tem de absolutamente impossível. Já que em preconceitos da ciência materialista não admitindo a ressurreição na ordem natural, há tendências para explicar todos os fenômenos desta ordem pelas letargias mais ou menos complicadas com os sintomas mais ou menos longos da morte. Lázaro ressuscitaria, hoje, diante dos nossos médicos, e eles simplesmente apontariam, no seu relatório para as academias competentes, o caso estranho de uma letargia acompanhada de um começo aparente de putrefação e de um odor cadavérico bastante forte; dariam um nome a este acidente excepcional, e tudo ficaria dito.

Não gostamos de contrariar ninguém, e se para respeitar os homens condecorados que representam oficialmente a ciência é preciso considerar as nossas teorias ressurrecionistas como a arte de curar as letargias excepcionais e desesperadas, nada nos impedirá, espero, de lhes fazer esta concessão.

Se, porventura, uma ressurreição foi feita no mundo, é incontestável que a ressurreição é possível. Ora, os corpos constituídos protegem a religião; a religião afirma positivamente o fato das ressurreições: logo, as ressurreições são possíveis. É difícil sair daí. Dizer que são possíveis fora das leis da natureza e por uma influência contrária à harmonia universal, é afirmar que o espírito de desordem, trevas e morte pode ser o árbitro soberano da vida. Não disputemos com os adoradores do diabo, e passemos.

Não é, porém, só a religião que atesta os fatos da ressurreição; colhemos vários exemplos deles. Um fato que tinha ferido a imaginação do pintor Greuze foi reproduzido por ele num dos seus quadros mais notáveis: um filho indigno, junto do leito de morte de seu pai, surpreende e rasga um testamento que não lhe era favorável; o pai se reanima, sobressalta-se, amaldiçoa o filho, depois deita-se e morre uma segunda vez. Um fato análogo e mais recente foi atestado por testemunhas oculares: um amigo, traindo a confiança do seu amigo que acabava morrer, tomou e rasgou uma atestação de fideicomisso subscrita por ele; à vista disso, o morto ressuscitou e ficou vivo para defender os direitos dos herdeiros escolhidos que este infiel ia prejudicar; o culpado ficou louco, e o morto ressuscitado foi bastante compassivo para lhe dar uma pensão.

Quando o Salvador ressuscita a filha de Jairo, entra só com seus três discípulos fiéis e favoritos; afasta os que faziam barulho e choravam, dizendo-lhes: "Esta moça não morreu, ela dorme". Depois, somente na presença do pai, da mãe e dos três discípulos, isto é, um círculo perfeito de confiança e desejo, toma a mão da moça, levanta-a bruscamente e lhe diz: "Menina, levantai-vos!" A moça, cuja alma indecisa errava, sem dúvida, junto a seu corpo, de que talvez lamentasse a extrema mocidade e beleza, surpreendida pelo acento desta voz, que seu pai e sua mãe ouvem de joelhos e com estremecimentos de esperança, entra no seu corpo, abre os olhos, levanta-se, e o Mestre logo ordena que lhe deem de comer, para que as funções da vida comecem um novo ciclo de absorção e regeneração.

A história de Eliseu, ressuscitando o filho de Sunamita, e a de S. Paulo, ressuscitando Eutíquio, são fatos da mesma ordem; a ressurreição de Dorcas por S. Pedro contada com tanta simplicidade nos *Atos dos Apóstolos* é igualmente uma história cuja verdade não poderia ser razoavelmente contestada. Apolônio de Thiana parece também ter realizado semelhantes maravilhas. Nós mesmos fomos testemunhas de fatos que não deixam de ter analogia com estes, mas o espírito do século no qual vivemos nos impõe, a este respeito, a mais discreta reserva, os taumaturgos estando expostos a ter, em nossa época, um acolhimento muito medíocre diante do bom público: o que não impede a Terra de girar e Galileu de ser um grande homem.

A ressurreição de um morto é a obra-prima do magnetismo, porque é preciso, para realizá-la, exercer uma espécie de onipotência simpática. É possível no caso de morte por congestão, afogamento, languidez, histerismo.

Eutíquio, que foi ressuscitado por S. Paulo, depois de ter caído do terceiro andar, sem dúvida não tinha nada rompido interiormente, e havia sucumbido seja pela asfixia ocasionada pelo movimento do ar durante a queda, seja pela surpresa e o temor. É preciso, em tal caso, e quando o operador sente a força e a fé necessárias para realizar semelhante obra, praticar como o apóstolo, a insuflação boca contra boca, ajuntando a isso o contato das extremidades para lhe dar calor. Se se tratasse simplesmente do que os ignorantes chamavam milagre, Elias e S. Paulo, cujos processos, em tal caso, foram os mesmos, teriam simplesmente falado em nome de Jeová ou do Cristo.

Ás vezes, pode ser suficiente tomar a pessoa pela mão e levantá-la vivamente, chamando-a com voz forte. Este processo, que, de ordinário, é bem-sucedido nos desmaios, pode ter ação sobre a morte, quando o magnetizador que o exerce é dotado de uma palavra poderosamente simpática e possui o que poderíamos chamar a eloquência da voz. É preciso também que seja ternamente amado ou respeitado pela pessoa sobre a qual quer agir, e que faça a sua obra por um grande impulso de fé e vontade, que nem sempre a pessoa acha em si mesma no primeiro susto de uma grande dor.

O que, vulgarmente, é chamado necromancia nada tem de comum com a ressurreição, e é, ao menos, muito duvidoso que, nas operações relativas a esta aplicação do poder mágico, a pessoa se ponha realmente em relação com as almas dos mortos que invoca. Há duas espécies de necromancia: a necromancia de luz e a necromancia das trevas; a evocação pela prece, o pentáculo e os perfumes, e a evocação pelo sangue, as imprecações e os sacrilégios. É somente a primeira que praticamos, e não aconselhamos a ninguém que se entregue à segunda.

É certo que as imagens dos mortos aparecem às pessoas magnetizadas que as evocam; é certo também que nunca lhes revelam coisa alguma dos mistérios da outra vida. As pessoas veem-nas tais como podem estar nas lembranças dos que as conheceram, tais como, sem dúvida, os seus reflexos as deixaram impressas na luz astral. Quando os espectros evocados respondem às perguntas que lhes são dirigidas, é sempre pelos sinais ou a impressão interior e imaginária, nunca com uma voz que realmente fere os ouvidos; e isto se compreende bem: como uma sombra falará? Com que instrumento faria vibrar o ar, ferindo-o de modo a fazer distinguir os sons?

Todavia, a pessoa sente contatos elétricos na ocasião das aparições, e estes contatos parecem, às vezes, ser produzidos pela própria mão do fantasma; mas este fenômeno é inteiramente interior e deve ter por causa única a força da imaginação e as afluências locais da força oculta que chamamos luz astral. O que o prova é que os espíritos ou, ao menos, os espectros como são considerados, às vezes nos tocam realmente mas não seria possível tocá-los, e é uma das circunstâncias mais espantosas das aparições, porque as visões têm, às vezes, uma aparência tão real, que não podemos, sem ficar comovidos, sentir que a mão passa através do que nos parece um corpo, sem poder tocar em coisa alguma ou encontrá-la.

Lê-se nos historiadores eclesiásticos que Esperidião, bispo de Tremithonte, que mais tarde foi invocado como santo, evocou o espírito de sua filha Irene, para saber dela onde se achava escondida uma soma de dinheiro que ela tinha recebido de um viajante. Swedenborg comunicava-se habitualmente com os pretensos mortos, cujas formas lhe apareciam na luz astral. Conhecemos várias pessoas dignas de fé, que nos asseguravam ter visto, durante anos inteiros, defuntos que lhes eram caros. O célebre ateu Silvano Marechal apareceu à sua viúva e a uma amiga desta última, para lhes dar conhecimento de uma soma de 1500 francos em ouro que tinha guardado numa gaveta secreta de um móvel. Obtivemos esta informação de uma antiga amiga da família.

As evocações devem ser sempre motivadas e ter um fim louvável; de outro modo, são operações de trevas e de loucura, muito perigosas para a razão e a saúde. Evocar por pura curiosidade e para saber se a pessoa verá alguma coisa, é estar já disposto a afadigar-se só com prejuízo. As altas ciências não admitem nem as dúvidas nem as puerilidades.

O motivo louvável de uma evocação pode ser de amor ou de inteligência.

As evocações de amor exigem menos aparato e são, em todas as maneiras, mais fáceis. Eis como é preciso proceder nelas:

Devemos primeiramente recolher com cuidado todas as lembranças daquele ou daquela que desejamos tornar a ver, os objetos que lhe serviram e guardaram a sua impressão, e mobiliar, quer um quarto em que a pessoa tenha habitado em sua vida, quer um lugar semelhante, onde poremos o seu retrato, coberto de branco, no meio das flores que a pessoa gostava e as quais renovaremos todos os dias.

Depois, é preciso observar uma data fixa, um dia do ano que tenha sido, quer a sua festa, quer o dia mais feliz para a nossa afeição e a dela, um dia do qual supomos que sua alma, por mais feliz que seja, não pôde perder a lembrança: é este mesmo dia que é preciso escolher para a evocação, à qual nos prepararemos durante catorze dias.

Durante este tempo, será preciso observar em não dar a ninguém as mesmas provas de afeição que o defunto ou a defunta tinha direito de esperar de nós; será preciso observar uma castidade rigorosa, viver no retiro e só fazer uma refeição modesta e uma leve colação por dia.

Todas as tardes, à mesma hora, será preciso fechar-se com uma única luz pouco clara, tal como uma pequena lanterna funerária ou uma vela, no quarto consagrado à memória da pessoa de quem se tem saudades; a pessoa colocará a luz atrás de si e descobrirá o retrato, em presença do qual ficará uma hora em silêncio; depois perfumará o quarto com um pouco de bom incenso e sairá dele recuando.

No dia fixado para a evocação, será preciso preparar-se desde a manhã como para uma festa; não ser o primeiro a dirigir a palavra a ninguém, só fazer uma refeição composta de pão, vinho e raízes ou frutas; a toalha de mesa deve ser branca; a pessoa porá dois talheres e cortará uma parte do pão que deverá ser servido inteiro; porá também algumas gotas de vinho no copo da pessoa que se quer evocar. Esta refeição deve ser feita em silêncio, no quarto das evocações, em presença do retrato coberto; depois a pessoa tirará tudo o que serviu para isso, exceto o copo do defunto e a sua parte de pão, que serão deixados diante do seu retrato.

De tarde, à hora da visita habitual, a pessoa irá ao quarto em silêncio; acenderá um fogo claro com pau de cipreste e porá nele incenso sete vezes, pronunciando o nome da pessoa que se quer tornar a ver; apagará, depois, a lâmpada e deixará o fogo apagar-se. Neste dia, não descobrirá o retrato.

Quando a chama ficar apagada, porá incenso nas brasas e invocará a Deus conforme as fórmulas da religião à qual pertencia a pessoa falecida e conforme as ideias que ela tinha de Deus.

Será preciso, ao fazer esta prece, identificar-se com a pessoa evocada, falar como ela falaria, acreditar ser, de algum modo, ela mesma; enfim, depois de um quarto de hora em silêncio, falar-lhe como se estivesse presente, com afeição e fé, pedindo-lhe que se mostre a nós; renovar esta prece mentalmente e cobrindo a fronte com ambas as mãos, depois chamar três vezes, em alta voz, a pessoa; esperar de joelhos e com os olhos fechados ou cobertos, durante alguns minutos, falando-lhe mentalmente; chamá-la ainda três vezes, com voz agradável e afetuosa, e abrir lentamente os olhos. Não vendo nada, será preciso renovar esta experiência no ano seguinte, e, assim, até três vezes. É certo que, ao menos na terceira vez, obterá a aparição desejada, e quanto mais viver tardado, tanto mais será visível e surpreendente de realidade.

As evocações de ciência e de inteligência se fazem com cerimônias mais solenes. Se se tratar de uma personagem célebre é preciso meditar durante vinte e um dias a sua vida e os seus escritos, fazer uma ideia da sua pessoa, das suas feições e da sua voz; falar-lhe mentalmente e imaginar as suas respostas, trazer consigo o seu retrato ou ao menos o seu nome, sujeitar-se a um regime vegetal durante os vinte e um dias, e a um jejum severo durante os últimos sete; depois construir o oratório mágico tal como o descrevemos no décimo terceiro capítulo do nosso *Dogma*. O oratório deve ser inteiramente fechado; mas, se a pessoa deve esperar de dia, pode deixar uma estreita abertura ao lado em que bate o sol à hora da evocação e colocar diante desta abertura um prisma triangular; depois, diante do prisma, um globo de cristal, cheio de água. Se tiver de operar à noite, é preciso dispor a lâmpada mágica de modo a fazer cair o seu único raio sobre a fumaça do altar. Estes preparativos têm por fim fornecer ao agente mágico elementos de uma aparência corporal e aliviar um tanto a tensão da nossa imaginação, que não poderia, sem perigo, ser exaltada até a ilusão absoluta do sonho. Aliás, entende-se bastante que um raio de sol ou de lâmpada diversamente colorida, caindo sobre uma fumaça móvel, não pode, de modo algum, criar uma imagem perfeita. O fogareiro do fogo sagrado deve estar no centro do oratório, e o altar dos perfumes a pouca distância. O operador deve voltar-se para o oriente a fim de orar, e para o ocidente a fim de evocar; deve estar só ou ser assistido por duas pessoas que observarão o mais rigoroso silêncio; usará os vestuários mágicos tais como os descrevemos no sétimo capítulo; será coroado de verbena e de ouro. Deverá ter-se lavado antes da operação e todas as suas roupas de baixo deverão ser de uma intacta e rigorosa limpeza.

 A pessoa começará por uma operação apropriada ao gênio do espírito que quer evocar, e que ele mesmo, se ainda vivesse, poderia aprovar. Assim, por exemplo, nunca seria possível evocar Voltaire, recitando orações do gosto das de Santa Brígida. Para os grandes homens dos tempos antigos é preciso dizer os hinos de Cleanto ou de Orfeu, com o juramento que termina os versos áureos de Pitágoras. Por ocasião de nossa evocação de Apolônio, tomamos, como ritual, a magia filosófica de Patrício, que contém os dogmas de Zoroastro e as obras de Hermes Trismegisto. Lemos em alta voz o *Nuctemeron* de Apolônio, em grego, e acrescentamos a conjuração seguinte:

Βουλῆς δ'ὁ πατὴρ πάντων, καὶ καθηγητὴς ὁ τρισμέγιστος Ἑρμῆς. Ἰατρικῆς δ'ὁ Ἀσκληπιὸς τοῦ Πφάισθου. Ἰσχύος τε καί μωμῆς πάλιν Ὄσιρις με δ'ὦν ὦ τέκνον αυτόσσυ. Οιλοσοίφας δὲ Ἀρνεβάσκενις. Ποιητικῆς δέ πάλιν ὁ Ἀσκλεπιος, ὁ Ἰμούθης.

Οὑτοὶ τά κρύπτα φῦσιν Ἑρμῆς, τῶν ἐμῶν ἐπιγνοσον. Τῶν γράμματῶν πάντων, καὶ διακρινοῦσι, καὶ τινα μένανται κατέσχοσιν ἅ δέ καὶ πρὸς εὐεργέσιας θνήτων φθάνει, σῆλαι ὀβελίσκοις Χαραξῶσιν.

Μάγειαν, ὦ Ἀπολλωνίος, ὦ Ἀπολλωνίος, ὦ Ἀπολλωνίος διδάσκεις τοῦ Ζοροάστρου τοῦ Ὠρομάζου, ἐστ δέ τοῦτο, θεῶν θεράπεια.

Para a evocação dos espíritos pertencentes às religiões emanadas do judaísmo é preciso dizer a invocação cabalística de Salomão, quer em hebreu, quer em qualquer outra língua que sabemos ter sido familiar ao espírito que evocamos:

"Potências do reino, ficai sob meu pé esquerdo e na minha mão direita; glória e eternidade, tocai nos meus ombros e dirigi-me nos caminhos da vitória; Misericórdia e Justiça, sede o equilíbrio e o esplendor da minha vida; espíritos de *Malchut*, levai-me entre as duas colunas nas quais se apoia todo o edifício do templo; anjos de *Netsah* e de *Hod*, firmai-me na pedra cúbica de *Jesod*.

"Ó *Gedulael!* ó *Geburael!* ó *Tiphereth! Binael*, sê meu amor; *Ruach Hochmael*, sê minha luz; sê o que és e o que serás, ó *Ketheriel!*

"*Ischim*, assisti-me em nome de *Saddai*.

"*Querubim*, sede minha força em nome de *Adonai*.

"*Beni-Elohim*, sede meus irmãos em nome do filho e pelas virtudes de *Zebaoth*.

"*Elohim*, combatei por mim em nome de *Tetragrammaton*.

"*Malachim*, protegei-me em nome de יהוה

"*Serafim*, purificai meu amor em nome de *Elvoh*.

"*Hasmalim*, iluminai-me com os esplendores de *Eloi* e de *Schechinah*.

"*Aralim*, agi; *Ophanin*, girai e resplandecei.

"*Hajoth ha Kadosch*, gritai, falai, roncai, dai mugidos; *Kadosch, Kadosch, Kadosch, Saddai, Adonai, Jotchavah, Eieazeie*.

"*Allelu-jah, Allelu-jah, Allelu-jah*. Amém. אמן"

É preciso principalmente lembrar-se bem, nas conjurações, que os nomes de Satã, Belzebu, Adrameleque e outros, não designam personalidades espirituais, mas sim legiões de espíritos impuros. Chamo-me Legião, diz no Evangelho o espírito das trevas, porque somos em grande número. No inferno, reina a anarquia, e o número que faz a lei e o progresso aí se realiza em sentido inverso, isto é, que os mais adiantados em desenvolvimento satânico, os mais degradados, por conseguinte, são os menos inteligentes e os mais fracos. Assim, uma lei fatal leva os demônios a descerem quando creem e querem subir. Por isso, os que se dizem chefes são os mais impotentes e desprezados de todos. Quanto à multidão dos espíritos perversos, ela treme diante de um chefe desconhecido, invisível, incompreensível, caprichoso, implacável, que nunca explica suas leis e que tem sempre o braço armado para ferir os que não puderam adivinhá-lo. Dão a este fantasma os nomes de Baal, Zeus ou outros mais veneráveis, e que no inferno não são pronunciados sem haver profanação; mas este fantasma é simplesmente a sombra e a lembrança de Deus, desfiguradas pela sua perversidade voluntária e que ficaram na imaginação deles como uma vingança da justiça e um remorso da verdade.

Quando o espírito de luz que a pessoa evocou se mostra com feição triste ou irritada, é preciso oferecer-lhe um sacrifício moral, isto é, estar interiormente disposto a renunciar ao que o ofende; depois é preciso, antes de sair do oratório, despedi-lo, dizendo-lhe:

"A paz esteja contigo! Eu não quis perturbar-te, não me atormentes; trabalharei para me reformar em tudo o que te ofende; oro e orarei contigo e por ti; ora comigo e volta ao teu grande sono, esperando o dia em que nos despertaremos juntos. Silêncio e adeus!"

Não acabaremos este capítulo sem acrescentar, para os curiosos, alguns detalhes sobre as cerimônias da necromancia negra. Encontramos em vários autores antigos como a praticavam as feiticeiras da Tessália e as Canídias de Roma. Cavavam um buraco, perto do qual degolavam uma ovelha preta; depois afastavam com a espada mágica as psilas e larvas que se supunham presentes e prestes a beber o sangue; invocavam a tríplice Hécate e os deuses infernais, chamando três vezes a sombra que queriam ver aparecer.

Na Idade Média, os necromantes profanavam os túmulos, produziam poções mágicas e unguentos com a gordura e o sangue dos cadáveres; misturavam a isso o acônito, a beladona e o cogumelo venenoso; depois, cozinhavam estas horrendas misturas em fogos acesos com ossos humanos e crucifixos roubados das igrejas; misturavam a isso pós de sapatos dessecados e a cinza de hóstias consagradas; depois untavam as têmporas, as mãos e o peito com o unguento infernal; traçavam o pentáculo diabólico, evocavam os mortos embaixo dos patíbulos ou nos cemitérios abandonados. Ouviam-se de longe os seus uivos, e os viajantes atrasados acreditavam ver sair da terra legiões de fantasmas; até as árvores tomavam a seus olhos figuras que davam medo; viam-se cintilar olhos de fogo nas moitas; e as rãs dos charcos pareciam repetir com voz rouca as palavras misteriosas do *Sabbat*. Era o magnetismo da alucinação e contágio da loucura.

Os processos da magia negra têm por fim perturbar a razão e produzir todas as exaltações febris que dão a coragem para os grandes crimes. Os engrimanços que, outrora, a autoridade fazia tomar e queimar não eram certamente livros inocentes. O sacrilégio, o assassinato e o roubo são indicados de modo obscuro como meios de realização em quase todas essas obras. É assim que, *no Grande Grimório* e no *Dragão Vermelho*, falsificação mais moderna do *Grande Grimório*, lê-se uma receita intitulada: *Composição de morte ou Pedra filosofal*. É uma espécie de extrato de água forte, cobre, arsênico e verdete; encontram-se também nele processos de necromancia que consistem em cavar a terra dos túmulos com suas unhas, tirar deles ossos que devem ser conservados no peito em forma de cruz e assistir, assim, a missa da meia-noite, na noite de Natal, numa igreja, e no momento da elevação, levantar-se e fugir, exclamando: "Que os mortos saiam dos seus túmulos!"; depois, voltar ao cemitério, tomar um punhado de terra que se ache bem perto do caixão, voltar correndo à porta da igreja, cujos assistentes terá espantado com o clamor, depor aí os dois ossos em cruz, exclamando ainda: "Que os mortos saiam dos seus túmulos!", e, se não houver aí ninguém para vos prender e levar para o hospício, afastar-vos a passos lentos e contar quatro mil e quinhentos passos, sem voltar para trás, o que faz supor que seguis um grande caminho e escalais as muralhas. No fim destes quatro mil e quinhentos passos, deitar-vos-eis no chão; depois de ter espalhado em cruz a terra que trazeis na mão, colocar-vos-eis como o cadáver fica no caixão e repetireis ainda, com voz lúgubre: "Que os mortos saiam dos seus túmulos!", e chamareis três vezes aquele que desejais que apareça.

Não é para se duvidar que a pessoa tão tola e tão perversa para se entregar a tais obras já esteja disposta a todas as quimeras e a todos os fantasmas. A receita do *Grande Grimório* é, pois, certamente muito eficaz, mas não aconselhamos a nenhum dos nossos leitores que faça uso dela.

CAPÍTULO XIV

AS TRANSMUTAÇÕES

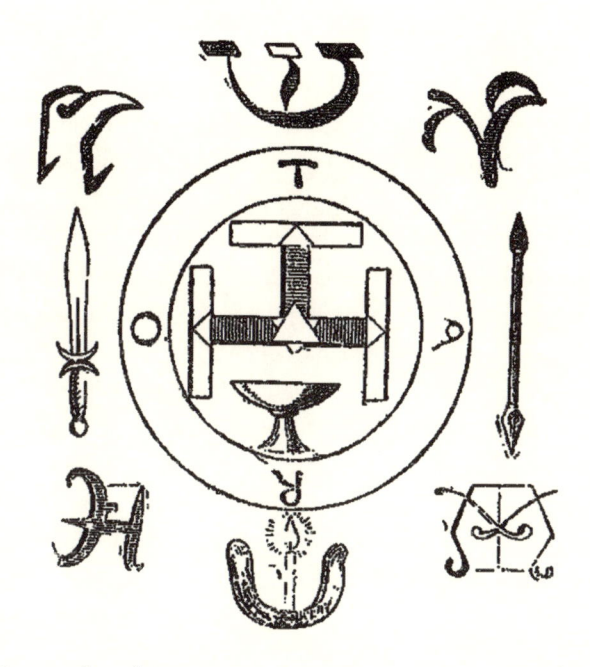

Santo Agostinho, dissemos, pergunta a si próprio se Apuleio podia ter sido mudado em asno e depois retornado à sua primeira forma. O mesmo doutor podia ocupar-se igualmente da aventura dos companheiros de Ulisses, transformados em porcos por Circe. As transmutações e metamorfoses foram sempre, na opinião do vulgo, a própria essência da magia. Ora, o vulgo, que se faz eco da opinião, rainha do mundo, nunca tem perfeitamente razão, nem erro total.

A magia muda realmente a natureza das coisas ou, antes, modifica à sua vontade as aparências, conforme a força de vontade do operador e a fascinação dos adeptos aspirantes. A palavra cria a sua forma, e, quando uma personagem, reputada infalível, deu a alguma coisa um nome qualquer, transforma realmente esta coisa na substância significada pelo nome que lhe dá. A obra-prima da palavra e da fé, neste gênero, é a transmutação real de uma substância cujas aparências não mudam. Se Apolônio tivesse dito aos seus discípulos, dando-lhes um copo cheio de vinho: "Eis aqui o meu sangue que bebereis para sempre, a fim de perpetuar a minha vida em vós", e se os seus discípulos tivessem, durante séculos, acreditado continuar esta transformação, repetindo as mesmas palavras, e, tomando o vinho, apesar do seu cheiro e sabor, pelo sangue real, humano e vivo de Apolônio, seria necessário reconhecer este mestre de teurgia como o mais hábil dos fascinadores e o mais poderoso de todos os magos. Só nos faltaria adorá-lo.

É sabido que os magnetizadores dão à água para os seus sonâmbulos todos os sabores que lhes agradam, e se supusermos um magista assaz poderoso sobre o fluido astral para magnetizar ao mesmo tempo uma assembleia de pessoas, aliás preparadas por uma sobre-excitação suficiente, facilmente explicaremos, não o milagre evangélico de Caná, mas outras obras do mesmo gênero.

As fascinações do amor, que resultam da magia universal da natureza, não são verdadeiramente prodigiosas e não transformam, realmente, as pessoas e coisas? O amor é um sonho de encantamentos que transfigura o mundo: tudo se torna música e perfumes, tudo se torna embriaguez e felicidade. O ente amado é belo, é bom, é sublime, é infalível, é resplandecente; irradia a saúde e o bem-estar... E, quando o sonho se dissipa, a pessoa julga cair das nuvens; vê com desgosto a feiticeira imunda que tomou o lugar da bela Melusina, o Tersita que era tomado por Aquiles ou Nereu. Que não seria possível fazer crer à pessoa pela qual somos amados? Mas, também, que razão e que justiça podemos fazer entender aquela que já nos ama? O amor começa por ser mago e acaba por ser feiticeiro. Depois de ter criado as mentiras do céu na Terra, realiza as do inferno; o seu ódio é tão absurdo como o seu entusiasmo, porque ele é passional, isto é, submetido a influências fatais para si. É por isso que os sábios o proscreveram, declarando-o inimigo da razão. Os sábios eram dignos de inveja ou de lástima, quando condenavam assim, sem o ter ouvido, o mais sedutor dos culpados? Tudo o que se pode dizer é que, quando falavam assim, ainda não tinham amado ou não amavam mais.

As coisas são, para nós, o que o nosso verbo interior as faz serem. Julgar-se feliz é ser feliz; o que estimamos torna-se precioso em proporção da própria estima: eis como se pode dizer que a magia muda a natureza das coisas. As *Metamorfoses* de Ovídio são verdadeiras, mas são alegóricas como o asno de ouro do bom Apuleio. A vida dos seres é uma transformação progressiva da qual se pode determinar, renovar, conservar por maior tempo ou destruir mais depressa as formas. Se a ideia da metempsicose fosse verdadeira, não se poderia dizer que a depravação figurada por Circe muda real e materialmente os homens em porcos, porque os vícios, nesta hipótese, teriam por castigo a queda nas formas animais que lhe são correspondentes?

Ora, a metempsicose, que foi muitas vezes mal entendida, tem um lado perfeitamente verdadeiro; as formas animais comunicam as suas impressões simpáticas ao corpo astral do homem, e logo se refletem nas suas feições, conforme a força dos seus costumes. O homem de uma brandura inteligente e passiva toma as aparências e a fisionomia inerte de um carneiro; mas, no sonambulismo, não é um homem de fisionomia de carneiro, é um carneiro que a pessoa vê, como o experimentou milhares de vezes o extático e sábio Swedenborg. Este símbolo está expresso no livro cabalístico do vidente Daniel, pela lenda de Nabucodonosor transformado em animal, que cometeram o erro de tomar por uma história real, como aconteceu com quase todas as alegorias mágicas.

Assim, podemos trasmutar, realmente, os homens em animais e os animais em homens; podemos metamorfosear as plantas e inverter suas virtudes; podemos dar aos minerais propriedades ideais: trata-se apenas de querer.

Podemos, igualmente, à vontade, fazer-nos visível ou invisível, e explicaremos aqui os mistérios do anel de Gyges.

Afastemos, primeiramente, do espírito dos nossos leitores qualquer suposição do absurdo, isto é, de um efeito sem causa ou contraditório à sua causa. Para se fazer invisível é necessária uma das três coisas: interpor um meio opaco qualquer entre a luz e o nosso corpo, ou entre o nosso corpo e os olhos dos assistentes, ou fascinar os olhos dos assistentes de tal modo que não possam fazer uso da sua vista. Ora, destes três modos de se fazer invisível, só o terceiro é mágico.

Não notamos, muitas vezes, que, sob o domínio de uma forte preocupação, olhamos sem ver, e que vamos chocar-nos contra objetos que estavam diante dos nossos olhos? "Fazei que, olhando, não vejam", disse o grande iniciador; e a história deste grande mestre nos conta que, um dia, vendo-se a ponto de ser lapidado no templo, fez-se invisível e saiu.

Não repetiremos, aqui, as mistificações dos engrimanços vulgares sobre o anel de invisibilidade. Uns o compõem de mercúrio fixo e querem que seja guardado numa caixa do mesmo metal, depois de lhe ter encastoado uma pedrinha que, infalivelmente, deve achar-se no ninho da *huppe* (em vez de *huppe* é *dupe** que era preciso ler). O autor do *Pequeno Alberto* quer que o façam com pelos tirados da cabeça de uma hiena furiosa: é quase que a história do guizo de Rodilard. Os únicos autores que falaram seriamente do anel de Gyges são Jâmblico, Porfírio e Petrus de Abono. O que dizem dele é, evidentemente, alegórico e a figura que dão, ou que se pode fazer conforme a sua descrição, prova que, pelo anel de Gyges, entendem e designam simplesmente o grande arcano mágico.

Uma destas figuras representa o ciclo do movimento universal harmônico e equilibrado no ser imperecível; a outra, que deve ser feita do amálgama dos sete

---

* *Huppe* quer dizer poupa, espécie de ave; e *dupe* significa mentira, engano. (N. do T.)

metais, merece uma descrição particular. Deve ter um duplo castão e duas pedras preciosas, um topázio constelado pelo sinal do sol, e uma esmeralda com o sinal da lua; interiormente, deve trazer os caracteres ocultos dos planetas e, exteriormente, os seus sinais conhecidos, repetidos duas vezes e em oposição cabalística uns com os outros, isto é, cinco à direita e cinco à esquerda, os sinais do sol e da lua resumindo as quatro inteligências diversas dos sete planetas. Esta configuração outra coisa não é senão um pentáculo que exprime todos os mistérios do dogma mágico, e o sentido simbólico do anel é que, para exercer a onipotência de que a fascinação ocular é uma das provas mais difíceis a dar, é preciso possuir toda a ciência e saber fazer uso dela.

A fascinação se opera pelo magnetismo. O magista ordena interiormente a uma assembleia inteira que não o veja, e a assembleia não o vê. Entra, assim, por portas guardadas; sai das prisões diante dos seus carcereiros estupefatos. A pessoa sente, então, uma espécie de torpor estranho e se lembra de ter visto o magista como que em sonho, mas somente depois que ele passou. O segredo da invisibilidade está, pois, inteiramente num poder que poderíamos definir: o de desviar ou paralisar a atenção, de modo que a luz chegue ao órgão visual, sem excitar o olhar da alma.

Para exercer este poder é preciso ter uma vontade habituada aos atos enérgicos e repentinos, uma grande presença de espírito e uma não menos grande habilidade em fazer nascer distrações na multidão. Por exemplo: que um homem perseguido por assassinos, depois de se ter lançado numa travessa, se volte imediatamente e venha, com fronte calma, diante dos que correm atrás dele ou se misture com eles e pareça ocupado no mesmo fim, certamente ficará invisível. Um padre, que perseguiam em 93 para enforcá-lo, dobra rapidamente uma rua, aí tira a batina e se inclina no canto de um muro na atitude de um homem preocupado. A multidão dos que o perseguiam chega imediatamente: nenhum o vê, ou antes, nenhum o reconhece; era muito pouco provável que fosse ele!

A pessoa que quer ser vista sempre se faz notar, e aquela que quer ficar despercebida esvai-se e desaparece. A vontade é o verdadeiro anel de Gyges; é também a varinha das transmutações, e é formulando-se clara e fortemente que cria o verbo mágico. As palavras onipotentes dos encantamentos são as que exprimem este poder criador das formas. O tetragrama, que é a palavra suprema da magia, significa: "É o que será"; e, se o aplicarmos a qualquer transformação e o fizermos com uma completa inteligência, ele renovará e modificará todas as coisas, até a despeito da evidência e do senso comum. O *hoc est* do sacrifício cristão é uma tradução e uma aplicação do tetragrama; por isso, esta simples palavra opera completa, a mais invisível, a mais incrível e a mais claramente afirmada de todas as transformações. Uma palavra dogmática mais forte ainda do que a de *transformação* foi julgada necessária pelos concílios para exprimir esta maravilha: é a de *transubstanciação*.

As palavras hebraicas: אמן, אהיה, אגלא, יהוה foram consideradas por todos os cabalistas como as chaves da transformação mágica. As palavras latinas: *est, sit, esto, fiat* têm a mesma força, quando são pronunciadas com inteligência. O Sr. de Montalembert conta seriamente, na sua lenda de Santa Isabel da Hungria, que, um dia, esta piedosa senhora, surpreendida pelo seu nobre esposo, ao qual queria esconder as suas boas obras, no momento em que levava no seu tabuleiro pães para os pobres, lhe disse que levava rosas, e, ao fazer a verificação, achou-se que não tinha mentido: os pães se tinham mudado em rosas. Este conto é um apólogo mágico dos mais graciosos e significa que o verdadeiro sábio não poderia mentir, que o verbo da sabedoria determina a forma das coisas ou mesmo a sua substância, independentemente das suas formas. Por que, por exemplo, o nobre esposo de Santa Isabel, bom e sólido cristão como a esposa e que acreditava firmemente na presença real do Salvador em verdadeiro corpo humano num altar em que só via uma hóstia de farinha, não teria acreditado na presença real das rosas no tabuleiro de sua mulher, sob as aparências do pão? Ela mostrou-lhe pão, sem dúvida; mas, como tinha dito: "São rosas", e ele a julgasse incapaz da mais leve mentira, só viu e só quis ver rosas. Eis aí o segredo do milagre.

Uma outra lenda refere que um santo, cujo nome não me vem à memória, achando para comer só uma ave, na quaresma ou numa sexta-feira, ordenou a esta ave que se tornasse peixe e fez dela um peixe. Esta parábola não necessita comentário, e nos lembra uma bela passagem de Santo Esperidião de Tremithonte, o mesmo que evocava a alma de sua filha Irene. Um viajante chegou, no próprio dia da sexta-feira santa, à casa deste bom bispo, e como, naquele tempo, os bispos, tomando o cristianismo a sério, eram pobres, Esperidião, que jejuava regularmente, só tinha em sua casa toucinho salgado que era preparado antecipadamente para o tempo pascal. Todavia, como o estrangeiro estivesse extenuado de fadiga e de fome, Esperidião apresentou-lhe esta carne e, para lhe dar coragem, sentou-se à mesa com ele e partilhou esta refeição de caridade, transformando, assim, até a carne que os israelitas consideravam como a mais impura, em ágapes de penitência, pondo-se acima do material da lei pelo espírito da própria lei e mostrando-se um verdadeiro e inteligente discípulo do Homem-Deus, que estabeleceu seus eleitos reis da natureza nos três mundos.

CAPÍTULO XV

O "SABBAT" DOS FEITICEIROS

Eis-nos de novo neste terrível número quinze, que, na clavícula do Tarô, apresenta para símbolo um monstro de pé num altar, trazendo uma mitra e chifres, tendo um seio de mulher e as partes sexuais de um homem, uma quimera, uma esfinge disforme, uma síntese de monstruosidade; e, embaixo desta figura, lemos esta inscrição franca e ingênua: *O Diabo*.

Sim, tratamos aqui do fantasma de todos os espantos, do dragão de todas as teogonias, do Arimane dos persas, do Tifon dos egípcios, do Píton dos gregos, da antiga serpente dos hebreus, da *vouivre*, do *graouilli*, da *tarasque*, da *gargouille**, da grande besta da Idade Média, pior ainda do que tudo isso, do Baphomet dos templários, do ídolo barbado dos alquimistas, do deus obsceno de Mendes, do bode do *Sabbat*.

Damos, no frontispício deste Ritual, a figura exata deste terrível imperador da noite, com todos os seus atributos e caracteres.

Digamos, agora, para edificação do vulgo, satisfação do conde de Mirville, justificação do demonômano Bodin e maior glória da Igreja que perseguiu os templários, queimou os magos, excomungou os franco-maçons, etc., etc.; digamos, ousada e altivamente, que todos os iniciados às ciências ocultas (falo dos iniciados inferiores e profanadores do grande arcano) adoraram, adoram ainda e adorarão sempre o que é significado por este espantoso símbolo. Sim, na nossa convicção profunda, os grão-mestres da ordem dos templários adoravam o Baphomet e o faziam adorar pelos seus iniciados; sim, existiram, podem existir ainda assembleias presididas por esta figura assentada num trono com a sua tocha ardente entre os chifres; somente que os adoradores deste emblema não pensam, como nós, que seja a representação do diabo, mas sim a do Deus Pan, o deus das nossas escolas de filosofia moderna, o deus dos teurgistas da escola de Alexandria e dos místicos neoplatônicos dos nossos dias, o deus

---

* Estes termos, que não têm tradução, são diversos nomes dados a demônios que faziam ruídos e habitavam em certos lugares.

de Lamartine e Vitor Cousin, o deus de Spinoza e Platão, o deus das escolas gnósticas primitivas; o próprio Cristo do sacerdócio dissidente; e esta última qualificação dada ao bode da magia negra não admirará aos que estudam as antiguidades religiosas e que seguiram, nas suas diversas transformações, as fases do simbolismo e do dogma, quer na Índia, quer no Egito ou na Judeia.

O touro, o cão e o bode são os três animais simbólicos da magia hermética na qual se resumem todas as tradições do Egito e da Índia. O touro representa a terra ou o sal dos filósofos; o cão é Hermanubis, o Mercúrio dos sábios, o fluido, o ar e a água; o bode representa o fogo, e é, ao mesmo tempo, o símbolo da geração.

Na Judeia, eram consagrados dois bodes, um puro, outro impuro. O puro era sacrificado em expiação dos pecados; o outro, carregado por imprecação destes mesmos pecados, era enviado em liberdade ao deserto. Coisa estranha, mas de um simbolismo profundo! A reconciliação pelo devotamento e a expiação pela liberdade! Ora, todos os padres que se ocuparam do simbolismo judeu reconheceram no bode imolado a figura daquele que tomou, dizem eles, a própria forma do pecado. Logo, os gnósticos não estavam fora das tradições simbólicas quando davam ao Cristo libertador a figura mística do bode.

Com efeito, toda a Cabala e toda a magia se partilham entre o culto do bode sacrificado e o do bode emissário. Há, pois, a magia do santuário e a do deserto, a Igreja branca e a Igreja negra, o sacerdócio das assembleias públicas e o *sanhedrim* do *Sabbat*.

O bode, que é representado no nosso frontispício, traz na fronte o signo do pentagrama, com a ponta para cima, o que é suficiente para fazer dele um símbolo de luz; faz com as mãos o sinal do ocultismo, e mostra em cima a lua branca de Chesed e embaixo a lua preta de Geburah. Este sinal exprime o perfeito acordo da misericórdia com a justiça. Um dos seus braços é feminino, o outro é masculino, como no andrógino de Khunrath, cujos atributos tivemos de reunir aos do nosso bode, pois que é um único e mesmo símbolo. O facho da inteligência que brilha entre os seus chifres é a luz mágica do equilíbrio universal; é também a figura da alma elevada acima da matéria, embora esteja presa à própria matéria, como a chama está presa ao facho. A cabeça horrenda do animal exprime o horror do pecado, de que só o agente material, único responsável, deve para sempre sofrer a pena: porque a alma é impassível por sua própria natureza, e só chega a sofrer, materializando-se. O caduceu, que está em lugar do órgão gerador, representa a vida eterna; o ventre coberto de escamas é a água; o círculo que está em cima é a atmosfera; as penas que vêm depois são o emblema do volátil; depois, a humanidade é representada pelos dois seios e os braços andróginos desta esfinge das ciências ocultas.

Eis dissipadas as trevas do santuário infernal, eis a esfinge dos terrores da Idade Média adivinhada e precipitada do seu trono; *quomodo cecidisti, Lucifer?*

O terrível Baphomet não é mais, como todos os ídolos monstruosos, enigmas da ciência antiga e dos seus sonhos, senão um hieróglifo inocente e até piedoso. Como adorava o homem o animal, sabendo que exerce sobre ele um soberano império? Digamos, para honra da humanidade, que ela nunca adorou cães e bodes nem tampouco cordeiros e pombas. Em matéria de hieróglifo, por que não um bode tão bem como um cordeiro? Nas pedras sagradas dos cristãos gnósticos da seita de Basilides, vemos representações do Cristo sob as diversas figuras dos animais da Cabala: ora é um touro, ora um leão, ora uma serpente com a cabeça de leão ou de touro; em toda parte, traz, ao mesmo tempo, os atributos da luz, como o nosso bode, que o seu signo do pentagrama impede de tomar por uma das imagens fabulosas de Satã.

Digamos bem alto, para combater os restos de maniqueísmo que ainda se revelam, todos os dias, nos nossos cristãos, que Satã, como personalidade superior e como potência, não existe. Satã é a personificação de todos os erros, perversidades e, por conseguinte, também de todas as fraquezas. Se Deus pode ser definido aquele que existe necessariamente, não se poderá definir seu antagonista e inimigo aquele que necessariamente não existe?

A afirmação absoluta do bem implica a negação absoluta do mal; por isso, na luz a própria sombra é luminosa. É assim que os espíritos transviados são bons por tudo o que têm de entidade e de verdade. Não há sombras sem reflexos, nem noites sem lua, sem fosforescências e sem estrelas. Se o inferno é uma justiça, é um bem. Ninguém jamais blasfemou contra Deus. As injúrias e zombarias dirigidas às suas imagens desfiguradas não o atingem.

Acabamos de mencionar o maniqueísmo, e é por esta monstruosa heresia que explicaremos as aberrações da magia negra. O dogma de Zoroastro, mal entendido, a lei mágica das duas forças que constituem o equilíbrio universal, fizeram imaginar a alguns espíritos ilógicos uma divindade negativa, subordinada, mas hostil à divindade ativa. É assim que se formou o binário impuro. Tiveram a loucura de dividir Deus; a estrela de Salomão foi separada em dois triângulos e os maniqueus imaginaram uma trindade da noite.

Este Deus mau, nascido da imaginação dos sectários, tornou-se o inspirador de todas as loucuras e de todos os crimes. Ofereceram-lhe sangrentos sacrifícios; a idolatria monstruosa substituiu a verdadeira religião; a magia negra fez caluniar a alta e luminosa magia dos verdadeiros adeptos, e houve nas cavernas e lugares desertos horríveis conventículos de feiticeiros, vampiros e estriges: porque a demência logo se muda em frenesi e dos sacrifícios humanos à antropofagia há somente um passo.

Os mistérios do *Sabbat* foram contados de diversos modos, mas sempre figuram nos engrimanços e processos de magia. Podemos dividir todas as revelações que foram feitas a este respeito em três séries: 1ª) as que se referem a um *Sabbat* fantástico e imaginário; 2ª) as que traem os segredos das assembleias ocultas dos verdadeiros adeptos; 3ª) as revelações de assembleias loucas e criminosas, tendo por objeto as práticas da magia negra.

Para um grande número de infelizes, dados a loucas e abomináveis práticas, o *Sabbat* era simplesmente um longo pesadelo, cujos sonhos lhes pareciam realidades e que obtinham por meio de beberagens, fumigações e fricções narcóticas. Porta, que já apontamos como mistificador, dá, na sua *Magia Natural*, a pretensa receita do unguento das feiticeiras, por meio do qual se fazem transportar ao *Sabbat*. Ele o compõe de gordura de criança, de acônito fervido com folhas de álamos e algumas outras drogas; depois quer que se misture a fuligem de chaminé, o que deve fazer pouco atrativa a nudez das feiticeiras que vão ao *Sabbat* untadas com esta pomada. Eis uma receita mais séria, dada igualmente por Della Porta, e que transcrevemos em latim para lhe deixar todo o seu caráter de engrimanço:

Recipe: suim acorum vulgare, pentaphyllon, vespertillionis sanguinem solanum somniferum et oleum – tudo fervido e incorporado conjuntamente até a consistência de unguento.

Pensamos que as composições opiáceas, a medula de cânhamo verde, o *datura stramonium*, o loureiro-amêndoa, entrariam com não menos sucesso em semelhantes composições. A gordura ou o sangue das aves noturnas, juntos, com estes narcóticos, com cerimônia de magia negra, podem ferir a imaginação e determinar a direção dos sonhos. É a *Sabbats* sonhados desta maneira que é preciso relacionar as histórias de bodes que saem de um cântaro e aí entram depois da cerimônia, de pós infernais recolhidos do traseiro do mesmo bode, chamado mestre Leonardo, de festins em que se comem abortos cozidos sem sal, com serpentes e sapos, de danças em que figuram animais monstruosos ou homens e mulheres de formas impossíveis, de depravações desenfreadas em que os íncubos dão um esperma frio. Só o pesadelo pode produzir semelhantes coisas e só ele pode explicá-las. O infeliz cura Gaufridy e a sua penitente depravada, Madalena de la Palud, ficaram loucos de tais sonhos, e se comprometeram para os sustentar até a fogueira. É preciso ler, no seu processo, os depoimentos destes pobres doentes para entender até a que aberrações pode exaltar-se uma imaginação ferida. Mas o *Sabbat* não foi sempre um sonho, e existiu realmente; até ainda existem as assembleias secretas e noturnas em que foram e são praticados os ritos do mundo antigo, e, destas assembleias, umas têm um caráter religioso e um fim social, outras são conjurações e orgias. É sob este duplo ponto de vista que vamos considerar e descrever o verdadeiro *Sabbat*, quer seja o da magia luminosa, quer o da magia das trevas.

Quando o cristianismo proscreveu o exercício público dos antigos cultos, obrigou os partidários das religiões a se reunirem em segredo para a celebração dos seus mistérios. A estas reuniões presidiam iniciados que estabeleceram logo, entre os diversos matizes destes cultos perseguidos, uma ortodoxia que a verdade mágica lhes ajudava a estabelecer com tanto mais facilidade, quanto a proscrição reúne as vontades e estreita os laços da fraternidade entre os homens. Assim, os mistérios de Ísis, de Ceres Eleusina, de Baco, se reuniram aos da boa deusa e do druidismo primitivo. As assembleias se realizavam ordinariamente entre os dias de Mercúrio ou Júpiter, ou entre os de Vênus ou Saturno; aí se ocupavam dos ritos da iniciação, trocavam sinais misteriosos, cantavam os hinos simbólicos, uniam-se por meio de banquetes e formavam sucessivamente a corrente mágica pela mesa e a dança; depois separavam-se, após terem renovado os juramentos entre as mãos dos chefes e recebido as suas instruções. O recipiendário do *Sabbat* devia ser levado à assembleia com os olhos cobertos pelo manto mágico, com o qual o envolviam inteiramente; faziam-no passar sobre grandes fogueiras e faziam, ao redor dele, ruídos espantosos. Quando descobriam o seu rosto, ele via-se rodeado de monstros infernais e em presença de um bode colossal e monstruoso, que lhe ordenavam de adorar. Todas estas cerimônias eram provas da sua força de caráter e da sua confiança nos seus iniciadores. Principalmente a última prova era decisiva, porque apresentava, a princípio, ao espírito do recipiendário, alguma coisa humilhante e ridícula: tratava-se de beijar respeitosamente o traseiro do bode e a ordem era dada sem cerimônia ao neófito. Se recusava, cobriam-lhe a cabeça e o transportavam longe da assembleia com tal rapidez que ele acreditava ter sido carregado pelas nuvens; se aceitava, faziam-no girar ao redor do ídolo, e aí ele achava não uma coisa repelente ou obscena, mas o fresco e gracioso rosto de uma sacerdotisa de Ísis ou Maia, que lhe dava um beijo maternal; depois era admitido ao banquete.

Quanto às orgias que, em várias assembleias deste gênero, seguiam o banquete, é necessário guardar-se bem de crer que tenham sido geralmente admitidas nestes ágapes secretos; mas sabemos que várias seitas gnósticas as praticavam nos seus conventículos desde os primeiros séculos do cristianismo. Que a carne tenha tido seus protestantes nos séculos de ascetismo e compreensão dos sentidos, isso devia ser e nada tem que nos admire; mas não se deve acusar a alta magia de desregramentos que ela nunca autorizou. Ísis é casta na sua viuvez; a Diana Panteia é virgem; Hermânubis, tendo os dois sexos, não pode satisfazer nenhum; o Hermafrodita hermético é casto. Apolônio de Thiana nunca se abandonou às seduções do prazer; o Imperador Juliano era de uma castidade severa; Plotino de Alexandria era rigoroso, nos seus costumes, como um asceta; Paracelso era tão estranho aos loucos amores, que o julgaram de um sexo duvidoso; Raimundo Lúlio foi iniciado aos últimos segredos da ciência só depois de um desespero de amor que o fez casto para sempre.

É também uma tradição da alta magia que os pentáculos e talismãs perdem toda sua virtude quando aquele que os traz entra numa casa de prostituição ou comete adultério. O *Sabbat* orgíaco não deve, pois, ser considerado como o dos verdadeiros adeptos.

Quanto ao próprio nome de *Sabbat*, quiseram fazê-lo vir do nome de Sabasius; outros imaginaram etimologias diferentes. A mais simples, conforme nossa opinião, é a que faz vir esta palavra do *Sabbat** judaico, pois que é certo que os judeus, depositários mais fiéis da Cabala, foram quase sempre, em magia, os grandes mestres da Idade Média.

O sábado era o domingo dos cabalistas, o dia da sua festa religiosa ou antes a noite da sua assembleia regular. Esta festa, rodeada de mistérios, tinha por salvaguarda até o espanto do vulgo e escapava à perseguição pelo terror.

Quanto ao *Sabbat* diabólico dos necromantes, este era uma falsificação do dos magos e uma assembleia de malfeitores que exploravam os idiotas e loucos. Aí, eram praticados horríveis ritos e feitas abomináveis misturas. Os feiticeiros e feiticeiras faziam aí a sua polícia e se informavam uns aos outros, para sustentar mutuamente a sua reputação de profecia e adivinhação, porque os adivinhos eram, então, geralmente consultados e faziam uma profissão lucrativa, exercendo ao mesmo tempo um verdadeiro poder. Estas assembleias de feiticeiros e feiticeiras não tinham, aliás, e não podiam ter, ritos regulares: tudo nelas dependia do capricho dos chefes e das vertigens da assembleia. O que contavam os que tinham podido assistir a elas servia de tipo a todos os pesadelos dos sonhadores e é da mistura destas realidades impossíveis e destes sonhos demoníacos que saíram as fastidiosas e tolas histórias do *Sabbat* que figuram nos processos de magia e nos livros de Spranger, Delancre, Delrio e Bodin.

Os ritos do *Sabbat* gnóstico foram transmitidos, na Alemanha, a uma associação que tomou o nome de Mopse; substituíram aí o bode cabalístico pelo cão hermético e, por ocasião da recepção de um candidato ou uma candidata (porque a ordem admite senhoras), conduzem a ele ou a ela com os olhos fechados; fazem ao seu redor este ruído infernal que fez dar o nome de *Sabbat* a todos os rumores inexplicáveis; perguntam-lhe se tem medo do diabo, depois propõem-lhe bruscamente a escolha entre beijar o traseiro do grão-mestre ou do Mopse, que é uma figurinha de cão coberta de seda, e substituída ao antigo ídolo do bode de Mendes. Os Mopses têm, como sinal de reconhecimento, uma careta ridícula que lembra as fantasmagorias do antigo *Sabbat* e as máscaras dos assistentes. De resto, a sua doutrina se resume no culto do amor e da liberdade. Esta associação foi produzida quando a Igreja romana perseguiu a franco-maçonaria. Os Mopses aparentavam se recrutarem só no catolicismo e tinham substituído o juramento de recepção por uma solene obrigação sob a palavra de honra de nada revelar dos segredos da associação. Era mais do que um juramento, e a religião nada mais tinha que dizer.

---

* Entre os judeus, o sábado era o dia de descanso, e neste dia eles realizavam assembleias que receberam o nome do dia.

O Baphomet dos templários, cujo nome deve ser soletrado cabalisticamente em sentido inverso, se compõe de três abreviações, *Tem ohp ab, Templi omnium hominum pacis abbas*, o pai do templo, paz universal dos homens; o Baphomet era, conforme uns, uma cabeça monstruosa; conforme outros, um demônio em forma de bode.

Um cofrezinho esculpido foi desenterrado ultimamente das ruínas de uma antiga comenda do templo, e os antiquários observaram aí uma figura bafomética, análoga, quanto aos atributos ao nosso bode de Mendes e ao andrógino de Khunrath. Esta figura é barbada, com um corpo inteiro de mulher; tem numa das mãos o Sol e na outra a Lua, ligados por correntes. É uma bela alegoria desta cabeça viril que atribui só ao pensamento o princípio iniciador e criador. A cabeça, aqui, representa o espírito; e o corpo de mulher, a matéria. Os astros presos à forma humana e dirigidos por esta natureza de que a inteligência é a cabeça, oferecem também a mais bela alegoria. O signo, no seu conjunto, não deixou de ser considerado obsceno e diabólico pelos sábios que o examinaram. Para que admirar, depois disso, de ver acreditadas, aos nossos dias, todas as superstições da Idade Média? Uma só coisa me surpreende: é que, acreditando no diabo e nos seus agentes, não acendem mais as fogueiras. O Sr. Veuillot o quereria, e isto é lógico para ele; é preciso honrar sempre os homens que têm coragem de sustentar a sua opinião.

Prossigamos em nossas investigações curiosas e cheguemos aos mais terríveis mistérios do engrimanço, os que se referem à evocação dos diabos e aos pactos com o inferno.

Depois de ter atribuído uma existência real à negação absoluta do bem, depois de ter entronizado o absurdo e criado um deus da mentira, restava à loucura humana invocar este ídolo impossível, e é o que os insensatos fizeram. Escreviam-nos ultimamente que o respeitabilíssimo padre Ventura, antigo superior dos teatinos, examinador dos bispos, etc., etc., depois de ter lido o nosso *Dogma*, declara que a Cabala, a seu ver, era uma invenção do diabo, e que a estrela de Salomão era um outro artifício do mesmo diabo para persuadir que ele, o diabo, faz um só com Deus. E eis o que ensinam seriamente os que são mestres em Israel! O ideal do nada e das trevas, inventando uma sublime filosofia que é a base universal da fé e a chave de todos os templos! O Demônio pondo a sua assinatura ao lado da de Deus! Meus veneráveis mestres em teologia, sois mais feiticeiros do que julgam ou do que julgais vós mesmos; e aquele que disse: "O diabo é mentiroso como o seu pai", teria, talvez, algumas pequenas coisas a corrigir nas decisões de vossas paternidades.

Os evocadores do diabo devem, antes de tudo, ser da religião que admite um diabo criador e rival de Deus. Eis como procederá um firme crente na religião do diabo, para corresponder-se com seu pseudodeus:

AXIOMA MÁGICO

No círculo da sua ação, todo verbo cria o que afirma.

CONSEQUÊNCIA DIRETA

Aquele que afirma o diabo, cria ou faz o diabo.
O que é preciso ter para ser bem-sucedido nas evocações infernais:

1º – Uma teimosia invencível;
2º – Uma consciência ao mesmo tempo endurecida no crime e muito acessível ao remorso e ao medo;
3º – Uma ignorância aparente ou natural;
4º – Uma fé cega em tudo o que não é crível;
5º – Uma ideia completamente falsa de Deus.

É preciso depois:
Primeiramente, profanar as cerimônias do culto no qual se crê, e lançar aos pés os seus sinais mais sagrados.

Em segundo lugar, fazer um sacrifício sangrento.

Em terceiro lugar, obter a forquilha mágica. É um ramo de um só broto de amendoeira, que se deve cortar num só golpe, com a faca nova que terá servido para o sacrifício; a varinha deve terminar em forquilha; é preciso pôr dentro desta forquilha de madeira uma forquilha de ferro ou aço, feita da própria lâmina da faca com a qual foi cortada.

É preciso jejuar durante quinze dias, fazendo só uma refeição sem sal, depois do ocaso do Sol; esta refeição será de pão preto e sangue temperado com molhos sem sal ou de favas pretas, e ervas leitosas e narcóticas.

Cada cinco dias, depois do ocaso do Sol, embebedar-se com vinho no qual terá feito infusão, durante cinco horas, de cinco cabeças de papoulas pretas e cinco onças de linhaça triturada, tudo contido numa toalha que tenha sido feita por uma prostituta (em rigor, qualquer toalha serve, se for feita por uma mulher).

A evocação pode ser feita, quer na noite da segunda para a terça-feira, quer na da sexta-feira para o sábado.

É preciso procurar um lugar solitário e assombrado, tal como um cemitério frequentado por maus espíritos, uma ruína temida no campo, os fundos de um convento abandonado, o lugar onde foi cometido um assassinato, um altar druídico ou um antigo templo de ídolos.

É preciso prover-se de uma roupa preta, sem costuras e sem manchas, de um barrete de chumbo constelado com os signos da Lua, Vênus e Saturno, de duas velas de sebo humano colocadas em candelabros de pau preto cortados em forma de crescente, de duas coroas de verbena, de uma espada mágica de cabo preto, da forquilha mágica, de um vaso de cobre contendo o sangue da vítima, de uma naveta contendo os perfumes, que serão de incenso, cânfora, aloés, âmbar--pardo e estoraque, incorporados e amassados com sangue de bode, poupa e morcego; é preciso ter também quatro cravos tirados do caixão de um suplicado, a cabeça de um gato preto alimentado com carne humana durante cinco dias, um morcego afogado no sangue, os chifres de um bode *cum quo puella concubuerit*, e o crânio de um parricida. Todos estes objetos horríveis e muito difíceis de achar, estando reunidos, eis como devem ser dispostos:

A pessoa traçará um círculo perfeito com a espada, deixando, todavia, uma ruptura ou um caminho de saída; no círculo inscreve um triângulo, pinta com o sangue o pentáculo que traçou com a espada; depois, num dos ângulos do triângulo, coloca o fogareiro de três pés, que poderíamos contar entre os objetos indispensáveis; na base do triângulo faz três círculos para o operador e seus dois assistentes, e atrás do círculo do operador traça, não com o sangue da vítima, mas com o próprio sangue do operador, o sinal do lábaro ou monograma de Constantino. O operador ou os acólitos devem ter os pés descalços e a cabeça coberta.

Deve ter trazido também a pele da vítima imolada! Esta pele, cortada em faixas, será colocada no círculo e formará um outro círculo com os quatro cravos do suplicado; perto dos quatro cravos e fora do círculo devem ser colocadas a cabeça de gato, o crânio humano ou antes inumano, os chifres do bode e o morcego; devem ser aspergidos com um ramo de vidoeiro molhado no sangue da vítima; depois acende um fogo de lenha de amieiro e cipreste; as duas velas mágicas serão colocadas à direita e à esquerda do operador, dentro das coroas de verbena (ver a figura adiante).

A pessoa pronunciará, então, as fórmulas de evocação que se acham nos elementos mágicos de Petrus de Abono ou nos engrimanços, quer manuscritos, quer impressos. A do *Grande Grimório*, repetida no vulgar *Dragão Vermelho*, foi voluntariamente alterada na impressão. Ei-la como deve ser lida:

"*Per Adonai Elohim, Adonai Jehova, Adonai Sabaoth, Metraton On Agla Adonai Mathom, vérbum pythónicum, mystérium salamándrae, convéntus sylphórum, antra gnomórum, doemónia Coeli Gad, Almousin, Gibor, Jehosua, Evam, Zariatnatmik, veni, veni, veni.*"

Círculo Goético das Evocações Negras e dos Pactos

A grande evocação de Agrippa consiste somente nestas palavras: *Dies Mies Jeschet Boenedoesef Douvema Enitemaus*. Não temos a pretensão de entender o sentido destas palavras que, talvez, não têm nenhum, e ao menos não deve ter nenhum que seja razoável, pois que têm o poder de evocar o diabo, que é a soberana irracionalidade.

Pico Della Mirandola, sem dúvida pelo mesmo motivo, afirma que, em magia negra, as palavras mais bárbaras e absolutamente ininteligíveis são as mais eficazes e melhores.

As conjurações são repetidas, elevando a voz e com imprecações e ameaças, até que o espírito responda. É ordinariamente precedido, quando vai aparecer, por um vento violento que parece fazer ressoar em todo o campo. Os animais domésticos tremem então e se escondem, os assistentes sentem um sopro diante da sua fronte, e os seus cabelos, umedecidos por um suor frio, se arrepiam nas suas cabeças.

A grande e suprema evocação, conforme Petrus de Abono, é esta:

"Hemen-Etan! Hemen-Etan! Hemen-Etan! El* Ati* Titeip* Azia* Hyn * Teu* Minosel * Achadon* vay * vaa* Eye * Aaa * Eie* Exe* A El El El A * Hy! hau! hau! hau! hau! va! va! va! Chavajoth.

"Aie Saraye, aie Saraye, aie Saraye! per Elohim, Archima, Rabur, *Bathas superveniens Abeor super Aberer Chavajoth! Chavajoth!* impero tibi per clavem Salamonis et nomem magnum *Semhamphorasch*"

Eis, agora, os sinais e as assinaturas dos demônios ordinários:

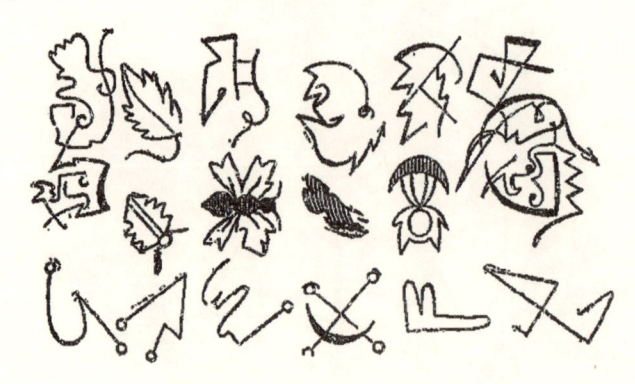

Estas são as assinaturas dos simples demônios; eis abaixo as assinaturas oficiais dos príncipes do inferno, assinaturas constatadas (juridicamente! ó Sr. Conde de Mirville), e conservadas nos arquivos judiciários como peças de convicção para o processo do infeliz Urbano Grandier.

Estas assinaturas estavam postas embaixo de um pacto de que o Sr. Collin de Plancy deu o fac-símile no atlas do seu *Dicionário Infernal*, e que traz como anotação: "O rascunho está no inferno, no gabinete de Lúcifer", apontamento muito precioso sobre uma localidade muito mal conhecida e sobre uma época ainda tão perto da nossa, anterior, portanto, ao processo dos jovens Labarre e d'Etalonde, que, como todos sabem, foram contemporâneos de Voltaire.

A cédula era dupla: o espírito maligno levava uma, e o reprovado voluntário ficava com a outra. As obrigações recíprocas eram, para o Demônio, servir o feiticeiro durante um certo número de anos e para o feiticeiro, pertencer ao Demônio depois de um tempo determinado. A Igreja, nos seus exorcismos, consagrou a sua crença em todas estas coisas e pode-se dizer que a magia negra e o seu príncipe tenebroso são uma criação real, viva e terrível do catolicismo romano; que até são a sua obra especial e característica, porque os padres não inventam Deus.

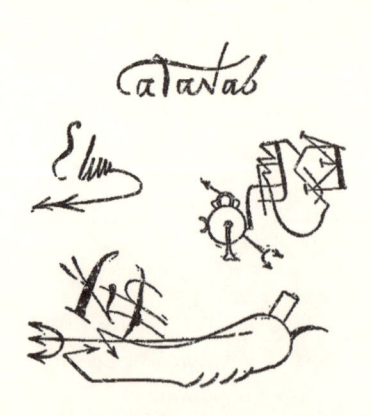

Por isso, os verdadeiros católicos prendem-se no fundo do coração à conservação, à regeneração desta Grande Obra que é a pedra filosofal do culto oficial e positivo. Dizem que, na língua dos forçados, os malfeitores chamam o diabo de *padeiro*; todo o nosso desejo, e falamos aqui não como magista, mas sim como filho devotado do cristianismo e da Igreja, à qual devemos a nossa primeira educação e nossos primeiros entusiasmos, todo o nosso desejo, dizemos, é que o fantasma de Satã não possa mais ser chamado também o *padeiro* dos ministros da moral e dos representantes da alta virtude. Entenderão o nosso pensamento e nos perdoarão a ousadia das nossas aspirações em favor das nossas intenções devotadas e da sinceridade da nossa fé?

A magia criadora do demônio, esta magia que ditou o *Grimório do Papa Honório*, o *Enchiridion de Leão III*, os exorcismos do *Ritual*, as sentenças dos inquisidores, os requisitórios de Laubardemont, os artigos dos Srs. Veuillet e irmãos, os livros dos Srs. Falloux, Montalembert, Mirvilli, a magia dos feiticeiros e dos homens pios que não o são, é alguma coisa verdadeiramente condenável em alguns, e infinitamente deplorável nos outros. É principalmente para combater, desvendando-as, estas tristes aberrações do espírito humano, que publicamos este livro. Possa ele servir para o êxito desta santa obra!

Porém, não mostramos ainda estas obras ímpias em toda sua torpeza e de monstruosa loucura; é preciso consultar os arquivos da obra *Demonomania* para conceber certos crimes que só a imaginação não inventaria. O cabalista Jean Bodin, israelita por convicção e católico por necessidade, não teve outra intenção, na sua obra sobre a *Demonomania dos Feiticeiros*, senão atacar o catolicismo nas suas obras e solapar o maior de todos os abusos da sua doutrina. A obra de Bodin é profundamente maquiavélica e fere no coração as instituições e os homens que ele parece defender. Dificilmente seria possível imaginar, sem o ter lido, tudo o que ajuntou de coisas sangrentas e horríveis, atos de superstição revoltante, sentenças e execuções estúpidas. Queimai tudo! – pareciam dizer os inquisidores, – Deus reconhecerá os seus! Pobres loucos, mulheres histéricas, idiotas, eram queimados sem misericórdia por crime de magia; mas também que grandes culpados escapavam a esta injusta e sanguinária justiça! É o que Bodin nos faz entender, quando nos conta anedotas do gênero daquelas que põe na morte do rei Carlos IX. É uma abominação pouco conhecida e que, ainda que o saibamos, mesmo na época da mais febril e desoladora literatura, não tentou a nerve de nenhum romancista.

Ferido por um mal de que nenhum médico podia descobrir a causa nem explicar os terríveis sintomas, o rei Carlos IX ia morrer. A rainha-mãe, que o governava inteiramente e que podia perder tudo sob um outro reino; a rainha mãe, que desconfiaram ter sido a causadora desta doença, contra seus próprios interesses, porque sempre supunham que esta mulher, capaz de tudo, tinha ardis ocultos e interesses desconhecidos, consultou primeiramente os seus astrólogos sobre o rei, depois recorreu à mais detestável das magias. O estado do doente sendo, de dia para dia, mais duvidoso e ficando mais desesperado, resolveu-se consultar o oráculo da *cabeça sangrenta*, e eis como se procedeu para esta operação infernal:

Tomaram uma criança, de belo rosto e inocente de costumes; fizeram-na preparar em segredo para a sua primeira comunhão por um esmoler do palácio; depois, chegado o dia ou antes a noite do sacrifício, um monge, jacobino apóstata e dado a obras ocultas da magia negra, começou à meia-noite, no quarto do doente e em presença somente de Catarina de Médicis e dos que ela confiava, o que então era chamada a missa do diabo.

Para esta missa, celebrada diante da imagem do Demônio, tendo sob seus pés uma cruz deitada, o feiticeiro consagrou duas hóstias, uma preta e outra branca; a branca foi dada à criança, que levaram vestida como para o batismo e que foi degolada nos próprios degraus do altar, logo depois da sua comunhão. A sua cabeça, separada do tronco num só golpe, foi colocada, toda palpitante, sobre a grande hóstia preta que cobria o fundo da pátena, e, depois, levada para uma mesa em que ardiam lâmpadas misteriosas. O exorcismo começou então e o Demônio foi posto em condições de pronunciar um oráculo e responder pela boca desta cabeça a uma questão secreta que o rei não ousaria fazer em voz alta e nem mesmo tinha confiado a ninguém. Então, uma voz fraca, uma voz estranha e que nada tinha de humana, se fez ouvir nesta pobre criancinha mártir: "Sou forçado a isso", dizia esta voz em latim: *Vim patior*. A esta resposta, que, sem dúvida, anunciava ao doente que o inferno não o protegia mais, um estremecimento horrível se apoderou dele e seus braços ficaram rijos... Ele gritou com voz rouca: Afastai esta cabeça! afastai esta cabeça!" e, até o seu último suspiro, não o ouviram dizer outra coisa. Os que o serviam e que não estavam na confidência deste horrível mistério, acreditaram que era perseguido pelo fantasma de Coligny e que julgava ver diante de si a cabeça do almirante; mas o que agitava o moribundo já não era mais um remorso, era um terror sem esperança e um inferno antecipado.

Esta negra lenda mágica de Bodin lembra as abomináveis práticas e o suplício bem merecido deste Gilles de Laval, senhor de Raiz, que passou do ascetismo à magia negra e se entregou, para conciliar as boas graças de Satã, aos mais revoltantes sacrifícios. Este alienado declarou, no seu processo, que Satã lhe aparecera diversas vezes, mas que o tinha enganado sempre, prometendo tesouros que lhe não dava nunca. Resultou das informações jurídicas que várias centenas de infelizes crianças tinham sido vítimas da cupidez e da imaginação atroz desse assassino.

CAPÍTULO XVI

OS ENFEITIÇAMENTOS E OS SORTILÉGIOS

O que os feiticeiros e necromantes procuravam principalmente, nas suas evocações do espírito impuro, é esta força magnética que é a partilha do verdadeiro adepto, e que queriam usurpar para abusar dela indignamente.

A loucura dos feiticeiros sendo uma loucura malvada, um dos seus fins era principalmente o poder dos enfeitiçamentos ou das influências deletérias.

Dissemos, no nosso *Dogma*, o que pensamos dos enfeitiçamentos e quanto este poder nos parece perigoso e real. O verdadeiro magista enfeitiça sem cerimonial e somente pela reprovação àqueles que julga necessário punir; enfeitiça até pelo seu perdão os que lhe fazem mal, e nunca os inimigos dos iniciados levam longe a impunidade nas suas injustiças. Constatamos por nós mesmos numerosos exemplos desta lei fatal. Os algozes dos mártires sempre perecem desgraçadamente, e os adeptos são os mártires da inteligência; mas a Providência parece desprezar os que os desprezam e fazem morrer os que procuram impedir-lhes o viver. A lenda do Judeu Errante é a poesia popular deste arcano. Um povo mandou um sábio ao suplício, dizendo-lhe: "Caminha!" quando ele queria descansar um instante. Pois bem, este povo vai sofrer uma condenação semelhante, vai ser proscrito inteiramente e, durante séculos, dir-lhe-ão: "Caminha!", sem que possa achar piedade ou descanso.

Um sábio tinha uma mulher a quem amava apaixonada e loucamente na exaltação da sua ternura e a distinguia com uma confiança cega, entregando-se inteiramente a ela. Orgulhosa da sua beleza e da sua inteligência, esta mulher tornou-se invejosa da superioridade de seu marido e começou a odiá-lo. Pouco tempo depois, ela o abandonava, comprometendo-se com um homem velho, pusilânime, sem espírito e imoral. Era o seu primeiro castigo, mas a pena não devia ficar nisso. O sábio pronunciou contra ela somente esta sentença: "Eu vos tomo a vossa inteligência e a vossa beleza!" Um ano depois, os que a encontravam já não a reconheciam mais: a gordura começava a desfigurá-la; ela refletia na fronte a fealdade das suas novas feições. Três anos depois, ela estava feia... Sete anos depois estava louca. Isto aconteceu no nosso tempo, e conhecemos as duas pessoas.

Os magos condenam à maneira dos médicos hábeis e é por isso que ninguém apela das suas sentenças quando pronunciaram um juízo contra um culpado. Não têm nem cerimônias, nem invocações a fazer; devem somente abster-se de comer na mesma mesa que o condenado, e, se forem forçados a assentar-se a ela, não devem aceitar dele nem oferecer a comida.

Os enfeitiçamentos dos feiticeiros são de uma outra qualidade, e podem ser comparados a verdadeiros envenenamentos de uma corrente de luz astral. Exaltam a sua vontade por cerimônias, a ponto de a tornar venenosa a distância; mas, como fizemos observar no nosso *Dogma*, se expõem geralmente a ser os primeiros a serem mortos pelas suas máquinas infernais. Denunciemos aqui alguns dos seus processos reprováveis. Procuram cabelos ou vestidos da pessoa que querem amaldiçoar; depois escolhem um animal que, a seus olhos, seja o símbolo desta pessoa; põem por meio dos cabelos e vestidos este animal em relação com ela; dão-lhe o seu nome, depois matam-no com um só golpe da faca mágica, abrem-lhe o peito, arrancam-lhe o coração, envolvem este coração palpitante nos objetos magnetizados e, durante três dias, a toda hora, enterram nesse coração pregos, alfinetes avermelhados no fogo ou grandes espinhos, pronunciando maldições sobre o nome da pessoa enfeitiçada. Ficam persuadidos então (e, muitas vezes, com razão) de que a vítima de suas infames manobras sofre tantas torturas como se, com efeito, estas pontas estivessem enterradas no seu coração. Ela começa a enfraquecer-se e, no fim de algum tempo, morre de um mal desconhecido.

Um outro enfeitiçamento usado nos campos consiste em consagrar pregos para as obras de ódio com as fumigações fétidas de Saturno e invocações aos maus gênios, depois seguir as pegadas da pessoa que se quer atormentar e pregar em forma de cruz todos os sinais dos seus passos que for possível encontrar na terra ou na areia.

Um outro mais abominável se pratica assim: toma-se um sapo dos maiores e administra-se-lhe o batismo, dando-lhe o nome e o sobrenome da pessoa que se quer amaldiçoar; faz-se-lhe depois engolir uma hóstia consagrada sobre a qual se tenha pronunciado fórmulas de execração; em seguida, envolve-se-o nos objetos magnetizados, liga-se-o com os cabelos da vítima sobre os quais o operador terá escarrado e enterra-se tudo, quer embaixo da soleira da porta do maleficiado, quer num lugar em que seja obrigado a passar todos os dias. O espírito elementar deste sapo tornar-se-á, para os seus sonhos, um pesadelo e um vampiro, a menos que ele saiba enviá-lo de novo ao malfeitor.

Vêm, depois, os enfeitiçamentos pelas imagens de cera. Os necromantes da Idade Média, ansiosos de agradar por sacrilégios aquele que consideravam como seu senhor, misturavam esta cera com óleo batismal e cinzas de hóstias queimadas. Padres apóstatas sempre se encontravam para lhes dar os tesouros da Igreja. Formavam com a cera maldita uma imagem tão parecida quanto possível com aquele que queriam enfeitiçar; cobriam esta imagem com vestidos iguais ao dele, davam-lhe os sacramentos que ele tinha recebido, depois pronunciavam sobre a cabeça da imagem todas as maldições que exprimiam o ódio do feiticeiro e cada dia infligiam a esta figura maldita torturas imaginárias, para atingir e tormentar, por simpatia, aquele ou aquela que a figura representava.

O enfeitiçamento é mais infalível se a pessoa puder obter cabelos, sangue e, principalmente, um dente da pessoa enfeitiçada. É o que deu lugar a este modo de falar proverbial: "Tendes um dente contra mim".

Na Itália, o feitiço que é lançado pelo olhar é o que se chama, de (*gettura*), ou mau-olhado. No tempo das nossas discórdias civis, um homem de loja teve a infelicidade de denunciar um seu vizinho que, depois de ter ficado preso por algum tempo, foi posto em liberdade, mas a sua posição estava perdida. Por única vingança, ele passava duas vezes por dia diante da loja do seu denunciador, olhava-o fixamente, saudava-o e passava. Algum tempo depois, o lojista, não podendo suportar mais o suplício desse olhar, vendeu seus fundos com prejuízo e mudou de quarteirão, não deixando o seu endereço; numa palavra, estava arruinado.

Uma ameaça é um enfeitiçamento real, porque age vivamente sobre a imaginação, principalmente se esta imaginação aceita facilmente a crença de um poder oculto e ilimitado. A terrível ameaça do inferno, este enfeitiçamento da humanidade durante vários séculos criou mais pesadelos, mais doenças sem nomes e mais loucuras furiosas do que todos os vícios e excessos reunidos. É o que figuravam os artistas herméticos da Idade Média pelos monstros incríveis e inauditos que punham nos portais das suas basílicas.

Mas o enfeitiçamento pela ameaça produz um efeito absolutamente contrário às intenções do operador, quando a ameaça é evidentemente vã, quando revolta a altivez legítima daquele que é ameaçado, e, por conseguinte, provoca a sua resistência; enfim, quando é ridícula à força de ser feroz.

São os sectários do inferno que descreditaram o céu. Dizei a um homem razoável que o equilíbrio é a lei do movimento e de vida e que o equilíbrio moral, a liberdade, repousa sobre uma distinção eterna e imutável entre o verdadeiro e o falso, entre o bem e o mal; dizei-lhe que, dotado de uma vontade livre, deve fazer para si um lugar no império da verdade e do bem ou cair eternamente, como a pedra do Sísifo, no caos da mentira e do mal: ele entenderá este dogma e, se chamardes a verdade e o bem – céu; a mentira e o mal – inferno, acreditará no vosso céu e no vosso inferno, acima dos quais o ideal divino permanece calmo, perfeito e inacessível à cólera como à ofensa, porque entenderá que, se o inferno, em princípio, é eterno como a liberdade, não poderia ser, de fato, senão um tormento passageiro para as almas, porque é uma expiação, e que a ideia de expiação supõe necessariamente a de reparação e destruição do mal.

Dito isto, não nas intenções dogmáticas, que não poderia ser da nossa jurisdição, mas para indicar o remédio moral e razoável para o enfeitiçamento das consciências pelos terrores da outra vida, falemos dos meios de subtrair-se às influências funestas da cólera humana.

O primeiro de tudo é ser razoável e justo, e nunca dar ocasião ou razões para a cólera. Uma cólera legítima é muito para temer. Por isso, procurai reconhecer e expiar os vossos erros. Se a cólera persiste depois disso, ela procede certamente de um vício: procurai saber qual é esse vício e uni-vos fortemente às correntes magnéticas da virtude contrária. O enfeitiçamento, então, não terá mais poder sobre vós. Fazei lavar com cuidado, antes de as dar, ou queimai as toalhas e roupas que foram do vosso uso; nunca façais uso de um vestuário que serviu a um desconhecido, sem ter purificado este vestuário pela água, pelo enxofre e pelos aromas, tais como a cânfora, o incenso, o âmbar, etc.

Um grande meio de resistir ao enfeitiçamento é não o temer; o enfeitiçamento age à maneira das doenças contagiosas. Em tempo de peste, os que têm medo são os primeiros atacados. O meio de não temer o mal é não ocupar-se dele, e aconselho firmemente, com grande desinteresse (pois é num livro de magia de que sou autor que ponho um tal conselho), às pessoas nervosas, fracas, crédulas, histéricas, supersticiosas, devotas, tolas, sem energia, sem vontade, a que nunca abram um livro de magia; a que fechem este, se o abriram; a não escutarem os que falam de ciências ocultas, a rirem-se disso, a nunca acreditarem nelas e a *beberem com sossego*, como dizia o grande mago pantagruelista, o excelente cura de Meudon.

Para o que diz respeito aos sábios (e é tempo de nos ocuparmos deles, depois de ter tratado da parte dos loucos), para o que diz, pois, respeito aos sábios, estes não temem outros malefícios a não ser os da fortuna; mas como são sacerdotes e médicos, podem ser chamados a curar os maleficiados, e eis como devem proceder neste caso:

É preciso induzir a pessoa maleficiada a fazer um bem qualquer ao enfeitiçador, a fazer-lhe um serviço que ele não possa recusar e procurar levá-lo, quer direta, quer indiretamente, à comunhão do sal.

A pessoa que se julgar enfeitiçada pela execração e o enterramento do sapo, deverá trazer consigo um sapo vivo numa caixa de chifre.

Para o enfeitiçamento por meio do coração trespassado, será preciso fazer a pessoa doente comer um coração de carneiro preparado com salva e verbena, e fazê-la trazer um talismã de Vênus ou da Lua, contido num saquinho cheio de cânfora e sal.

Para o enfeitiçamento pela figura de cera é preciso fazer uma figura mais perfeita, pôr da própria pessoa tudo o que puder dar, pôr-lhe ao pescoço os sete talismãs, colocá-la no meio de um grande pentáculo representando o pentagrama e esfregá-la levemente, todos os dias, com uma mistura de óleo e bálsamo, depois de ter pronunciado a conjuração dos quatro para desviar a influência dos espíritos elementares. No fim de sete dias, será preciso queimar a imagem no fogo consagrado, e podereis ter certeza de que a estatueta fabricada pelo enfeitiçador perderá, no mesmo instante, toda a sua virtude.

Já falamos da medicina simpática de Paracelso, que medicava membros de cera e operava sobre o sangue dado pelas chagas para curar as próprias chagas. Este sistema lhe permitia o emprego dos remédios mais violentos; por isso, tinha ele, para específicos principais, o sublimado e o vitríolo. Cremos que a homeopatia é uma reminiscência das teorias de Paracelso e uma volta às suas práticas sábias. Mas teremos de falar sobre este assunto num tratado especial que será consagrado exclusivamente à medicina oculta.

Os votos dos pais empenhando o futuro dos seus filhos são enfeitiçamentos assaz condenáveis: as crianças votadas ao branco, por exemplo, não prosperam quase nunca; os que eram votados ao celibato caíam ordinariamente na depravação ou no desespero e na loucura. Não é permitido ao homem violentar o destino, e ainda menos impor obstáculos ao legítimo emprego da liberdade.

Acrescentaremos aqui, à maneira de suplemento e apêndice a este capítulo, algumas palavras sobre as mandrágoras e os androides, que vários magistas confundem com as figurinhas de cera que servem às práticas dos enfeitiçamentos.

A mandrágora natural é uma raiz cabeluda que apresenta, mais ou menos, no seu conjunto, quer a figura de um homem, quer a das partes viris da geração. Esta raiz é levemente narcótica, e os antigos lhe atribuíam uma virtude afrodisíaca que a fazia ser procurada pelas feiticeiras de Tessália para a composição das poções mágicas.

Esta raiz será, como o supõe um certo misticismo mágico, o vestígio umbilical da nossa origem terrestre? É o que não ousaríamos afirmar seriamente. É certo, não obstante, que o homem saiu do barro da terra; teve, pois, de se formar aí em primeiro esboço sob a forma de uma raiz. As analogias da natureza exigem absolutamente que admitamos esta noção, ao menos como uma possibilidade. Os primeiros homens teriam, pois, sido uma família de gigantescas mandrágoras sensitivas que o sol animou e que por si mesmas se teriam desprendido da terra, o que não exclui em nada e até supõe, pelo contrário, de um modo positivo, a vontade criadora e a cooperação providencial da primeira causa, que temos razão de chamar Deus.

Alguns antigos alquimistas, surpreendidos por esta ideia, sonharam a cultura da mandrágora, procuraram reproduzir artificialmente um barro bastante fecundo e um sol bastante ativo para humanizar de novo esta raiz e criar assim homens, sem o concurso das mulheres.

Outros, que julgavam ver na humanidade a síntese dos animais, desesperaram de animar a mandrágora; mas realizaram copulações monstruosas e lançaram a semente humana em terra animal, sem produzir outras coisas senão crimes vergonhosos e monstros sem posteridade.

A terceira maneira de formar o androide é pelo mecanismo galvanizado. Atribui-se a Alberto, o Grande, um destes autômatos quase inteligentes, e acrescenta-se que Santo Tomás o quebrou com um só golpe de bastão, porque ficou embaraçado com suas respostas. Este conto é uma alegoria. O androide de Alberto, o Grande, é a teologia aristotélica da escolástica primitiva, que foi destruída pela *Summa* de Santo Tomás, este ousado inovador que foi o primeiro a substituir a lei absoluta da razão ao arbitrário divino, ousando formular este axioma, que não tememos repetir demais, porque provém de um tal mestre: "Uma coisa não é justa porque Deus a quer; mas Deus a quer porque ela é justa".

O androide real, o androide sério dos antigos, era um segredo que escondiam a todas as vistas, e que Mesmer foi o primeiro que ousou divulgar nos nossos dias: era a extensão da vontade do mago num outro corpo, organizado e servido por um espírito elemental; noutros termos mais modernos e mais inteligíveis, era um paciente magnético.

CAPÍTULO XVII

A ESCRITURA DAS ESTRELAS

Acabamos com o assunto do inferno e respiramos a plenos pulmões, voltando à luz depois de ter atravessado os antros da magia negra. Retira-te, Satã! renunciamos a ti, às tuas pompas, às tuas obras, mas ainda mais às tuas baixezas, às tuas misérias, a teu nada, às tuas mentiras! O grande iniciador viu-te cair do céu como o raio. A lenda cristã converteu-te, fazendo-te pousar docemente a cabeça de dragão sob os pés da mãe de Deus. És para nós a imagem da ignorância e do mistério; tu és a irracionalidade e o fanatismo cego; tu és a inquisição e o seu inferno; tu ficaste, agora, como brinquedo das nossas crianças, e o teu último lugar é ao lado do Polichinelo; agora não és mais do que um personagem grotesco dos nossos teatros ambulantes e um motivo de ensino para algumas lojas que se dizem religiosas.

Depois da décima sexta chave do Tarô, que representa a ruína do templo de Satã, encontramos, na décima sétima página, um magnífico e gracioso emblema.

Uma mulher nua, uma jovem imortal, derrama na terra a seiva da vida universal que corre de dois vasos, um de ouro e outro de prata; junto a ela está um arbusto em flor, no qual vem pousar a borboleta de Psiquê; em cima dela está uma estrela brilhante de oito raios, ao redor da qual estão em ordem outras sete estrelas.

Creio na vida eterna! Tal é o último artigo do símbolo dos cristãos, e este artigo é, por si só, uma inteira profissão de fé.

Os antigos, comparando a calma e tranquila imensidade do céu, todo esmaltado de imóveis luzes, com as agitações e trevas deste mundo, julgaram achar nesse belo livro de letras de ouro a última palavra do enigma dos destinos; eles traçaram, pela imaginação, linhas de correspondência entre estes pontos brilhantes da escritura divina, e dizem que as primeiras constelações observadas pelos pastores da Caldeia foram também os primeiros caracteres da escritura cabalística.

Estes caracteres, expressos primeiramente por linhas, depois encerrados em figuras hieroglíficas, teriam, conforme o Sr. Moreau de Dammartin, autor de um tratado muito curioso sobre a origem dos caracteres alfabéticos, determinado os antigos magos na escolha das figuras do Tarô, que este sábio reconhece como nós por um livro essencialmente hierático e primitivo.

Assim, na opinião deste sábio, o *tseu* chinês, o aleph dos hebreus e o *alfa* dos gregos, expressos hieroglificamente pela figura do pelotiqueiro, seriam tirados da constelação austral próxima do peixe austral da esfera oriental.

O *tcheu* chinês, o *beth* hebreu e o *B* latino, correspondentes à papisa ou a Hera, foram formados da cabeça do carneiro; o *yn* chinês, o *ghimet* hebreu e o G latino, figurados pela imperatriz, seriam tirados da constelação da grande Ursa, etc.

O cabalista Gaffarel, que já citamos mais de uma vez, fez um planisfério no qual todas as constelações formam letras hebraicas; mas confessemos que a sua configuração nos parece, muitas vezes, muito arbitrária e que não entendemos por que, sobre a indicação de uma única estrela, por exemplo, Gaffarel traça antes um ר do que um ו ou um ן; quatro estrelas dão igualmente um ♪, um ה, um ♪, tão bem como um א. É o que nos desviou da ideia de darmos aqui uma cópia do planisfério de Gaffarel, cujas obras, aliás, não são extremamente raras. Este planisfério foi reproduzido na obra do Padre Montfaucon sobre as religiões e superstições do mundo, e encontra-se igualmente uma cópia dele na obra sobre magia, publicada pelo místico Eckartshausen.

Aliás, os sábios não estão de acordo sobre a configuração das letras do alfabeto primitivo. O Tarô italiano, cujos tipos góticos merecem que desejamos a sua conservação, se refere, pela disposição das suas figuras, ao alfabeto hebreu que esteve em uso depois do cativeiro, e que chamamos alfabeto assírio; mas existem fragmentos de outros Tarôs anteriores àquele, nos quais a disposição não é mais a mesma. Como nada se deve tratar ao acaso, em matéria de erudição, esperamos, para fixar nosso juízo, novas e mais conclusivas descobertas.

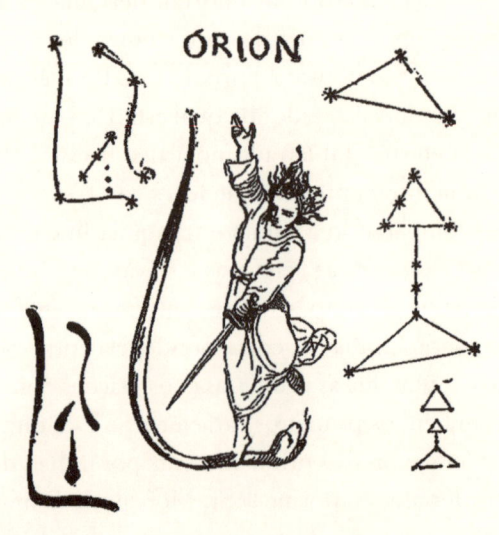

Pelo que diz respeito ao alfabeto das estrelas, cremos que é facultativo, como a configuração das nuvens, que parecem tomar todas as formas que a nossa imaginação lhes dá. Com os grupos de estrelas dá-se o mesmo que com os pontos da geomancia e da reunião das cartas na moderna cartomancia. É um pretexto para magnetizar a si próprio e um instrumento que pode fixar e determinar a intenção natural. Assim, um cabalista habituado com os hieróglifos místicos verá, nas estrelas, sinais que um simples pastor não descobrirá; mas o pastor, por sua vez, encontrará nela combinações que escapariam ao cabalista. As pessoas da roça veem um rato na cintura e na espada de órion; um cabalista hebreu veria no mesmo Órion, considerado na sua totalidade, todos os mistérios de Ezequiel, as dez *sephiroth* dispostas em ternário, um triângulo central formado de quatro estrelas, depois uma linha de três formando o *jod*, e as duas figuras juntas exprimindo todos os mistérios de Bereschit, depois quatro estrelas formando as rodas do Merkabah e completando o carro divino. Olhando de um outro modo e dispondo outras linhas ideais, veria aí um ג, *ghimel*, perfeitamente formado e colocado em cima de um י, *iod*, num grande ד, *daleth*, voltado para baixo; figura que representa a luta do bem e do mal, com o triunfo definitivo do bem. Com efeito, o ג (*ghimel*), fundado sobre o *jod*, é o ternário produzido pela unidade, é a manifestação divina do Verbo, ao passo que o *daleth* virado para baixo é o ternário composto do mau binário multiplicado por si mesmo. A figura de Órion, considerada assim, pois, idêntica à do anjo Mikael lutando contra o dragão, e a aparição deste signo, apresentando-se sob esta forma, seria, para o cabalista, um presságio de vitória e de felicidade.

Uma longa contemplação do céu exalta a imaginação; as estrelas, então, respondem aos nossos pensamentos. As linhas traçadas mentalmente de uma a outra pelos primeiros contempladores deviam ter dado aos homens as primeiras ideias da geometria. Conforme a nossa alma está agitada ou tranquila, as estrelas parecem rutilantes de ameaças ou cintilantes de esperanças. O céu é, assim, o espelho da alma humana, e quando julgamos ler nos astros é em nós mesmos que lemos.

Gaffarel, aplicando aos destinos dos impérios os presságios da Escritura celeste, diz que os antigos não figuraram inutilmente na parte setentrional do céu todos os sinais de mau agouro e que, assim, em todos os tempos, as calamidades foram consideradas como devendo vir do norte para se espalhar na Terra, invadindo o sul.

> "É por isso – diz ele – que os antigos figuraram nestas partes setentrionais do céu uma serpente ou um dragão bem perto das duas ursas, porque estes animais são os verdadeiros hieróglifos da tirania, da pilhagem e de toda espécie de opressão. E, de fato, percorrei os anais, e vereis que todas as grandes desolações que sempre têm acontecido são vindas das partes do setentrião. Os assírios ou caldeus, animados por Nabucodonosor e Salmanassar, fizeram muito bem ver esta verdade pelo incêndio de um templo e de uma

cidade, mais suntuosos e mais santos do universo, e pela ruína total de um povo de que o próprio Deus tinha tomado a singular proteção, e do qual particularmente se dizia pai. E a outra Jerusalém, a feliz Roma, não sofreu ela, diversas vezes, as fúrias desta malvada raça do setentrião, quando, pela crueldade de Alarico Genserico, Átila e o resto dos príncipes godos, hunos, vândalos e alanos, viu seus altares derrubados e os cimos dos seus soberbos edifícios igualados ao nível dos cardos... Muito bem, pois nos segredos desta escritura celeste lê-se do lado do setentrião as desgraças e os infortúnios, pois que a *septentrione pandetur omne malum*. Ora, o verbo הפתה que traduzimos por *pandetur*, significa também *depingetur* ou *scribetur*, e a profecia significa igualmente: todos os males do mundo estão escritos no céu do lado do norte."

Transcrevemos por inteiro esta passagem de Gaffarel, porque é oportuna no nosso tempo, em que o norte parece ameaçar ainda toda a Europa*: mas está também nos destinos dos nevoeiros serem vencidos pelo sol e as trevas devem dissipar-se por si mesmas, chegando à luz. Eis, para nós, a última palavra da profecia e o segredo do futuro.

Gaffarel acrescenta, ainda, alguns prognósticos tirados das estrelas, por exemplo, o do enfraquecimento progressivo do império otomano; mas, como já dissemos, as suas figuras de letras consteladas são muito arbitrárias. Ele declara, de resto, ter tirado estas predições de um cabalista hebreu chamado Rabi Chomer, que nem mesmo ele se lisonjeia de entender bem.

Damos, a seguir, o quadro dos caracteres mágicos que foram traçados pelos antigos astrólogos, conforme as constelações zodiacais; cada um destes caracteres representa o nome de um gênio, bom ou mau. Sabemos que os signos do Zodíaco se referem a diversas influências celestes, e, por conseguinte, exprimem uma alternativa de bem e de mal.

---

*   Esta passagem foi escrita antes da guerra da Crimeia. (N. da 2ª ed.)

Os nomes dos gênios designados por estes caracteres são:
Para Áries, *Sataaran* e *Sarahiel*;
Para Tauro, *Bagdal* e *Araziel*;
Para Gêmini, *Sagras* e *Saraiel*;
Para Câncer, *Rahdar* e *Phakiel*;
Para Leo, *Sagham* e *Seratiel*;
Para Virgo, *Iadara* e *Schaltiel*;
Para Libra, *Grasgarben* e *Hadakiel*;
Para Escorpião, *Riehol* e *Saissaiel*;
Para Sagitário, *Vhnori* e *Saritaiel*;
Para Capricórnio, *Sagdalon* e *Samekiel*;
Para Aquário, *Archer* e *Ssakmakiel*;
Para Pisces, *Rasamasa* e *Vacabiel*.

O sábio que quer ler no céu deve observar também os dias da Lua, cuja influência é muito grande na astrologia. A Lua atrai e repele sucessivamente o fluido magnético da Terra, e é assim que produz o fluxo e o refluxo do mar: é preciso, pois, conhecer bem as suas fases e saber discernir os seus dias e as suas horas. A lua nova é favorável ao começo de todas as obras mágicas; desde o quarto crescente até a lua cheia, a sua influência é quente; da lua cheia até o quarto minguante, é seca; do quarto minguante até o fim, é fria.

Eis, agora, os caracteres especiais de todos os dias da Lua, marcados pelas vinte e duas chaves do Tarô e pelos signos dos sete planetas:

1. – O MAGO

O primeiro dia da Lua é o da criação da própria Lua. Este dia é consagrado às iniciativas do espírito, e deve ser propício às inovações felizes.

2. – A PAPISA, OU A CIÊNCIA OCULTA

O segundo dia, cujo gênio é Enediel, foi o quinto da criação porque a Lua foi criada no quarto dia. Os pássaros e peixes, que foram criados neste dia, são os hieróglifos vivos das analogias mágicas e do dogma universal de Hermes. A água e o ar, que foram então enchidos pelas formas do Verbo, são as figuras elementares do Mercúrio dos sábios, isto é, da inteligência e da palavra. Este dia é propício para as revelações, iniciações e grandes descobertas da ciência.

3. – A IMPERATRIZ OU, A MÃE CELESTE

O terceiro dia foi o da criação do homem. Por isso, a Lua, em Cabala, é chamada Mãe, quando é representada seguida do número 3. Este dia é favorável à geração e geralmente a todas as produções, quer do corpo, quer do espírito.

4. – O IMPERADOR

O quarto dia é funesto: foi o do nascimento de Caim; mas é favorável às empresas injustas e tirânicas.

5. – O PAPA, OU O HIEROFANTE

O quinto é feliz; foi o do nascimento de Abel.

6. – OS ENAMORADOS, OU O DOMINADOR

O sexto dia é um dia de orgulho: foi o do nascimento de Lameth, aquele que dizia às suas mulheres: "Matei um homem que me bateu e um jovem que me feriu. Maldito seja quem pretender castigar-me!" Este dia é próprio para as conspirações e revoltas.

7. – O CARRO

No sétimo dia, nascimento de Hebron, aquele que deu seu nome à primeira cidade santa de Israel. Dia de religião, de preces e de sucesso.

8. – A JUSTIÇA

Assassinato de Abel. Dia da expiação.

9. – O EREMITÃO

Nascimento de Matusalém. Dia de bênção para os filhos.

10. – A RODA DA FORTUNA DE EZEQUIEL

Nascimento de Nabucodonosor. Reino da besta. Dia funesto.

11. – A FORÇA

Nascimento de Noé. As visões deste dia são enganosas, mas é um dia de saúde e longevidade para os filhos que nascem.

12. – O PENDURADO, OU O SACRIFICADO

Nascimento de Samuel. Dia profético e cabalístico, favorável à realização da Grande Obra.

13. – A MORTE

Dia do nascimento de Canaã, o filho maldito de Cham. Dia funesto e número fatal.

14. – O ANJO DA TEMPERANÇA
Bênção de Noé, no décimo quarto dia da Lua. A este dia preside o anjo Cassiel, da hierarquia de Uriel.

15. – TYPHOON, OU O DIABO
Nascimento de Ismael. Dia de reprovação e exílio.

16. – A TORRE FULMINADA
Dia do nascimento de Jacó e Esaú e da predestinação de Jacó para a ruína de Esaú.

17. – A ESTRELA RUTILANTE
O fogo do céu queima Sodoma e Gomorra. Dia de salvação para os bons e de ruína para os maus, perigoso se cair num sábado. Está sob a influência de Escorpião.

18. – A LUA
Nascimento de Isaac, triunfo da esposa. Dia de afeição conjugal e de boa esperança.

19. – O SOL
Nascimento de Faraó. Dia benéfico ou fatal para as grandezas do mundo, conforme os diferentes méritos dos grandes.

20. – O JULGAMENTO
Nascimento de Jonas, órgão dos julgamentos de Deus. Dia propício às revelações divinas.

21. – O MUNDO
Nascimento de Saul, realeza material. Perigo para o espírito e a razão.

22. – INFLUÊNCIA DE SATURNO
Nascimento de Jó. Dia de prova e dores.

23. – INFLUÊNCIA DE VÊNUS
Nascimento de Benjamim. Dia de amor e ternura.

24. – INFLUÊNCIA DE JÚPITER
Nascimento de Jafet.

25. – INFLUÊNCIA DE MERCÚRIO
Décima praga do Egito.

26. – INFLUÊNCIA DE MARTE
Libertação dos israelitas e passagem do mar Vermelho.

27. – INFLUÊNCIA DE DIANA OU DE HÉCATE
Vitória brilhante alcançada por Judas Macabeu.

28. – INFLUÊNCIA DO SOL
Sansão carrega as portas de Gaza. Dia de força e libertação.

29. – O LOUCO DO TARÔ
Dia de abortamento e insucesso em todas as coisas.

Por esta tábua rabínica, que João Belot e outros tiraram dos cabalistas hebreus, pode-se verificar que estes antigos mestres concluíam *a posteriori* fatos de influências presumíveis, o que está perfeitamente na lógica das ciências ocultas. Vê-se, também, quantas significações diversas se acham contidas nessas vinte e duas chaves que formam o alfabeto universal do Tarô; é a verdade das nossas asserções, quando pretendemos que todos os segredos da Cabala e da magia, todos os mistérios do mundo antigo, toda a ciência dos patriarcas, todas as tradições históricas, dos tempos primitivos, estão contidos neste livro hieroglífico de Tot, Enoque ou Cadmo.

Um meio muito simples de achar os horóscopos celestes por onomancia é o que vamos indicar; concilia Gaffarel conosco e pode dar resultados muito admiráveis de exatidão e profundeza.

Tomai de um papel preto no qual dividireis de dia o nome da pessoa para quem consultais; colocai esta carta na ponta de um tubo afinado do lado do olho do observador, e mais largo do lado do papel; depois, olhareis para os quatro pontos cardeais alternativamente começando pelo oriente e acabando pelo norte. Tomareis nota de todas as estrelas que virdes através das letras, depois convertereis as letras em números, e, com a soma da adição escrita da mesma forma, renovareis a operação; contareis quantas estrelas tendes; depois, ajuntando este número ao nome, adicionareis de novo e escrevereis o total dos dois números em caracteres hebraicos. Renovareis, então, a operação e escrevereis à parte as estrelas que tiverdes encontrado; depois, procurareis no planisfério celeste os nomes de todas as estrelas; fareis a classificação delas conforme sua grandeza e seu brilho, escolhereis para estrela polar da vossa operação astrológica a maior e mais brilhante de todas; procurareis, depois, no planisfério egípcio (encontra-se um, muito completo e bem gravado, no atlas da Grande Obra de Dupuis); procurai os nomes e a figura dos gênios a que as estrelas pertencem. Conhecereis, então, quais são os sinais felizes ou infelizes que entram no nome da pessoa e qual será a sua influência, quer na infância (é o nome traçado no oriente), quer na juventude (é o nome do sul), quer na idade madura (é o nome do ocidente), quer na velhice (é o nome do norte), quer, enfim, em toda a vida (são as estrelas que entram no número total formado pela adição das letras e estrelas). Esta operação astrológica é simples, fácil e necessita poucos cálculos; ela nos leva à mais alta antiguidade e pertence evidentemente, como poderei vos convencer lendo as obras de Gaffarel e as de seu mestre Rabi Chomer, à magia primitiva dos patriarcas.

Esta astrologia onomântica era a de todos os antigos cabalistas hebreus, como o provam as suas observações conservadas por Rabi Chomer, Rabi Kapol, Rabi Abjudam e outros mestres em Cabala. As ameaças dos profetas aos diversos impérios do mundo eram fundadas nos caracteres das estrelas que se achavam verticalmente em cima deles, na relação habitual da esfera celeste para a esfera terrestre. É assim que, escrevendo no próprio céu da Grécia o seu nome em hebreu יו ou יוי e traduzindo-o em números, tinham encontrado a palavra חרב, que significa destruído, desolado.

ח ד ב
2 2 8

CHARAB
Destruído, Desolado
Soma 12

י ו נ
5 6 1

JAVAN
Grécia
Soma 12

Concluíram disso que, depois de um ciclo de doze períodos, a Grécia seria desolada e destruída.

Um pouco antes do incêndio e da destruição do templo de Jerusalém por Nabuzardan, os cabalistas tinham notado verticalmente, em cima do templo, onze estrelas, assim dispostas:

✼   ✼   ✼   ✼   ✼   ✼   ✼   ✼
            ✼
      ✼   ✼

e que entram todas na palavra תבשיח escrita do setentrião ao ocidente: *Hibschich*, o que significa reprovação e abandono sem misericórdia. A soma do número das letras é 325, justamente o tempo da duração do templo.

Os impérios da Pérsia e da Assíria eram ameaçados de destruição por 4 estrelas verticais que entram nestas 3 letras: רוב *Rob*, e o número fatal indicado pelas letras era 208 anos.

Quatro estrelas anunciaram também aos rabinos cabalistas daquele tempo a queda e divisão do império de Alexandre, entrando na palavra פרד *parad*, dividir, cujo número 284 indica a duração desse reino, quer desde sua origem, quer nos seus ramos.

Conforme Rabi Chomer, os destinos da potência otomana em Constantinopla seriam fixados adiantadamente e anunciados por quatro estrelas que, arranjadas na palavra כאה, *caah*, significam ser fraco, doente, tirado do seu fim. As estrelas que na letra א eram mais brilhantes indicam um grande א e dão a esta letra o valor de mil. As três letras reunidas fazem 1025, que é preciso contar da tomada de Constantinopla por Maomé II, cálculo que promete ainda vários séculos de existência ao império enfraquecido dos sultãos, agora sustentado pela Europa reunida.

    O *Mane Thecel Phares*, que Baltazar, no seu arrebatamento, viu escrito na parede do seu palácio pela irradiação das luzes, era uma intuição onomântica do gênero da dos rabinos. Baltazar, iniciado, sem dúvida, pelos seus adivinhos hebreus à leitura das estrelas, operava maquinal e instintivamente sobre as lâmpadas da sua festa noturna, como poderia fazê-lo sobre as estrelas do céu. As três palavras que formara na sua imaginação tornaram-se logo inapagáveis aos seus olhos e fizeram empalidecer todas as luzes da sua festa. Não era difícil predizer a um rei que, numa cidade assaltada, se entregava às orgias, um fim semelhante ao de Sardanapalo. Dissemos e repetimos, para concluir este capítulo, que só as intuições magnéticas dão valor e realidade a todos estes cálculos cabalísticos e astrológicos, pueris talvez e completamente arbitrários, se a pessoa os fizesse sem inspiração, por curiosidade fria e sem uma poderosa vontade.

CAPÍTULO XVIII

FILTROS E MAGNETISMO

Viajemos, agora, na Tessália, no país dos encantamentos. É aqui que Apuleio foi enganado como os companheiros de Ulisses e sofreu uma vergonhosa metamorfose. Aqui tudo é mágico, os pássaros que voam, os insetos que zunem na erva, e até as árvores e flores; aqui se compõem ao clarão da Lua os venenos que fazem amar; aqui as estriges inventam encantos que as fazem jovens e belas como as Charites. Jovens das poções mágicas, tomai cuidado convosco.

A arte dos envenenamentos da razão ou das poções mágicas parece, com efeito, conforme as tradições, ter desenvolvido com mais luxo na Tessália que em qualquer outra parte a sua eflorescência venenosa; mas, ainda nisso, o magnetismo representou o papel mais importante, porque as plantas excitantes ou narcóticas, as substâncias animais maleficiadas e doentias, travam toda a sua força dos encantamentos, isto é, dos sacrifícios realizados pelas feiticeiras e das palavras que pronunciavam, preparando suas poções mágicas e toda a sorte de beberagens.

As substâncias excitantes e as que contêm mais fósforos são naturalmente afrodisíacas. Tudo o que age vivamente sobre o sistema nervoso pode determinar a sobreexcitação passional, e se uma vontade hábil e perseverante sabe dirigir e influir sobre estas disposições naturais, ela se servirá das paixões dos outros em proveito das suas, e reduzirá logo as personalidades mais altivas a tornarem-se, num tempo dado, instrumentos dos seus prazeres.

É de uma tal influência que é importante se preservar e é para dar armas aos fracos que escrevemos este capítulo.

Eis, primeiramente, quais são as práticas do inimigo:

Aquele que se quer fazer amar (atribuímos somente a um homem todas estas manobras ilegítimas, não supondo que uma mulher tenha necessidade delas), aquele, pois, que se quer fazer amar, deve, primeiramente, fazer-se notar e produzir uma impressão qualquer na imaginação da pessoa que deseja. Que a encha de admiração, espanto ou terror, de horror até, se só tiver este expediente; mas é preciso a todo preço que, para ela, ele saia da posição dos homens comuns e que tome, de boa ou má vontade, um lugar na sua memória, nas suas apreensões e nos seus sonhos. O Lovelace não é, certamente, o ideal escolhido das Clarisses; elas, porém, pensam nele sem cessar, para o reprovar, amaldiçoar, lamentar suas vítimas, desejar sua conversão e seu arrependimento; depois quereriam regenerá-lo pelo devotamento e o perdão; depois a vaidade secreta lhes diz que seria bonito fixar o amor de um Lovelace, amá-lo e resistir-lhe. E eis minha Clarisse que se surpreende a amar o Lovelace; ela não o quer amar, ela cora por isso, ela o renuncia mil vezes e o ama mil vezes mais; depois, quando vem o momento supremo, ela se esquece de lhe resistir.

Se os anjos fossem também mulheres, como os representa o misticismo moderno, Jeová teria agido como pai bem prudente e bem sábio, quando pôs Satã à porta do céu.

Uma grande decepção para o amor-próprio de certas mulheres honestas é achar bom e irreprovável, no íntimo, o homem pelo qual se tinham apaixonado, tomando-o por um bandido. O anjo deixa, então, o bonachão com desprezo, dizendo-lhe: "Tu não és o diabo!" Disfarçai-vos, pois, em diabo o mais perfeitamente possível, vós que quereis seduzir um anjo.

Nada é permitido a um homem virtuoso. "Por quem, com efeito, aquele homem nos toma? – dizem as mulheres. – Acaso acredita que a gente tem menos moralidade que ele?" Mas tudo é perdoado a um mandrião: "Que quereis esperar de melhor de uma tal pessoa?"

O papel do homem de grandes princípios e caráter rígido só pode ser um poder junto a mulheres que nunca há necessidade de seduzir; todas as outras, sem exceção, adoram os maus homens.

É tudo o contrário nos homens, e é este contraste que fez do pudor o apanágio das mulheres: é nela o primeiro o mais natural dos galanteios.

Um dos médicos mais distintos e um dos mais amáveis sábios de Londres, o doutor Ashburner, contou-me que um dos seus clientes, saindo da casa de uma grande dama, lhe dissera um dia:

– Acabo de receber um estranho cumprimento. A marquesa de*** me disse, olhando-me face a face: "Senhor, não me fareis abaixar os olhos com vosso terrível olhar".

– Pois bem! – respondeu-lhe o doutor, sorrindo. – Sem dúvida, vos lançastes imediatamente ao seu pescoço e a abraçastes?

– Não; porém fiquei muito admirado com esta apóstrofe.

– Pois então, meu caro, não ides mais à casa dela; estais perdido no seu espírito.

Dizem ordinariamente que os ofícios de algoz se transmitem de pai a filho. Os algozes têm, pois, filhos? Sem dúvida, pois que nunca faltam mulheres. Marat tinha uma amante que o amava ternamente, a ele, o horrível leproso; mas também era o terrível Marat, que fazia tremer a todos.

Podia-se dizer que o amor, principalmente na mulher, é uma verdadeira alucinação. Apesar de um outro motivo insensato, ela se determinará quase sempre para o absurdo. Enganar a Gioconda por causa de um tesouro oculto, que horror! – Ora, pois, se é um horror, por que não o fazer? Deve ser tão agradável fazer, de tempos em tempos, um pequeno horror.

Sendo dado este conhecimento transcendental da mulher, há uma segunda manobra a operar para atrair a sua atenção: é não se ocupar dela ou ocupar-se de um modo que humilhe o seu amor-próprio, tratando-a como uma criança e afastando bem longe a ideia de lhe fazer a corte. Então, os papéis mudarão: ela fará tudo para vos tentar, ela vos iniciará nos segredos que as mulheres se reservam, vestir-se-á e despir-se-á de vós, dizendo-vos coisas como estas: "Entre mulheres – entre velhos amigos – não vos temo – não sois homem para mim", etc., etc. Depois observa os vossos olhares, e se os acha calmos e indiferentes, ela ficará irritada; aproximar-se-á de vós sob um pretexto qualquer, vos roçará com seus cabelos, deixará o seu roupão se abrir... Viram-se até algumas, em tais circunstâncias, arriscar um assalto, não por ternura, mas por curiosidade, por impaciência e porque estavam *excitadas*.

Um mago que tem espírito evoluído não tem necessidade de outros filtros a não ser esses; dispõe também das palavras enganosas, dos sopros magnéticos e contatos ligeiros, mas voluptuosos, com uma espécie de hipocrisia, como se não pensasse nisso. Os que dão beberagens devem ser velhos tolos, feios, impotentes; e, então, para que serve o filtro? Todo homem que é verdadeiramente um homem tem sempre à sua disposição os meios de se fazer amar, contanto que não procure obter um lugar já ocupado. Seria soberanamente mal feito tentar a conquista de uma jovem casada por amor, durante as primeiras doçuras da sua lua de mel, ou de uma Clarisse que já tenha um Lovelace que a torna muito infeliz e cujo amor reprova amargamente.

Não falaremos aqui das imundícies da magia negra a respeito dos filtros; acabamos com elas com as cozinhas de Canidia. Pode-se ver, nos *Epodos* de Horácio como esta abominável feiticeira de Roma compunha os venenos, e pode-se, para os sacrifícios e encantamentos de amor, ler as *Eglogas* de Teócrito e Virgílio, nas quais as cerimônias dessas espécies de obras mágicas são minuciosamente descritas. Não transcreveremos aqui as receitas dos engrimanços, nem as do *Pequeno Alberto*, que todos podem consultar. Todas estas diferentes práticas participam do magnetismo ou da magia envenenadora, e são ingênuas ou criminosas.

As beberagens, que enfraquecem o espírito e perturbam a razão, podem assegurar o império já conquistado por uma vontade má e é assim que, conforme dizem, a imperatriz Cesônia fixou o amor feroz de Calígula. O ácido prússico é o mais terrível agente destes envenenamentos do pensamento. É por isso que é preciso evitar qualquer destilação que tenha o gosto de amêndoa, afastar do seu quarto de dormir as amendoeiras e os daturas, os sabonetes de amêndoas, os leites de amêndoas e, em geral, todas as composições de perfumaria em que o cheiro das amêndoas dominarem, principalmente se a sua ação sobre o cérebro for ajudada pela do âmbar.

Diminuir a ação da inteligência é aumentar, igualmente, as forças de uma paixão insensata. O amor, tal como o querem inspirar os malfeitores de que falamos aqui, seria um verdadeiro embrutecimento e a mais vergonhosa de todas as escravidões morais.

Quanto mais excitarmos um escravo, mais o tornamos incapaz de se libertar, e é este verdadeiramente o segredo da magia de Apuleio e das beberagens de Circe.

O emprego do fumo, quer como tabaco, quer para fumar, é um auxiliar perigoso dos filtros entorpecedores e dos envenenamentos da razão. A nicotina, como se sabe, não é um veneno menos violento que o ácido prússico (o gás da morte, também conhecido como ácido cianídrico) e se acha em maior quantidade no tabaco do que este ácido nas amêndoas.

A absorção de uma vontade por outra muda, muitas vezes, uma série inteira de destinos, e não é somente para nós mesmos que devemos velar sobre nossas relações e aprender a discernir as atmosferas puras das atmosferas impuras; porque os verdadeiros filtros, os filtros mais perigosos, são invisíveis; são as correntes de luz irradiante que, misturando-se e substituindo-se, produzem as atrações e simpatias, como as experiências magnéticas não permitem duvidar disso.

Fala-se, na história da Igreja, de um heresiarca chamado Marco, que deixava todas as mulheres loucas por si, soprando nelas; mas o seu poder foi destruído por uma corajosa cristã que foi a primeira a soprar nele, dizendo-lhe: "Que Deus te julgue!"

O Cura Gaufredy, que foi queimado como feiticeiro, pretendia deixar apaixonadas por si todas as mulheres que fossem atingidas pelo seu sopro.

O celebérrimo padre Girard, jesuíta, foi acusado pela Senhora Cadière, sua penitente, de lhe ter feito perder completamente o juízo, soprando sobre ela. Era-lhe muito necessária esta desculpa para atenuar o horror e o ridículo das suas acusações contra este padre, cuja culpabilidade, aliás, nunca foi bem provada, porém que, de boa ou má vontade, tinha certamente inspirado uma bem vergonhosa paixão a essa infeliz moça.

"A Senhora Ranfaing, tendo ficado viúva em 16... – diz Dom Calmet, no seu *Tratado sobre as Aparições* – foi pedida em casamento por um médico chamado Poirot. Não tendo sido ouvido no seu pedido, ele lhe deu primeiramente filtros para se fazer amar por ela, o que causou estranhos desarranjos na saúde da Senhora Ranfaing. Logo, coisas tão extraordinárias aconteceram a esta senhora, que a julgaram possessa, e os médicos, declarando nada entender do seu estado, a recomendaram aos exorcismos da Igreja.

"Depois disso, por ordem do Sr. De Porcelets, bispo de Toul, nomearam para seus exorcistas o Sr. Viardin, doutor em teologia, conselheiro de Estado do duque de Lorena, um jesuíta e um capuchinho; mas, no decorrer desses exorcismos, quase todos os religiosos de Nancy, inclusive o bispo, o bispo de Tripoli, sufragante de Strasburgo, o Sr. De Sancy, embaixador do rei cristianíssimo em Constantinopla, e então padre do Oratório, Carlos de Lorena, bispo de Verdun, dois doutores da Sorbonne, enviados expressamente para assistirem aos exorcismos, a exorcizaram muitas vezes em hebreu, grego e latim, e ela, que apenas sabia ler o latim, sempre respondeu pertinazmente.

"Refere o certificado dado pelo Sr. Nicolau de Harlay, muito hábil em linguagem hebraica, que reconhece que a Senhora Ranfaing era realmente possessa, e que ele tinha respondido somente com o movimento dos lábios e sem que tivesse pronunciado palavra alguma, e ela havia dado várias provas da sua possessão. O Sr. Garnier, doutor da Sorbonne, tendo-lhe dado também várias ordens em língua hebraica, ela lhe respondeu pertinazmente, dizendo que o pacto era que só falaria língua ordinário. O demônio acrescentou: "Não é bastante que te mostre que entendo o que dizes?" O mesmo Sr. Garnier, falando-lhe em grego, empregou por distração um caso por outro. A possessa, ou antes o diabo, lhe disse: *Tu erraste*. O doutor disse-lhe em grego: *Mostra o meu erro*. O diabo respondeu: *Contenta-te que denuncie o teu erro: não te falarei mais nada dele*. O doutor dizendo-lhe em grego que se calasse, ele lhe respondeu: *Ordenas-me que me cale, e eu não me quero calar*".

Este notável exemplo de afecção histérica levada até ao êxtase e à demonomania, depois de um filtro administrado por um homem que se julgava feiticeiro, prova, mais do que tudo o que poderíamos dizer da onipotência da vontade e da imaginação reagindo uma sobre outra e a estranha lucidez dos extáticos e sonâmbulos, que entendem a palavra lendo-a no pensamento, sem ter a ciência das palavras. Não ponho, de modo algum, em dúvida a sinceridade das testemunhas mencionadas por Dom Calmet; admiro-me somente de que homens tão sérios não tivessem notado esta dificuldade que tinha o pretenso demônio em lhes responder numa língua estranha à da doente. Se o meu interlocutor fosse o que entendiam por um demônio não somente teria entendido o grego, mas também teria falado em grego; um não custaria mais do que o outro para um espírito tão sábio e maligno.

Dom Calmet não diz só isso a respeito da história da Senhora Ranfaing; conta uma série de perguntas insidiosas e de ordens pouco sérias da parte dos exorcistas, e uma série de respostas mais ou menos confusas da pobre doente, sempre extática e sonâmbula. Este bom padre não deixa de tirar disso as conclusões luminosas deste outro bom Sr. De Mirville. As coisas que se passavam estando acima da inteligência dos assistentes, deve-se concluir que tudo isso era obra do inferno. Bela e sábia conclusão! O mais sério do negócio é que o médico Poirot foi julgado como mago e, posto em torturas, confessou a sua falta, sendo queimado. Se realmente, por meio de um filtro qualquer, tinha atentado contra a razão desta mulher, merecia ser punido como envenenador: é tudo o que podemos dizer.

Mas os filtros mais terríveis são as exaltações místicas de uma devoção mal entendida. Que impurezas igualarão os pesadelos de Santo Antão e os tormentos de Santa Teresa e de Santa Ângela de Foligny. Esta última aplicava um ferro em brasa à sua carne revoltada, e achava que o fogo material era um refrigério para os seus ardores ocultos. Com que violência a natureza pede o que lhe recusam dar, pensando continuamente em o detestar! É pelo misticismo que começaram os pretensos enfeitiçamentos das Madalenas de Bavan, das senhoritas De la Palud e De la Cadière. O temor excessivo de uma coisa quase sempre a torna inevitável. Seguindo as duas curvas de um círculo chega-se ao mesmo ponto. Nicolas Remigius, juiz criminal em Lorena, que fez queimar vivas oitocentas mulheres como feiticeiras, via a magia em toda parte; era a sua ideia fixa, a sua loucura. Queria pregar uma cruzada contra os feiticeiros, de que via cheia a Europa; desesperado por não ser acreditado sobre palavra, quando afirmava que quase todos eram culpados de magia, acabou por declarar feiticeiro a si próprio e foi queimado pelas suas próprias afirmações.

Para se preservar das más influências, a primeira condição seria, pois, evitar que a imaginação se exalte. Todos os exaltados são mais ou menos loucos, e sempre é fácil dominar um louco, tomando-o pela sua loucura. Ponde-vos, pois, acima dos temores pueris e desejos vagos; crede na sabedoria suprema e ficai convencido de que esta sabedoria, tendo-vos dado a inteligência para único meio de a conhecer, não pode querer armar laços à vossa inteligência ou razão. Vedes em toda parte, ao redor de vós, efeitos proporcionados às causas; vedes as causas dirigidas e modificadas no domínio do homem pela inteligência; vedes, em suma, o bem ser mais forte e mais preferido que o mal: por que suporeis, no infinito, uma imensa irracionalidade, se há razão no finito? A verdade não se oculta a ninguém. Deus é visível nas suas obras, e nada pede aos seres contra as leis da natureza deles, da qual ele próprio é autor. A fé e a confiança; tende confiança não nos homens que vos falam mal da razão, porque são loucos ou impostores, mas sim na eterna razão que é o verbo divino, esta luz verdadeira, oferecida, como o Sol, à intuição de toda criatura humana que vem a este mundo.

Se acreditardes na razão absoluta e se desejais mais do que tudo a verdade e a justiça, não deveis temer ninguém, e só amareis os que são amáveis. A vossa luz natural repelirá instintivamente a dos malvados, porque ela será dominada pela vossa vontade. Assim, até as substâncias venenosas que poderiam vos ser administradas não afetarão a vossa inteligência. Poderão tornar-vos doente, mas nunca vos farão ficar criminoso.

O que contribui para tornar histéricas as mulheres é a sua educação débil e hipócrita. Se fizessem mais exercícios, se lhes ensinassem as coisas do mundo, franca e liberalmente, elas seriam menos caprichosas, menos vaidosas, menos fúteis e, por conseguinte, menos acessíveis às más seduções. A fraqueza sempre se simpatiza com o vício, porque o vício é uma fraqueza que se dá a aparência de uma força. A loucura tem horror à razão e se compraz em todas as coisas com as exagerações da mentira. Curai, pois, primeiramente a vossa inteligência doente. A causa de todos os enfeitiçamentos, o veneno de todos os filtros e a força de todos os feiticeiros estão aí.

Quanto aos narcóticos ou outros venenos que nos poderiam ser administrados, é negócio de medicina e de justiça; mas não pensamos que tais barbaridades se reproduzam muito atualmente. Os Lovelaces não adormecem mais as Clarisses a não ser pelas suas galanterias, e as beberagens, como os raptos por homens mascarados e as prisões em subterrâneos, não teriam mais lugar nem mesmo nos nossos romances modernos. É preciso deixar tudo para o confissionário dos penitentes negros ou nas ruínas do castelo de Udolphi.

CAPÍTULO XIX

O PODER DO SOL

Chegamos ao número que, no Tarô, é marcado pelo signo do Sol. O denário de Pitágoras e o ternário multiplicado por si mesmo representam, com efeito, a sabedoria aplicada de modo Absoluto. É, pois, do Absoluto que vamos falar aqui.

Achar o absoluto no infinito, no indefinido e no finito, tal é a Grande Obra dos sábios, o que Hermes chama de a obra do Sol.

Achar as bases inabaláveis da verdadeira fé religiosa, da verdade filosófica e da transmutação metálica, é todo o segredo de Hermes, é a pedra filosofal. Esta pedra é uma e múltipla. É decomposta pela análise e recomposta pela síntese. Na análise, é um pó, o pó de projeção dos alquimistas; antes da análise e na síntese é uma pedra.

A pedra filosofal, dizem os mestres, não deve ser exposta ao ar, nem aos olhares dos profanos; é preciso tê-la oculta e conservá-la com cuidado no lugar mais secreto do seu laboratório e trazer sempre consigo a chave do lugar em que está guardada.

Aquele que possui o grande arcano é um rei verdadeiro e mais que um rei, porque é inacessível a todos os temores e a todas as esperanças vãs. Em todas as doenças da alma ou do corpo, uma única parcela destacada da preciosa pedra, um só grão do divino pó, é mais que suficiente para o curar. Quem tiver ouvidos para ouvir, ouça!, como dizia o Mestre.

O sal, o enxofre e o mercúrio são apenas elementos acessórios e instrumentos passivos da Grande Obra.

Tudo depende, como dissemos, do *magnes* interior de Paracelso. A obra está totalmente na *projeção*, e a projeção se realiza perfeitamente pela inteligência efetiva e realizável de uma só palavra. Há uma só operação importante na obra: ela consiste na *sublimação*, que não é outra coisa, conforme Geber, senão a elevação da coisa seca por meio do fogo, com aderência ao seu próprio vaso.

Aquele que quer chegar à inteligência da grande palavra e à posse do grande arcano, deve, depois de ter meditado nos princípios do nosso *Dogma*, ler com atenção os filósofos herméticos, e, sem dúvida, chegará à iniciação como outros chegaram a ela; mas é preciso tomar por chave das suas alegorias o dogma único de

Hermes, contido na sua tábua de esmeralda, e seguir, para classificar os conhecimentos e dirigir a operação, a ordem indicada no alfabeto cabalístico do Tarô, de que damos a explicação total e absoluta no último capítulo desta obra.

Entre os livros raros e preciosos que contêm os mistérios do grande arcano, é preciso contar, em primeira linha, o *Caminho Químico* ou *Manual de Paracelso*, que contém todos os mistérios da física demonstrativa e da mais secreta Cabala. Este livro manuscrito, precioso e original, só se acha na biblioteca do Vaticano. Sandivogius tirou dele uma cópia de que o barão de Tschoudy se serviu para compor o catecismo hermético contido na sua obra intitulada *A Estrela Flamejante*. Este catecismo, que indicamos aos sábios cabalistas como podendo substituir o tratado incomparável de Paracelso, contém todos os princípios verdadeiros da Grande Obra, expressos de um modo tão satisfatório e tão claro, que é preciso ter falta absoluta de compreensão especial do ocultismo para não chegar à verdade absoluta, meditando-o. Vamos dar uma análise sucinta dele, com algumas palavras de comentário.

Raimundo Lúlio, um dos grandes e sublimes mestres da ciência, disse que, para fazer ouro, é preciso primeiramente possuir ouro. Do nada, nada se faz; a pessoa não cria absolutamente a riqueza: aumenta-a e multiplica-a. Que os aspirantes da ciência entendam, pois, que não se pode pedir ao adepto nem escamoteações, nem milagres. A ciência hermética, como todas as ciências reais, é matematicamente demonstrável. Seus resultados, mesmo materiais, são tão rigorosos como o de uma equação bem feita.

O ouro hermético não é somente um dogma verdadeiro, uma luz sem sombra, uma verdade sem mistura de mentira; é também um ouro material, real, puro e mais precioso do que aquele que se encontra nas minas da terra.

Mas o ouro vivo, o enxofre vivo ou o verdadeiro fogo dos filósofos devem ser procurados na casa do mercúrio. Este fogo alimenta-se do ar; para exprimir a sua força atrativa e expansiva não é possível dar-lhe uma melhor comparação que a do raio, que é primeiramente uma exalação seca e terrestre unida ao vapor úmido, mas que, por tanto se exaltar, vindo a adquirir a natureza ígnea, age sobre o úmido que lhe é inerente, que atrai a si e transmuta na sua natureza; depois do que se precipita com rapidez para a terra, onde é atraído por uma natureza fixa semelhante à sua.

Estas palavras enigmáticas pela forma, mas claras quanto ao fundo, exprimem claramente o que os filósofos entendem pelo seu mercúrio fecundado pelo enxofre, que se faz senhor e regenerador do sal: é o *Azoth, a magnésia universal*, o grande agente mágico, a luz astral, a luz de vida, fecundada pela força anímica, pela energia intelectual, que eles comparam ao enxofre por causa das suas afinidades com o fogo divino. Quanto ao sal, é a matéria absoluta. Tudo o que é matéria contém sal, e todo sal pode ser mudado em ouro puro pela ação combinada do enxofre e do mercúrio, que, às vezes, age tão rapidamente, que a transmutação pode ser feita num instante, numa hora, sem fadiga para o operador e quase sem gasto; outras vezes, e conforme as disposições mais contrárias dos meios atmosféricos a operação exige vários dias, vários meses e até vários anos.

Como já dissemos, existem na natureza duas leis primordias, duas leis essenciais, que produzem, pelo seu contrabalanço, o equilíbrio universal das coisas: é a fixidez e o movimento, análogos, em filosofia, à verdade e à invenção, e, em concepção absoluta, à necessidade e à liberdade, que são a própria essência de Deus. Os filósofos herméticos dão o nome de fixo a tudo o que é ponderável, a tudo o que tende, pela sua natureza, ao repouso central e à imobilidade; chamam volátil tudo o que obedece mais natural e facilmente à lei do movimento, e formam a sua pedra da análise, isto é, da volatilização do fixo, depois da síntese, isto é, da fixação do volátil, o que operam aplicando ao fixo que chamam o seu sal, o mercúrio sulfurado ou a luz de vida, dirigida e tornada onipotente por uma operação secreta. Apoderam-se, assim, de toda a natureza e a sua pedra se acha em toda parte onde há sal, o que faz dizer que nenhuma substância é estranha à Grande Obra e que é possível transmutar em ouro até as matérias mais desprezíveis e em aparência mais vis, o que é verdade neste sentido, como dissemos, é que todas elas contêm o sal principiante, representado nos nossos emblemas pela própria pedra cúbica, como se vê no frontispício simbólico e universal das chaves de Basílio Valentin.

Saber extrair de qualquer matéria o sal puro que nela está oculto é ter o segredo da pedra. Esta pedra é, pois, uma pedra salina que o *od* ou luz universal astral decompõe ou recompõe; ela é única e múltipla, porque pode dissolver-se como o sal ordinário e incorporar-se a outras substâncias. Obtida pela análise, poderíamos chamá-la o *sublimado universal*; achada pelo caminho da síntese, é a verdadeira panaceia dos antigos, porque cura todas as doenças, quer da alma, quer do corpo, e foi chamada a medicina por excelência de toda a natureza. Quando a pessoa dispõe, pela iniciação absoluta, das forças do agente universal tem sempre à sua disposição esta pedra, porque a extração da pedra é, então, uma operação simples e fácil, bem distinta da projeção ou realização metálica. Esta pedra, no estado de sublimado, não deve ser deixada em contato com o ar atmosférico, que poderia dissolvê-lo em parte e fazer-lhe perder a sua virtude. Aliás, não seria sem perigo respirar as suas emanações. O sábio a conserva voluntariamente nos seus envoltórios naturais, porque está certo de extraí-la por um só esforço da sua vontade e uma só aplicação do agente universal aos envoltórios, que os cabalistas chamam cascas. É para exprimir hieroglificamente esta lei de prudência que davam ao seu mercúrio, personificado no Egito por Hermanubis, uma cabeça de cão, e ao seu enxofre, representado pelo Baphomet do templo, ou o príncipe do *Sabbat*, esta cabeça de bode que fez desacreditar tanto as associações ocultas da Idade Média*.

---

* Para a obra mineral, a matéria-prima é exclusivamente mineral, mas não é um metal. É um sal metalizado. Esta matéria é chamada vegetal porque se parece com um fruto, e animal, porque dá uma espécie de leite e uma espécie de sangue. Só ela contém o fogo que deve dissolvê-la. (Nota importante da 2^a ed.)

CAPÍTULO XX

A TAUMATURGIA

Definimos os milagres como efeitos naturais de causas excepcionais.

A ação imediata da vontade humana sobre os corpos, ou ao menos esta ação exercida sem meio visível, constitui um milagre na ordem física.

A influência exercida sobre as vontades ou inteligências, quer repentinamente, quer num tempo dado, capaz de prender os pensamentos, mudar as resoluções mais firmes, paralisar as paixões mais violentas, constitui um milagre na ordem moral.

O erro comum, relativamente aos milagres, é considerá-los como efeitos sem causas, como contradições da natureza, como resoluções repentinas da imaginação divina; e ninguém pensa que um único milagre desta qualidade romperia a harmonia universal e mergulharia o universo no caos.

Há milagres impossíveis ao próprio Deus: são os milagres absurdos. Se Deus pudesse ser absurdo um único instante, nem ele nem o mundo não existiriam mais no instante seguinte. Esperar do arbitrário divino um efeito cuja causa se desconhece ou não existe é o que se chama tentar a Deus; é precipitar-se no vazio.

Deus age pelas suas obras: no Céu opera pelos anjos e, na Terra, pelos homens. Logo, no círculo de ação dos anjos, os anjos podem tudo o que é possível a Deus, e no círculo de ação dos homens, os homens dispõem igualmente da onipotência divina.

No Céu das concepções humanas é a humanidade que cria Deus, e os homens pensam que Deus os fez à sua imagem, porque o fazem à sua.

O domínio do homem é toda natureza corporal e visível na Terra, e, se não rege os grandes astros e as estrelas, pode ao menos calcular o seu movimento, medir a sua distância e identificar a sua vontade com a sua influência; pode modificar a atmosfera, agir até certo ponto sobre as estações, curar e fazer ficar doentes seus semelhantes, conservar a vida e dar a morte, e pela conservação da vida entendemos, como dissemos, em certos casos, até a ressurreição.

O absoluto em razão e vontade é o maior poder que seja dado ao homem alcançar, e é por meio deste poder que opera o que a multidão admira sob o nome de milagres.

A mais perfeita pureza de intenção é indispensável ao taumaturgo; depois lhe é necessária uma corrente favorável e uma confiança ilimitada.

O homem que chegou a nada desejar e a nada temer é o senhor de tudo. É o que é expresso por esta bela alegoria do Evangelho, em que se vê o Filho de Deus, três vezes vitorioso do espírito impuro, ser servido no deserto pelos anjos.

Nada resiste, na Terra, a uma vontade razoável e livre. Quando o sábio diz: "Eu quero", é o próprio Deus que quer, e tudo o que ordena se realiza.

É a ciência e confiança do médico que fazem a virtude dos remédios, e não existe outra medicina eficaz e real a não ser a taumaturgia.

Por isso, a terapêutica oculta é isenta de qualquer medicamentação vulgar. Emprega principalmente as palavras, as insuflações, e comunica pela vontade uma virtude variada às substâncias mais simples: a água, o óleo, o vinho, a cânfora e o sal. A água dos homeopatas é verdadeiramente uma água magnetizada e encantada que opera pela fé. As substâncias que a ela se acrescentam em quantidades, por assim dizer, infinitesimais, são consagrações e como que sinais da vontade do médico.

O que vulgarmente é chamado charlatanismo é um meio de sucesso real na medicina, se este charlatanismo é bastante hábil para inspirar uma grande confiança e formar um círculo de fé. Em medicina é principalmente a fé que salva. Não há quase vila que não tenha o seu ou a sua praticante de medicina oculta, e estas pessoas têm, em quase toda parte e sempre, um sucesso incomparavelmente maior que o dos médicos aprovados pela Faculdade. Os remédios que prescrevem são, muitas vezes, ridículos ou bizarros, e têm ainda mais sucesso, porque exigem e realizam mais fé da parte dos pacientes e operadores.

Um antigo negociante nosso amigo, homem de um caráter bizarro e um sentimento religioso muito exaltado, depois de se ter retirado do comércio, pôs-se a exercer, gratuitamente e por caridade cristã, a medicina oculta, num departamento da França. Só empregava, para específicos, o óleo, as insuflações e as preces. Um processo, que lhe foi intentado por exercício ilegal da medicina, pôs o público em condições de verificar que, mais ou menos no espaço de cinco anos, lhe eram atribuídas dez mil curas, e que o número dos crentes aumentava sem cessar, em proporções capazes de alarmar seriamente todos os médicos do país.

Vimos em Mans uma pobre religiosa, que diziam ser um pouco idiota, a qual curava todos os doentes dos campos vizinhos com um elixir e um esparadrapo de sua invenção. O elixir era para uso interno, o esparadrapo para uso externo; deste modo, nada escapava a esta panaceia universal. O emplastro nunca era pregado na pele a não ser nos lugares em que era necessária a sua aplicação; aliás, em toda parte, ele se enrolava e caía; ao menos é o que pretendia a boa irmã e o que afirmavam seus doentes. Essa taumaturga teve também processos de concorrência, porque empobrecia a clientela de todos os médicos do país. Foi rigorosamente enclausurada, mas logo foi preciso dá-la, ao menos uma vez por semana, ao desejo e à fé das populações. Vimos, no dia das consultas da irmã Joana Francisca, pessoas do campo, chegadas na véspera, esperar a sua ocasião, deitadas à porta do convento; aí tinham dormido sobre a pedra, e esperavam, para voltar, só o elixir e o emplastro da boa irmã. O remédio sendo o mesmo para todas as doenças, pareceria que ela não tinha necessidade de conhecer os sofrimentos dos seus doentes. Todavia, os escutava com atenção e só confiava o seu específico com conhecimento de causa. Aí estava o segredo mágico. A direção de intenção dava ao remédio a sua virtude especial. Este remédio era insignificante por si mesmo. O elixir era aguardente aromatizada e misturada com suco de ervas amargas; o emplastro era feito de uma mistura muito análoga à teriaga, pela cor e pelo cheiro: era, talvez, resina de Borgonha misturada com ópio. Seja o que for, o específico fazia maravilhas e a gente ficaria mal vista, entre as pessoas do campo, se pusesse em dúvida os milagres da boa irmã.

Conhecemos, perto de Paris, um velho jardineiro, taumaturgo, que fazia também curas maravilhosas e que punha nas suas garrafinhas o suco de todas as ervas de S. João. Este jardineiro tinha um irmão, de espírito forte, que zombava do feiticeiro. O pobre jardineiro, abalado pelos sarcasmos deste incrédulo, começou, então, a duvidar de si mesmo: os milagres cessaram; os doentes perderam a sua confiança e o taumaturgo caído, desesperado, morreu louco.

O abade Thiers, páraco de Vibraie, no seu curioso *Tratado das Superstições*, refere que uma mulher, atingida por uma oftalmia de aparência desesperada, tendo sido repentina e misteriosamente curada, veio confessar-se a um padre por ter recorrido à magia. Ela importunara, por muito tempo, um clérigo que supunha ser mago, para que lhe desse um caráter para trazer consigo, e o clérigo lhe entregara um pergaminho enrolado, recomendando-lhe que se lavasse três vezes por dia com água fresca. O padre pediu o pergaminho e nele achou estas palavras: *Eruat diabolus oculos tuos et repleat stercoribus toca vocantia*. Traduziu estas palavras à ingênua mulher, que ficou estupefata; mas não era menos verdade que estava curada.

A insuflação é uma das mais importantes práticas da medicina oculta, porque é um sinal perfeito da transmissão da vida. Inspirar, com efeito, quer dizer soprar em alguém ou em alguma coisa, e sabemos, pelo dogma único de Hermes, que a virtude das coisas criou as palavras e que existe uma proporção exata entre as ideias e as palavras, que são formas primárias e realizações verbais das ideias.

Conforme o sopro é quente ou frio, é atrativo ou repulsivo. O sopro quente corresponde à eletricidade positiva e o sopro frio, à eletricidade negativa. Por isso, os animais elétricos e nervosos temem o sopro frio, como se pode fazer a experiência soprando num gato, cujas familiaridades são importunas. Olhando fixamente um leão ou um tigre e soprando sobre a sua face a pessoa os assustaria a ponto de forçá-los a se retirarem e recuarem diante dela.

A insuflação quente e prolongada restabelece a circulação do sangue, cura as dores reumáticas e gotosas, restabelece o equilíbrio nos humores e dissipa a fraqueza. Da parte de uma pessoa simpática e boa, é um calmante geral. A insuflação fria apazigua as dores que têm por princípio as congestões e acumulações fluídicas. É preciso, pois, alternar estes dois sopros, observando a polaridade do organismo humano e agindo de um modo oposto sobre os polos, que devem ser submetidos, um depois do outro, a um magnetismo contrário. Assim, para curar um olho doente por inflamação, será preciso insuflar quente e levemente o olho são, depois praticar no olho inflamado insuflações frias, a distância e em proporções exatas com os sopros quentes. Os próprios passes magnéticos agem como o sopro, e são um sopro real por transpiração e irradiação de ar interior, todo fosforescente de luz vital; os passes lentos são um sopro quente que reúne e exalta as energias; os passes rápidos são um sopro frio que dispersa as forças e neutraliza as tendências à congestão. O sopro quente deve fazer-se transversalmente ou de baixo para cima; o sopro frio tem mais força se for dirigido de cima para baixo.

Não respiramos somente pelas narinas e pela boca: a porosidade geral do nosso corpo é um verdadeiro aparelho respiratório, insuficiente, sem dúvida, mas muito útil à vida e à saúde. As extremidades dos dedos, nas quais todos os nervos terminam, fazem irradiar a luz astral ou a aspiram conforme a nossa vontade. Os passes magnéticos sem contato são um simples e ligeiro sopro: o contato acrescenta ao sopro a impressão simpática equilibrante. O contato é bom e até necessário para prevenir as alucinações no começo do sonambulismo. É uma comunhão de realidade física que adverte o cérebro e chama a imaginação que se desvia; mas não deve ser muito prolongado quando se quer magnetizar só. Se o contato total e prolongado é útil em certos casos, a ação que deveis exercer então sobre o paciente se referiria antes à incubação ou à massagem do que ao magnetismo propriamente dito.

Apresentamos exemplos de incubações tirados do livro mais respeitado entre os cristãos; estes exemplos se referem todos à cura das letargias reputadas incuráveis, pois que concordamos em chamar assim as ressurreições. Quanto à massagem, ainda está em grande uso entre os orientais, que a praticam nos banhos públicos e se sentem muito bem com isso. É um sistema de fricções, trações e pressões, exercidas longa e lentamente sobre todos os membros e músculos, e cujo resultado é um equilíbrio novo das forças, um sentimento completo de repouso e bem-estar, com um renovamento muito sensível de agilidade e vigor.

Todo o poder do médico ocultista está na consciência da sua vontade, e toda sua arte consiste em produzir a fé no seu doente. Se podeis crer, dizia o Mestre, tudo é possível àquele que crê. É preciso dominar o seu paciente pela fisionomia, pelo tom, pelo gesto; inspirar-lhe a confiança por alguns modos paternais, fazê-los rir por algum bom e alegre discurso. Rabelais, que era mais mago do que parecia, tinha tomado por panaceia especial o pantagruelismo. Fazia seus doentes rirem-se, e todos os remédios que depois tomavam tinham mais sucesso; estabelecia, entre si e eles, uma simpatia magnética por meio da qual lhes comunicava a sua confiança e o seu bom humor; lisonjeava-os nos seus prefácios e lhes dedicava suas obras. Por isso, estamos convencidos que Gargantua e Pantagruel curaram mais humores negros, mais disposições à loucura, mais manias atrabiliárias, nesta época de ódios religiosos e guerras civis, do que a Faculdade de Medicina inteira teria podido constatar e estudar então.

A medicina oculta é essencialmente simpática. É preciso que uma afeição recíproca ou ao menos uma boa vontade real se estabeleça entre o médico e o doente. Os xaropes e julepos não têm virtude alguma por si mesmos; são aquilo que a opinião comum do agente e do paciente julga deles; por isso a medicina homeopática os suprime sem graves inconvenientes. O óleo e o vinho combinados, quer com o sal, quer com a cânfora, poderiam bastar para a cura de todas as chagas e para todas as fricções ou aplicações calmantes. O óleo e o vinho são os medicamentos por excelência da tradição evangélica. É o bálsamo do Samaritano, e no *Apocalipse*, o profeta, descrevendo grandes flagelos, pede às potências vingadoras que poupem o óleo e o vinho, isto é, que deixem um remédio para tantas feridas. O que se chama, entre nós, a extrema-unção, era, entre os primeiros cristãos e na intenção do apóstolo São Tiago, que consignou o preceito na sua Epístola aos fiéis do mundo inteiro, a prática pura e simples da medicina do Mestre. "Se alguém dentre vós estiver doente – escreve ele – faça vir os anciãos da Igreja, que orarão sobre ele e lhe farão unções de óleo, invocando o nome do Mestre." Esta terapêutica divina perdeu-se progressivamente e tornou-se o hábito de considerar a extrema-unção como uma formalidade religiosa necessária antes de morrer. Contudo, a virtude taumaturga do óleo santo não poderia ser posta completamente em esquecimento pelo dogma tradicional, e dele se faz referência na passagem do catecismo que se refere à extrema-unção.

O que principalmente curava entre os primeiros cristãos era a fé e a caridade. A maior parte das doenças têm a sua fonte em desordens morais: é preciso começar por curar a alma, e o corpo será, depois, facilmente curado.

CAPÍTULO XXI

A CIÊNCIA DOS PROFETAS

Este capítulo é consagrado à adivinhação.

A adivinhação, no seu sentido mais amplo e conforme a significação gramatical da palavra, é o exercício do poder divino e a realização da ciência divina. É o sacerdócio do mago.

Mas a adivinhação, na opinião geral, se refere mais especialmente ao conhecimento das coisas ocultas.

Conhecer os pensamentos mais secretos dos homens, penetrar nos mistérios do passado e do futuro, evocar, de século em século, a revelação rigorosa dos efeitos pela ciência exata das causas, eis o que se chama universalmente a adivinhação.

De todos os mistérios da natureza, o mais profundo é o do coração do homem; e, entretanto, a natureza não permite que a sua profundeza seja inacessível. Apesar da dissimulação mais profunda, apesar da política mais hábil, ela própria traça e deixa observar nas formas do corpo, na luz dos olhares, nos movimentos, no andar na voz, mil indícios reveladores.

O iniciado perfeito nem mesmo tem necessidade destes indícios; vê a verdade na luz, ressente uma impressão que manifesta o homem inteiro, atravessa os corações com seu olhar e até deve fingir ignorar, para desarmar assim o medo ou o ódio dos malvados que conhece bastante.

O homem que tem má consciência crê sempre que o acusam ou que desconfiam dele; se se reconhecer num rasgo de uma sátira coletiva, tomará para si a sátira inteira e dirá bem alto que o caluniam. Sempre desconfiado, mas tão curioso como medroso, ele é diante do mago como o Satã da parábola ou como estes escribas que o interrogavam para o tentar. Sempre teimoso e sempre fraco, o que teme acima de tudo é reconhecer seus erros. O passado o inquieta, o futuro o amedronta; quereria fazer transigências para consigo e crer que é um homem de bem, de condições cômodas. A sua vida é uma luta contínua entre boas inspirações e maus hábitos; julga-se filósofo à maneira de Aristippo ou Horácio, aceitando toda a corrupção do seu século como uma necessidade que deve sofrer; depois se distrai com algum passatempo filosófico, e de boa vontade apresenta-se com o sorriso protetor de Mecenas, para se persuadir que não é simplesmente um explorador da fome em cumplicidade com Verre ou um complacente de Trimalcion.

Tais homens são sempre exploradores, até quando fazem boas obras. Se resolveram fazer um donativo à assistência pública, adiam o seu benefício para reter o juro. Este tipo, sobre o qual demoro propositalmente, não é o de um particular, é o de uma classe inteira de homens, com os quais o mago está exposto, principalmente no nosso século, a achar-se muitas vezes em relação. Que ele se conserve na desconfiança de que eles mesmos lhe darão o exemplo, porque encontrará sempre neles seus amigos mais comprometedores e seus inimigos mais perigosos.

O exercício público da adivinhação não poderia, na nossa época, convir ao caráter de um verdadeiro adepto, porque seria, muitas vezes, obrigado a recorrer ao charlatanismo e às habilidades para conservar a sua clientela e admirar o seu público. Os adivinhos e as adivinhas de fama têm sempre uma polícia secreta que as instrui de certas coisas relativas à vida íntima ou aos hábitos dos consultantes. Uma telegrafia de sinais é estabelecida entre a antecâmara e o gabinete; dá-se um número ao cliente que não é conhecido e que vem pela primeira vez; indica-se-lhe um dia e o faz ser seguido; fazem-se as porteiras, vizinhas e criadas falarem, e chega-se, assim, a estes detalhes que transformam o espírito dos simples e lhes dão para um charlatão a estima que deveria ser reservada à ciência sincera e à adivinhação conscienciosa. A adivinhação dos acontecimentos vindouros só é possível para aqueles cuja realização já está contida na sua causa. A alma, olhando pelo aparelho nervoso, inteiramente contido no círculo de luz astral que influi sobre um homem e recebe uma influência dele, a alma do adivinhador, dizemos, pode abraçar numa só intuição tudo o que este homem levantou ao redor de si de amor ou ódio; pode ler suas intenções no seu casamento, prever os obstáculos que vai encontrar no seu caminho, talvez a morte violenta que o espera; mas não pode prever suas determinações privadas, voluntárias, caprichosas, do momento que se seguirá à consulta, a menos que a habilidade do adivinho prepare a realização da profecia. Exemplo: dizeis a uma mulher que deseja encontrar um marido: "Ireis esta tarde ou amanhã de tarde a tal espetáculo, e aí vereis um homem que vos agradará. Este homem não sairá sem vos ter notado e por um concurso bizarro de circunstâncias, disso resultará, mais tarde, um casamento". Podeis ficar certo de que, acabando todo o serviço, a senhora irá ao espetáculo indicado, ai verá um homem pelo qual se julgará notada e esperará um próximo casamento. Se o casamento não se faz, ela não vos acusará por isso, porque não quererá perder a esperança de uma nova ilusão e, pelo contrário, virá consultar-vos assiduamente.

Dissemos que a luz astral é o grande livro da adivinhação; os que têm a aptidão para ler neste livro têm-na naturalmente ou adquirida. Há, pois, duas classes de videntes: os instintivos e os iniciados. É por isso que as crianças, os ignorantes, os pastores e até os idiotas têm mais disposições à adivinhação natural do que os sábios e pensadores. Davi, simples pastor, era profeta como depois o foi Salomão, o rei dos cabalistas e magos. As percepções do instinto são, muitas vezes, tão certas como as da ciência; os menos clarividentes na luz astral são os que mais raciocinam.

O sonambulismo é um estado de instinto puro: por isso os sonâmbulos têm necessidade de ser dirigidos por um vidente da ciência; os céticos e raciocinadores só podem desviá-los.

A visão adivinhatória só se opera no estado de êxtase e para chegar a este estado é preciso tornar impossível a dúvida e a ilusão, prendendo ou adormecendo o pensamento.

Os instrumentos de adivinhação são, pois, simples meios de magnetizar a si próprio e distrair-se da luz exterior para se fazer atento unicamente à luz interior. É por isso que Apolônio se envolvia inteiramente num manto de lã e fixava na obscuridade o olhar sobre seu umbigo. O espelho mágico de Du Potet é um meio análogo ao de Apolônio. A hidromancia e a visão no polegar, bem igualado e pintado de preto, são variedades de espelho mágico. Os perfumes e as evocações adormecem o pensamento; a água ou a cor preta absorvem os raios visuais: produz-se, então, um ofuscamento, uma vertigem, que é seguida de lucidez nas pessoas que têm para isso uma aptidão natural ou que estão convenientemente dispostas.

A geomancia e a cartomancia são outros meios para chegar aos mesmos fins: as combinações dos símbolos e números, sendo ao mesmo tempo fortuitas e necessárias, dão uma imagem muito exata das sortes e dos destinos para que a imaginação possa ver a realidade em vez dos símbolos.

Quanto mais o interesse é excitado, tanto mais o desejo de ver é grande, tanto mais a confiança na intuição é completa e tanto mais a visão é clara. Jogar ao acaso pontos de geomancia ou tirar as cartas de modo leviano é brincar como as crianças, que tiram a letra mais bonita. As artes divinatorias são oráculos somente quando são magnetizadas pela inteligência e dirigidas pela fé.

De todos os oráculos, o Tarô é o mais surpreendente nas suas respostas, porque todas as combinações possíveis desta chave universal de Cabala dão como soluções oráculos de ciência e verdade. O Tarô era o livro único dos antigos magos; é a Bíblia primitiva, como o provaremos no capítulo seguinte, e os antigos o consultavam como os primeiros cristãos consultaram, mais tarde, a *sorte dos Santos*, isto é, versículos da Bíblia tirados ao acaso e determinados pelo pensamento de um número.

A senhorita Lenormand, a mais célebre das nossas adivinhas modernas, ignorava a ciência do Tarô ou só a conhecia conforme Etteilla, cujas explicações são obscuridades lançadas sobre a luz. Ela não conhecia nem a alta magia, nem a Cabala, e tinha a cabeça falsificada por uma erudição mal dirigida; mas era intuitiva por instinto, e este instinto a enganava raramente. As obras que deixou são um *galamatias* legitimista, esmaltado de citações clássicas; mas seus oráculos, inspirados pela presença e o magnetismo dos consultantes, tinham, muitas vezes, coisas surpreendentes! Era uma mulher em que o desvanecimento da imaginação e a divagação do espírito se substituíram sempre às afeições naturais do seu sexo. Ela viveu e morreu virgem, como as antigas druidas da ilha de Sayne. Se a natureza a dotara de alguma beleza, facilmente teria, em épocas mais afastadas, representado nos Gálias o papel de uma Veleda ou Melusina.

Quanto mais se empregam cerimônias no exercício da adivinhação, tanto mais é excitada a própria imaginação e a dos consultantes. A conjuração dos quatro, a oração de Salomão, a espada mágica para afastar os fantasmas, podem, então, ser empregadas com sucesso; deve-se também evocar o gênio do dia e da hora em que se opera e lhe oferece o seu perfume especial; depois o operador se põe em relação magnética e intuitiva com a pessoa que consulta, perguntando-lhe que animal lhe é simpático e qual outro lhe é antipático, que flor gosta e que cor prefere. As flores, as cores, os animais referem-se, em classificação analógica, aos sete gênios da Cabala. Os que gostam do azul são idealistas e sonhadores; os que gostam do vermelho são materialistas e coléricos; os que gostam do amarelo são fantásticos e caprichosos; os amadores do verde têm, geralmente, um caráter mercantil e disfarçado; os amigos do preto são fluídos por Saturno; a cor rósea pertence a Vênus, etc. Os que gostam do cavalo são laboriosos, nobres de caráter e, portanto, flexíveis e dóceis; os amigos do cão são amantes e fiéis; os do gato são independentes e libertinos. As pessoas francas têm, principalmente, medo das aranhas; as almas ativas são antipáticas à cobra; as pessoas probas e delicadas não podem suportar os ratos e morcegos; os voluptuosos têm horror ao sapo, porque é frio, solitário, feio e triste. As flores têm simpatias análogas às dos animais e das cores, e, como a magia é a ciência das analogias universais, um gosto único, uma única disposição de uma pessoa, faz adivinhar todas as outras. É uma aplicação aos fenômenos da ordem moral da anatomia analógica de Cuvier.

A fisionomia da fronte e do corpo, as rugas da fronte, as linhas da mão fornecem igualmente aos magistas indícios preciosos. A metoposcopia e a quiromancia tornaram-se ciências à parte, cujas observações arriscadas e puramente conjecturais foram comparadas, discutidas e depois reunidas em corpos de doutrina por Goglieno, Belot, Romphilo, Indagino e Taisnier. A obra deste último é a mais considerável e completa; reúne e comenta as observações e conjeturas de todas as outras.

Um observador moderno, o cavalheiro D'Arpentigny, deu à quiromancia um novo grau de exatidão pelas suas notas sobre as analogias que existem realmente entre os caracteres das pessoas e a forma, quer total, quer detalhada, das suas mãos. Esta ciência nova foi desenvolvida e fixada, depois, por um artista e ao mesmo tempo um literato cheio de originalidade e fineza. O discípulo ultrapassou o mestre, e já é citado como um verdadeiro mago em quiromancia o amável e espirituoso Desbarrolles, um dos viajantes de que gosta de rodear-se, nos seus romances cosmopolitas, o nosso grande narrador Alexandre Dumas.

É preciso também interrogar o consultante sobre seus sonhos habituais: os sonhos são os reflexos da vida, quer interior, quer exterior. Os filósofos antigos faziam grande caso deles; os patriarcas viam neles revelações certas e a maior parte das revelações religiosas foram feitas em sonho. Os monstros do inferno são os pesadelos do cristianismo e, como nota espirituosamente o autor de Smarra, nunca o pincel ou o cinzel teriam reproduzido tais fealdades se não tivessem sido vistas em sonho.

É preciso desconfiar das pessoas cuja imaginação reflete habitualmente coisas feias.

O temperamento também se manifesta pelos sonhos e, como o temperamento exerce sobre a vida uma influência contínua, é necessário conhecê-lo bem para conjeturar com certeza os destinos de uma pessoa. Os sonhos de sangue, prazer e luz são indícios de um temperamento sanguíneo; os sonhos de água, barro, chuva, lágrimas são resultado de uma disposição fleugmática; o calor noturno, as trevas, os terrores e fantasmas pertencem aos biliosos e melancólicos.

Sinésio, um dos maiores bispos cristãos dos primeiros séculos, discípulo da bela e pura Hypathia, que foi massacrada por fanáticos depois de ter sido mestra desta bela escola de Alexandria, cuja herança o cristianismo devia partilhar; Sinésio, poeta lírico como Píndaro e Calímaco, religioso como Orfeu, cristão como Esperidião de Tremithonte, deixou um tratado dos sonhos que foi comentado por Cardan. Atualmente, ninguém se ocupa destas magníficas investigações do espírito, porque os fanatismos sucessivos quase forçaram o mundo a desesperar do racionalismo científico e religioso. S. Paulo queimou Trismegisto; Omar queimou os discípulos de Trismegisto e S. Paulo. Ó perseguidores! ó incendiários! ó zombadores! quando, pois, tereis terminado as vossas obras de trevas e destruição?

Trithemo, um dos maiores magistas do período cristão, abade irrepreensível de um mosteiro de beneditinos, sábio teólogo e mestre de Cornélio Agrippa, deixou, entre as suas obras inapreciadas e inapreciáveis, um tratado intitulado: *De septem secundeis, id est intelligentiis sive spiritibus orbes post Deum moventibus*. É uma chave de todas as profecias antigas e novas e um meio matemático, histórico e fácil de ultrapassar Isaías e Jeremias na previsão de todos os grandes acontecimentos vindouros. O autor esboça, em grandes rasgos, a filosofia da história, e divide a existência do mundo inteiro entre os sete gênios da Cabala. É a maior e mais larga interpretação que porventura tenha sido feita destes sete anjos do *Apocalipse*, que aparecem alternativamente com trombetas e copos para espalharem o verbo e a realização do verbo sobre o mundo. O reino de cada anjo é de 354 anos e 4 meses. O primeiro é Orifiel, o anjo de Saturno, que começou o seu reino em 13 de março do primeiro ano do mundo (porque o mundo, conforme Trithemo, foi criado no dia 13 de março): o seu reino foi o da selvageria e da noite primitiva. Depois, veio o império de Anael, o espírito de Vênus, que começou em 24 de junho do ano 354 do mundo; então o amor começou a ser o preceptor dos homens; criou a família, e a família conduziu à associação e à cidade primitiva. Os primeiros civilizadores foram os poetas inspirados pelo amor, depois a exaltação da poesia produziu a religião, o fanatismo e a depravação, que, mais tarde, trouxeram o dilúvio. E tudo isso durou até o ano 708 do mundo, no oitavo mês, isto é, até 25 de outubro; e então começou o reino de Zacariel, o anjo de Júpiter, sob o qual os homens começaram a conhecer e disputar entre si a propriedade dos campos e das habitações. Esta foi a época da fundação das cidades e da circunscrição dos impérios, a civilização e a guerra foram suas consequências. Depois, a necessidade do comércio se fez sentir, e é então que, no ano 1063 do mundo, em 24 de fevereiro, começou o reino de Rafael, o anjo de Mercúrio, o anjo da ciência e do verbo, o anjo da inteligência e da indústria. Então, as letras foram inventadas. A primeira língua foi hieroglífica e universal, e o monumento que nos resta dela é o livro de Enoque, Cadmo, Tot ou Palemedes, a clavícula cabalística adotada mais tarde por Salomão, o livro místico dos Terapim, Urim e Tumim, a Gênese primitiva do *Zohar* e de Guiherme Postello, o veículo místico de Ezequiel, a *rota* dos cabalistas, o Tarô dos magistas e dos boêmios. Então, foram inventadas as artes, e a navegação foi ensinada pela primeira vez; as relações se estenderam, as necessidades se multiplicaram, e chegou logo, isto é, em 26 de junho do ano 1417 do mundo, o reino de Samael, o anjo de Marte, época da corrupção de todos os homens e do dilúvio universal.

Depois de um grande desfalecimento, o mundo esforçou-se em renascer sob Gabriel, o anjo da Lua, que começou o seu reino em 28 de março do ano 1371 do mundo: então, a família de Noé se multiplicou e povoou todas as partes da Terra, depois da confusão de Babel, até o reino de Mikael; o anjo do Sol, que começou em 24 de fevereiro do ano 2126 do mundo; e é a esta a época que é preciso atribuir a origem das primeiras dominações, o império dos filhos de Nemrod, o nascimento e os primeiros conflitos do despotismo e da liberdade.

Trithemo prossegue este curioso estudo através das idades e mostra, nas mesmas épocas, a volta das ruínas, depois a civilização renascendo pela poesia e o amor, os impérios restabelecidos pela família, engrandecidos pelo comércio, destruídos pela guerra, reparados pela civilização universal e progressiva, depois absorvidos por grandes impérios que são a síntese da história. O trabalho de Trithemo é, sob este ponto de vista, mais universal e independente que o de Bossuet, e é uma chave absoluta da filosofia da história. Os seus cálculos rigorosos o conduzem até o mês de novembro do ano 1879, época do reino de Mikael e da fundação de um novo reino universal. Este reino terá sido preparado por três séculos e meio de angústias e três séculos e meio de esperanças: épocas que coincidem exatamente com o décimo sexto, décimo sétimo, décimo oitavo e metade do décimo nono para o crepúsculo lunar e a esperança; com o décimo quarto, o décimo terceiro, o duodécimo e metade do undécimo para as provas, a ignorância, as angústias e os flagelos de toda natureza. Vemos, pois, conforme este cálculo, que em 1879, isto é, em 24 anos, um império universal será fundado e dará a paz ao mundo. Este império será político e religioso; dará uma solução a todos os problemas agitados nos nossos dias e durará 254 anos e 4 meses; depois virá de novo o reino de Orifiel, isto é, uma época de silêncio e noite. O próximo império universal estando sob o reino do Sol, pertencerá àquele que tiver as chaves do Oriente, que, neste momento, são disputadas pelos príncipes das quatro partes do mundo; mas a inteligência e a ação são, nos reinos superiores, as forças que governam o Sol, e a nação que, na Terra, tem agora a iniciativa da inteligência terá também as chaves do Oriente e fundará o reino universal.

Talvez terá de sofrer, para isso, uma cruz e um martírio análogos aos do Homem-Deus; porém, morta ou viva entre as nações, o seu espírito triunfará e todos os povos do mundo reconhecerão, em 24 anos, a bandeira da França, sempre vitoriosa ou milagrosamente ressuscitada. Tal é a profecia do Trithemo, confirmada por todas as nossas previsões e apoiada por todos os nossos desejos.

Nota da primeira edição, publicada no princípio de 1914:
"A realização desta profecia tem sido retardada pela vontade coletiva dos homens. Mas os ocultistas esperam, para o quadriênio de 1912 a 1916, radicais transformações que realizarão a profecia. Os clichês astrais vão precipitar-se e talvez não haja mais tempo para evitar as guerras que nos ameaçam."
(*Rosabis Camaysar*)

O CARRO DE HERMES – Sétima chave do Tarô

CAPÍTULO XXII

O LIVRO DE HERMES

Chegamos ao fim da nossa obra, e é aqui que devemos dar a sua chave geral e dizer a sua última palavra.

A chave geral das artes mágicas é a chave de todos os antigos dogmas religiosos, a chave da Cabala e da Bíblia: a clavícula de Salomão.

Ora, esta clavícula ou pequena chave, que julgavam perdida desde há séculos, achamo-la e pudemos abrir todos os túmulos do mundo antigo, fazer falar os mortos, ver em todo o seu esplendor os monumentos do passado, entender os enigmas de todas as esfinges e penetrar em todos os santuários.

O emprego desta chave, entre os antigos, só era permitido aos sumos sacerdotes, e nem mesmo o seu segredo era confiado à elite dos iniciados. Ora, eis o que era esta chave:

Era um alfabeto hieroglífico e numeral, que exprimia, por caracteres e números, uma série de ideias universais e absolutas; depois, uma escala de dez números multiplicados por quatro símbolos e ligados conjuntamente por doze figuras que representavam os doze signos do zodíaco; depois, quatro gênios, os dos quatro pontos cardeais.

O quaternário simbólico, figurado nos mistérios de Mênfis e Tebas pelas quatro formas da esfinge: o homem, a águia, o leão e o touro, correspondia aos quatro elementos do mundo antigo, figurados: a água, pelo copo que o homem ou o aquário tem; o ar, pelo círculo ou auréola que rodeia a cabeça da águia celeste; o fogo, pelo pau que o alimenta, pela árvore que o calor da terra e do sol fazem frutificar, enfim, pelo cetro de realeza de que o leão é o emblema; a terra, pelo gládio de Mitra, que imola todos os anos o touro sagrado e faz correr com o seu sangue a seiva que enche todos os frutos da terra.

Ora, estes quatro signos, com todas as suas analogias, são a explicação da palavra única escondida em todos os santuários, da palavra que as bacantes pareciam adivinhar na sua embriaguez, quando, celebrando as festas de Iacchos, se exaltavam até o delírio por *Io evohé*! Que significa, pois, esta palavra misteriosa? Era o nome das quatro letras primitivas da língua materna: o *Iod*, símbolo do pau da videira ou do cetro paternal de Noé; o *Hê*, imagem do copo de libações, sinal da maternidade divina; o *Vô*, que une conjuntamente os dois signos precedentes e tinha como figura, na Índia, o grande e misterioso *lingam*. Tal era, na palavra divina, o tríplice sinal do ternário; depois, a letra maternal aparecia uma segunda vez para exprimir a fecundidade da natureza e da mulher, para formular também o dogma das analogias universais e progressivas que descem das causas aos efeitos e sobem dos efeitos às causas. Por isso, a palavra sagrada não era pronunciada; era soletrada e falada em quatro palavras, que são as palavras sagradas: *Iod hê vô hê*.

O sábio Gaffarel não duvida que os *terafim* dos hebreus, por meio dos quais consultavam os oráculos do *urim* e do *thumim*, tenham sido as figuras dos quatro animais da Cabala, cujos símbolos eram resumidos, como diremos logo, pelas esfinges ou querubins da arca. Cita, porém, a propósito dos *therafim* usurpados de Michas, uma curiosa passagem de Philon Judeu, que é uma revelação inteira sobre a origem antiga e sacerdotal dos nossos Tarôs. Eis como se exprime Gaffarel:

> "Ele diz, pois (Fílon de Alexandria), falando da história oculta no dito capítulo dos Juízes, que Michas fez de fino ouro e prata três figuras de jovens e três de novilhos, outras tantas de leão, águia, dragão e pomba; de modo que se alguém o ia procurar para saber algum segredo a respeito da sua mulher, ele interrogava a pomba; se era a respeito de seus filhos, o jovem; se para as riquezas, a águia; se para a força e o poder, o leão; se para a fecundidade, o querubim ou bezerro; se para a extensão dos dias e anos, o dragão."

Esta revelação de Fílon, embora Gaffarel faça pouco caso dela, é para nós da mais alta importância. Eis, com efeito, a nossa chave do quaternário, eis as imagens dos quatro animais simbólicos que se acham na vigésima primeira chave do Tarô, isto é, no terceiro setenário, repetindo, assim, três e resumindo todo o simbolismo que os três setenários superpostos exprimem: depois, o antagonismo das cores, expresso pela pomba e o dragão; o círculo ou *rota*, formado pelo dragão ou a serpente, para exprimir a extensão dos dias; enfim, toda a adivinhação cabalística do Tarô, tal como a praticaram mais tarde os egípcios boêmios, cujos segredos foram adivinhados e achados imperfeitamente por Etteilla.

Vê-se, na Bíblia, que os sumos sacerdotes consultavam o Senhor na mesa de ouro da arca santa, entre os querubins ou as esfinges do corpo de touro e asas de águia, e que consultavam com o auxílio dos *Terafim*, pelo *urim*, *tumim* e *ephod*. O *ephod* era, como se sabe, um quadrado mágico de doze números e doze palavras gravadas em pedras preciosas. A palavra *terafim*, em hebraico, significa hieróglifos ou sinais figurados; o *urim* e o *tumim* eram o alto e o baixo, o oriente e o ocidente, o sim e o não, e estes sinais correspondiam às duas colunas do templo: *Jakin* e *Bohas*. Quando, pois, o sumo sacerdote queria fazer falar o oráculo, tirava à sorte os *terafins* ou as lâminas de ouro que continham as imagens das quatro palavras sagradas, e as colocava, de três em três, ao redor do racional ou *ephod*, entre o *urim* e o *thumim*, isto é, entre os dois ônix que serviam de colchete às cadeiazinhas do *ephod*. O ônix da direita significava *Gedulah* ou misericórdia e magnificência; o ônix da esquerda se referia a *Geburah* e significava justiça e cólera, e se, por exemplo, o signo do leão se achava perto da pedra em que estava gravado o nome da tribo de Judá, do lado esquerdo, o sumo sacerdote, lia assim o oráculo: "A verga do Senhor está irritada contra Judá". Se o *terafim* representava o homem ou o copo e que se achasse igualmente à esquerda, perto da pedra de Benjamim, o sumo sacerdote lia: "A misericórdia do Senhor está cansada das ofensas de Benjamim, que o ultraja no seu amor. É por isso que vai derramar sobre ele o copo da sua cólera", etc. Quando o soberano sacerdócio cessou em Israel, quando todos os oráculos do mundo se calaram em presença do Verbo feito homem e falando pela boca do mais popular e dócil dos sábios, quando a arca foi perdida, o santuário profanado e o templo destruído, os mistérios do *ephod* e dos *terafim*, que não eram mais traçados em ouro e pedras preciosas, foram escritos ou antes figurados por alguns sábios cabalistas no marfim, no pergaminho, no couro prateado e dourado, depois, enfim, em simples cartas que sempre foram suspeitas à Igreja oficial, como contendo uma chave perigosa dos seus mistérios. Daí, vieram estes tarôs, cuja antiguidade, revelada ao sábio Court de Gébelin pela própria ciência dos hieróglifos e números, instigou tanto, mais tarde, a duvidosa perspicácia e a tenaz investigação de Etteilla.

Court de Gebelin, no oitavo volume do seu *Mundo Primitivo*, dá a figura das vinte e duas chaves e dos quatro ases do Tarô, e demonstra a sua perfeita analogia com todos os símbolos da mais alta antiguidade; procura, depois, dar a sua explicação e desvia-se naturalmente, porque não toma por ponto de partida o tetragrama universal e sagrado, *Io evohé* das bacanais, o *iod hê vô hê* do santuário, o יהוה da Cabala.

Etteilla ou Alliete, preocupado unicamente com o seu sistema de adivinhação e do proveito material que dele podia tirar, Alliete, antigo cabeleireiro, não tendo aprendido nem francês, nem mesmo a ortografia, pretendeu reformar e apropriar-se, assim, do *Livro de Thot*. Sobre o tarô que fez gravar e que se tornou muito raro, lê-se, na vigésima oitava carta (o oito de paus):

"Etteilla, professor de álgebra, renovador da cartomancia e *redatores* (sic) das modernas *incorreções* deste antigo *Livro de Thot*, teria, certamente, feito melhor em não redigir as *incorreções* de que fala: os seus trabalhos fizeram cair no domínio da magia vulgar e das tiradoras de cartas o livro antigo descoberto por Court de Gébelin.

Quem quer provar muito, nada prova, diz um axioma lógico." Etteilla forneceu disso mais um exemplo, e, entretanto, seus esforços o tinham levado a um certo conhecimento da Cabala, como se pode ver em algumas raras passagens das suas obras ilegíveis.

Os verdadeiros iniciados contemporâneos de Etteilla, os rosacruzes, por exemplo, e os martinistas, estavam de posse do verdadeiro Tarô, como o provam um livro de Saint-Martin, cujas divisões são as do Tarô, e esta passagem de um inimigo dos rosacruzes:

> "Alegam que possuem um volume no qual podem aprender tudo o que está nos outros livros que existem ou que para sempre poderiam existir. É pela posse desse volume que acham o protótipo de tudo o que existe, pela facilidade de analisar, fazer abstrações, formar uma espécie de mundo intelectual e criar todos os seres possíveis. Vede as cartas filosóficas, teosóficas, microcósmicas, etc." *Conjuração Contra a Religião Católica e os Soberanos*, pelo autor do *Véu Levantado para os Curiosos*. Paris Crapard, 1792.

Os verdadeiros iniciados, dizemos nós, que conservam o segredo do Tarô entre os seus maiores mistérios, se guardaram de protestar contra os erros de Etteilla, e não o deixaram revelar, mas *velar de novo* o arcano das verdadeiras claviculas de Salomão. Por isso, não é sem profunda admiração que achamos intacta e ignorada ainda esta chave de todos os dogmas e filosofias do mundo antigo. Digo uma chave, e é realmente uma, tendo o círculo das quatro décadas para anel, e para haste ou corpo a escada dos 22 caracteres, depois para dentes os três graus do ternário, como o entendeu e figurou Guilherme Postello, na sua *Chave das Coisas Ocultas desde o Começo do Mundo*, chave da qual indica o nome oculto e conhecido unicamente pelos iniciados:

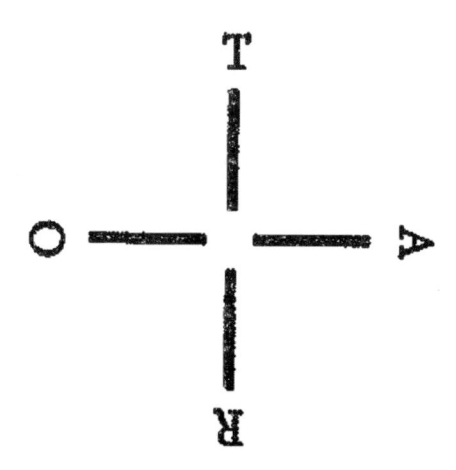

```
        T
        |
        |
  O ----+---- A
        |
        |
        R
```

palavra que se pode ler *Rota*, e que significa a roda de Ezequiel, ou *Tarô*, e então é sinônimo do Azoth dos filósofos herméticos. É uma palavra que exprime cabalisticamente o absoluto dogmático e natural; é formado dos caracteres do monograma do Cristo, conforme os gregos e hebreus. O R latino ou o P grego se acha no meio, entre o alfa e o ômega do *Apocalipse*; depois o *Tau* sagrado, imagem da cruz, contém a palavra inteira, como o representamos na gravura do 4º capítulo do nosso *Dogma*.

Sem o Tarô, a magia dos antigos é um livro fechado para nós, sendo impossível penetrar em qualquer dos grandes mistérios da Cabala. Só o Tarô dá a interpretação dos quadrados mágicos de Agrippa e Paracelso, como podeis convencer-vos, formando estes mesmos quadros com as chaves do Tarô e lendo os hieróglifos que assim se acharem reunidos.

Eis os sete quadrados mágicos dos gênios planetários, conforme Paracelso:*

SATURNO

2	9	4
7	5	3
6	1	8

JÚPITER

16	3	2	13
5	10	11	8
9	6	7	12
4	15	14	1

---

* Tivemos de reformar todos os quadrados mágicos dados na edição que nos serve de modelo, comparando-os com os que temos nas obras de Paracelso. Este é um dos pontos em que tivemos de corrigir a 4ª edição francesa do *Ritual*, que contém diversos erros graves. (N. do T.)

Marte

14	10	1	22	18
20	11	7	3	24
21	17	13	9	5
2	23	19	15	6
8	4	25	16	12

Sol

6	32	3	34	35	1
7	11	27	28	8	30
19	14	16	15	23	24
18	20	22	21	17	13
25	29	10	9	26	12
36	5	33	4	2	31

Vênus

22	47	16	41	10	35	4
5	23	48	17	42	11	29
30	6	24	49	18	36	12
13	21	7	25	43	19	37
38	14	32	1	26	44	20
21	39	8	33	2	27	45
46	15	40	9	34	3	28

Mercúrio

8	58	59	5	4	62	63	1
49	15	14	52	53	11	10	56
41	23	22	44	45	19	18	48
32	34	35	29	28	38	39	25
40	26	27	37	36	30	31	33
17	47	46	20	21	43	42	24
9	55	54	12	13	51	50	16
64	2	3	61	60	6	7	57

LUA

37	78	29	70	21	62	13	54	5
6	38	79	30	71	22	63	14	46
47	7	39	80	31	72	23	55	15
16	48	8	40	81	32	64	24	56
57	17	49	9	41	73	33	65	25
26	58	18	50	1	42	74	34	66
67	27	59	10	51	2	43	75	35
36	68	19	60	11	52	3	44	76
77	28	69	20	61	12	53	4	45

Adicionando cada uma das colunas destes quadrados, obtereis invariavelmente o número característico do planeta, e achando a explicação deste número pelos hieróglifos do Tarô, procurareis o sentido de todos os símbolos, quer triangulares, quer quadrados, quer cruciais, que achardes formados pelos números. O resultado desta operação será um conhecimento completo e profundo de todas as alegorias e de todos os mistérios escondidos pelos antigos, sob o símbolo de cada planeta ou antes de cada personificação das influências, quer celestes, quer humanas, sobre todos os acontecimentos da vida.

Dissemos que as 22 chaves do Tarô são as 22 letras do alfabeto cabalístico primitivo. Eis uma tábua das variantes deste alfabeto, conforme os diversos cabalistas hebreus:

> א O ser, o espírito, o homem ou Deus; o objeto compreensível; a unidade mãe dos números, a substância prima.

Todas estas ideias são expressas, hieroglificamente, pela figura do Pelotiqueiro. Seu corpo e seus braços formam a letra א; traz ao redor da cabeça uma auréola, em forma de ∞, símbolo da vida e do espírito universal: diante dele estão espadas, copos e pentáculos, e ele eleva para o céu a varinha milagrosa. Tem figura juvenil e cabelos crespos, como Apolo ou Mercúrio; tem o sorriso da firmeza nos seus lábios e o olhar da inteligência nos olhos.

ב A casa de Deus e do homem, o santuário, a lei, a gnose, a Cabala, a igreja oculta, o binário, a mulher, a mãe.

Hieróglifo do Tarô, A *Papisa*: uma mulher coroada de uma tiara, tendo os cornos da lua ou de Ísis, a cabeça coberta com um véu, a cruz solar no peito, e, em cima dos joelhos, um livro que esconde com o seu manto.

O autor protestante de uma pretensa história da papisa Joana achou e fez servir, tão bem como mal, à sua tese, duas curiosas e antigas figuras que achou da papisa ou soberana sacerdotisa do Tarô. Estas duas figuras dão à papisa todos os atributos de Ísis; numa, ela acaricia o seu filho Hórus; na outra, tem os cabelos longos e esparsos; ela está sentada entre as duas colunas do binário, traz no seu peito um sol de quatro raios, põe uma das mãos sobre um livro, e faz com a outra o sinal do esoterismo sacerdotal, isto é, abre somente três dedos e tem os outros dobrados em sinal de mistério; atrás da sua cabeça está o céu, e de cada lado do seu assento um mar, no qual se desabrocham flores de lódão. Lamento muito que o infeliz erudito só quis ver, neste símbolo antigo, uma estampa monumental da sua pretensa papisa Joana.

ג O verbo, o ternário, a plenitude, a fecundidade, a natureza, a geração nos três mundos.

Símbolo, A *Imperatriz*: uma mulher alada, coroada, assentada e tendo na ponta do seu cetro o globo do mundo; tem para sinal uma águia, imagem da alma e da vida.

Esta mulher é a Vênus Urânia dos gregos e foi representada por S. João, no seu *Apocalipse*, pela mulher revestida do sol, coroada de doze estrelas e tendo a lua debaixo dos seus pés. É a quintessência mística, o ternário, é a espiritualidade, é a imortalidade, é a rainha do céu.

ד A porta ou o governo entre os orientais, a iniciação, o poder, o tetragrama, o quaternário, a pedra cúbica ou a sua base.

Hieróglifo, O *Imperador*: um soberano cujo corpo representa um triângulo-retângulo e as pernas uma cruz, imagem do Athanor dos filósofos.

ה Indicação, ensinamento, demonstração, lei, simbolismo, filosofia, religião.

Hieróglifo, O *Papa* ou o grande hierofante. Nos Tarôs mais modernos, este sinal é substituído pela imagem de Júpiter. O grande hierofante, assentado entre as duas colunas de Hermes e Salomão, faz o sinal do esoterismo e apoia-se na cruz de três travessas de forma triangular. Diante dele, dois ministros inferiores estão de joelhos, de modo que, tendo acima de si os capitéis das duas colunas e embaixo as duas cabeças dos ministros, é o centro do quinário e representa o divino pentagrama de que dá, assim, o sentido completo. Com efeito, as colunas são a necessidade ou a lei; as cabeças são a liberdade ou a ação. De cada coluna, a cada cabeça pode-se tirar uma linha, e duas linhas de cada coluna a cada uma das duas cabeças. Obtém-se, assim, um quadrado cortado em quatro triângulos por uma cruz, e no meio desta cruz estará o grande hierofante, diríamos quase como a aranha dos jardins no centro da sua teia, se esta imagem pudesse convir a coisas de verdade, glória e luz.

> ׀ Encadeamento, gancho, *lingam,* laço, união, enlace, luta, antagonismo, combinação, equilíbrio.

Hieróglifo, o homem entre o Vício e a Virtude. Em cima dele irradia o sol da verdade, e neste sol o Amor retesa o seu arco e ameaça o Vício com a flecha. Na ordem das dez *sephiroth*, este símbolo corresponde a *Tiphereth*, isto é, ao idealismo e à beleza. O número 6 representa o antagonismo dos dois ternários, isto é, da negação absoluta e da afirmação absoluta. É, pois, o número do trabalho e da liberdade; é por isso que se refere também à beleza moral e à glória.

> ׀ Arma, gládio, espada flamejante do querubim, sentenário sagrado, triunfo, realeza, sacerdócio.

Hieróglifo, um carro cúbico de quatro colunas, com uma coberta de pano azul e estrelado. No carro, entre as quatro colunas, um triunfador coroado de um círculo sobre o qual se elevam e irradiam três pentagramas de ouro. O triunfador tem na sua couraça três esquadros superpostos; tem nos ombros o *urim* e a *thumim* da suprema dignidade de sacrificador, figurados pelos dois crescentes da lua em Gedulah e Geburah; tem na mão um cetro remontado por um globo, um quadrado e um triângulo; a sua atitude é altiva e tranquila. Ao carro está atrelada uma dupla esfinge ou duas esfinges que se prendem pelo baixo-ventre; viram uma de um lado e a outra do outro; mas uma delas volta a cabeça, e elas olham para o mesmo lado. A esfinge que volta a cabeça é preta, a outra é branca. No quadrado que constitui a frente do carro, vê-se o *lingam* indiano remontado pela esfera volante dos egípcios. Este hieróglifo, cuja figura exata damos aqui, é o mais belo, talvez, e o mais completo de todos os que compõem a clavícula do Tarô.

> ה Balança, atração e repulsão, vida, temores, promessa e ameaça.

Hieróglifo, *A Justiça* com a sua espada e a sua balança.

> ט O bem, o horror do mal, a moralidade, a sabedoria.

Hieróglifo, um sábio apoiado no seu bastão e levando diante de si uma lâmpada; envolve-se inteiramente no seu manto. A sua inscrição é o *Ermitão* ou *O Capuchinho*, por causa do seu manto oriental; mas o seu verdadeiro nome é *A Prudência*, e completa, assim, as quatro virtudes cardeais, que pareceram desaparelhadas a Court de Gebelin e a Etteilla.

> ׀ Princípio, manifestação, louvor, honra viril, *phallus,* fecundidade viril, cetro paterno.

Hieróglifo, *A Roda da Fortuna*, isto é, a roda cosmogônica de Ezequiel, com um Hermanúbis subindo à direita, um Tífon descendo à esquerda, e uma esfinge em cima, em equilíbrio e tendo entre suas garras de leão a espada. Símbolo admirável desfigurado por Etteilla, que substituiu Tífon por um homem, Hermanúbis por um rato, e a esfinge por um macaco, alegoria bem digna da Cabala de Etteilla.

ך A mão no ato de pegar e segurar.

Hieróglifo, A *Força*, uma mulher coroada pelo ∞ vital e que fecha tranquilamente e sem esforço a goela de um leão furioso.

ל Exemplo, ensinamento, lição pública.

Símbolo, um homem que está suspenso por um pé e cujas mãos estão amarradas atrás das costas, de modo que o seu corpo faz um triângulo com a ponta embaixo, e as suas pernas uma cruz em cima do triângulo. A potência tem a forma de um *Tau* hebreu; as duas árvores que a sustentam têm, cada uma, seis galhos cortados. Explicamos alhures este símbolo do sacrifício e da obra realizada; não o faremos de novo aqui.

מ O céu de Júpiter e Marte, denominação e força, renascimento, criação e destruição.

Hieróglifo, A *Morte* que roça cabeças coroadas, numa planície em que se veem nascerem homens.

נ O céu do Sol, temperaturas, estações, movimento, mudanças da vida sempre nova e sempre a mesma.

Hieróglifo, A *Temperança*, um anjo tendo o signo do Sol na fronte, e no peito o quadrado e o triângulo do setenário, derrama, de um vaso no outro, as duas essências que compõem o elixir da vida.

ס O céu de Mercúrio, ciência oculta, magia, comércio, eloquência, mistério, força moral.

Hieróglifo, O *Diabo*, o bode de Mendes ou o Baphomet do templo com todos os seus atributos panteísticos. Este hieróglifo é o único que Etteilla entendeu perfeitamente e interpretou do modo exato.

ע O céu da Lua, alterações, subversões, mudanças, fraquezas.

Hieróglifo, uma torre ferida pelo raio, provavelmente a de Babel. Duas personagens, sem dúvida, Nemrod e seu falso profeta ou seu ministro, são precipitados de cima para baixo das ruínas. Uma das personagens, caindo, representa perfeitamente a letra ע, hain.

פ O céu da alma, efusões do pensamento, influência moral da ideia sobre as formas, imortalidade.

Hieróglifo, a estrela brilhante e a juventude eterna. Demos alhures a descrição desta figura.

צ Os elementos, o mundo visível, a luz refletida, as formas materiais, o simbolismo.

Hieróglifo, a Lua, o orvalho, um caranguejo na água saindo para a terra, um cão e um lobo uivando para a Lua e parados junto a duas torres, um caminho que se perde no horizonte e que está semeado de gotas de sangue.

ק Os mistos, a cabeça, o cimo, o princípio do céu.

Hieróglifo, um Sol radiante e duas crianças nuas se dão a mão num círculo fortificado. Em outros Tarôs, é uma fiadora dividindo os destinos; noutros, enfim, uma criança nua montada num cavalo branco e estendendo uma bandeira escarlate.

ר O vegetativo, a virtude geradora da terra, a vida eterna.

Hieróglifo, *O Juízo*. Um gênio toca a trombeta e os mortos saem dos seus túmulos; estes mortos que se tornaram vivos são um homem, uma mulher e uma criança: o ternário da vida humana.

ש

Hieróglifo. *O Louco*. Um homem vestido de louco, caminhando ao acaso, carregando um saco e que, sem dúvida, está cheio dos seus atos ridículos e vícios; o seu vestuário em desordem deixa descoberto o que devia esconder, e um tigre que o segue o morde, sem que ele procure afastá-lo ou defender-se.

ת O microcosmo, o resumo de tudo em tudo.

Hieróglifo, *Kether* ou a coroa cabalística entre os quatro animais misteriosos; no meio da coroa vê-se a Verdade, tendo em cada mão uma varinha mágica.

Tais são as 22 chaves do Tarô, que explicam todos os seus números. Assim, o pelotiqueiro, ou chave das unidades, explica os quatro ases com a sua quádrupla significação progressiva nos três mundos e no primeiro princípio; assim, o ás de ouro ou de círculo é a alma do mundo; o ás de espada é a inteligência militante; o ás de copas é a inteligência amante; o ás de paus é a inteligência criadora; são lambém os princípios do movimento, do progresso, da fecundidade e do poder. Cada número, multiplicado por uma chave, dá um outro número que, explicado por sua vez pelas chaves, completa a revelação filosófica e religiosa contida em cada signo. Ora, cada uma das 56 cartas pode ser alternativamente multiplicada pelas 22 chaves; resulta disso uma série de combinações, dando os resultados mais surpreendentes de revelação e luz. É uma verdadeira máquina filosófica que impede o espírito de desviar-se, deixando-lhe, ao mesmo tempo, a sua iniciativa e sua liberdade; são as matemáticas aplicadas ao Absoluto, é a aliança do positivo ao ideal, é uma loteria de pensamentos rigorosamente justos como os números; é, talvez, enfim, o que o gênio humano jamais concebeu, ao mesmo tempo, de mais simples e grandioso.

O modo de ler os hieróglifos do Tarô é dispô-los quer em quadrado, quer em triângulo, colocando os números pares em antagonismo e conciliando-os pelos ímpares. Quatro signos explicam sempre o Absoluto numa ordem qualquer, e se explicam por um quinto signo. Assim, a solução de todas as questões mágicas é a do pentagrama, e todas as antimonias se explicam pela harmoniosa unidade.

Disposto assim, o Tarô é um verdadeiro oráculo, e responde a todas as questões possíveis, com mais clareza e infalibilidade do que o Androide de Alberto, o

Grande: de modo que um prisioneiro sem livros poderia, em alguns anos, se tivesse somente um Tarô, do qual soubesse servir-se, ter adquirido uma ciência universal, e falaria de tudo com uma doutrina sem igual e uma eloquência inesgotável. Com efeito, esta roda é a verdadeira chave da arte oratória e da grande arte de Raimundo Lúlio; é o verdadeiro segredo da transmutação das trevas em luz, é o primeiro e o mais importante de todos os arcanos da Grande Obra.

Por meio desta chave universal do simbolismo, todas as alegorias da Índia, do Egito e da Judeia se tornam claras; o *Apocalipse* de S. João é um livro cabalístico, cujo sentido é rigorosamente indicado pelas figuras e pelos números do *urim*, do *tumim*, dos *terafim* e do *ephod*, resumidos e completados pelo Tarô; os santuários antigos não têm mais mistérios e entende-se pela primeira vez a significação dos objetos do culto dos hebreus. Quem não vê, com efeito, na mesa de ouro, coroada e suportada por querubins, que cobria a arca de aliança e servia de propiciatório, os mesmos símbolos que na vigésima primeira chave do Tarô? A arca era um resumo hieroglífico de todo o dogma cabalístico; continha o *jod* ou o bastão florido de Aarão, o *hê* ou a copa, o *gomor* contendo o maná, as duas tábuas da lei, símbolo análogo ao da espada da justiça, e o maná contido no *gomor*, quatro coisas que traduzem maravilhosamente as letras do tetragrama divino.

Gaffarel provou sabiamente que os querubins ou quérubes da arca eram figuras de bezerros; mas o que ignorou é que, em vez de dois, havia quatro, dois de cada lado, como diz expressamente o texto, mal entendido, neste lugar, pela maioria dos comentadores.

Assim, nos versículos 18 e 19 do *Êxodo*, é preciso traduzir deste modo o texto hebraico:

"Farás dois bezerros ou duas esfinges de ouro, polidas a martelo de cada lado do oráculo.

"E as colocarás uma virada para um lado, e a outra para o outro."

Os quérubes ou esfinges eram, com efeito, reunidos dois a dois de cada lado da arca, e as suas cabeças voltavam-se aos quatro cantos do propiciatório, que cobriam com suas asas arredondadas em arco, cobrindo, assim, a coroa da mesa de ouro, que sustentavam nas suas costas, olhando-se umas às outras pelos cortes da madeira e olhando o propiciatório. – (Vede a figura abaixo).

A arca, assim, tinha três partes ou três degraus, que representavam Atziluth, Yetzirah e Briah, os três mundos da Cabala: a base do cofre, à qual eram adaptados os quatro anéis das duas alavancas análogas às colunas *Jakin* e *Bohas* do templo; o corpo do cofre, no qual saía em relevo o da esfinge, e a coberta, escurecida pelas asas das esfinges. A base representava o reino do sal, para falar a linguagem dos adeptos de Hermes; o cofre, o reino do mercúrio ou do *azoth*, e a cobertura, o reino do enxofre ou do fogo. Os outros objetos do culto não eram menos alegóricos, mas seria preciso uma obra especial para os descrever e explicar.

Saint-Martin, no seu *Quadro Natural das Relações que Existem entre Deus, o Homem e a Natureza*, seguiu, como dissemos, a divisão do Tarô, e dá sobre as 22 chaves um comentário místico bastante extenso; porém, guarda-se bem de dizer de onde tirou o plano do seu livro e de revelar os hieróglifos que comenta. Postello teve a mesma discrição, e mencionando o Tarô somente na figura da sua chave dos arcanos, ele o designa, no resto do livro, sob o nome: *Gênese de Enoque*. O personagem de Enoque, autor do primeiro livro sagrado, é, com efeito, idêntico ao de Thot entre os egípcios, de Cadmo entre os fenícios e de Palamedes entre os gregos.

Achamos, de um modo assaz extraordinário, uma medalha do século XVI, que é uma chave do Tarô. Não sabemos se é preciso dizer que esta medalha e o lugar em que devíamos achá-la nos foram mostrados em sonho pelo divino Paracelso; seja o que for, a medalha está em nossa posse. Ela representa, de um lado, o pelotiqueiro em traje alemão do século XVI, tendo uma das mãos na sua cintura e com a outra segurando o pentagrama; tem diante de si, na sua mesa, entre um livro aberto e uma bolsa fechada, dez moedas ou talismãs, dispostos em duas linhas de três cada uma e num quadrado de quatro; os pés da mesa formam dois ר e os do pelotiqueiro dois ר invertidos deste modo ⌐⌐. O verso da medalha contém as letras do alfabeto, dispostas em quadrados mágicos, deste modo:

A	B	C	D	E
F	G	H	I	K
L	M	N	O	P
Q	R	S	T	V
X	V	Z	N	

Pode-se observar que este alfabeto só tem 22 letras, o V e o N sendo repetidos duas vezes, e que está disposto em quatro quinários e um quaternário para chave e base. As quatro letras finais são duas combinações do binário e do ternário, e, lidas cabalisticamente, formam a palavra *Azoth*, dando às configurações das letras o seu valor em hebreu primitivo, e tomando N por א, Z pelo que é em latim, V pelo ו vô hebreu, que se pronuncia O, e o X pelo *Tau* primitivo, que tinha exatamente a sua figura. O Tarô inteiro é, pois, explicado nesta maravilhosa medalha, efetivamente digna do gênio de Paracelso, e que pomos à disposição dos curiosos. As letras dispostas por quatro vezes cinco, têm, para resumo, a palavra ת Z א análoga às de יהוה e de Inri, e contém todos os mistérios da Cabala.

O livro do Tarô tendo uma tão elevada importância científica, é bem para desejar que não o alterem mais. Percorremos, na Biblioteca Imperial, a coleção dos antigos Tarôs, e é daí que colhemos todos os hieróglifos, cuja descrição demos. Resta uma obra importante a fazer: é mandar gravar e publicar um Tarô rigorosamente completo e cuidadosamente executado. Talvez a empreendamos logo.

Encontram-se vestígios do Tarô entre todos os povos do mundo. O Tarô italiano é, como dissemos, o mais bem conservado e o mais fiel; mas podia-se aperfeiçoá-lo ainda com preciosos indícios fornecidos pelas cartas espanholas: o dois de copas, por exemplo, no *Naibi*, é completamente egípcio, e vemos nele dois vasos antigos cujas asas são formadas por íbis, superpostas a uma vaca; nas mesmas cartas, encontra-se um unicórnio no meio do quatro de ouro; o três de copas apresenta a figura de Ísis saindo de um vaso, e dos outros dois saem dois íbis, que trazem, um uma coroa para a deusa e o outro uma flor de lódão, que parece oferecer-lhe. Os quatro ases trazem a imagem da serpente hierática e sagrada, e, em certos jogos, no meio do quatro, de ouro, em lugar do unicórnio simbólico, encontra-se o duplo triângulo de Salomão.

Os Tarôs alemães são mais alterados, e neles só achamos os números das chaves, cheias de figuras bizarras ou pantagruélicas. Temos em nossas mãos um Tarô chinês, e existem, na Biblioteca Imperial, alguns modelos de cartas semelhantes. O Sr. Paulo Boiteau, na sua notável obra sobre as cartas de jogo, deu deles espécimes muito bem feitos. O Tarô chinês conserva ainda vários emblemas primitivos: distinguem-se neles, facilmente, os ouros e as espadas, mas seria difícil achar as copas e os paus.

É na época das heresias gnósticas e maníqueas que o Tarô deve ter sido perdido pela Igreja, e é na mesma época que o sentido do divino *Apocalipse* foi igualmente perdido. Não entenderam mais que os sete selos deste livro cabalístico são sete pentáculos, cuja figura damos, e que se explicam pelas analogias dos números, dos caracteres e das figuras do Tarô. Assim, a tradição universal da religião única foi interrompida por toda a Terra, e pareceu à ignorância que o verdadeiro catolicismo, a revelação universal, tinha desaparecido momentaneamente. A explicação do livro de S. João pelos caracteres da Cabala será uma revelação inteiramente nova, como já pressentiram vários magistas distintos. Eis como se exprime um deles, o Sr. Agostinho Chaho:

CHAVE APOCALÍPTICA – Os Sete Selos de S. João

"O poema do *Apocalipse* supõe no jovem evangelista um sistema completo e tradições desenvolvidas somente por ele. É escrito em forma de visão, e encerra, num quadro deslumbrante de poesia, toda a erudição, todo o pensamento do civilizador africano. Bardo inspirado, o autor percorre uma série de fatos dominantes; traça em grandes rasgos a história da sociedade de um cataclismo a outro e até além. As verdades que revela são profecias vindas de cima e de longe, de que se faz eco vibrante. É a voz que grita, a voz que canta as harmonias do deserto e prepara os caminhos para a luz. A sua palavra brilha com império e ordena a fé, porque ele vem trazer aos bárbaros os oráculos de *Iao* e descobrir à admiração das civilizações futuras o primogênito dos sóis.

"A teoria das quatro idades se acha no *Apocalipse* como nos livros de Zoroastro e na Bíblia.

"O restabelecimento gradual das federações primitivas e do reino de Deus entre os povos libertados do jugo dos tiranos e da cegueira do erro é claramente profetizado para o fim da quarta idade e a renovação do cataclismo mostrada, primeiramente ao longe, para a consumação do tempo.

"A descrição do cataclismo e a sua duração; o mundo novo, desembaraçado da onda e aparecido sob o céu com todos os seus encantos; a grande serpente, ligada por um anjo no fundo do poço do abismo, por um tempo; a aurora, enfim, deste tempo futuro profetizada pelo verbo, que aparece ao apóstolo desde o começo do seu poema:

> 'A sua cabeça e seus cabelos eram brancos, seus olhos brilhavam, seus pés eram semelhantes ao bronze fino, quando está na fornalha, e a sua voz igualava o ruído das grandes águas.'

> 'Tinha na sua mão direita sete estrelas, e da sua boca saía uma espada de dois gumes bem afiados. A sua fronte era tão brilhante como o sol na sua força.'

"Eis Ormuzd, Osíris, Chourien, o cordeiro, o Cristo, o ancião dos dias, o homem do tempo e do rio cantado por Daniel. É o primeiro e o último, aquele que foi e que deve ser, o alfa e ômega, o começo e o fim. Tem na sua mão a chave dos mistérios; abre o grande abismo do fogo central onde repousa a morte numa tenda de trevas, onde dorme a grande serpente, esperando o despertar dos séculos."

O autor compara com esta alegoria de S. João a de Daniel, na qual as quatro formas da esfinge são aplicadas aos grandes períodos da história, e em que o homem-sol, o verbo da luz, consola e instrui o vidente:

"O profeta Daniel viu um mar agitado em sentidos contrários pelos quatro ventos do céu.

"E bestas muito diferentes umas das outras saíram das profundezas do oceano.

"O império de tudo o que está na terra lhes foi dado até uma idade, duas idades e a metade da quarta idade.

"E saíram quatro.

"A primeira besta, símbolo da raça solar dos videntes, veio do lado da África; ela parecia com um leão e trazia asas de águia: foi-lhe dado um coração de homem.

"A segunda besta, emblema dos conquistadores do norte, que reinaram pelo ferro, durante a segunda idade, era semelhante a um urso.

"Ela tinha na goela três ordens de dentes agudos, imagens das três grandes famílias conquistadoras, e lhe foi dito: Levantai-vos e saciai-vos de carne.

"Depois da aparição da quarta besta, tronos foram elevados, e o ancião dos dias, o Cristo dos videntes, o cordeiro da primeira idade, se mostrou assentado.

"A sua vestimenta era de uma ofuscante brancura, a sua cabeça irradiava; o seu trono, do qual jorravam chamas vivas, era levado em rodas ardentes, uma chama de fogo muito viva saía da sua fronte, miríades de anjos ou estrelas brilhavam ao redor dele.

"O julgamento foi feito; os livros alegóricos foram abertos.

"O Cristo novo veio numa nuvem cheia de relâmpagos e parou diante do ancião dos dias; obteve em partilha o poder, a honra e o reino sobre todos os povos, todas as tribos, todas as línguas.

"Daniel aproximou-se, então, de um dos que estavam presentes e lhe perguntou a verdade das coisas.

"E lhe foi respondido que os quatro animais são as quatro potências que reinarão sucessivamente na terra."

O Sr. Chaho explica, depois, várias imagens cujas analogias são admiráveis, e que se acham em quase todos os livros sagrados. As suas palavras são muito notáveis:

"Em todo verbo primitivo, o paralelismo das relações físicas e relações morais se estabelece sobre o mesmo radical. Cada palavra traz consigo a sua definição material e sensível, e esta linguagem viva é tão perfeita e verdadeira como é simples e natural no homem criador.

"Que o vidente exprima com a mesma palavra, levemente modificada, o sol, o dia, a luz, a verdade e que diga, aplicando o mesmo epíteto ao claro sol e a um cordeiro, *cordeiro* ou *Cristo* em lugar de *sol*, e *sol* em vez de *verdade, luz, civilização*, não há alegoria, mas relações verdadeiras, determinadas e expressas com inspiração.

"Mas quando os filhos da noite dizem, no seu dialeto incoerente e bárbaro, *sol, dia, luz, verdade, cordeiro*, a relação sábia tão claramente expressa pelo verbo primitivo se apaga e desaparece, e, pela simples tradução, o cordeiro e o sol tornam-se seres alegóricos, símbolos.

"Notai, com efeito, que a própria palavra alegoria significa, em definição céltica, *mudança de discurso, tradução.*

"A observação que acabamos de fazer aplica-se rigorosamente a toda linguagem cosmogônica dos bárbaros.

"Os profetas se serviam do mesmo radical inspirado para exprimir a *nutrição* e a *instrução*. A ciência da verdade não é a nutrição da alma?

"Assim, o rolo de papiro ou de biblos devorado pelo profeta Ezequiel; o pequeno livro que um anjo faz o autor do *Apocalipse* comer; os festins do palácio mágico de Asgard, aos quais Gangler é convidado por Har, o Sublime: a multiplicação maravilhosa de sete pequenos pães, contada pelos evangelistas do Nazareno; o pão vivo que Jesus-Sol faz os seus discípulos comerem, dizendo-lhes: *Isto é meu corpo*; e uma multidão de outras passagens semelhantes, são repetições da mesma alegoria: a vida das almas, que se nutrem de verdade; a verdade que se multiplica sem nunca diminuir e que, pelo contrário, aumenta à medida que dela se nutrem.

"Que, exaltado por um nobre sentimento de nacionalidade, ofuscado pela ideia de uma revolução imensa, se levante um revelador de coisas ocultas e que procure popularizar as descobertas da ciência antiga entre os homens grosseiros, ignorantes, desprovidos das mais elementares noções.

"Que diga, por exemplo: – A Terra gira, a Terra *é* redonda como um ovo.

"Que pode fazer o bárbaro que ouve senão *crer*? Não é evidente que qualquer proposição deste gênero se torna para ele um dogma de cima, um artigo de *fé*?

"E o véu de uma alegoria sábia não é suficiente para fazer dele um *mito*?

"Nas escolas dos profetas, o globo terrestre era representado por um ovo de cartão ou de madeira pintada, e quando se perguntava às crianças: *Que é este ovo?* elas respondiam: *É a Terra*.

"Crianças grandes, os bárbaros tendo ouvido isso, repetiram depois dos filhos dos profetas: o mundo é um ovo.

"Mas eles entendiam por isso o mundo físico, material, e os profetas o mundo geográfico, ideal, o mundo imagem, criado pelo espírito e o verbo.

"Com efeito, os sacerdotes do Egito representavam o espírito, a inteligência, Kneph com um ovo nos lábios, para mais clara expressão do símbolo. Aqui o ovo era somente uma comparação, uma imagem, um modo de falar.

"Chumuntu, o filósofo do Ezur-Vedan, explica da mesma forma ao fanático Biache o que se deve entender pelo ovo de ouro de Brama."

Não devemos desesperar-nos completamente de uma época em que os homens se ocupam ainda destas investigações sérias e razoáveis: por isso, é com grande alívio de espírito e profunda simpatia que acabamos de citar as páginas do Sr. Chaho. Já não é aqui a crítica negativa e desesperadora de Dupuis e Volney. É uma tendência a uma só fé, a um só culto que deve unir todo o futuro a todo o passado;

é a reabilitação de todos os grandes homens que foram acusados falsamente de superstição e idolatria; é, enfim, a justificação do próprio Deus, este sol que nunca está escondido para as almas retas e os corações puros.

"É grande, o vidente, o iniciado, o eleito da natureza e da suprema razão – exclama ainda, concluindo, o autor que acabamos de citar.

"A ele só, esta faculdade de imitação que é o princípio do seu aperfeiçoamento e cujas inspirações, rápidas como o raio, dirigem as criações e descobertas.

"A ele só, um Verbo perfeito de conveniência, propriedade, flexibilidade e riqueza, criado pela reação física sobre a harmonia do pensamento; do pensamento cujas noções, ainda independentes da linguagem, refletem sempre a natureza exatamente reproduzida nas suas impressões, bem julgado, bem expressa nas suas relações.

"A ele só, a luz, a ciência, a verdade, porque a imaginação limitada ao seu papel passivo e secundário nunca domina a razão, a lógica natural que resulta da comparação das ideias que nascem, se estende na mesma proporção que as suas necessidades, e cujo círculo dos seus conhecimentos se alarga, assim, por graus, sem mistura de juízos falsos e de erros.

"A ele só, uma luz infinitamente progressiva, porque a multiplicação rápida da população, depois das renovações terrestres, combina em poucos séculos a nova sociedade em todas as relações imagináveis do seu destino, quer morais, quer políticas.

"E poderíamos acrescentar, luz absoluta.

"O homem do nosso tempo é imutável em si e não muda mais do que a natureza na qual está adaptado.

"Só as condições sociais em que se acha colocado determinam o grau do seu aperfeiçoamento, que tem para limites a virtude, a santidade do homem e a sua felicidade na lei."

Perguntar-nos-ão ainda, depois de semelhantes bosquejos, para que servem as ciências ocultas? Tratarão com desdém de misticismo e iluminismo estas matemáticas vivas, estas proporções das ideias e formas, esta revelação permanente na razão universal, esta libertação do espírito, esta base inabalável dada à fé, esta onipotência revelada à vontade? Crianças que procurais prestígios, ficais desapontadas porque vos damos maravilhas! Um homem nos disse, um dia: "Fazei aparecer o diabo e em vós acreditarei". Respondemos-lhe: "Pedis pouca coisa; queremos fazer não que o diabo apareça, mas que desapareça do mundo inteiro; queremos expulsá-lo dos vossos sonhos".

O diabo é a ignorância, são as trevas, são as incoerências do pensamento, é a fealdade! Despertai-vos, pois, adormecidos da Idade Média! Não vedes que é dia? Não vedes a luz de Deus que enche toda a natureza? Onde, pois, ousa agora mostrar-se o príncipe saído dos infernos?

Resta-nos dar nossas conclusões e determinar o fim e o alcance desta obra na ordem religiosa, na ordem filosófica e na ordem das realizações materiais e positivas.

Na ordem religiosa, primeiramente, demonstramos que as práticas dos cultos não poderiam ser indiferentes, que a *magia* das religiões está nos seus ritos, que a sua força moral está na hierarquia do ternário, e que a hierarquia tem por base, princípio e síntese, a unidade.

Demonstramos a unidade e a ortodoxia universal do Dogma, revestido sucessivamente de vários véus alegóricos, e seguimos a verdade salvada por Moisés das profanações do Egito, conservada na Cabala dos profetas, emancipada pela escola cristã da escravidão dos fariseus, atraindo a si todas as aspirações poéticas e generosas das civilizações grega e romana, protestando contra um farisaísmo mais corrupto que o primeiro, com os grandes santos da Idade Média e os ousados pensadores da renascença. Mostramos, digo, esta verdade sempre universal, sempre viva, única que concilia a razão e a fé, a ciência e a submissão; a verdade do ser demonstrada pelo ser, da harmonia, da razão manifestada pela razão.

Revelando, pela primeira vez, ao mundo os mistérios da magia, não quisemos ressuscitar as práticas sepultadas nas ruínas das antigas civilizações, mas dizemos à humanidade atual que ela é chamada também a se criar imortal e onipotente pelas suas obras.

A liberdade não se dá, toma-se, disse um escritor moderno; o mesmo acontece com a ciência, e é por isso que a divulgação da verdade absoluta nunca é útil para o vulgo. Mas numa época em que o santuário foi devassado e caiu em ruínas, porque tinham jogado a chave ao acaso, sem proveito para ninguém, acreditei dever erguer esta chave, e a ofereço a quem souber pegá-la, porque este será, por sua vez, um mestre das nações e um libertador do mundo.

É preciso e será sempre preciso fábulas e véus para as crianças; mas não é preciso que os que seguram os véus sejam também crianças e ouvidores de fábulas.

Que a ciência mais absoluta, que a mais alta razão se torne a partilha dos chefes do povo; que a arte sacerdotal e a arte real retomem o duplo cetro das antigas iniciações, e o mundo sairá ainda uma vez do caos.

Não queimemos mais as santas imagens, não destruamos mais os templos: são indispensáveis aos homens os templos e as imagens; mas expulsemos os vendedores da casa de orações; não deixemos mais os cegos fazerem-se guias dos cegos; reconstituamos a hierarquia de inteligência e santidade, e reconheçamos somente os que sabem como mestres dos que creem.

O nosso livro é católico; e se as revelações que contém são de natureza a alarmar a consciência dos simples, a nossa consolação é pensar que não o lerão. Escrevemos para os homens sem preconceitos e não lisonjeamos nem a irreligião nem o fanatismo.

Mas, se há alguma coisa de essencialmente livre e inviolável no mundo, é a crença. É preciso, pela ciência e pela persuasão, tirar do absurdo as imaginações desviadas; porém isso seria antes dar aos seus erros toda a dignidade e toda a verdade do martírio do que ameaçá-las ou constrangê-las.

A fé não passa de uma superstição e uma loucura se não tiver a razão para base, e só é possível supor o que se ignora por analogia com o que se sabe. Definir o que não se sabe é uma ignorância presunçosa; afirmar positivamente o que a gente ignora é mentir.

Por isso, a fé é uma aspiração e um desejo. Assim seja, desejo que seja assim, tal é a última palavra de todas as profissões de fé. A fé, a esperança e a caridade são três irmãs de tal modo inseparáveis, que se podem tomar umas pelas outras.

Assim, em religião, ortodoxia universal e hierárquica, restauração de templos em todo o seu esplendor, restabelecimento de todas as cerimônias na sua pompa primitiva, ensinamento hierárquico dos símbolos, mistérios, milagres, lendas para as crianças, luz para os homens feitos que se guardarão bem de escandalizar os pequenos na simplicidade da sua crença. Eis, em religião, toda a nossa utopia, e é também o desejo e a necessidade da humanidade.

Voltemos à filosofia.

A nossa é a do realismo e do positivismo.

O ser existe em razão do ser de quem ninguém duvida. Tudo existe para nós pela ciência. Saber é ser. A ciência e seu objeto se identificam na vida intelectual daquele que sabe. Duvidar é ignorar. Ora, o que ignoramos não existe ainda para nós. Viver intelectualmente é aprender.

O ser se desenvolve e amplifica pela ciência. A primeira conquista da ciência é o primeiro resultado das ciências exatas, é o sentimento da razão. As leis da natureza são algébricas. Por isso, a única fé razoável é a adesão do estudante a teoremas cuja exatidão completa em si mesma ignora, mas cujas aplicações e resultados lhe são suficientemente demonstrados. Assim, o verdadeiro filósofo crê no que existe, e só admite *a posteriori* tudo o que é razoável.

Porém, nada de charlatanismo em filosofia, nada de empirismo, nada de sistemas; o estudo do ser e das suas realidades comparadas! Uma metafísica da natureza! Nada de sonhos em filosofia: a filosofia não é uma poesia; é a matemática pura das realidades, quer físicas, quer morais. Deixemos à religião a liberdade das suas aspirações infinitas, mas também que ela deixe à ciência as conclusões rigorosas do experimentalismo absoluto.

O homem é filho das suas obras: é o que quer ser; é a imagem do Deus que faz para si; é a realização do seu ideal. Se o seu ideal não tem base, todo o edifício da sua imortalidade se desmorona.

A filosofia não é o ideal, mas deve servir de base ao ideal. O conhecido é, para nós, a medida do desconhecido; o visível nos faz apreciar o invisível; as sensações estão para os pensamentos como os pensamentos para as aspirações. A ciência é uma trigonometria celeste: um dos lados do triângulo absoluto é a natureza submetida às nossas investigações; o outro é a nossa alma que abraça e reflete a natureza; o terceiro é o absoluto, no qual nossa alma se engrandece. Não é mais possível o ateísmo de ora em diante, porque não temos mais a pretensão de definir Deus. Deus é, para nós, o mais perfeito e o melhor dos seres inteligentes, e a hierarquia ascendente dos seres nos demonstra bastante que ele existe. Não exijamos mais; porém, para entendê-lo sempre melhor, aperfeiçoemo-nos, subindo para ele.

Nada de ideologia; o ser é o que é e só se aperfeiçoa conforme as leis reais do ser. Observemos, não conjecturemos; exerçamos as nossas faculdades, não as falsifiquemos; engrandeçamos o domínio da vida; vejamos a verdade na verdade! Tudo é possível àquele que somente quer o que é verdade. Ficai na natureza, estudai, sabei, depois, ousai; ousai querer, ousai agir, e calai-vos!

Nada de ódio contra alguém. Cada qual colherá o que semeia. O resultado das obras é fatal, e pertence à razão suprema julgar e castigar os maus. Aquele que vai por um caminho sem saída voltará para trás ou será dilacerado. Adverti-o docemente, se ainda puder vos ouvir; depois deixai-o agir: é preciso que a liberdade humana siga o seu curso.

Não somos juízes uns dos outros. A vida é um campo de batalha. Não cessemos de combater por causa dos que caem, mas evitemos andar por cima deles. Depois vem a vitória, e os feridos dos dois partidos, tornados irmãos pelo sofrimento e perante a humanidade, serão reunidos nas ambulâncias dos vencedores.

Tais são as consequências do dogma filosófico de Hermes; tal foi, em todos os tempos, a moral dos verdadeiros adeptos; tal é a filosofia dos rosacruzes herdeiros de todas as sabedorias antigas; tal é a doutrina secreta destas associações que eram consideradas como subversivas à ordem pública, e que foram acusadas de conspirações contra os tronos e altares.

O verdadeiro adepto, longe de perturbar a ordem pública, é o seu mais firme sustentáculo. Respeita muito a liberdade para desejar a anarquia; filho da luz, gosta da harmonia, e sabe que as trevas produzem a confusão. Aceita tudo o que existe, e nega só o que não existe. Quer a religião verdadeira, prática, universal, crente, palpável, realizada na vida inteira; ele a quer com um sábio e poderoso sacerdócio, rodeado de todas as virtudes e de todos os prestígios da fé. Quer a ortodoxia universal, a catolicidade absoluta, hierárquica, apostólica, sacramental, incontestável e incontestada. Quer uma filosofia experimental, real, matemática, modesta nas suas condições, infatigável nas suas investigações, científica nos seus progressos. Quem, pois, pode estar contra nós, se Deus e a razão estão conosco? Que importa que nos julguem mal e nos caluniem? A nossa justificação inteira são nossos pensamentos e nossas obras. Não vimos, como Édipo, matar a esfinge do simbolismo: pelo contrário, empreendemos ressuscitá-la. A esfinge devora somente os intérpretes cegos, e aquele que a mata não soube adivinhá-la: é preciso dominá-la, prendê-la e forçá-la a nos seguir. A esfinge é o palácio vivo da humanidade, é a conquista do rei de Tebas; teria sido a salvação de Édipo, se este tivesse adivinhado o seu enigma inteiro.

Na ordem positiva e material, que é que se deve concluir desta obra? A magia é uma força que a ciência pode abandonar ao mais malvado? Será uma velhacaria e uma mentira do mais hábil para fascinar o ignorante e fraco? O mercúrio filosofal será uma exploração da credulidade pela habilidade? Os que nos entenderam já sabem como responder a estas questões. A magia não pode ser mais, nos nossos dias, a arte das fascinações e dos prestígios; agora só é possível enganar os que querem ser enganados. Mas a incredulidade mesquinha e temerária do último século recebe todos os desmentidos dados pela própria natureza. Vivemos rodeados de profecias e milagres; a dúvida os negava outrora com temeridade, a ciência hoje os explica.

Não, senhor Conde De Mirville, não é dado a um espírito decaído perturbar o reino de Deus! Não, as coisas desconhecidas não se explicam pelas coisas impossíveis; não, não é dado a seres invisíveis enganarem, atormentarem, seduzirem, matarem as criaturas de Deus, os homens, já tão ignorantes e fracos, e que têm tanta dificuldade em se defenderem contra as suas próprias ilusões. Os que vos disseram isso, na vossa infância, vos enganaram, senhor conde, e se fostes tão criança para os ouvir, sede bastante homem, agora, para não crer mais nisso.

O homem é o próprio criador do seu céu e do seu inferno, e não há outros demônios senão as nossas loucuras. Os espíritos que a verdade castiga são corrigidos pelo castigo, e não pensam mais em perturbar o mundo. Se Satã existe, não pode ser senão o mais infeliz, o mais ignorante, o mais humilde e o mais impotente dos seres.

A existência de um agente universal da vida, de um fogo vivo, de uma luz astral nos é demonstrada por fatos. O magnetismo nos faz entender, hoje, os milagres da antiga magia; os fatos de segunda vista, as aparições, as curas repentinas, as penetrações do pensamento, são, agora, coisas verificadas e familiares até às nossas crianças.

Mas tinha-se perdido a tradição dos antigos e acreditou-se em descobertas novas, procurava-se a última palavra dos fenômenos observados, as mentes se inquietavam diante de manifestações sem limite, sofriam-se fascinações sem as compreender. Vimos dizer aos giradores de mesas: Estes prodígios não são novos; podeis operar até maiores, se estudardes as leis secretas da natureza. E que resultará do conhecimento novo destes poderes? Uma nova carreira aberta à atividade e à inteligência do homem, o combate da vida organizado de novo com armas mais perfeitas e a possibilidade dada às inteligências de elite de se tornarem senhoras de todos os destinos, dando ao mundo futuro verdadeiros sacerdotes e grandes reis!

FIM DO SEGUNDO VOLUME

SUPLEMENTO DO RITUAL

O "NUCTEMERON"
DE APOLÔNIO DE THIANA

Publicado em grego, conforme um antigo manuscrito, por Gilberto Gautrinus: *De Vita et Morte Moysis*, livro III, pág. 206, reproduzido por Laurent Moshémius nas suas observações sagradas e histórico-críticas. Amsterdã, MDCCXXI, traduzido e explicado, pela primeira vez, por Éliphas Lévi.

Nuctemeron quer dizer o dia da noite ou a noite alumiada pelo dia. É um título análogo ao da *Luz saindo das Trevas*, título de uma obra hermética assaz conhecida; poderíamos traduzi-lo assim: "A Luz do Ocultismo".

Este monumento da alta magia dos assírios é muito curioso para nos dispensar de fazer sobressair a sua importância. Não somente evocamos Apolônio, talvez chegamos a ressuscitá-lo.

O "NUCTEMERON"

Primeira hora

(I) Ἐν ᾗ αἰνοῦσιν δαίμονες ανοῦντες (lege ὑμνοῦντες vel οἰνοῦντες) τὸν Θεὸν, ὄυτε ἀδικοῦσιν, ὄυτε πολάζουσιξ˙

Na unidade, os demônios cantam os louvores de Deus, perdem a sua malícia e a sua cólera.

Segunda hora

(II) Ἐν ᾗ αἰνοῦσιν οἱ ἴχθυες τὸν Θεὸν, καὶ τὸ τοῦ πυρός βαθος, ἐν ᾗ σφείλει στοιχείουσθαι ἀποτέλεσματα εἰς δράκοντας καὶ πῦρ,

Pelo binário, os peixes do Zodíaco cantam os louvores de Deus, as serpentes de fogo se entrelaçam em redor do caduceu e o raio torna-se harmonioso.

Terceira hora

(III) Ἐν ᾗ αἰνοῦσιν ὅ εἰς καὶ κυνες καὶ πῦρ.

As serpentes do caduceu de Hermes se entrelaçam três vezes. Cérbero abre a sua tríplice goela e o fogo canta os louvores de Deus pelas três línguas do raio.

Quarta hora

(IV) Ἐν ᾗ διερχονται δαίμονες ἐν τοῖς μνήμασιν, καὶ ὁ ἐρχομενος ὁ ἐκεῖοε βλαβήσεται, καὶ φόβον καὶ φρίκην ἐκ τῆς δαιμόνων λέψεται φαντάσιος, ἐν ᾗ ὀφείλει ἐνερειν ἐπὶ μαγικοῦ καὶ παντός γοητίκου πράγματος.

Na quarta hora, a alma volta a visitar os túmulos, é o momento em que se acendem as lâmpadas mágicas nos quatro cantos dos círculos, é a hora dos encantamentos e prestígios.

Quinta hora

(V) Ἐν ᾗ αἰνοῦσιν τὰ ἄνω ὕδατα τὸν Θεὸν τοῦ οὐράνου.

(*Aquae supra coelestes tabula marmoris mundi Hebraeorum*).
A voz das grandes águas canta o Deus das esferas celestes.

Sexta hora

(VI) Ὅτε δεὸν ἡσυχαξεῖν καὶ ἀναπαύεσθαι, διότι ἔχει φόβον.

O espírito fica imóvel, vê os monstros infernais caminharem contra si e fica sem temor.

Sétima hora

(VII) Ἐν ᾗ ἀναπαύει πάντα τὰ ζῶα καὶ τίς κάθαρος ἄνθρωπος ἀρπάσῃ καὶ βάλλῃ αὐτὸ ὁ ἱερεὺς μιξε· Ἐλαίῳ καὶ ἁγιάσῃ αὐτὸ καὶ ἀλείψῃ ἐπὶ αὐτοῦ ἀσθένῃ, πάρενθ ἐυ τῆς νόσου ἀπαλλαγήσεται.

Um fogo que dá a vida a todos os seres animados é dirigido pela vontade dos homens puros. O iniciado estende a mão e os sofrimentos cessam.

Oitava hora

(VIII) Ἐν ᾗ ἀποτέλεσμα στοιχείων καὶ παντοιῶ υτῶν.

As estreias se falam, a alma dos sóis correspondem com o suspiro das flores, cadeias de harmonia fazem corresponder entre si todos os seres da natureza.

Nona hora

(IX) Ἐν ᾗ τέλειται οὐδεν.

O número que não deve ser revelado.

Décima hora

(X) Ἐν ᾗ ἀνοίγωνται αἱ πύλαι τοῦ οὐράνου καὶ ἄνθρωπος ἐν κατανύξει ἐρχόμενος εὐήκοος γενήσται.

É a chave do ciclo astronômico e do movimento circular da vida dos homens.

Undécima hora

(XI) Ἐν ᾗ πέτονται ταῖς πτέρυξιν σὺν ἠχὼ οἱ ἄγγελοι καὶ χέρουβιμ καὶ σέραψιμ, καί ἔστιν χάρα ἐν οὐράνω, καὶ γή ἀνατέλλει δὲ καί ὁ ἥλιος ἐξ Ἀδαμ (lege Ἐδεμ).

As asas dos gênios se agitam com um ruído misterioso; eles voam de uma esfera à outra e levam, de mundo em mundo, as mensagens de Deus.

Duodécima hora

(XII) Ἐν ᾗ ἀναπαύονταί τὰ πύρινα τάγματα.

Aqui se realizam pelo fogo as obras da eterna luz.

Explicação

Estas doze horas simbólicas, análogas aos signos do Zodíaco mágico e aos trabalhos alegóricos de Hércules, representam a série das obras da iniciação.

É preciso, pois, primeiramente:

1º – Dominar as paixões más e forçar, conforme a expressão do sábio Hierofante, os próprios demônios a louvarem a Deus.

2º – Estudar as forças equilibradas da natureza e saber como a harmonia resulta da analogia dos contrários. Conhecer o grande agente mágico e a dupla polarização da luz universal.

3º – Iniciar-se ao simbolismo do ternário, princípio de todas as teogonias e de todos os símbolos religiosos.

4º – Saber dominar todos os fantasmas da imaginação e triunfar de todos os prestígios.

5º – Compreender como a harmonia universal se produz no centro das quatro forças elementares.

6º – Tornar-se inacessível ao temor.

7º – Exercitar-se na direção da luz magnética.

8º – Aprender a prever os efeitos pelo cálculo de ponderação das causas.

9º – Compreender a hierarquia do ensino, respeitar os mistérios do dogma e calar-se diante dos profanos.

10º – Estudar a fundo a astronomia.

11º – Iniciar-se pela analogia às leis da vida e da inteligência universais.

12º – Operar as grandes obras da natureza pela direção da luz.

Eis, agora, os nomes e as atribuições dos gênios que presidem às doze horas do Nuctemeron.

Por estes gênios, os antigos hierofantes não entendiam nem deuses, nem anjos, nem demônios, mas sim forças morais ou virtudes personificadas.

Gênios da primeira hora

Heiglot, gênio das neves.
Mizkun, gênio dos amuletos.
Haven, gênio da dignidade.
Papus, médico.
Sinbuck, juiz.
Rasphuia, necromante.
Zahun, gênio do escândalo.

Explicação

É preciso tornar-se o *médico* e o *juiz* de si mesmo para vencer os malefícios do *necromante*. Conjurar e desprezar o gênio do *escândalo*, triunfar na opinião que gela todos os entusiasmos e confunde todas as coisas numa mesma fria palidez, como faz o *gênio das neves*. Conhecer a virtude dos signos e prender, assim, o *gênio dos amuletos* para chegar à *dignidade* de mago.

Gênios da segunda hora

Sisera, gênio do desejo.
Torvatus, gênio da discórdia.
Nitibus, gênio das estrelas.
Hizarbin, gênio dos mares.
Sachlup, gênio das plantas.
Baglis, gênio da medida e do equilíbrio.
Labezerin, gênio do êxito.

Explicação

É preciso aprender a querer e transformar, assim, em força o *gênio do desejo*; o obstáculo da vontade é o *gênio da discórdia*, que se prende pela ciência da harmonia. A harmonia é o *gênio das estrelas e dos mares*; é preciso estudar as virtudes das *plantas*, entender as leis do *equilíbrio* da medida, para chegar ao êxito.

Gênios da terceira hora

Hahabi, gênio do temor.
Phlogabitus, gênio dos ornamentos.
Eirneus, gênio destruidor dos ídolos.
Mascarum, gênio da morte.
Zaroby, gênio dos precipícios.
Butatar, gênio dos cálculos.
Cahor, gênio da decepção.

Explicação

Quando, pela força crescente da tua vontade, tiveres vencido o *gênio do temor*, saberás que os dogmas são os *ornamentos sagrados* da verdade desconhecida ao vulgo; mas destruirás, na tua inteligência, todos os *ídolos* e prenderás o *gênio da morte*, sondarás todos os *precipícios* e submeterás, até o infinito, à proporção dos teus *cálculos*; assim evitarás para sempre os enganos no gênio da *decepção*.

Gênios da quarta hora

Phalgus, gênio do juízo.
Thagrinus, gênio da confusão.
Eistibus, gênio da adivinhação.
Pharzuph, gênio da fornicação.
Sislau, gênio dos venenos.
Schikron, gênio do amor dos animais
Aclahayr, gênio do jogo.

Explicação

A força do mago está no seu *juízo*, que lhe faz evitar a *confusão* que resulta da antinomia e do antagonismo dos princípios, pratica a *adivinhação dos sábios*: mas despreza os prestígios dos encantadores, escravos da fornicação, artistas em *venenos*, servidores do *amor dos animais*, triunfa, assim, da fatalidade, que é o *gênio do jogo*.

Gênios da quinta hora

Zeirna, gênio das enfermidades.
Tablibik, gênio da fascinação.
Tacritau, gênio da goética.
Suplathu, gênio do pó.
Sair, gênio do antimônio dos sábios.
Barcus, gênio da quintessência.
Camaysar, gênio da união dos contrários.

Explicação

Triunfando das *enfermidades* humanas, o mago não é mais joguete da *fascinação*, lança aos pés as vãs e perigosas práticas da *goética*, cuja força está toda num *pó*, que o vento leva; mas possui o *antimônio dos sábios*, arma-se com todas as forças criadoras da *quintessência* e produz à vontade a harmonia que resulta da analogia e da *união dos contrários*.

Gênios da sexta hora

Tabris, gênio do livre-arbítrio.
Susabo, gênio das viagens.
Eirnibus, gênio dos frutos.
Nitika, gênio das pedras preciosas.
Haatan, gênio que esconde os tesouros.
Hatiphas, gênio dos enfeites.
Zaren, gênio vingador.

Explicação

O mago é *livre*, é o rei oculto da terra e a percorre como seu domínio. Nas suas *viagens*, aprende a conhecer os sucos das plantas e dos *frutos*, as virtudes das *pedras preciosas*, força o *gênio que esconde os tesouros* da natureza a lhe dar todos os seus segredos; penetra, assim, nos mistérios da forma, compreende os *enfeites* da terra e da *palavra*, e se é desconhecido, se os povos lhe são inospitaleiros, se passa fazendo o bem e recebendo ultrajes, é sempre seguido pelo *gênio vingador*.

Gênios da sétima hora

Sialul, gênio da prosperidade.
Sabrus, gênio que sustenta.
Librabis, gênio do ouro oculto.
Mitzgitari, gênio das águias.
Causub, gênio encantador das serpentes.
Salilus, gênio que abre as portas.
Jazer, gênio que faz ser amado.

Explicação

O setenário exprime o triunfo do mago, dá a *prosperidade* aos homens e às nações e os *sustenta* pelos seus ensinos sublimes; voa como a *águia*, dirige as correntes do fogo astral representadas pelas *serpentes*, todas as *portas* do santuário lhe são abertas e todas as almas que aspiram à verdade lhe dão sua confiança; é belo em elevação moral e traz consigo, em toda parte, o *gênio* pelo poder do qual alguém é *amado*.

Gênios da Oitava Hora

Nantur, gênio da escritura.
Toglas, gênio dos tesouros.
Zalburis, gênio da terapêutica.
Alphum, gênio das pombas.
Tukiphat, gênio do *schamir*.
Zizuph, gênio dos mistérios.
Cuniali, gênio da associação.

Explicação

Tais são os gênios que obedecem ao verdadeiro mago, as *pombas* representam as ideias religiosas; o *schamir* é um diamante alegórico que, nas tradições mágicas, representa a pedra dos sábios, ou esta força baseada na verdade e à qual nada resiste. Os árabes dizem ainda que o *schamir*, dado primitivamente a Adão e perdido por ele, depois da sua queda, foi achado por Enoque e possuído por Zoroastro, que depois Salomão o recebeu de um anjo, quando pediu a Deus a sabedoria. Por meio deste diamante mágico, Salomão cortou, sem esforço e sem martelo, todas as pedras do templo, somente tocando-as com o *schamir*.

Gênios da Nona Hora

Rishnuch, gênio da agricultura.
Suclagus, gênio do fogo.
Kirtabus, gênio das línguas.
Sablil, gênio que descobre os ladrões.
Schachlil, gênio dos cavalos do sol.
Colopatiron, gênio que abre as prisões.
Zeffar, gênio da escolha irrevogável.

Explicação

Este número, diz Apolônio, deve ser passado em silêncio, porque contém os grandes segredos do iniciado, a força que *faz a terra fecunda*, os mistérios *do fogo oculto*, a chave universal das *línguas*, a segunda vista, diante da qual os *malfeitores* não poderiam ficar escondidos. As grandes leis do equilíbrio e do movimento luminoso, representadas pelos quatro animais simbólicos na Cabala e na mitologia dos gregos pelos quatro cavalos do sol. A chave da emancipação dos corpos e das almas que abre *todas as prisões* e esta força da escolha eterna que termina a criação do homem e o fixa na imortalidade.

Gênios da décima hora

Sezarbil, diabo ou gênio inimigo.
Azeuph, matador de crianças.
Armilus, gênio da cupidez.
Kataris, gênio dos cães e dos profanos.
Razanil, gênio da pedra de ônix.
Buchaphi, gênio das estriges.
Mastho, gênio das vãs aparências.

Explicação

Os números acabam em nove e o sinal distintivo da dezena é o zero, sem valor próprio, ajuntado à unidade. Os gênios da décima hora representam, pois, tudo o que, nada sendo por si mesmo, recebe uma grande força da opinião e pode sofrer, por conseguinte, a onipotência do sábio. Caminhamos, aqui, num terreno ardente e nos permitirão não explicar aos profanos nem ao *diabo* que é o seu senhor, *nem ao matador de crianças* que é seu amor, nem a *cupidez* que é o seu deus, nem aos cães aos quais não comparamos, nem a *pedra de ônix* que lhes escapa, nem as estriges que são suas cortesãs, nem as *falsas aparências* que tomam pela verdade.

Gênios da undécima hora

Æglun, gênio do raio.
Zuphlas, gênio das florestas.
Phaldor, gênio dos oráculos.
Rosabis, gênio dos metais.
Adjuchas, gênio dos rochedos.
Zophas, gênio dos pentáculos.
Halacho, gênio das simpatias.

Explicação

O raio obedece ao homem, torna-se o veículo da sua vontade, o instrumento da sua força, a luz dos seus fachos; os carvalhos das *florestas sagradas* dão *oráculos*, os *metais* se transformam e se mudam em ouro, ou tornam-se talismãs, os *rochedos* se separam da sua base, e, arrastados pela lira do grande hierofante, tocados pelo misterioso *schamir*, mudam-se em templo ou palácio, os dogmas se formulam, os símbolos representados pelos pentáculos tornam-se eficazes, os espíritos são presos por *forças simpáticas* e obedecem às leis da família e da amizade.

Gênios da duodécima hora

Tarab, gênio da concussão.
Misram, gênio da perseguição.
Labus, gênio da inquisição.
Kalab, gênio dos vasos sagrados.
Hahab, gênio das mesas reais.
Marnés, gênio do discernimento dos espíritos.
Sellen, gênio do favor dos grandes.

Explicação

Eis, agora, a que sorte devem esperar os magos e como se consumará o seu sacrifício; porque, depois da conquista da vida, é preciso saber sacrificar-se para renascer imortal. Sofrerão a *concussão*, pedir-lhes-ão ouro, prazeres, vinganças, e, se não satisfizerem a cupidez do vulgo, estarão expostos à *perseguição*, à *inquisição*; mas ninguém profana os vasos sagrados, eles são feitos para as *mesas reais*, isto é, para os banquetes da inteligência. Pelo *discernimento dos espíritos* saberão abster-se do favor dos grandes e ficarão invencíveis na sua força e na sua liberdade.

O "NUCTEMERON" CONFORME OS HEBREUS*

O "Nuctemeron" de Apolônio, tirado da teurgia dos gregos, completado e explicado pela hierarquia assíria dos gênios, corresponde perfeitamente à filosofia dos números tal como a encontramos exposta nas páginas mais curiosas do antigo Talmude.

Assim, as tradições pitagóricas remontam além da época de Pitágoras; assim, a Gênesis é uma magnífica alegoria, que, sob a forma de uma narração, esconde os segredos, não somente de uma criação realizada outrora, mas também da criação permanente e universal, da eterna geração dos seres.

Eis o que lemos no Talmude:

"Deus fez o céu como um tabernáculo, preparou o mundo como uma mesa ricamente servida e criou o homem como se solicitasse um conviva."

Ouvi o que diz o rei Schlomôh:

"A divina Chochmah, a sabedoria, esposa de Deus, construiu para si uma casa, cortou sete colunas.

"Ela imolou suas vítimas.

"Ela misturou o seu vinho, preparou a mesa e enviou as suas servas."

Esta sabedoria, que estabelece a sua casa conforme uma arquitetura regular e numeral, é a ciência exata que preside às obras de Deus.

E o seu compasso e o seu esquadro. As sete colunas são os sete dias típicos e primordiais.

As vítimas são as forças naturais que se fecundam, dando a si mesmas uma espécie de morte.

O vinho misturado é o fluido universal, a mesa é o mundo com os mares cheios de peixes.

As servas de Chochmah são as almas de Adão e Chavah (Eva).

A terra de que Adão foi formado foi tirada de toda a massa do mundo.

---

* Extraído do antigo Talmude, chamado, pelos judeus, a *Mischna*.

A sua cabeça é Israel, o seu corpo é o império de Babilônia e os seus membros são as outras nações da Terra.

(Aqui se revelam as esperanças dos iniciados de Moisés para a constituição de um reino oriental universal.)

Ora, há doze horas no dia, em que se realiza a criação do homem.

Primeira hora

Deus reúne os fragmentos esparsos da terra, amassa-os conjuntamente e forma deles uma só massa que quer animar.

Explicação

O homem é a síntese do mundo criado, nele recomeça a unidade criadora, é feito à imagem e semelhança de Deus.

Segunda hora

Deus esboça a forma do corpo, ele a separa em dois para que os órgãos sejam duplos, porque toda força e toda vida resultam de dois, e é assim que os Elohim fizeram todas as coisas.

Explicação

Tudo vive pelo movimento, tudo se mantém pelo equilíbrio, e a harmonia resulta da analogia dos contrários; esta lei é a forma das formas, é a primeira manifestação da atividade e da fecundidade de Deus.

Terceira hora

Os membros do homem, obedecendo à lei da vida, se produzem por si mesmos e se completam pelo órgão gerador, que é composto de um e de dois, figura do número ternário.

Explicação

O ternário sai por si mesmo do binário; o movimento que produz dois, produz três; três é a chave dos números, porque é a primeira síntese numeral; é, em geometria, o triângulo, primeira figura completa e fechada, geradora de uma infinidade de triângulos, quer dissemelhantes, quer semelhantes.

Quarta hora

Deus sopra na face do homem e lhe dá uma alma.

Explicação

O quaternário que dá, em geometria, a cruz e o quadrado é o número perfeito; ora, é na perfeição da forma que a alma inteligente se manifesta, conforme esta revelação da Mischna; a criança só seria animada no seio da mãe, depois de estar completa a forma de todos os seus membros.

Quinta hora

O homem fica de pé, separa-se da terra, caminha, vai aonde quer.

Explicação

O número cinco é o da alma; figurada pela quintessência, que resulta do equilíbrio dos quatro elementos; no Tarô, este número é figurado pelo sumo sacerdote ou o autócrata espiritual, figura da vontade humana, esta grande sacerdotisa que decide sozinha os nossos destinos eternos.

Sexta hora

Os animais passam diante de Adão, e ele dá, a cada um deles, o nome que lhe convém.

Explicação

O homem, pelo trabalho, submete a terra e domina os animais; manifestando a sua liberdade, produz o seu verbo ou a sua palavra e a criação lhe obedece; aqui, a criação primordial se completa. Deus criou o homem no sexto dia, mas, na sexta hora deste dia, o homem acaba a obra de Deus e se cria de novo a si próprio, de algum modo, pois que se faz rei da natureza, que sujeita à sua palavra.

Sétima hora

Deus dá a Adão uma companheira, tirada da própria substância do homem.

Explicação

Deus, depois de ter criado o homem à sua imagem, repousou no sétimo dia, porque tinha feito para si uma esposa fecunda, que ia trabalhar incessantemente para ele; a natureza é a esposa de Deus e Deus descansa nela. O homem, tornado criador por sua vez, pelo verbo, adquire uma companheira semelhante a si e no amor da qual poderá, de ora em diante, confiar; a mulher é a obra do homem, é ele que, amando-a, a torna bela; é ele que a faz mãe; a mulher é a verdadeira natureza humana, filha e mãe do homem, neta e avó de Deus.

Oitava hora

Adão e Eva sobem ao leito nupcial; são dois quando se deitam e, quando se levantam, são quatro.

Explicação

O quaternário junto ao quaternário representa a forma equilibrando a forma, a criação saindo da criação, a balança eterna da vida, sete sendo o número do descanso de Deus, a unidade que vem depois representa o homem que trabalha e que coopera, com a natureza, para a obra da criação.

Nona hora

Deus impõe ao homem a sua lei.

Explicação

Nove é o número da iniciação, porque, sendo composto de três vezes três, representa a ideia divina e a filosofia absoluta dos números; é por isso que Apolônio diz que os mistérios do número nove não devem ser revelados.

Décima hora

Na décima hora Adão cai no pecado.

Explicação

Conforme os cabalistas, dez é o número da matéria, cujo sinal especial é o zero, na árvore das *sephiroth*; dez representa Malchut ou a substância exterior e material; o pecado de Adão é, pois, o materialismo, e o fruto que separa da árvore representa a carne isolada do espírito, o zero separado da sua unidade, a cisão do número dez que dá, de um lado, a unidade espoliada, e, do outro, o nada ou a morte.

UNDÉCIMA HORA

Na undécima hora, o culpado é condenado ao trabalho e deve expiar o pecado, sofrendo a pena.

EXPLICAÇÃO

Onze, no Tarô, representa a força; ora, a força se adquire nas provas. Deus dá ao homem a pena como meio de salvação; é preciso lutar e sofrer para conquistar a inteligência e a vida.

DUODÉCIMA HORA

O homem e a mulher sofrem a sua pena, a expiação começa e o libertador é prometido.

EXPLICAÇÃO

Tal é o complemento do nascimento moral; o homem é completado porque é votado ao sacrifício que o regenera; o exílio de Adão é semelhante ao exílio de Édipo; como Édipo, Adão é pai de dois inimigos; Édipo tem por filha a piedosa e virginal Antígone e da raça de Adão nascerá Maria.

Estas misteriosas e sublimes revelações da unidade religiosa nos antigos mistérios se acham, como dissemos, no Talmude; mas, sem recorrer a esta volumosa compilação, podemos encontrá-las no comentário de Paulo Ricio sobre os talmudistas, tendo como título: *Epitome de Talmudica Doctrina*, página 280, do tomo 1.º da coleção dos cabalistas de Pistorio.

DA MAGIA DOS CAMPOS E DA FEITIÇARIA DOS PASTORES

Na solidão, no meio do trabalho da vegetação, as forças instintivas e magnéticas do homem aumentam e se exaltam; as fortes exalações da seiva, o cheiro dos fenos, os aromas de certas flores enchem o ar de embriaguez e de vertigens; então, as pessoas impressionáveis caem facilmente numa espécie de êxtase que as faz sonhar acordadas. É então que aparecem as lavandeiras noturnas, os lobisomens, os duendes que desmontam os cavaleiros e sobem nos cavalos, batendo-os com a sua longa cauda. Estas visões de homens acordados são reais e terríveis, e não devemos rir dos nossos velhos camponeses bretões, quando contam o que viram.

Estas visões passageiras, quando se multiplicam e se prolongam, comunicam ao aparelho nervoso uma impressionabilidade e uma sensibilidade particular; a pessoa torna-se sonâmbula acordada, os sentidos adquirem uma fineza de tato às vezes maravilhosa e até incrível; ouve, a prodigiosas distâncias, ruídos reveladores, vê o pensamento dos homens nas suas frontes, fica repentinamente comovida pelo pressentimento das desgraças que os ameaçam.

As crianças nervosas, os idiotas, as mulheres idosas e geralmente todos os celibatários instintivos ou forçados, são as pessoas mais próprias para este gênero de magnetismo; assim, se produzem e se complicam estes fenômenos doentios que são considerados como os mistérios do poder dos médiuns. Ao redor desses ímãs desregrados, turbilhões magnéticos se formam e, muitas vezes, prodígios se operam, prodígios análogos aos da eletricidade, atração e repulsão dos objetos inertes, correntes atmosféricas, influências simpáticas ou antipáticas muito pronunciadas. O ímã humano age a grandes distâncias e através de todos os corpos, à exceção do carvão de madeira, que absorve e neutraliza a luz astral terrestre em todas as suas transformações. Se a estes acidentes naturais se acrescenta uma vontade perversa, o doente pode tornar-se muito perigoso para os vizinhos, principalmente se o seu organismo tem as propriedades exclusivamente absorventes. Assim se explicam os enfeitiçamentos e os sortilégios; assim se torna admissível e submissa ao diagnóstico médico esta afecção estranha que os romanos chamavam o mau olhado e que é ainda temido, em Nápoles, sob o nome de *jettatura*.

Em nossa obra A *Chave dos Grandes Mistérios* – de acordo com Henoch, Abraão, Hermes Trismegisto e Salomão –, dissemos por que os pastores estão mais sujeitos do que os outros a desregramentos magnéticos; condutores de rebanhos que imantam com a sua vontade boa ou má, sofrem a influência das almas dos animais reunidas sob a sua direção e que se tornam como que apêndices das deles; as suas enfermidades morais produzem, nos seus carneiros, doenças físicas e eles sofrem, par sua vez, a reação das petulâncias dos seus bodes e dos caprichos das suas cabras; se o pastor é de uma natureza absorvente, o rebanho se torna absorvente e atrai, às vezes, fatalmente, a si todo o vigor e toda a saúde de um rebanho vizinho. É assim que a mortalidade se estabelece nos currais, sem que se possa saber, por que e que todas as precauções e todos os remédios nada valem para isso.

Esta doença contagiosa dos rebanhos é, às vezes, determinada pela inimizade de um pastor rival que veio furtivamente, de noite, enterrar um pacto à entrada do curral. Isto vai fazer rir aos incrédulos, mas não se trata mais, agora, de credulidade. O que a superstição acreditava cegamente outrora, a ciência constata e explica agora.

Ora, é certo e está demonstrado, por numerosas experiências:

1º – Que a influência magnética do homem, dirigida pela sua vontade, se prende a quaisquer objetos escolhidos e influenciados por esta vontade;

2º – Que o magnetismo humano age a distância e se centraliza com força nos objetos magnetizados;

3º – Que a vontade do magnetizador adquire tanto mais força, quanto mais tenha multiplicado os atos expressivos da sua vontade;

4º – Que se os atos são de natureza a impressionar vivamente a imaginação, se para os realizar foi preciso vencer grandes obstáculos exteriores e grandes resistências interiores, a vontade torna-se fixa, encarniçada e invencível como a dos loucos;

5º – Que só os homens, por causa do seu livre-arbítrio, podem resistir à vontade humana, mas que os animais não resistem por muito tempo a ela.

Vejamos, agora, como os feiticeiros do campo compõem os seus malefícios, verdadeiros pactos com o espírito de perversidade, que servem de consagração fatal à sua vontade má. Formam um composto de substâncias que ninguém pode obter sem crime e reunir sem sacrilégio, pronunciam sobre estas horríveis misturas, umedecidas, às vezes, com seu próprio sangue, fórmulas de execração e enterram no campo do seu inimigo ou em lugar próximo à entrada de seu curral estes sinais de um ódio infernal, irrevogavelmente magnetizados. O seu efeito é infalível; a partir deste momento, os rebanhos começam a perecer, logo todo o curral será arrasado, a menos que o dono do rebanho oponha uma resistência enérgica e vitoriosa, ao magnetismo do inimigo.

Esta resistência é fácil, quando é feita por círculos e correntes, isto é, por associação de vontades e de esforços. O contágio não atinge os cultivadores que sabem fazer-se amar pelos seus vizinhos. Os seus bens são protegidos, então, pelos interesses de todos e as boas vontades associadas triunfam logo de uma isolada malevolência.

Quando o malefício é assim repelido, volta-se contra seu autor: o magnetizador malévolo sofre tormentos intoleráveis, que logo o forçam a destruir a sua má obra e a vir, em pessoa, desenterrar o seu pacto.

Na Idade Média, recorriam-se também a conjurações e preces, faziam benzer os currais e animais, faziam dizer missas, a fim de repelir, pela associação das vontades cristãs na fé e na oração, a impiedade do enfeitiçador.

Arejavam os currais, faziam fumigações e nele misturavam aos alimentos dos animais sal magnetizado por exorcismos especiais. No fim da nossa *Chave dos Grandes Mistérios*, reproduzimos alguns destes exorcismos, cujo texto primitivo restabelecemos com curiosa atenção.

Com efeito, estas fórmulas, copiadas e recopiadas por mãos ignorantes, impressas depois, a despeito do bom senso, por exploradores da credulidade popular, não chegaram até nós sem estranhas alterações.

Eis algumas delas, tais como as achamos ainda nos últimos engrimanços:

> "Antes de tudo, pronunciai sobre o sal: *Panem coelestem accipiat si nomen Domini invocabis*. Depois, recorrei ao *castelo de Belle*, jogai-o e esfregai-o, pronunciando o que segue: *Eunte ergo docentes omnes gentes baptizantes eos. In nomine Patris*, etc."

"Guarda contra a sarna. – "Quando Nosso Senhor subiu ao céu, deixou na terra a sua santa virtude:

"Pasle, Colet, e Hervê; tudo o que Deus disse foi bendito. Animal russo, branco ou preto, de qualquer cor que sejas, se houver alguma sarna em ti, que tenha sido posta e feita a nove pés na terra, é também verdade que ela ir-se-á embora e sairá, como S. João está na sua pele e foi nascido na sua casa; como José Nicodemos de Arimateia desceu o corpo do meu doce Salvador e Redentor Jesus Cristo, da árvore da cruz, no dia da sexta-feira santa."

Vós vos servireis, para o lançamento e as fricções das palavras seguintes, e recorrei para o que dissemos ao *castelo de Belle*:

> "Sal, lanço-te com a mão que Deus me deu. *Voto et vono Baptista Sancta Aca latum est*"

"Guarda para impedir aos lobos de entrarem no terreno em que estão as ovelhas. – Colocai-vos em frente do sol nascente e pronunciai cinco vezes o que segue. Se quereis pronunciá-lo uma só vez, fazei-o durante cinco dias seguidos:

"Vem, animal lanígero, é o Cordeiro de humildade, eu te guardo *Ave Maria*. É o cordeiro do Redentor que jejuou quarenta dias sem rebelião, sem ter tomado qualquer refeição do inimigo, foi tentado em verdade. Segue direito, animal pardo, traiçoeiro carnívoro; ide procurar a vossa presa, lobos e lobas e lobinhos; não tendes que vir a esta carne daqui. Em nome do Padre, do Filho e do Espírito Santo, e do bem-aventurado Santo Cervo. Também, *vade retro, Satan!*"

"OUTRA GUARDA. – "Animal lanígero, pego-te em nome de Deus e da Santíssima Virgem Maria. Peço a Deus que a ordenação que vou fazer dê proveito para a minha vontade. Eu te conjuro que rompas todos os sortilégios e encantamentos que poderiam ser passados em cima do corpo do meu vivo rebanho de animais lanígeros, que está presente diante de mim; que estão a meu cargo, sob minha guarda. Em nome do Padre, do Filho e do Espírito Santo e do senhor S. João Batista e do senhor Santo Abraão."

"Vede acima o que dissemos para operar no *castelo de Belle*, e servi-vos, para o lançamento e as fricções, das palavras que seguem:

"Páscoa florida, Jesus ressuscitou."

"GUARDA CONTRA A SARNA E A PESTE. – "Foi uma segunda-feira pela manhã que o Salvador do mundo passou, com a Virgem Santíssima; após si, o senhor S. João seu pastorinho, seu amigo, que procura seu divino rebanho, que está preso por este maligno cravo, que não tem mais poder, por causa dos três pastores que foram adorar o meu Salvador e Redentor Jesus Cristo, em Belém, e que adoravam a voz da criança."

"Dizei cinco vezes o *Pater* e a *Ave-Maria*.

"O meu rebanho, que me está sujeito, ficará são e belo. Rogo à senhora Santa Genoveva que me possa servir de amiga neste maligno cravo. Cravo banido por Deus, renegado por Jesus Cristo, eu te ordeno, da parte do grande Deus, que saias daqui, e que te vás derreter e te dissolver diante de Deus e de mim, como o orvalho se derrete diante do Sol. Gloriosíssima Virgem Maria e o Espírito Santo, cravo sai daqui, porque Deus t'o manda, tão verdadeiramente como José Nicodemos de Arimateia desceu o precioso corpo do meu Salvador e Redentor Jesus Cristo, no dia da sexta-feira santa, da árvore da Cruz: pelo Padre, pelo Filho, pelo Espírito Santo, digno rebanho de animais lanígeros, aproximai-vos daqui, de Deus e de mim. Eis a divina oferenda de sal que te apresento hoje; como sem o sal nada foi feito e pelo sal tudo foi feito, como o creio, pelo Padre, etc.

"Ó sal! Eu te conjuro, da parte do grande Deus vivo, que me possas servir para o que pretendo, que possas preservar e guardar o meu rebanho de sarnas, ronhas, quebrantos e más águas. Eu te mando, como Jesus Cristo, meu Salvador, mandou na barca aos seus discípulos, quando lhe disseram: Senhor, acordai-vos, porque o mar nos espanta. Logo, o Senhor se acordou, ordenou ao mar que parasse, por isso o mar ficou calmo, mandado pelo Pai, etc."

É evidente que é preciso ler:
Para a oração sobre o sal: *Panem coelestem accipiam et nomen Domini invocabo.*
Depois, mais abaixo:
Euntes ergo omnes gentes baptizantes eos, etc.

Os nomes de Pasle, Colet e Hervê são os dos pastores associados na obra magnética. Em lugar de *morrerá*, lede: *sairá*; e, na linha seguinte, lede: *casa*, em vez de *camelo*, que faz aqui um contrassenso tão absurdo e grotesco.

Numa das fórmulas seguintes, em lugar de *passe flori*, é preciso ler: páscoa florida (*pâque fleurie*)*.

A que vem depois, era, primitivamente, em versos e podemos ver, restabelecendo-a, como foi desfigurada:

> Foi uma segunda-feira de manhã,
> Jesus passou pelo caminho,
> A Santa Virgem junto a ele
> E o senhor S. João seu amigo,
> O senhor S. João seu pastorinho
> Que procura seu divino rebanho.
> Preso pelo maligno cravo,
> Maligno cravo que curará.
> E do meu rebanho sairá,
> Pelos três reis e os pastores,
> De Jesus Cristo adoradores
> Que foram a Belém,
> Passando por Jerusalém,
> E por sua vez se prosternando,
> Adorar a cruz do menino.

Este exemplo bastará para fazer entender até que ponto estão alterados e se tornaram ridículos os pequenos livros vulgares de feitiçaria e pretensa magia, que ainda ousam vender na roça.

Pode-se ver, assim, que, no seu princípio, estas fórmulas pertenciam a uma fé ardente e ingênua. Era em nome do menino nascido na manjedoura, dos pastores que vieram visitá-lo, de S. João Batista, o homem do deserto, sempre acompanhado de um cordeiro sem mancha, que os antigos pastores cristãos conjuravam os malefícios dos seus inimigos. Estas orações, ou antes estes atos de fé, eram pronunciados sobre o sal, tão salutar por si mesmo e tão indispensável à boa saúde dos rebanhos. Os nossos falsos sábios podem rir agora destes rústicos

---

* *Observação* – Estas correções já foram feitas na tradução. O leitor não deve estranhar a desconexidade destas fórmulas assaz vulgares e ignorantes.

encantadores; mas eles sabiam bem o que faziam, e o seu instinto, dirigido pela experiência, os guiava mais seguramente do que podia fazê-lo toda a pobre ciência daquele tempo.

Agora que a fé se enfraqueceu, na roça como em toda parte, estas ingênuas orações não têm poder nem prestígio. Pode-se, quando muito, procurá-las como monumentos curiosos da crença dos nossos avós. Encontramo-las nos engrimanços manuscritos e no *Enchiridion* de Leão III, pequeno livro muito célebre na Idade Média e cujas edições mais ou menos errôneas se multiplicaram até nossos dias. Extraímos e damos aqui as suas conjurações que passavam pelas mais eficazes.

Aqui começam as misteriosas orações do papa Leão III:

> Orações contra toda sorte de encantos, sortilégios, caracteres, visões, ilusões, possessões, obsessões, impedimento maléfico de casamento, e tudo o que pode chegar pelo malefício dos feiticeiros, ou pelo concurso dos diabos, e também muito proveitosas contra toda espécie de males que possam ser dados nos cavalos, jumentos, bois, vacas, carneiros, ovelhas e outras espécies de animais.

Oração: *Qui Verbum caro factum, est,* etc.

"O Verbo que se fez carne, foi pregado na cruz, é quem está assentado à direita do Pai, para atender às orações dos que creem nele, aquele que, pelo seu santo nome, todo joelho se dobra; é pelos méritos da bem-aventurada Virgem Maria, sua mãe, e também pelas orações de todos os santos e santas de Deus. Dignai-vos preservar esta criatura, F., de todos os que poderiam prejudicá-la, e dos ataques dos demônios, vós que viveis e reinais na unidade perfeita; porque eis † a cruz de Nosso Senhor Jesus Cristo, na qual está nossa salvação, nossa vida e nossa ressurreição, e a confusão de todos os que querem prejudicar-nos e dos espíritos malignos; fugi, pois, partes adversárias, porque vos conjuro, demônios do inferno, e vós, espíritos malignos de qualquer espécie que sejais, tanto presentes como ausentes, de qualquer modo que seja, e sob qualquer pretexto, quer sejais chamados ou invocados, quer venhais de boa vontade; ou sejais enviados; quer por encantamento, quer por arte dos homens malignos ou das mulheres; vos incitando para ficar ou para molestar. Até que abandoneis vossos enganos diabólicos, ide-vos incontinenti † pelo Deus vivo † verdadeiro † santo † Pai † Filho † e Espírito Santo. Especialmente por aquele † que foi crucificado como homem, no sangue do qual vencemos, quando S. Miguel combateu conosco, e fez preceder a vitória, e vos fez recuar à medida que vos aproximáveis, e que não passais, sob qualquer pretexto que seja, molestar ou incomodar esta criatura, nem no seu corpo, por visão, nem espanto, nem de dia, nem de noite, nem dormindo, nem acordado, nem comendo, nem orando, nem fazendo outra coisa, quer natural, quer espiritual : de outro modo, faço cair sobre vós † todas as maldições, excomunhões †, graus de penas e tormentos, como ser lançado no tanque de fogo e enxofre, pelas mãos dos vossos inimigos, pelo mando da Santíssima Trindade. S. Miguel Arcanjo pondo-o em execução. Porque se tomastes anteriormente algum laço de adoração, algum perfume, alguma determinação e afecção maligna, seja qual for, quer em ervas, quer em palavras, quer em pedras, quer em elementos, quer sejam naturais, simples ou mistas, temporais, espirituais, ou nos nomes do grande Deus e dos anjos, quer sejam em caracteres de horas, de minutos, de dias, de ano e de mês, observados supersticiosamente com pacto expresso, ou tácito, até fortificado por juramento. Quebro † todas estas coisas, anulo-as e as destruo pelo poder do Pai que criou todo o mundo †, pela sabedoria do Filho redentor †, pela bondade do Espírito Santo †, por aquele que cumpriu toda a lei que é †, que deve vir †, onipotente †, santo †, imortal † salvador †, que é composto de quatro letras †, Jeová †, Alfa e Ômega †, o começo e o fim. Que toda virtude diabólica seja, pois, destruída nesta criatura, e seja expulsa pela virtude da santíssima cruz, pela invocação dos anjos, arcanjos, patriarcas, profetas, apóstolos, mártires, confessores, virgens, e também da bem-aventurada Virgem e de todos os que vivem bem na santa Igreja de Deus. Retirai-vos, pois; e do mesmo modo que a fumaça do peixe miúdo, peixe queimado conforme o conselho de Rafael, pôs em fuga o espírito de que Sara estava atormentada, do mesmo modo estas bênçãos vos expulsam, a fim de que não ouseis vos aproximar desta criatura. Marcada pelo sinal da santa cruz, no espaço de cem mil passos, porque o meu mandamento não é o meu, mas daquele que foi enviado do seio do Pai, a fim de destruir as vossas obras, como as destruiu na árvore da cruz, nos deu um tal poder, para a glória e utilidade dos fiéis, para vos mandar, como vos mandamos e ordenamos, que não ouseis vos aproximar, por nosso Senhor Jesus Cristo †; eis a cruz do Senhor; fugi, partes adversárias; o leão da tribo de Judá venceu. Raiz de Davi, aleluia, amen, amen, fiat, fiat."

Eis as sete orações misteriosas que se devem dizer durante a semana:

Para o domingo – *Libera-me, Domine*, etc. Padre Nosso, etc.

"Livrai-me, eu vos peço, Senhor, vosso servo. F., de todos os males passados, presentes e futuros, tanto da alma como do corpo, e pela intercessão da bem-aventurada Virgem Maria, mãe de Deus, e dos vossos bem-aventurados apóstolos S. Pedro, S. Paulo e Santo André, com todos os vossos santos, dai-me favoravelmente a paz e vosso servo F., e a santidade em todos os dias da minha vida, a fim de que, sendo ajudado pelo auxílio da vossa misericórdia, esteja sempre livre da escravidão do pecado e de qualquer temor de perturbação. Pelo mesmo Jesus Cristo vosso Filho, Nosso Senhor, que, sendo Deus, vive e reina convosco na unidade do Espírito Santo, em todos os séculos dos séculos. Amém. Que a paz do Senhor esteja sempre comigo. Amém. Que a vossa paz celeste, Senhor, que deixastes aos vossos discípulos, fique sempre firme no meu coração, e esteja sempre entre mim e meus inimigos, tanto visíveis como invisíveis. Amém. Que a paz de Nosso Senhor Jesus Cristo, a sua face, o seu corpo e o seu sangue, venham em meu auxílio, F., pecador que sou, e me sirvam de uma favorável proteção e defesa, e de consolação para a minha alma e para o meu corpo. Amém. Cordeiro de Deus, que vos dignastes nascer da Virgem Maria, e carregar na árvore da cruz os pecados do mundo, tende piedade do meu corpo e da minha alma. Cordeiro de Deus, por quem todos os fiéis são salvos, dai-me, neste século e nos séculos futuros, uma paz eterna. Amém."

Para a segunda-feira – Ó *Adonai per quem*, etc.

"Ó Adonai! ó Salvador por quem todas as coisas foram postas em liberdade, livrai-me de todo mal. Ó Adonai! ó Salvador por quem todas as coisas foram socorridas, auxiliai-me em todas as minhas necessidades e angústias, negócios e perigos, e de todos os enganos dos meus inimigos visíveis e invisíveis, livrai-me †, em nome do Pai que criou tudo †, em nome do Filho que resgatou tudo †, em nome do Espírito Santo que realizou toda a lei, eu me recomendo inteiramente. Amém †. Que a bênção de Deus Pai Onipotente, que fez todas as coisas por uma só palavra, esteja sempre comigo. Amém. †. Que a bênção do Espírito Santo, com seus sete dons, esteja sempre comigo. Amém. Que a bênção da bem-aventurada Virgem Maria com seu Filho esteja sempre comigo. Amém."

Para a terça-feira – *Accipite et comedite*, etc.

"Que a bênção e a consagração do pão e do vinho que Nosso Senhor Jesus Cristo fez quando deu aos seus discípulos dizendo-lhes:

"Tomai e comei isto, porque é o meu corpo que será entregue por vós, em memória de mim. Amém. Que a bênção dos anjos e arcanjos, das virtudes, das principalidades, dos tronos, das dominações, dos querubins e serafins esteja sempre comigo. Amém. Que a bênção dos patriarcas, dos profetas, dos apóstolos, dos mártires, dos confessores, das virgens e de todos os santos e santas de Deus, esteja sempre comigo. Amém. Que a bênção de todos os céus de Deus estejam sempre comigo. Amém. † Que a majestade adorável me proteja; que a sua eterna bondade me governe; que a sua inextinguível Caridade me inflame; que a sua imensa bondade me dirija; que o poder do Pai me conserve; que a sabedoria do Filho me vivifique; que a virtude do Espírito Santo esteja sempre entre mim e meus inimigos visíveis e invisíveis. Amém. Poder do Pai, fortificai-me; sabedoria do Filho, livrai-me; consolação do Espírito Santo, consolai-me. O Pai é a Paz, o Filho é a vida, o Espírito Santo é o remédio da consolação e da salvação. Amém. Que a divindade de Deus me abençoe; que a sua humanidade me fortifique. Amém. Que a sua piedade me acalente; que o seu amor me conserve: ó Jesus Cristo, filho de Deus vivo, tende piedade de mim."

Para a quarta-feira – Ó *Emmanuel, ab hoste*, etc.

"Ó Emmanuel! defendei-me do espírito maligno e de todos os meus inimigos visíveis e invisíveis, de todo o mal; o Cristo rei veio em paz; Deus se fez homem, e sofreu com clemência por nós; que Jesus Cristo, rei pacífico, sempre esteja entre mim e meus inimigos. Amém. † O Cristo é vencedor †; o Cristo reina †; o Cristo impera †. Que o Cristo me defenda sempre de todo mal. Amém. Que Jesus Cristo ordene que eu seja vitorioso sobre os meus adversários. O leão da tribo de Judá venceu; ramo de Davi, aleluia, aleluia, aleluia. Salvador do mundo, salvai-me e socorrei-me, vós, que por vossa cruz e vosso preciosíssimo sangue, me resgatastes; ajudai-me, eu vo-lo peço, ó Deus, ó Agin, ó Theos †, *agios ischyros* †, *agios athanatos* †, *eleison himas*; Deus santo, Deus forte, Deus misericordioso e imortal, tende piedade de mim, F., vosso servo. Senhor, sede meu auxílio; não me abandoneis; não me considereis com desprezo, Deus meu salutar; mas vinde sempre em meu auxílio, Senhor Deus, meu Salvador."

Para a quinta-feira – *Ilumina oculos meos*, etc.

"Alumiai os meus olhos, Senhor, a fim de que não me adormeça nunca na morte, e que o meu inimigo não diga que foi mais forte que eu. Que o Senhor seja o meu auxílio, e não temerei o que o homem poderá fazer contra mim; meu benigníssimo Jesus Cristo, guardai-me, socorrei-me e salvai-me: que ao nome de Jesus todo joelho se dobre nos céus, na terra e nos infernos, e que toda língua confesse que Nosso Senhor Jesus Cristo está na glória de Deus Pai. Amém. Sei verdadeiramente, ó Jesus, que em qualquer hora e dia que vos invoque, serei salvo. Ó clementíssimo Senhor Jesus Cristo, Filho do Deus vivo, que, pela virtude de vosso nome preciosíssimo, fizestes e operastes tantos milagres, e que nos destes um remédio tão abundante para nós que tínhamos uma grande necessidade dele, porque, pela virtude do vosso nome, os Demônios fugiam, os cegos viam, os surdos ouviam, os coxos andavam, os mudos falavam, os leprosos eram curados, os doentes obtinham saúde e os mortos ressuscitavam; porque, quando se pronuncia o nome do vosso dulcíssimo filho Jesus, ouve-se uma doce melodia no ouvido, o mel se faz sentir na boca, o demônio foge, todo joelho se dobra, os espíritos celestes se alegram, as más tentações são vencidas, todas as enfermidades são curadas; ganham-se várias indulgências; os debates que se dão entre o mundo, a carne o diabo, são destruídos, e muitos outros bens provêm daí, porque quem quer que invoque o nome de Deus será salvo, este nome que foi chamado pelo anjo antes que fosse concebido no ventre."

Para a sexta-feira – *Ó nomen dulce*, etc.

"Ó doce nome, nome que fortifica o coração do homem, nome da vida, da salvação e da alegria; nome precioso, alegre, glorioso e gracioso; nome que dá força aos pecadores, nome que nos salva e que conduz e governa toda a máquina do universo. Praza, pois, a vós, ó piedoso Jesus! que, pela mesma virtude preciosíssima do vosso nome, vos digneis fazer fugir os Demônios diante de mim; iluminai-me, que sou cego; fazei que ouça, que sou surdo; guiai os meus passos, que sou coxo; fazei que possa falar, a mim que sou mudo; curai a minha lepra, dai-me a saúde, a mim que sou enfermo; despertai-me da morte, e rodeai-me inteiramente por dentro e por fora, a fim de que, estando munido com o vosso nome sacratíssimo, possa viver sempre em vós, louvando-nos e honrando-vos, a vós que sois digno de louvores, porque sois o gloriosíssimo Senhor, e o Senhor eterno, e o eterno Filho de Deus, no qual e pelo qual todas as coisas se alegram, e são governadas; a vós o louvor, a honra e a glória em todos os séculos. Amém. Que Jesus esteja sempre no meu coração, que Jesus esteja sempre na minha boca, que Jesus esteja sempre em todas as minhas entranhas. Amém. Que Deus meu Senhor Jesus Cristo esteja dentro de mim para me dar saúde; que esteja ao redor de mim para me guiar; que esteja atrás de mim para me conservar, diante de mim para me guardar, sobre mim para me abençoar; que esteja dentro de mim para me vivificar, junto a mim para me fortificar; que esteja sempre comigo para me tirar toda a pena de uma morte eterna, ele que, com o Pai e o Espírito Santo, vive e reina em todos os séculos. Amém."

Para o sábado – *Jesus Maria et filius*, etc.

"Que Jesus filho de Maria, Senhor e Salvador do mundo, me seja clemente e propício, que nos dê um espírito são e submisso, honre a Deus, e que nos conceda a libertação dos nossos males no lugar em que estamos: e ninguém pôs a mão nele, porque a sua hora ainda não tinha chegado, aquele que é, que era, e que será sempre Alfa e Ômega, Deus e homem, o começo e o fim; que esta invocação me seja uma eterna proteção. Jesus de Nazaré, rei dos Judeus, sinal de triunfo, filho da Virgem Maria, tende piedade de mim, conforme a vossa clemência, no caminho da salvação eterna. Amém. Mas Jesus, sabendo tudo o que lhe devia vir, adiantou-se e lhes disse: "A quem buscais?" Eles lhe responderam: "A Jesus de Nazaré." Jesus lhes disse: "Eu sou". Ora, Judas, que o traía, estava também presente com eles. Quando, pois, Jesus lhes disse: "Eu sou", eles recuaram e caíram por terra. Ele lhes perguntou ainda uma vez: "A quem buscais?" Eles disseram: "A Jesus de Nazaré." Jesus lhes respondeu: "Já vos disse que sou eu; se é, pois, a mim que procurais, deixai que estes se vão" †. Que Jesus, por mim feito vítima, me faça agradável a seus olhos, e que, enfim, minha alma purificada, estando separada do meu corpo, reine com ele nos céus. Amém. Jesus é o caminho †, Jesus é a vida †, Jesus é a verdade †, Jesus sofreu †, Jesus foi crucificado †, Jesus Cristo, filho do Deus vivo, tende piedade de mim. Mas Jesus, passando † no meio deles, estava de pé, e ninguém pôs a sua mão violenta sobre Jesus, porque a sua hora ainda não tinha chegado."

Oremus. Dulcissime Domine, etc.

"Dulcíssimo Senhor Jesus Cristo, Filho do Deus vivo, que respondestes aos judeus que vos queriam prender: "Eu sou; se é, pois, a mim que buscais, deixai que estes se vão"; então os judeus recuaram e caíram por terra. Assim, nesta hora não vos puderam fazer mal, como é verdade, e que creio também verdade e o confesso. Assim, meu benigníssimo Salvador Jesus Cristo, dignai-vos guardar-me agora e sempre de todos os inimigos que me procuram fazer mal, e fazei-os cair para trás, a fim de que me não possam fazer mal, de qualquer modo que seja, e que eu me retire em segurança das suas mãos, no caminho da paz e do repouso, para louvor a glória do vosso nome, que é bendito nos séculos dos séculos. Amém."

Estas orações, como se vê, são simplesmente muito piedosas e cristãs na sua simplicidade, e podem ainda ser a expressão da confiança e da vontade reta de um filho submisso da Igreja.

A oração feita em comum e conforme a fé ardente do maior número, constitui verdadeiramente uma corrente magnética, sendo o que entendemos pelo magnetismo exercido em *círculos*.

Os malefícios são perigosos só para os indivíduos isolados; importa, pois, principalmente às pessoas do mato, viver em família, ter a paz no seu lar e adquirir numerosos amigos.

É preciso também, para a saúde dos rebanhos, arejar e expor bem os currais, fazer bater bem o sol neles, podendo cobri-los com uma espécie de macadame de carvão de lenha, purificar as águas doentias com um filtro de carvão, dar aos animais sal, não mais exorcizado, porém magnetizado conforme as intenções do dono, evitar, tanto quanto possível, a vizinhança dos rebanhos que pertençam a um inimigo ou rival, esfregar as ovelhas doentes com uma mistura de carvão de lenha pulverizado e enxofre, depois renovar muitas vezes a sua cama de palha e dar-lhes ervas boas. Deve evitar-se também, com cuidado, a companhia de pessoas que sofrem doenças negras ou crônicas, nunca dirigir-se aos adivinhos de aldeia e enfeitiçadores, porque, consultando esta espécie de pessoas, o indivíduo se põe, de algum modo, debaixo do seu poder; enfim, é preciso ter confiança só em Deus e deixar a natureza operar.

Os padres passam, muitas vezes, por feiticeiros, na roça, e geralmente se crê que são capazes de exercer uma influência má, o que é verdade, infelizmente, para os maus padres; mas o bom padre, longe de levar a desgraça a alguém, é a bênção das famílias e dos lugares.

Existem também loucos perigosos que creem na influência do espírito das trevas, e não temem evocá-lo para fazer dele um servo de seus maus desejos; é preciso aplicar, a esses, o que dissemos das evocações diabólicas, e guardar-se bem, principalmente, de lhes dar crédito e de os imitar.

Para mandar nas forças elementares é preciso uma grande moralidade e uma grande justiça. o homem que faz um digno e nobre emprego da sua inteligência e da sua liberdade, é verdadeiramente o rei da natureza, mas os seres de figura humana que se deixam dominar pelos instintos do bruto, nem mesmo são dignos de mandar nos animais. Os sacerdotes do deserto eram servidos pelos leões e ursos.

Daniel, na cova dos leões, não foi tocado por nenhum destes animais esfomeados, e, com efeito, dizem os mestres na grande arte da Cabala, os animais ferozes respeitam naturalmente os homens, e somente se lançam sobre eles quando os tomam por outros animais hostis ou inferiores a eles. Com efeito, os animais comunicam-se pela sua alma física com a luz astral universal, e são dotados de uma intuição particular para ver o mediador plástico dos homens sob a forma que lhe deu o exercício habitual do livre-arbítrio.

Só o verdadeiro justo lhes aparece, no esplendor da forma humana, e são forçados a obedecer ao seu olhar e à sua voz; os outros os atraem como uma presa ou os espantam e irritam como um perigo. É por isso que, conforme o profeta Isaías, quando a justiça reinar na Terra, e quando os homens criarem os seus filhos na verdadeira inocência, uma criança guiará os tigres e leões, e se divertirá impunemente no meio deles.

A prosperidade e a alegria devem ser o apanágio dos justos; para eles, até a desgraça se muda em bênção, e a dor que os experimenta é como que o aguilhão do divino pastor que os força a andar sempre e a progredir nos caminhos da perfeição. O Sol os saúda de manhã e a Lua lhes sorri à tarde. Para eles, o sono é sem angústia, e os sonhos sem espanto; a sua presença abençoa a Terra e traz felicidade aos vivos. Feliz de quem se lhes assemelha! Feliz de quem os escolhe por amigos!

O mal físico é, muitas vezes, uma consequência do mal moral; a desordem segue, necessariamente, o erro. Ora, o erro em ação é a injustiça. A vida laboriosa dos habitantes do mato os faz, geralmente, duros e sensuais. Daí, uma multidão de erros no julgamento, e, como consequência, um desregramento de ação, que força a natureza a protestar e reagir. É este o segredo destes maus destinos que, às vezes, parecem prender-se a uma família ou casa. Os antigos diziam, então: – É preciso apaziguar os deuses ofendidos. – E dizemos ainda: – O bem mal adquirido não dá proveito; é preciso restituir-se, é preciso reparar o mal cometido, é preciso satisfazer a justiça ou a justiça se vingará de modo fatal.

Uma força, invencível se quisermos, nos foi dada para vencer a fatalidade: é a nossa liberdade moral. Com o auxílio desta força, podemos corrigir o destino e refazer o futuro. É por isso que a religião não quer que consultemos os adivinhos para saber o que acontecerá: quer somente que aprendamos dos nossos pastores o que devemos fazer. Que nos importam os obstáculos? Um bravo não deve contar seus inimigos, antes da batalha. Prever o mal é fazê-lo, de algum modo, necessário. Advirá o resultado do que tivermos querido: eis a profecia universal.

Observar a natureza, seguir as suas leis no nosso trabalho, obedecer em tudo à razão, sacrificar, se for preciso, o seu próprio interesse à justiça. Eis a verdadeira magia que traz felicidade, e os que agem assim, não temem nem a malícia dos enfeitiçadores, nem a feitiçaria dos pastores.

RESPOSTA A ALGUMAS QUESTÕES E CRÍTICAS

Primeira questão

Pergunta. – Esperais vós que católicos sérios aceitarão as vossas crenças cabalísticas, vossas interpretações filosóficas do dogma e até a vossa definição do catolicismo, isto é, da universalidade em matéria de religião?

Resposta. – Se por católicos sérios entendeis os que negam a civilização e o progresso, não, certamente, não o espero.

P. – Então sois protestante?

R. – Sim, se o indivíduo é protestante, quando crê na civilização e no progresso.

P. – Por que, então, vos chamais católico romano?

R. – Porque não creio que seja necessário excluir até os romanos da comunhão universal.

P. – Que esperais vós, se, embora chamando-vos católico, não esperais converter os verdadeiros católicos?

R. – Quereria levar a unidade hierárquica à integridade do dogma e à eficácia do culto as comunhões cristãs dissidentes, e isto é possível para as comunhões emancipadas pela Reforma, porque estas admitem a civilização e o progresso.

Segunda questão

P. – Fazeis vós milagres e ensinais o meio de fazê-los?

R. – Se por milagres entendeis obras contra a natureza ou efeitos não justificados pelas suas causas, não faço nem ensino a fazer semelhantes milagres. O próprio Deus não poderia fazê-los.

Terceira questão

P. – Que respondeis aos que vos acusam de credulidade, superstição e charlatanismo?

R. – Respondo que não leram meus livros, ou que, tendo-os lido, não os entenderam. Assim, um Sr. Tavernier, numa pretensa crítica sobre *A Chave dos Grandes Mistérios*, não duvidou em escrever que eu evocava *Archeo*, *Azoth* e *Hyle*, diabos bem conhecidos, acrescentou ele. Ora, quem não sabe que por Archeo os antigos entendiam a alma universal, por Azoth a substância mediadora, e por Hyle a matéria passiva?

Quarta questão

P. – Que respondeis vós aos que, como o Sr. Gougenot des Morisseaun, consideram abomináveis os vossos livros?

R. – Guardo-me bem de responder às suas injúrias por outras injúrias, e lamento-os por estarem sujeitos a crenças que se traduzem pelo juízo temerário e pelo insulto.

ÉLIPHAS LÉVI